LES TRAVAILLEURS
DE LA MER

Introduction et notes
par
Marc EIGELDINGER

Bibliographie mise à jour en 2012
par
Anne KERN-BOQUEL

Publié avec le concours du Centre national du livre

GF Flammarion

Du même auteur
dans la même collection

L'Art d'être grand-père.
Les Burgraves.
Les Chansons des rues et des bois.
Les Châtiments (édition avec dossier).
Claude Gueux (édition avec dossier).
Les Contemplations.
Cromwell.
Le Dernier Jour d'un condamné (édition avec dossier).
Les Feuilles d'automne. Les Chants du crépuscule.
Hernani (édition avec dossier).
La Légende des siècles (deux volumes).
L'homme qui rit.
Les Misérables (trois volumes).
Notre-Dame de Paris.
Odes et Ballades. Les Orientales.
Quatrevingt-treize (édition avec dossier).
Ruy Blas (édition avec dossier).
Théâtre I : Amy Robsart. Marion de Lorme. Hernani.
    Le roi s'amuse.
Théâtre II : Lucrèce Borgia. Ruy Blas. Marie Tudor.
    Angelo, tyran de Padoue.
Les Travailleurs de la mer.
William Shakespeare (édition avec dossier).

© Paris, Flammarion, 1980.
Édition mise à jour en 2012.
ISBN : 978-2-0812-7531-7

INTERVIEW

Parce que la littérature d'aujourd'hui se nourrit de celle d'hier, la GF a interrogé des écrivains contemporains sur leur « classique » préféré. À travers l'évocation intime de leurs souvenirs et de leur expérience de lecture, ils nous font partager leur amour des lettres, et nous laissent entrevoir ce que la littérature leur a apporté. Ce qu'elle peut apporter à chacun de nous, au quotidien.

Né en 1947, Patrick Grainville est romancier. Il est notamment l'auteur des Flamboyants, *pour lequel il a obtenu le prix Goncourt en 1976, et a récemment fait paraître, au Seuil,* Lumière du rat *(2008),* Le Baiser de la pieuvre *(2010) et* Le Corps immense du président Mao *(2011). Il a accepté de nous parler des* Travailleurs de la mer, *et nous l'en remercions.*

**Quand avez-vous lu ce livre pour la première fois ?
Racontez-nous les circonstances de cette lecture.**

C'est au lycée que j'ai découvert *Les Travailleurs de la mer*, lors d'une dictée punitive infligée à la classe qui avait bavardé. Il s'agissait de la fameuse description de la pieuvre, livre IV, deuxième partie. J'ai cru d'abord que c'était un gag, tant le langage proliférait dans tous les sens, des images de toutes sortes qui scandalisaient les élèves déjà formatés selon notre bon classicisme français, lequel exige économie, clarté. J'étais plongé dans une stupeur fascinée, assez excité, quelque chose se révélait à moi… Jusqu'ici je pensais que la littérature devait témoigner le plus exactement possible de la réalité. Dans ce passage, c'était la manière de Hugo qui s'imposait, sa liberté, son culot, son imagination débordante. Je venais de découvrir la création littéraire, l'emprise de l'auteur sur le monde, sa capacité de le restituer en le recréant, en le chargeant de mille résonances, révolutions inédites. La pieuvre est tour à tour « un chiffon »… « une loque »… « un parapluie »… « soudain elle s'ouvre »… « elle a un aspect de scorbut et de gangrène »… « c'est mou »… « épouvantable sac »… « il n'y a rien dedans »… c'est une « hideuse étoile de la mer »… c'est « Méduse servie par huit serpents »… enfin, « l'hydre harponne l'homme » !… Ces guirlandes d'images discordantes me bluffèrent. Des années plus tard, en relisant le passage, j'y ai vu une sorte de jeu verbal surréaliste, une variante de l'écriture automatique, de ses associations libres, une fabrication d'objet ludique, quelque chose comme une pieuvre de Picasso ! Étant devenu moi-même professeur, je faisais étudier le texte à mes élèves dans ce sens.

**Votre coup de foudre a-t-il eu lieu dès le début
du livre ou après ?**

En fait, les deux à la fois. Effraction d'un objet littéraire inconnu, d'un ovni, et initiation graduelle à l'invention littéraire. Quand je lis aujourd'hui Hugo, j'admire et je ris. Je ne ris pas parce que je me moque, c'est un rire de jubilation. Il ose tout, parfois il exagère et cela me réjouit, ses antithèses sont irrésistibles, ménageant toujours des effets de surprise.

Relisez-vous ce livre parfois ? À quelle occasion ?

Hugo me booste quand je suis déprimé, quand je doute de la littérature. C'est un euphorisant puissant qui me scotche à ses tours de force, à son héroïsme du verbe. Il me rend plus libre, me donne envie d'écrire. Je suis né au bord de la Manche et cette mer me décevait, me plombait par sa petitesse, sa grisaille bovaryque. Hugo dans *Les Travailleurs de la mer* la transforme en chanson de geste, en fait un lieu d'aventures et de visions extraordinaires. Du coup, j'ai appris de lui que tout est une question de regard et d'imagination. Marguerite Duras, que j'ai connue à la fin de sa vie, m'invitait, lors de promenades en voiture, à contempler la Manche qu'elle trouvait sublime et où elle affirmait revoir les couleurs mélancoliques du Mékong ! Il a fallu rien moins que Hugo, Flaubert, Maupassant, Duras pour me réconcilier avec la Manche, ma mer natale.

Est-ce que cette œuvre a marqué vos livres ou votre vie ?

Oui, dans la mesure où mon tempérament littéraire me portait à l'image, à l'adjectif expressif et concret, à l'épopée, au burlesque aussi, toutes choses dont je m'étais régalé dans Hugo. J'ai écrit récemment *Le Baiser de la pieuvre* ! J'ai écrit aussi *Les Anges et les Faucons* dont le décor est, en partie, Notre-Dame de Paris. J'aime la luxuriance des mots, excès que le bon goût français réprouve. Il faut écrire sec, moi non. Hugo fait partie des auteurs qui m'encourageaient à enfreindre le tabou. Il a écrit : « Le bon goût est une précaution prise par le bon ordre. Les écrivains sobres sont le pendant des électeurs sages. »

Quelles sont vos scènes préférées ?

Le sommet du livre occupe toute la deuxième partie, à peu près cent soixante-dix pages de morceaux de bravoure ininterrompus. La description des rochers monstrueux, les deux Douvres, de l'Écueil criblé de trous et de remous serpentins, de la Mer infinie, de la Nuit difforme, de la Caverne, de la Pieuvre, de la Tempête, tout cela est prodigieux. Je mets des majuscules car Hugo transforme les choses en entités fantastiques, en objets hallucinatoires. Les deux Douvres, par exemple, sont deux rochers qui forment les piliers d'un H géant dont la barre horizontale est constituée par le bateau à vapeur, la Durande, coincé entre leurs abrupts. C'est la figuration du H de Hugo, comme s'il signait le paysage, y dressait le portique monstrueux et magique de son moi le plus ténébreux.

L'évocation de la caverne de la pieuvre est féerique, c'est une bijouterie minérale aux arabesques rutilantes et, en même temps, Hugo en souligne le caractère labyrinthique, obscur et visqueux. Il fait naître au centre de ce cloaque illuminé la vision de Vénus ! Nue et blanche.

Le grand combat de Gilliatt avec l'ouragan est un travail d'Hercule, qui est raconté par paroxysmes successifs ; on croit avoir atteint le sommet de l'horreur, mais Hugo nous réserve un échelon de plus dans la fureur des eaux, du vent, des tourbillons. C'est l'ascension d'Himalayas successifs. N'est-il pas l'abominable homme des mots ? ! Et c'est dans ces moments forcenés qu'il provoque chez moi un rire d'admiration.

Y a-t-il, selon vous, des passages « ratés » ?

Il est clair que le long prologue, « L'archipel de la Manche », géographique et historique, peut être sauté par un jeune lecteur. Ensuite commence une sorte de roman de sombres contrebandiers très feuilletonnesque et qui séduit toujours. Comme je l'ai déjà dit, la deuxième partie est extraordinaire. Mais la troisième n'est plus tout à fait du goût d'aujourd'hui. On risque de la trouver ratée, car Hugo y développe un autre aspect de son tempérament, son côté fleur bleue. Il raconte le coup de foudre entre Déruchette, l'héroïne juvénile, et un jeune pasteur blond et beau aux dépens du héros principal, Gilliatt, amoureux de la belle. Hugo, cette fois, donne non plus dans les redondances sinistres, mais éthérées. Déruchette est un ange, un oiseau, une bergeronnette, une fauvette ! Une Cosette heureuse. Dès que Hugo est dans les diminutifs, c'est mauvais signe, il tourne au papa un peu gâteau, au Père Noël. Mais chez lui le Père Noël peut maquiller un ogre. Ce qui nous paraît un peu tartignole aujourd'hui et raté correspond pourtant à l'univers profond de Hugo, à son désir aussi. Il en pince pour les demoiselles angéliques, les bergères ingénues. Je lis ces pages un peu comme je vois les moments naïfs des westerns de John Ford. Même génie épique et même tendance à faire alterner la chevauchée fantastique et le bal des débutantes. Cela devient un charme à la longue. Un code. Une certaine bêtise nous enchante car elle nous ramène à une mythologie originelle, une rêverie d'idéal, de princesses, etc.

**Cette œuvre reste-t-elle pour vous,
par certains aspects, obscure ou mystérieuse ?**

La grande question justement se tient là, car Hugo, dans *Les Travailleurs de la mer*, plonge au cœur même de l'obscur et du mystère du monde. C'est son sujet central. Il multiplie les références à la Nuit, à l'Énigme, à l'Inconnu, à l'Ignoré. Tout un chapitre est consacré au sujet, mêlant mer-nuit-écueil. Hugo écrit son roman dans son exil de l'île de Guernesey cernée par les eaux. Il entre dans la contemplation de la mer et s'y perd. Littéralement, il bée devant l'infini, s'exorbite dans le chaos aquatique, au bord de la folie. Il sonde l'innommable, le grouillement des formes, les profondeurs insondables, il interroge le ciel nocturne, les météores. Il pose la fameuse question métaphysique du « Pourquoi ? », que je me pose comme tout le monde. Du sens de l'univers et de la destinée. Et il le fait avec un rare frisson d'authenticité. L'inconnu marin le travaille, le tourmente jusqu'à l'hallucination, la question du diable et de Dieu. Hugo est d'abord l'écrivain du mystère. Il écrit : « C'est l'Ombre. L'homme est là-dessous. » Nous sommes des passagers du grand mystère de la création. Nul mieux que Hugo n'en évoque l'extase noire. Un sentiment de terreur devant l'abîme de l'impensable qui fonde justement l'homme, sa condition. Je sens très fort son interrogation éperdue que Dieu vient combler, en partie. Moi, je suis agnostique, j'accepte l'aventure d'être versé au monde par hasard. Je reste étonné plus qu'épouvanté dans ce qui va m'anéantir. J'essaie de dire oui. Avec imprudence...

Un autre aspect du mystère et de l'obscur apparaît dans le roman avec la question des monstres, de la pieuvre, du mal, de la malice. Hugo excelle à traiter de ces choses, il y trouve son maximum de visions créatrices. On dirait, aujourd'hui, qu'il interroge notre « part maudite », notre inconscient monstrueux, l'Impossible en nous et dans le monde, ce qui ne saurait être traduit : peurs primitives, effrois, pulsions... instinct de mort et de destruction. Les mots, voire la psychanalyse, seront toujours en retard et en deçà de ce continent immergé. Il y a ce tréfonds aveugle pour nous tous. Hugo y plonge, hagard.

**Quelle est pour vous la phrase ou la formule
« culte » de cette œuvre ?**

C'est, je crois : « Il était désormais dans un songe. »
Gilliatt, le héros, au milieu de la mer, sombre dans la
rêverie du monde. Rien n'est plus profond que le
songe chez Hugo, plus dangereux aussi, car il est illimité jusqu'à la folie. Cette phrase peut être développée
par la suivante qui évoque toujours la nuit innommable, l'écueil difforme, les rochers colossaux dissi-
mulant dans la mer leurs labyrinthes et la pieuvre
embusquée : « L'Horrible est là, idéal. » L'adjectif
« idéal », paradoxal, représentatif de l'antithèse chère
à Hugo, est merveilleux. C'est un scoop qui vous scie !
C'est là que je ris, car je suis surpris et j'adore. Il fait
fort. Plus loin il parle de l'océan comme d'une « ruche
d'hydres » ! Et ça y va pendant cent soixante-dix pages.
Un déluge de création.

**Si vous deviez présenter ce livre à un adolescent
d'aujourd'hui, que lui diriez-vous ?**

Saute le prologue si tu ne te sens pas d'attaque ! *Les
Travailleurs de la mer* tiennent de la bande dessinée et
du jeu vidéo guerrier. Un héros, Gilliatt, y affronte un
cortège d'obstacles de plus en plus infranchissables. Il
y fera preuve de toute-puissance, d'une domination
absolue, ce qui, si on y réfléchit, est dangereux… Mais
il va s'effondrer devant une jolie fille qui ne l'aime
pas ! Gilliatt pourrait très bien être reconverti en héros
de Star Wars, il suffirait de remplacer le bateau à
vapeur par un engin spatial. Impossible avec la princesse de Clèves qui ne saurait chevaucher une fusée.
(Cela dit, c'est un très beau roman, mais pas hugolien.) Le roman de Hugo présente aussi des affinités
avec le film d'horreur, quand la pieuvre glisse hors de
sa fissure un bras, puis deux, trois tentacules qui
emmaillotent Gilliatt. Une fois qu'il a coupé la tête du

monstre, il découvre le crâne ricanant du cynique Clubin couvert de crabes. C'est gore…

Autre point intéressant, la virtuosité de Hugo dans la sécrétion intarissable d'images a quelque chose d'instinctif, de gestuel. C'est un art de la vitesse d'abord, les images fusent. Hugo ne les cherche pas, il les trouve. Elles s'allument et se propagent comme un incendie merveilleux. Cette vitesse est paradoxalement liée à la redondance qui, au lieu de la ralentir, la relance, la propulse dans une contagion sans frein. Il y a du rap chez Hugo, dans *Les Travailleurs de la mer*, et je le dis sans complaisance. Une hâte mêlée à des effets de hache. Tout à coup, des phrases courtes, superposées dans la page, sans construction. Une spontanéité à connecter, à entrechoquer des échos, des rimes, des redondances aux variations inventives. Hugo opère d'inépuisables transformations, parfois incongrues, choquantes, fascinantes, rigolotes comme avec la pieuvre…

*
* *

**Avez-vous un personnage « fétiche »
dans cette œuvre ? Qu'est-ce qui vous frappe,
séduit (ou déplaît) chez lui ?**

Toutes les questions qui précèdent nous ramènent évidemment à Gilliatt, le héros central, qui les porte. C'est lui qui incarne l'épopée. Il est un double primitif de Hugo, moins intelligent que Jean Valjean mais beaucoup plus que Quasimodo. C'est la part d'ombre et de rumination des songes propre à Hugo, comme on l'a vu. C'est aussi son désir de Déruchette ! Hélas… Il est héroïque et misérable. Gilliatt le Malin. Herculéen et damné. Il a partie liée avec le diable mais, en fait, c'est un ange exilé sous la carapace d'un pêcheur barbare.

Il est la synthèse de beaucoup de contradictions hugoliennes. Il est « Hanté » ! Il est l'« Homme », il est
l'« Hombre ». Amusons-nous !

Ce personnage commet-il, selon vous, des erreurs au cours de sa vie de personnage ?

Comme je l'ai dit, il est difficile de critiquer un personnage de Hugo au nom des valeurs d'aujourd'hui et
de nos goûts. N'empêche qu'on est navré de voir sombrer un héros de cette trempe. Il surmonte les obstacles les plus pharamineux, grand ouvrier onirique
capable de récupérer, à lui tout seul, le moteur d'un
bateau à vapeur incrusté entre deux écueils, athlète
cosmique qui voltige entre les gouffres. À lui tout seul
il aurait sauvé le Titanic ! Or, le voilà qui s'efface sans
combattre devant un rival ingénu et niais. Il pousse le
masochisme jusqu'à marier quasiment les deux tour-
tereaux ! Puis il se suicide. Il semble qu'il pourrait
déployer aux yeux de Déruchette les ressources de sa
séduction ténébreuse, justement. Hugo nous le décrit
ainsi : « Il n'était pas laid. Il était beau peut-être. » Là
encore, j'admire et je ris devant ce génial petit « peut-
être ». Car il pose toute la question moderne de la
beauté. Le beau n'est pas le joli, c'est le puissant,
l'envoûtant. L'expression même de la création, de son
souffle. Aujourd'hui Gilliatt aurait toutes les chances
de passer pour vraiment beau. Déruchette, la vierge,
préfère épouser un cierge, un jeune pasteur cucul, un
minet. Elle aurait pu embrasser un abîme humain.
Convoler avec un monstre sacré !

Quel conseil lui donneriez-vous si vous le rencontriez ?

Sois plus gourmand, trouve une Esmeralda à ta
taille ! Et si tu t'obstines à vouloir Déruchette, alors,
point de sacrifice, mets le paquet, montre-lui ce que tu
sais faire, emmène-la sur la mer, dans ton bateau :

après deux ou trois pieuvres vaincues, trois ou quatre ouragans domptés, elle va être éblouie.

Si vous deviez réécrire l'histoire de ce personnage aujourd'hui, que lui arriverait-il ?

Il resterait pêcheur, mais affronté à une centrale nucléaire polluante qui décimerait le poisson. On passerait de Guernesey à La Hague, autre H très hugolien. On pourrait imaginer aussi un combat entre Gilliatt, pêcheur africain, sur sa barque, s'opposant à une horde de navires-usines chinois ou japonais pratiquant la pêche industrielle qui épuise la ressource. La pieuvre pourrait devenir une mutante infiniment plus irradiante que celle de Hugo, Octopus intersidéral de choc et de charme chez Spielberg, Lucas, Alien absolument laid, absolument beau. Une Vénus à huit bras élastiques, parsemée de ventouses électrisantes... Hugo est tout à fait à la page et ajustable.

*
* *

Quelle question auriez-vous aimé que l'on vous pose ?

Justement, l'incarnation du féminin dans le roman du XIXe siècle. Peut-on s'en tenir à Déruchette ou rien ? Zola avec Nana ose plus que Victor Hugo qui feint d'être nunuche. Nana tombant dans les bras de Gilliatt ? Emma Bovary trouvant enfin un amant à la mesure de ses rêves ?

Le mot de la fin ?

Jouer, créer, oser : rire ! L'invention, c'est la vraie vie.

CHRONOLOGIE

1797: Léopold, le «sans-culotte Brutus Hugo» épouse Sophie Trébuchet, «Vendéenne».

1798 (novembre): Naissance, à Paris, d'Abel, frère aîné de Victor Hugo.

1800 (septembre): Naissance, à Nancy, d'Eugène, second frère de V. H.

1802 (26 février): Naissance, à Besançon, de Victor-Marie Hugo; pas de baptême; parrain civil: Lahorie.
(avril): Léopold Hugo, muté à Marseille, quitte Besançon, avec femme et enfants.
(novembre): Sophie à Paris.

1803 (février): Léopold à Bastia, avec ses trois fils.
(mai): Porto-Ferrajo (île d'Elbe). Léopold y rencontre une jeune Corse, Catherine Thomas, qui le suivra dans ses déplacements et deviendra sa seconde femme en 1821.

1804 (février): Sophie s'installe à Paris avec ses trois fils, 24, rue de Clichy, où se cachera le général Lahorie, compromis dans la conspiration de Cadoudal et Pichegru.

1806 (10 avril): Naissance de Juliette-Joséphine Gauvain (Juliette Drouet).

1809 (juin): Installation de Sophie et de ses fils aux Feuillantines; Lahorie s'y cache; les enfants jouent dans le jardin avec Victor et Adèle Foucher.

1811 (mars): Sur ordre de Joseph Bonaparte, roi d'Espagne, Sophie et ses enfants rejoignent Léopold à Madrid, où celui-ci vit avec Catherine Thomas.

1812 (avril) : Retour à Paris de Sophie, Eugène et Victor ; Abel reste à Madrid, avec son père.
(octobre) : Lahorie est fusillé, après l'échec du complot royaliste fomenté par le général Malet.

1814 : Les époux Hugo entament un procès qui aboutira à la séparation en 1818 ; les enfants retombent sous l'autorité paternelle.

1815 (février) : Eugène et Victor internes à la pension Cordier.
(septembre) : Victor inaugure son premier *Cahier de vers français*.

1818 (septembre) : Retour au domicile maternel.
(novembre) : Première inscription de Victor à la Faculté de droit (études abandonnées en 1821). *Bug-Jargal*, 1re version.

1819 (mars) : Odes royalistes couronnées aux Jeux Floraux de Toulouse.
(avril) : V. H. et Adèle Foucher s'avouent leur amour.
(décembre) : *Le Conservateur littéraire*, revue fondée par les frères Hugo.

1820 (mars) : *Ode sur la mort du duc de Berry ;* gratification de Louis XVIII. Publication de *Bug-Jargal* dans *Le Conservateur littéraire*.
(décembre) : V. H. décline l'offre, faite par Chateaubriand, d'un poste à l'ambassade de Berlin.

1821 (avril) : Pour mieux affirmer sa fraternité, Vigny signe sa lettre à V. H. de ses deux prénoms : Victor-Alfred.
(27 juin) : Mort de la mère de V. H.
(octobre) : V. H. achève les quinze premiers chapitres de *Han d'Islande*.

1822 (janvier) : Nouveau refus à Chateaubriand, qui offrait un poste à Londres.
(juin) : *Odes et Poésies diverses ;* pension royale de mille francs.

(novembre): V. H. demande à son père l'autorisation de se consacrer aux lettres.

(12 octobre): Mariage avec Adèle Foucher; témoin de V. H., Vigny. Une crise de folie frappe Eugène au repas du soir.

1823 (février): Publication de *Han d'Islande*, quatre petits volumes sans nom d'auteur. Nouvelle revue: *La Muse française*; V. H. parmi les fondateurs.

(juillet): Naissance de Léopold-Victor, qui mourra en octobre.

1824 (mars): *Nouvelles Odes*.

(28 août): Naissance de Léopoldine. Marraine: Catherine, seconde femme du général Hugo.

(septembre): Mort de Louis XVIII.

1825 (avril): Les époux et l'enfant à Blois, chez le père de V. H. Légion d'honneur à Lamartine et à V. H., en récompense « des nobles efforts [...] pour soutenir la cause sacrée de l'Autel et du Trône ».

(mai): Hugo rentre seul à Paris. *Ode sur le Sacre*.

1826: *Bug-Jargal*, 2ᵉ version, sans nom d'auteur.

(2 novembre): Naissance de Charles.

(novembre): *Odes et Ballades*. Naissance de Claire, fille du sculpteur Pradier et de Juliette Drouet.

1827: Début de l'amitié avec Sainte-Beuve.

(décembre): *Cromwell* et sa *Préface*.

1828 (29 janvier): Mort du père de V. H.

(2 février): *Amy Robsart*, échec: une seule représentation.

(21 octobre): Naissance de Victor — qui signera François-Victor.

1829 (janvier): *Les Orientales*.

(février): *Le Dernier Jour d'un condamné*. *Un duel sous Richelieu (Marion de Lorme)*, reçu par la Comédie-Française, est interdit par la censure de Charles X. V. H. refuse les places offertes et l'augmentation de sa pension.

1830 (25 février): Première représentation d'*Hernani*.

(28 juillet): Naissance d'Adèle.

1831 (mars) : *Notre-Dame de Paris*. Crise conjugale.
(août) : Première de *Marion de Lorme*.
(novembre) : *Les Feuilles d'automne*.

1832 (octobre) : Installation 6, place Royale (place des Vosges). V. H. y logera jusqu'en 1848.
(novembre) : *Le Roi s'amuse*, aussitôt interdit.

1833 (Nuit du 16 au 17 février) : Début de la liaison avec Juliette Drouet, qui durera cinquante ans.
(février) : *Lucrèce Borgia*.
(mai) : *Han d'Islande*, nouvelle édition et *Préface*.
(novembre) : *Marie Tudor*. Juliette, sifflée, abandonne le rôle de Jane.

1834 (janvier) : *Étude sur Mirabeau*.
(mars) : *Littérature et Philosophie mêlées*.
(avril) : Rupture définitive avec Sainte-Beuve. Insurrection de Paris. Massacre de la rue Transnonain.
(juillet) : *Claude Gueux*, dans la *Revue de Paris*.
(août) : Voyage avec Juliette, en Bretagne ; dès lors, traditionnel voyage d'été : Picardie et Normandie (1835) ; Bretagne et Normandie (1836) ; Belgique (1837) ; Champagne (1838) ; Rhin (1839-1840) ; Pyrénées, Espagne (1843).

1835 (avril) : *Angelo, tyran de Padoue*.
(octobre) : Candidat à l'Académie française. *Les Chants du crépuscule*.

1836 : Début des relations avec Auguste Vacquerie.
(février) : 2 voix à l'Académie.
(décembre) : Nouvel échec, 4 voix. Après un troisième échec en février 1840 (une élection nulle en décembre 1839), V. H. sera élu le 7 janvier 1841 et reçu le 3 juin.

1837 (20 février) : Mort d'Eugène, à Charenton ; son titre de vicomte passe à V. H. ; celui-ci est présenté au duc et à la duchesse d'Orléans.
(juin) : *Les Voix intérieures*.
(21 octobre) : « Tristesse d'Olympio ».

1838 (8 novembre) : Première de *Ruy Blas*.

1839 (juillet) : Barbès condamné à mort ; poème « Au roi

Louis-Philippe ». Manifestations à Paris ; Louis-Philippe commue la peine en travaux forcés à perpétuité.
(août) : Adèle et les enfants à Villequier, chez les Vacquerie ; Léopoldine y rencontre le frère d'Auguste : Charles.

1840 (mai) : *Les Rayons et les Ombres*.
(14 décembre) : *Le Retour de l'Empereur*, Ode publiée en brochure.
(15 décembre) : Transfert des cendres de Napoléon aux Invalides.

1842 (janvier) : *Le Rhin*.
(13 juillet) : Mort du duc d'Orléans. V. H. présente à Louis-Philippe les condoléances de l'Institut.

1843 (14 février) : Mariage de Léopoldine et de Charles Vacquerie.
(7 mars) : Première des *Burgraves* ; échec.
(printemps) : Rencontre de Léonie Biard.
(4 septembre) : Léopoldine et Charles se noient dans la Seine, près de Villequier.
(9 septembre) : V. H., ouvrant *Le Siècle*, y lit le récit du drame. Ébranlement religieux, — « je crois, j'attends une autre vie ».
(novembre) : Début de la liaison avec Mme Biard.

1845 (13 avril) : V. H. pair de France.
(juillet) : V. H. et Léonie surpris en flagrant délit d'adultère ; Léonie en prison puis au couvent.
(novembre) : V. H. commence à écrire un roman, *Les Misères*, qui deviendra *Les Misérables*.

1846 : Mort de Claire Pradier, à l'âge de vingt ans.

1847 (14 juin) : Discours en faveur du retour en France de Louis-Napoléon Bonaparte.

1848 (février) : V. H. interrompt la rédaction des *Misères* ; il tente en vain de faire proclamer la régence de la duchesse d'Orléans, puis, la République proclamée, repousse l'offre de Lamartine : la mairie du 8ᵉ arrondissement et le ministère de l'Instruction publique.
(4 juin) : V. H. — qui ne se présentait pas — est élu député de Paris, septième de la liste ; huitième. Louis-

Napoléon démissionne. V. H. se sépare peu à peu de la droite.

(15 septembre) : Discours contre la peine de mort à la Constituante.

(août) : *L'Événement*, fondé par V. H. et ses fils, Paul Meurice et Auguste Vacquerie, publie d'abord un article réservé sur la candidature de Louis Bonaparte à la présidence de la République.

(septembre) : *L'Événement* publie un article plutôt favorable à la candidature de Lamartine.

(novembre) : *L'Événement* apporte son soutien à Louis-Napoléon.

(10 décembre) : Louis-Napoléon est élu à la présidence.

1849 (9 juillet) : Discours sur la misère à l'Assemblée : acte décisif de la vie politique de V. H. ; sa rupture avec la droite est consacrée avec les interventions sur l'enseignement (loi Falloux), la liberté de la presse et la déportation.

1850 (21 août) : Discours sur la tombe de Balzac.

1851 (10 février) : Première attaque directe contre Louis-Napoléon à la Législative.

(11 juin) : Charles est condamné à six mois de prison ferme pour un article de *L'Événement* contre la peine de mort.

(septembre) : *L'Événement*, interdit, est aussitôt remplacé par *L'Avènement du peuple*, saisi à son tour. François-Victor et Paul Meurice sont condamnés à neuf mois de prison.

(2 décembre) : Coup d'État du prince-président. Élu membre du comité de résistance, V. H. court les barricades et tente en vain de soulever le peuple.

(11 décembre) : Début de l'exil, V. H. fuit en Belgique, où Juliette le rejoint, avec une malle de manuscrits. Rédaction d'*Histoire d'un crime*.

1852 (août) : *Napoléon-le-Petit*, pamphlet écrit en un mois. Départ pour Jersey, installation à Marine-Terrace.

1853 (septembre) : Mme de Girardin, de passage à Jer-

sey, initie les Hugo, d'abord réticents, au spiritisme.
(11 septembre): Première séance réussie. Léopoldine
reconnue sous le nom d'*âme soror*.
(15 septembre): Les Tables ordonnent à V. H. de ter-
miner *Les Misérables*.
(novembre): *Les Châtiments*.

1854: V. H. travaille aux *Contemplations*, à *La Fin de
Satan*, à *Dieu*. Il se bat pour le condamné à mort de
Guernesey, Tapner.
(10 février): Exécution de Tapner.

1855 (octobre): Le proscrit Jules Allix, participant aux
séances des Tables, est interné pour démence furieuse;
V. H. décide de mettre fin aux séances. Expulsion de
trente-cinq proscrits de Jersey.
(31 octobre): V. H. et François-Victor se rendent à
Guernesey, à l'hôtel de l'Europe; Juliette s'installe
dans une pension de famille.

1856 (avril): *Les Contemplations*.
(mai): V. H. achète Hauteville House; emménage-
ment en novembre.
(décembre): Première attaque de la grave maladie ner-
veuse d'Adèle, fille de V. H. V. H. travaille à *Dieu*;
Nombreux dessins; conception de *L'Ane*.

1857 (17 mars): Hetzel conseille à Hugo de remettre à
plus tard *La Fin de Satan* et *Dieu* et l'engage à composer des poèmes narratifs — annoncés déjà en 1856 —
Les Petites Épopées, qui deviendront *La Légende humaine*, puis *La Légende des Siècles* (1859).
(décembre): Juliette s'installe dans la maison de « la
Fallue » d'où elle peut voir V. H. à son balcon.

1858: V. H. achève *La Pitié suprême*.
(janvier): Première faille parmi les proscrits: Adèle et
sa fille retournent à Paris; Adèle renoue aussitôt avec
Sainte-Beuve. Les deux femmes rentreront à Guernesey en mai, avec Auguste Vacquerie. Mort de la duchesse d'Orléans.
(juin): Douleur au larynx, furoncles: Hugo, gravement
malade, interrompt tout travail pour trois mois.
(septembre): Guéri, V. H. se remet au travail.

1859 (18 août): V. H. refuse l'amnistie offerte par Napoléon III; les deux tiers des proscrits décident de rentrer en France.

(septembre): *La Légende des Siècles, Première Série*.

(novembre): Après avoir achevé *Les Chansons des rues et des bois*, V. H. se remet à *La Fin de Satan*.

1860 (février): Adèle part seule pour Paris; retour en mars. Achèvement de *L'Ange Liberté*.

(25 avril): V. H. reprend le manuscrit des *Misérables*.

(fin mai): Il met en route *Philosophie, commencement d'un livre*, texte envisagé d'abord comme une vaste préface pour *Les Misérables*.

(14 mai): V. H. à Jersey, pour un meeting de soutien à Garibaldi.

1861 (25 mars): V. H. quitte Guernesey, avec le manuscrit des *Misérables*; Juliette et Charles l'accompagnent, Londres, Bruxelles: ainsi reprennent les traditionnels voyages d'été: Belgique (1861, 62, 64, 65, 68, 69); Allemagne (1862, 63, 64, 65); Luxembourg (1862); Hollande (1867); Suisse (1869).

(7 mai): A Waterloo.

(3 septembre): Retour à Guernesey.

1862 (mars): Publication, à Bruxelles, de la Iʳᵉ Partie des *Misérables*; à Paris, en avril.

(mai): A Bruxelles et à Paris, IIᵉ et IIIᵉ Partie.

(juin): IVᵉ et Vᵉ Partie.

1863: V. H. classe ses manuscrits, projette une deuxième série de *La Légende* et prépare *Quatrevingt-treize*; rédaction de *William Shakespeare*.

1864 (avril): *William Shakespeare*.

(mai): Préface — qui ne sera publiée qu'en 1865 — à la traduction de Shakespeare par François-Victor.

1865 (avril): V. H. achève *Les Travailleurs de la mer*, commencés en juin 1864.

(octobre): *Chansons des rues et des bois*.

1866 (mars): *Les Travailleurs de la mer*.

(avril-mai): V. H. constitue le dossier de *L'Homme*

qui rit et relègue au second plan le projet de *Théâtre en liberté* jusqu'en 1869.

1867 (mai) : *Introduction* à *Paris-Guide*, ouvrage collectif.

1868 (avril) : Mort de Georges, âgé d'un an, petit-fils de V. H., fils d'Alice et de Charles.
(16 août) : Naissance de Georges II, à Bruxelles — à qui ses parents donnent le prénom de leur premier enfant. V. H. achève *Par Ordre du roi*, qui deviendra *L'Homme qui rit*.
(27 août) : Mort d'Adèle, femme de V. H. depuis 1822 ; elle est enterrée à Villequier.

1869 (avril) : *L'Homme qui rit*.
(14 septembre) : A Lausanne, congrès de la paix et de la liberté ; discours de V. H., président d'honneur.
(octobre) : A Bruxelles, fait la connaissance de sa nouvelle petite-fille, Jeanne, née le 29 septembre.
(6 novembre) : De retour à Guernesey.

1870 (2 septembre) : Capitulation de Sedan.
(5 septembre) : Retour de V. H. à Paris, après dix-neuf années d'exil.
(13 septembre) : V. H. reçoit la visite de Louise Michel, qui signe ses articles « Enjolras ».

1871 (28 janvier) : Armistice franco-allemand.
(8 février) : Élections législatives, grosse majorité rurale de la droite, mais majorité de gauche à Paris ; les trois premiers élus : Louis Blanc, V. H., Garibaldi. L'élection de Garibaldi annulée, V. H. démissionne par solidarité.
(13 mars) : Mort brutale de Charles, à Bordeaux.
(18 mars) : Enterrement à Paris ; vaste cortège populaire au milieu des fédérés présentant les armes.
(21 mars) : Bruxelles. V. H. réprouve les excès de la Commune, puis blâme la répression.
(30 mai) : Le gouvernement belge expulse V. H. qui avait publiquement offert asile aux proscrits de la Commune. Installation au Luxembourg. Rédaction de *L'Année terrible*.
(25 septembre) : Retour à Paris.

1872 (janvier): Échec à une élection partielle.
(février): Adèle, de retour de la Barbade, est internée à l'asile de Saint-Mandé.
(avril): *L'Année terrible*.
(8 août): A Jersey, avec Juliette, Alice, les enfants, François-Victor.
(10 août): Guernesey.
(décembre): Commence à écrire *Quatrevingt-treize*. Début d'une liaison de cinq ans avec Blanche, la lingère de Juliette.

1873 (juin): V. H. termine *Quatrevingt-treize*.
(31 juillet): Retour à Paris. François-Victor, toujours plus malade, mourra le 26 décembre.

1874 (février): *Quatrevingt-treize*.

1875 (20 avril): Guernesey.
(28 avril): Retour à Paris.
(mai): *Actes et Paroles, I. Avant l'Exil*.
(novembre): *Actes et Paroles, II. Pendant l'Exil*. Annonce de *Toute la Lyre*.

1876: Élu sénateur de la Seine.
(février): Lettre au président de la République contre le prochain départ des déportés.
(22 mai): V. H. propose l'amnistie des Communards; refus du Sénat.
(10 juin): Discours aux obsèques de George Sand, lu par Paul Meurice.
(juillet): *Actes et Paroles, III. Depuis l'Exil*.
(octobre): Gambetta rompt avec la tendance Hugo et s'élève contre l'amnistie totale.

1877 (février): *La Légende des Siècles, Nouvelle Série*.
(mai): *L'Art d'être grand-père*.
(novembre): *Histoire d'un crime*, t. I.

1878 (mars): *Histoire d'un crime*, t. II.
(avril): *Le Pape*.
(27 juin): Congestion cérébrale.
(juillet-novembre): Convalescence à Guernesey.
(novembre): A Paris, dernier domicile, 130, avenue d'Eylau, avec Juliette.

1879 (février) : *La Pitié suprême*.

1880 (mars) : Vote de l'amnistie partielle.
(avril) : *Religions et Religion*.
(juillet) : Amnistie totale.
(octobre) : *L'Ane*.

1881 (27 février) : V. H. entre dans sa 80e année ; fête populaire sous ses fenêtres ; baptême à son nom de l'avenue qu'il habite.
(mai) : *Les Quatre Vents de l'Esprit*.

1882 (janvier) : Réélu sénateur, en tête de liste.
(mai) : *Torquemada*.

1883 (11 mai) : Mort de Juliette.
(juin) : *La Légende des Siècles, Dernière Série*.

1885 (22 mai) : Mort de Victor Hugo.
(1er juin) : Funérailles nationales ; défilé du peuple toute la journée.

1886-1902 : 18 volumes d'œuvres posthumes, publiés par les soins de Paul Meurice ; en particulier, *La Fin de Satan* (1886), *Toute la Lyre* (1888 et 1893), *Dieu* (1891).
Nombreux inédits, jusqu'à nos jours, publiés par divers spécialistes.

Chronologie établie par Gérald Schaeffer d'après l'édition Jean Massin, Le Club français du livre, 1967.

INTRODUCTION

La genèse du roman

14 mai 1859 — Victor Hugo écrit à son fils Charles :
« J'irai peut-être passer quelques jours à Serk pour prendre les notes du futur roman » *(Les Travailleurs de la
mer)*.

26 mai-10 juin 1859 — Il séjourne dans l'île de Serk en
compagnie de Juliette et de Charles, rassemble des notes
et des matériaux pour *Les Travailleurs de la mer* dont il
découvre d'emblée certains motifs originels : la cave des
« Boutiques », la tempête, la pieuvre, *devil-fish*, la « maison visionnée » et la « maison de la Mort ».

4 juin 1864 — Hugo entreprend la rédaction de son roman
qui porte alors le titre de la deuxième partie, *Gilliatt le
malin* (c'est-à-dire le sorcier).

4 août 1864 — Il interrompt la composition de son roman, après que la première partie est écrite, pour accomplir un voyage de plus de deux mois en Belgique, dans le
Luxembourg et sur les bords du Rhin. Il ne revient à
Guernesey qu'à la fin d'octobre.

4 décembre 1864 — Hugo se remet à la rédaction de son
roman, à la suite d'une coupure de quatre mois.

29 mars 1865 — Il écrit à sa femme : « Aujourd'hui j'ai
terminé la deuxième partie de mon livre. Il sera en trois
parties. La troisième sera la plus courte. »

29 avril 1865 — Le manuscrit du roman est achevé,
après une durée de moins de sept mois de travail.

Mai-juin 1865 — Hugo procède à une révision du manuscrit, compose *L'Archipel de la Manche* et écrit le

chapitre retranché du roman, *La Mer et le vent*, qui devait figurer dans II, III entre les chapitres II et III.

25 juin 1865 — Il communique à ses fils, Charles et François-Victor, qu'il intitulera son roman *L'Abîme*, en les priant d'en garder le secret, et leur confirme la division tripartite de l'œuvre. On peut regretter l'abandon de ce titre, comme on peut regretter que Baudelaire ait substitué *Les Fleurs du Mal* à *Les Limbes*.

23 juillet 1865 — Signature du contrat d'édition avec Lacroix, Verboeckhoven et Cie, pendant un séjour à Bruxelles. Le titre, *Les Travailleurs de la mer*, est définitivement adopté.

Novembre-décembre 1865 — Hugo adresse à l'éditeur son manuscrit et des recommandations précises, ainsi que des ajouts et intercalations. Il note le 27 décembre dans son carnet : « J'ai fini ce matin la révision des *Travailleurs de la mer* » et le lendemain il met son éditeur en présence de l'alternative : ajourner la publication de *L'Archipel de la Manche* ou l'insérer immédiatement dans la première édition.

2 janvier 1866 — Lettre à Auguste Vacquerie : « J'ai la conscience de n'avoir rien fait qui dépasse ce livre. »

Janvier 1866 — Les éditeurs choisissent d'ajourner la publication de *L'Archipel de la Manche*, parti auquel le romancier se résigne plus qu'il ne se rallie.

23 janvier 1866 — Lettre à Paul Meurice : « Ce livre n'est pas un livre de combat ; il est écrit, non pour la minute, mais pour la postérité (passez-moi cet orgueil). C'est là sa faiblesse et sa force. »

11 février 1866 — Dans une lettre à Paul Meurice, Hugo précise que *L'Archipel de la Manche*, qui devait servir de *péristyle* à l'œuvre, est remplacé par une dédicace à l'île de Guernesey et une brève préface. Il ajoute : « Je crois le livre un des meilleurs que j'aie faits et votre applaudissement me remplit de joie. » Le même jour, il définit le dessein de son roman à Auguste Vacquerie en ces termes : « L'unité du livre va vous apparaître et vous aimerez, je crois, ce double coup d'œil jeté sur la femme et sur la mer, ou, pour mieux dire, cette double sonde plongée dans ces deux abîmes. »

15 février 1866 — Hugo donne le bon à tirer.

12 mars 1866 — *Les Travailleurs de la mer* sont mis en vente à Bruxelles et à Paris. Ils paraissent peu après en feuilleton dans *Le Soleil*, sans que l'auteur ait donné son accord.

21 mars 1866 — Michelet écrit à Hugo : « L'auteur de *La Mer* vous remercie mille fois. — Il avait entrevu *l'épopée*, — vous avez fait *le drame*. » C'est vraisemblablement durant ces jours que Baudelaire prend des notes dans l'intention de consacrer un article aux *Travailleurs de la mer* — notes qui sont les dernières lignes littéraires écrites de sa main.

4 avril 1866 — Lettre à Paul de Saint-Victor : « Ce qui échappe à la mer n'échappe pas à la femme ; tel est le sujet de ce livre. »

1883 — *L'Archipel de la Manche*, « le chapitre préliminaire » ou « préface », est incorporé à l'édition des *Travailleurs de la mer*, publiée par Calmann-Lévy. Il figure également en tête du roman dans l'édition des *Œuvres* de Hugo, parues chez Hetzel.

1911 — L'édition de l'Imprimerie nationale introduit le chapitre retranché, *La Mer et le vent*, dans le corps du roman et publie le *reliquat* des *Travailleurs de la mer*, entre autres : une préface inédite, *Souvenirs çà et là*, chapitre de *L'Archipel*, intercalé entre les chapitres XI et XII, le chapitre sans titre, portant le numéro XX dans le manuscrit, le texte intitulé *Les Déluges*, etc.

Le roman du songe et de la voyance

Les Travailleurs de la mer sont plus que toute œuvre de Victor Hugo le livre de l'exil et de la solitude insulaires, tant par les circonstances de la composition que par le choix du décor et le contenu. Ils sont préfigurés par ces paroles d'avril 1856, recueillies dans *Tas de pierres* : « J'habite dans cet immense rêve de l'océan, je deviens peu à peu un somnambule de la mer. [...] Ma pensée flotte et va et vient, comme dénouée par toute cette gigantesque oscillation de l'infini. » Si *Les Misérables* tendent vers l'expression du collectif, *Les Travailleurs de la mer* sont au contraire le roman de l'isolement farouche, du monologue et de l'individu. Ils se situent dans le prolongement de la *Préface philosophique* des *Misérables* et surtout ils s'apparentent par la chronologie de même que par les préoccupations profondes à la *Contemplation suprême*, à *William Shakespeare* et au *Promontorium somnii*, en ce sens qu'ils sont une méditation sur les pouvoirs du songe et de la voyance. Tous les personnages du récit songent, non seulement Gilliatt, mais sieur Clubin à sa manière, mess Lethierry, Déruchette et Ebenezer, à la différence que Gilliatt songe tout au long des trois parties — « Gilliatt songeait » est un motif plus ou moins constant dans le roman — alors que les trois autres cèdent à la rêverie dans la troisième partie surtout. Après la perte de la Durande, mess Lethierry vit en état de *somnambulisme*, il est en proie aux cauchemars nocturnes et aux songes diurnes, habités par le désespoir et la mélancolie ; Déruchette et Ebenezer s'adonnent tour à tour aux charmes et aux angoisses de la rêverie amoureuse. Ils rêvent en relation avec les circonstances de leur vie, tandis que Gilliatt songe en permanence par un penchant irrésistible de sa nature, il est plongé dans la « caverne des songes », selon une métaphore dont use Hugo dans un *carnet* des *Misérables*. Ainsi que la plupart des héros hugoliens, il est tenu à l'écart comme un être suspect, un réprouvé, il vit dans un isolement presque complet, tant social que moral. Il est une espèce d'exclu, voué au destin de la solitude par la double hostilité des hommes et de la nature. Sa timidité, sa distance, son caractère sauvage et primitif font de lui un visionnaire et un intuitif, « le songeur des lieux solitaires ». Gilliatt est isolé dans sa « maison visionnée », il travaille seul en face du ciel et de l'océan pour sauver la machine de la Durande, il meurt seul en se laissant submerger par le flux de la marée. Dans l'action et la contemplation, il est enveloppé par la solitude, pénétré par elle, saisi par la rupture tragique qu'elle lui impose et grandi par les échappées qu'elle ouvre sur les espaces oniriques. « La solitude dégage une certaine quantité d'égarement sublime » (I, I, VII). En compensation du drame existentiel qu'elle figure, elle aiguise le sens de la vision, qui communique avec la nature et s'absorbe dans les épaisseurs du songe ; elle facilite l'approfondissement du savoir conjectural, l'incursion dans les abîmes de l'être et de la création.

Les Travailleurs de la mer sont certes l'épopée de l'océan et du progrès, mais plus profondément ils sont une exploration des phénomènes du songe et de la rêverie. Gilliatt est, parmi les personnages hugoliens, « l'homme du songe », associant en lui l'ignorance du *pâtre* à la connaissance du *mage*, la simplicité du primitif à la perception intuitive, capable de se projeter dans l'invisible. Il appartient simultanément à la catégorie du *penseur* qui agit sous l'impulsion de la conscience et à celle du *songeur* qui accueille spontanément les révélations, sans qu'interviennent la volonté et l'intelligence. « Il est probable qu'il était sur la limite qui sépare le songeur du penseur. Le penseur veut, le songeur subit » (I, I, VI). Il se fie non à la logique de la raison, mais à celle de la rêverie, « la pensée à l'état de nébuleuse », diffluente à travers les dimensions de l'espace et fonctionnant selon le mode de l'analogie ; tel un poète ou un prophète, il est l'objet de visions grâce auxquelles il interprète le sens de la nature et s'introduit dans l'inconnu du nocturne, de l'infini maritime ou céleste. Il scrute « tout ce mystère que nous appelons le songe et qui n'est autre chose que l'approche d'une réalité invisible. Le rêve est l'aquarium de la nuit » (I, I, VII). Gilliatt vit dans le songe, intermédiaire entre la veille et le sommeil, dans un état visionnaire, participant de la conscience et de l'inconscience ; dans un rêve durable qui se creuse et s'accroît au gré des proportions du cosmos. « Gilliatt avait l'esprit plein de la diffusion des songes et ce grossissement du rêve compliquait les farouches paysages de la nuit » (II, I, VIII). La caverne, qui sert de refuge à la pieuvre, est un théâtre du rêve, il en émane « une sorte de diffusion visionnaire », à la faveur de laquelle Gilliatt imagine une apparition féminine, quelque « Vénus sortant de la mer » ou quelque « Ève sortant du chaos », surgie comme une figure du virtuel. Le songe n'est d'ailleurs pas la propriété exclusive de l'homme, il éclôt de la nature et des objets ; on ne le porte pas seulement en soi, on le découvre dans la présence des choses. Le rêve humain est en relation avec les éléments cosmiques et réciproquement il naît des objets qui possèdent leur vision spécifique. L'un et l'autre s'ouvrent par le regard sur la réalité du possible, remontent à l'origine des choses, en éclairent le développement et la destination. L'homme et l'univers contiennent « ce promontoire du Songe », où se situe Gilliatt, quel que soit le lieu de l'action. Lorsqu'il ramène à Saint-Sampson la machine de la Durande, il poursuit son existence onirique, non plus le rêve cosmique, mais le rêve de la femme inaccessible ; en présence de la mort, il se retranche dans la sérénité du songe et son « regard contenait toute la quantité d'apaisement que laisse le rêve non réalisé » (III, III, V), se prolongeant comme au-delà de lui-même. Le songe est caractérisé par son pouvoir de dilatation, par son aptitude à communiquer avec l'infini. « C'est à travers ce plafond, le songe, que nous voyons la réalité, l'infini [1]. » La vision onirique s'identifie avec les vertiges de la connaissance, dirigée vers les abîmes d'en haut et d'en bas.

Plus encore que les termes de mage ou de prophète, c'est celui de voyant qui détermine l'activité visionnaire de Gilliatt. La pratique de la solitude aiguise en lui les puissances de l'hallucination et décuple les dons divinatoires de la voyance. « C'est la fumée du buisson ardent. Il en résulte un mystérieux tremblement d'idées qui dilate le docteur en voyant et le poète en prophète » (I, I, VII). Gilliatt se meut par la rêverie sur ces franges obscures qui séparent la conscience du sommeil où l'on devient « pas tout à fait voyant, pas tout à fait inconscient » dans un état crépusculaire, propice au surgissement de l'inconnu. La voyance participe du songe et de l'intuition, de cette intuition qui s'accompagne de l'ignorance et entre en communication avec la nature, avec ses énergies et ses secrets. « Gilliatt, qui était une espèce de voyant de la nature, songeait, confusément ému » (II, I, XIII). Elle est

---

1. *Promontorium somnii*, éd. des Belles-Lettres, p. 56.

aussi une connaissance acquise par l'expérience et appliquée à pressentir les phénomènes météorologiques, à
discerner « les avertissements de la mer », le langage des
éléments. « Gilliatt, à force d'observation, de rêverie et
de solitude, était devenu presque un voyant du temps, ce
qu'on appelle en anglais un *weather-wise* » (II, II, X). Il
est, par le travail héroïque qu'il accomplit et par la tension
extrême de sa volonté, « une espèce de Job de l'Océan »,
qui regarde à travers « le soupirail de la nuit » et transforme l'*invisible* en *vision*, en dépit de l'opacité. Dans
William Shakespeare, Hugo définit l'activité de Job
comme celle de l'*officiant* et du *voyant*, consistant d'une
part à extraire de la souffrance une sagesse et de l'autre à
exercer « sur la nature [...] une sorte de magisme [2]. »
Gilliatt est à la fois songeur et voyant, peut-être plus
proche du mage que du prophète, dans la mesure où il se
montre plus attentif à déchiffrer les mystères du monde
que ceux de l'homme, selon la distinction établie par
Hugo dans *La Mer et le vent* : « Qui entrevoit ces prolongements dans l'invisible de la création est le mage ; qui
entrevoit ces prolongements dans l'invisible de la destinée est le prophète » (VII). Gilliatt est, dans l'œuvre
romanesque de Hugo, le voyant le plus authentique par
l'expansion qu'il impose à la vision, par sa volonté de
sonder les abîmes de la nuit et de saisir ici-bas la présence
du surnaturel.

Dans *Les Travailleurs de la mer*, Hugo a fixé son
attention sur les aspects nocturnes de l'existence et de la
création, sur les états seconds : l'onirisme, les phénomènes du songe et du sommeil, les visions et les phantas-
mes, les hallucinations et les cauchemars, de telle sorte
que le roman peut être lu, dans les deuxième et troisième
parties du moins, comme le vaste déroulement d'un rêve
insulaire. « L'aventure solitaire de Gilliatt prend l'allure
symbolique d'un rêve, d'une exploration de l'inconnu, et
le combat avec la pieuvre, qui la couronne, est le fruit
d'un cauchemar [3]. » C'est dans *Les Travailleurs de la mer*

2. Éd. Flammarion, p. 64 et 137.
3. J.-B. Barrère, *La Fantaisie de Victor Hugo*, t. II, p. 358.

que Hugo s'est aventuré le plus avant dans les ténèbres de
l'inconscient et les gouffres de la nature. Le roman est
dominé par « l'imagination de l'Inconnu », par l'émergence de l'inattendu et du fantastique dans le réel ; il est
envahi par l'accumulation des énigmes de la création et
du cœur humain. Mais le songe ne correspond pas à un
état purement nocturne, il se trouve au carrefour du rêve
et de la réalité, de l'inconscient et du conscient, animé
qu'il est par une lumière intérieure qui se projette sur
l'obscurité des choses pour en tirer la clarté. Il n'est
d'ailleurs expérience ontologique qu'à la condition d'être
dirigé, gouverné, de ne pas franchir le seuil de l'interdit
et de ne pas s'exposer à la menace de la démesure. « Il
faut que le songeur soit plus fort que le songe. Autrement
danger[4]. » Les mouvements du songe sont soustraits au
péril s'ils ne se laissent pas submerger par l'inconscient et
demeurent soumis au contrôle de la lucidité. Assistés par
la seconde vue, ils débouchent sur la perception de l'inconnu et confirment que le voir s'identifie avec le savoir.
Ils concourent à la totalité cosmique et tissent des liens
analogiques entre le visible et l'invisible. A travers le
regard intérieur du songe, « le monde visible est la manifestation symbolique du monde immatériel[5] ». L'expérience de Gilliatt annonce à certains égards le surréalisme, elle s'en distance par une certaine méfiance des
puissances de l'inconscient et la peur de l'interdit, mais
elle le préfigure par la réduction du *surnaturalisme* à
l'*immanence*, par la trajectoire de l'aventure mentale et
onirique, vouée à élargir le champ de la vision. Quand
reconnaîtra-t-on que Hugo, voyant comme Rimbaud,
mérite à son égal de figurer parmi les incitateurs du
surréalisme pour avoir pressenti que « l'imagination est
profondeur », pour avoir exploré les espaces occultes et
proclamé l'identité de l'*idée* et de l'*image*, non seulement
dans l'œil du songe, mais dans la médiation de l'écriture ?

4. *Promontorium somnii*, p. 31-32.
5. *Préface philosophique* des *Misérables*, II, III.

Un roman initiatique ?

L'approche du roman initiatique, de ses composantes thématiques et structurales, mériterait d'être reprise à la suite des travaux de Léon Cellier et de Simone Vierne, qui établissent qu'il s'agit d'une transformation ontologique du héros, d'une renaissance, coïncidant avec une résurrection et une *réintégration*, conquises à travers l'expérience de la mort. Le roman initiatique est déterminé par les épreuves auxquelles le héros est soumis, par l'aventure intérieure qu'il poursuit dans le temps et l'espace mythiques. Il raconte un cheminement ou plutôt une quête qui s'accomplit dans l'ordre du spirituel ; les événements extérieurs de l'aventure signifient symboliquement la destinée de l'âme, qui doit triompher d'un certain nombre d'obstacles, franchir des étapes ou des degrés pour accéder au mérite de l'initiation et acquérir la révélation du sacré. La quête initiatique est vécue comme un dépouillement progressif, une purification, elle est intériorisée dans la mesure où l'itinéraire parcouru représente une métamorphose ontologique que le héros s'impose afin que se produise en lui un renouvellement profond, correspondant à une véritable renaissance. A travers les épreuves initiatiques, le personnage romanesque passe de la mort réelle ou symbolique à la résurrection, de l'empire des ténèbres à la possession de la lumière ; il s'élève au niveau d'une condition spirituelle, débarrassée des entraves et des contingences du réel. « Le roman peut être dit initiatique, lorsque le héros meurt pour renaître », affirme Léon Cellier[6]. Certes, la mort → résurrection peut apparaître comme la composante primordiale du roman initiatique, mais elle n'en est pas la seule et demeure, en dépit de sa généralité et de sa pertinence, trop réductrice pour délimiter le champ dans lequel se déploie ce genre de récit. On en peut recenser et répartir provisoirement la thématique dans les trois catégories suivantes :

---

6. *Parcours initiatiques*, p. 125.

I. LA TRANSFORMATION DE L'ÊTRE

a. la mort réelle ou symbolique qui débouche sur la résurrection
b. le passage de l'obscurité à la lumière
c. les métamorphoses spirituelles

II. LES ÉPREUVES ET EXPÉRIENCES

a. l'entrée dans une société secrète et l'initiation à sa doctrine
b. la purification par l'eau (et/ou) par le feu
c. l'affrontement et le combat avec le monstre
d. la transmutation alchimique et les pratiques de la magie ou de la sorcellerie

III. LE VOYAGE, L'AVENTURE ET LA QUÊTE

a. la traversée des eaux (et/ou) de la forêt
b. la quête du château ou d'un lieu sacré
c. la recherche d'un trésor caché ou d'un secret magique
d. la descente dans les enfers, dans le labyrinthe, la grotte ou le monde souterrain
e. l'ascension dans l'univers céleste
f. la reconquête d'un paradis ou de l'âge d'or, etc .[7]

Tous ces thèmes que l'on peut qualifier d'initiatiques ont en commun d'aboutir à la rencontre avec l'univers du sacré et d'exprimer leur contenu par l'intermédiaire du mythe. Le récit initiatique a la propriété, non seulement de traduire l'expérience spirituelle du héros, mais d'être construit selon une trame et une structure mythiques. Il comprend un certain nombre de thèmes que nous avons

7. Cf. le schéma du parcours initiatique, établi par Simone Vierne, *Rite, roman, initiation*, p. 55.

tenté de répertorier, ou plus rarement, il obéit dans son architecture globale à une affabulation et à un scénario de type initiatique, à l'organisation interne de ce que Julien Gracq et Michel Tournier appellent un *voyage initiatique*.

Qu'en est-il des *Travailleurs de la mer*?

De tous les romans de Hugo, ce n'est peut-être pas celui qui répond le mieux à l'archétype du roman initiatique, mais à coup sûr celui qui en contient le plus d'éléments. Il ne paraît pas possible de dégager une structure initiatique qui rendrait compte de la cohérence globale de l'œuvre, mais plutôt une topologie et une thématique, perceptibles à travers la spatialité, la nature et les fonctions du héros, les épreuves auxquelles il est soumis, impliquant une interrogation sur le sens de la mort de Gilliatt, comparativement à celle de Gwynplaine dans *L'Homme qui rit*.

Henri Meschonnic remarque que les trois derniers romans de Hugo appartiennent à la géographie nordique, que «ce sont des livres cimmériens» et «celtes», définis par «le grandissement épique», la présence de l'Océan et, pourrait-on ajouter, par l'envahissement des forces nocturnes [8]. Hugo a choisi de situer *Les Travailleurs de la mer* dans l'espace circonscrit des îles anglo-normandes, archipel constituant une sorte d'espace sacré par la distance, un milieu propice au surgissement du fantastique et empli des réminiscences de la mythologie celtique, partout sensibles dans les mystères de la nature et la survivance des superstitions populaires. Les îles offrent en tous lieux le visage de «la sombre énigme celtique» parmi ces terres hérissées de dolmens et de menhirs qui évoquent la religion druidique et qui ont suscité la fascination du romancier pendant ses années d'exil. L'espace insulaire compose un lieu favorable à la manifestation du sacré, aux révélations occultes et à la résurgence de ce que *Les Misérables* nomment «les vieux symboles génésiaques», parce qu'il maintient le contact avec les énergies originelles. Il fortifie la croyance en la puissance de Satan, se prête aux apparitions nocturnes de la Dame

---

8. *Écrire Hugo*, t. II, p. 129.

blanche, des fantômes et des fées, ainsi qu'au sabbat des sorcières. Il abrite des lieux secrets qui privilégient l'éclosion du fantastique ou l'exploration des profondeurs : la maison, habitée par Gilliatt, est *visionnée*, visitée de nuit par le diable et les spectres, la maison de Plainmont est sujette au *visionnement*, inspire « l'horreur sacrée », engendre avec la complicité de l'imagination des cauchemars peuplés de fantômes, la Jacressarde, ce *cloaque*[9], semblable à la Cour des Miracles dans *Notre-Dame de Paris* et aux égouts de la capitale dans *Les Misérables*, sert de refuge aux inconnus qui dissimulent leur identité et à un alchimiste, les Rochers Douvres représentent l'univers labyrinthique de l'abîme, recelant les mystères cosmiques, la *cave*, où se dérobe la pieuvre, est un gouffre et un dédale, comprenant toute une architecture souterraine, l' « édifice sous la mer » et le « palais de la Mort », où la vision du merveilleux côtoie celle du terrifiant. L'espace insulaire, en proie au déchaînement des éléments, ressuscite les anciens mythes et leur confère une plausibilité nouvelle. « La vieille mythologie entrevoyait ces personnalités indistinctes mêlées à la grande nature diffuse » (II, III, III). Hugo amalgame dans son roman la mythologie biblique (Job), antique (Prométhée, Encelade), celtique (Teutatès, Gwyn) et personnelle (le Roi des Auxcriniers) en un vaste syncrétisme ; il redécouvre dans les îles anglo-normandes le déclenchement des « forces génésiaques », la conjuration hostile des éléments et l' « antique épouvante panique », qui renaît sans cesse dans les abysses de la psyché humaine. Si l'espace est souvent mythique dans *Les Travailleurs de la mer*, il arrive aussi que le temps le soit, en particulier dans la deuxième partie où Gilliatt entreprend le sauvetage de la Durande : il s'affranchit de la linéarité pour devenir cyclique, atemporel, marqué par la succession des jours et des nuits, plus accordé aux rythmes de l'univers qu'à la durée de l'aventure humaine. L'espace et le temps font simultanément référence aux mondes de la

9. L'expression est de Charles Baudouin, *Psychanalyse de Victor Hugo*, éd. Armand Colin, p. 195.

Genèse et de l'Apocalypse; ils se situent, au-delà des lieux réels et de la chronologie du récit, dans la circularité du mythe.

Il serait abusif de prétendre que Gilliatt est un initié, puisque l'initiation implique de recevoir l'enseignement d'un maître. Il se forme lui-même par le contact avec les énergies du cosmos, par une sorte d'auto-initiation. S'il ne présente que des analogies avec l'initié, en revanche il apparaît comme la figure du héros mythique, caractérisé par le courage, l'endurance et l'exemplarité. Gilliatt possède une nature farouche, « un grand esprit trouble et un grand cœur sauvage », il est plus porté au mutisme qu'au monologue ou au dialogue; il tient la femme à distance, parce qu'il la redoute et que le désir lui inspire de l'effroi. Il a la réputation d'être *malin*, de s'adonner à des pratiques de magie et de sorcellerie; il détient quelque chose de l'*halluciné* et de l'*illuminé*, par quoi il s'apparente tantôt au mage, tantôt au poète. Comme Victor Hugo, il est « un homme qui fait attention à sa vie nocturne », qui se penche sur les phénomènes du songe et du sommeil, qui scrute intuitivement les abîmes de l'inconnu. En tant que héros mythique, il s'identifie avec Job et Prométhée, Job, *voyant* et *conquérant*, Prométhée, animé par la volonté de l'insurrection et du combat contre l'hostilité des puissances élémentaires. Dans une préface que le romancier a écartée, il exprimait ainsi cette dynamique de la révolte : « Le plus auguste effort de l'homme, c'est son effort contre l'élément. Il lutte plus qu'avec l'ange; il lutte avec Dieu. » Gilliatt est « un Job Prométhée », un titan dressé contre les obstacles de la nature. Mais le narrateur le présente comme l'envers du héros solaire, il le qualifie d' « homme nocturne » et précise qu' « il appartenait au gouffre », en ce sens qu'il est prédestiné à la descente périlleuse dans les profondeurs et à la mort par l'engloutissement dans les eaux. Par le pouvoir de la seconde vue, à la faveur de laquelle il associe le songe et le combat, il pénètre dans l'épaisseur des mystères nocturnes auxquels il participe de tout son être. « La nuit [...] c'est l'état propre et normal de la création spéciale dont nous faisons partie » (II, II, V). Gilliatt fait « œuvre de nuit » et par là se rend suspect aux autres, il travaille *sub umbra* et rejoint la Nuit cosmique à laquelle il est lié par son destin. Héros nocturne, il n'est pas à proprement parler un initié, mais il en possède certains aspects à travers son aptitude à déchiffrer les signes inscrits dans la substance opaque de la création.

Gilliatt n'est pas uniquement matelot et pêcheur, mais forgeron. Comme l'a montré Mircea Éliade, le forgeron, le mineur et le métallurgiste sont en relation d'analogie avec l'alchimiste, dans la mesure où ils opèrent sur une matière sacrée qu'ils prétendent modifier par l'acte de la transmutation [10]. Gilliatt transforme la caverne où il travaille en forge et en *laboratoire*, comparable à celui de l'alchimiste. Il devient un forgeron initié aux secrets de son métier, qui a acquis le pouvoir de domestiquer les forces élémentaires de l'air, de l'eau, du feu, et un *belluaire* armé pour dompter les forces bestiales de l'univers. « Gilliatt sentit une fierté de cyclope, maître de l'air. de l'eau et du feu » (II, I, X) par les instruments qu'il s'est forgés et en utilisant les ressources de la nature. Il parvient à vaincre les éléments, à les canaliser pour les approprier à son dessein ; il s'agit là d'une espèce d'initiation pratique, obtenue par l'héroïsme titanique. Ce n'est pas la seule allusion à l'alchimie dans *Les Travailleurs de la mer*, bien que ces allusions soient moins nombreuses, plus dispersées que dans *Notre-Dame de Paris*. Gilliatt est soupçonné par les habitants de l'île de fabriquer des *philtres* et de pratiquer des *bouilleries* dans une terre où certains s'adonnent à l'action de « bouillir de l'or ». Dans la Jacressarde habite un « faiseur d'or » qui est « un peu poète » et se consacre à rechercher la transmutation alchimique. « La marmite à or du « chimiste » était une vieille bombe cassée, promue par lui chaudière, où il combinait des ingrédients. La transmutation l'absorbait. [...] Il était résolu à ne pas mourir sans jeter la pierre philosophale dans les vitres de la science » (I, V, VI). L'Océan lui-même, qui s'organise à partir d'une subs-

---

10. *Forgerons et alchimistes*, Flammarion, 1956.

tance chaotique, est comparé au creuset où l'alchimiste se voue au travail de la transmutation : « Il est le récipient universel, réservoir pour les fécondations, creuset pour les transformations » (II, I, V). Dans le chapitre retranché du roman, *La Mer et le vent*, Hugo affirme que « chercher la quadrature du cercle est absurde ; chercher la pierre philosophale ne l'est pas » (VI), parce que celle-ci correspond à une opération spirituelle et à un effort pour apprivoiser la matière rebelle. Le langage alchimique et le *magisme* sont dans le roman des signes porteurs du sens.

La composante la plus authentiquement initiatique dans *Les Travailleurs de la mer*, ce sont les épreuves que le héros subit pour sauver la machine de la Durande, représentation symbolique du progrès. Ces épreuves apparaissent sous la forme d'un affrontement des périls, d'un combat avec les éléments et surtout avec la pieuvre. Gilliatt ne doit pas seulement vaincre dans son entreprise la solitude, la faim, la soif et la fièvre, mais les obstacles élémentaires et cosmiques : la chaleur et le froid, le ciel et l'océan, l'obscurité et le feu, les vents, la tempête et le tonnerre, conviés à devenir autant d'images de la fatalité, de « l'anankè des choses ». Mais le voyage initiatique et la véritable lutte s'accomplissent sous les espèces d'une descente dans les profondeurs, d'une exploration des gouffres souterrains et des grottes sous-marines. Ces cavernes sont l'équivalent métaphorique du dédale et du labyrinthe qu'il importe de traverser victorieusement, l'image de la tombe où le héros meurt pour renaître, conformément au schéma du scénario initiatique :

$$descente \rightarrow mort \rightarrow résurrection.$$

La caverne, habitée par la pieuvre, est assimilée à un sanctuaire, à une sorte de cathédrale avec sa crypte et son autel, dont se dégage une « transparence sinistre » ; elle est associée au sentiment de la peur ou de l'effroi que l'on éprouve en présence du sacré. Elle est le lieu religieux, clandestin où se dissimule le secret que recherche le héros mythique et où il reçoit la révélation. L'incursion dans les abîmes et le sauvetage de la Durande correspondent à une descente aux enfers, de telle sorte que mess Lethierry

peut dire à Gilliatt, lorsque sa tâche surhumaine est ache-
vée : « Tu es donc allé jusqu'en enfer » (III, II, I). La
thématique de la descente aux enfers est confirmée par le
combat avec la pieuvre, combat mythique et métaphysique, puisque le monstre marin est le symbole du Mal et
de l'hypocrisie. La pieuvre est l'animal de la Nuit, elle
pose « l'énigme du mal », ressenti comme « une rature à la
création ». C'est là un « geste gnostique [11] », un question-
nement manichéen, suscité par la « perfection du mal ».
L'acte de lutter avec le monstre et de le tuer est la
suprême épreuve initiatique par laquelle Gilliatt acquiert
le statut de héros vainqueur. La pieuvre figure simultanément le Mal, Satan et les enfers dont l'initié triomphe
par un combat qui s'accomplit aux confins de la mort et
dans l'espace interdit du sacré. C'est à travers cette
aventure mythique que *Les Travailleurs de la mer*, cette
« Iliade à un », se rapprochent le plus manifestement du
roman initiatique.

En dépit de l'axiome, « la réalité, c'est l'âme », *Les
Travailleurs de la mer* ne sont pas comme *Les Misérables*
l'épopée de l'âme, mais celle de la mer et du héros aux
prises avec les fatalités cosmiques. Les obstacles spiri-
tuels et moraux interviennent de tout leur poids dans la
troisième partie, lorsque Gilliatt renonce à Déruchette
pour ne pas contrarier son amour. Le roman juxtapose
l'existence de deux infinis ou de deux abîmes : l'un,
extérieur et spatial, l'autre, intérieur, celui du cœur et
singulièrement celui du cœur féminin. Si Gilliatt parvient
à vaincre le premier, il est vaincu par le second et consent
au sacrifice. Son renoncement le détermine à la mort, à
l'engloutissement dans la mer, qui lui sert de tombeau ;
autrement dit, le héros retourne à ce gouffre, auquel il est
destiné. Désormais se pose la question suivante, en relation avec la remarque de Léon Cellier : « Le couronnement de l'œuvre initiatique ne peut être que la mort du
héros [12] », la mort volontaire de Gilliatt revêt-elle un sens
initiatique ou une valeur sacrificielle ? Il ne semble pas

11. Henri Meschonnic, *Écrire Hugo*, t. II, p. 134.
12. *Parcours initiatiques*, p. 165.

que le lecteur puisse s'autoriser à l'interpréter comme une mort initiatique, suivie d'une renaissance ; rien au niveau du texte ne légitime une telle lecture. Il s'agit de ce que J.-B. Barrère appelle « une mort élémentaire[13] », par laquelle Gilliatt revient à l'univers auquel il appartient ; la mort signifie le geste suprême du sacrifice, de l'abnégation, mais ne débouche pas sur la promesse de la résurrection. « A l'instant où le navire s'effaça à l'horizon, la tête disparut sous l'eau. Il n'y eut plus rien que la mer » (III, III, V). Hugo traduit sa certitude personnelle, en affirmant dans *Post-scriptum de ma vie* qu' « à la mort, l'homme devient sidéral ». Gilliatt n'accède pas à cette destinée sidérale, il rejoint en mourant l'espace de ses origines et de son existence. La comparaison avec la mort de Gwynplaine dans *L'Homme qui rit* confirme que l'on ne saurait attribuer à la mort de Gilliatt une portée initiatique. Gwynplaine tombe à l'eau pour retrouver Dea dans l'univers sidéral et, dans le ciel absolument noir, il discerne une étoile, de même que la présence d'une âme ; il meurt pour renaître et former avec Dea un couple astral. Gilliatt meurt solitairement dans l'immanence et il ne s'identifie pas avec le Christ comme Jean Valjean, tandis que Gwynplaine s'élève par la mort dans l'espace de la transcendance, qui scelle l'union éternelle du couple. Si la mort de Gwynplaine est initiatique par la résurrection céleste, celle de Gilliatt est consommée dans la grandeur héroïque du dépouillement et de l'abnégation.

mort *TM* = univers maritime → immanence/
mort *HQR* = univers astral → transcendance

L'affrontement du possible et de l'impossible

De tous les romans de Victor Hugo *Les Travailleurs de la mer* est celui qui comprend le plus de composantes initiatiques, sans qu'il satisfasse pour autant à l'ensemble des normes et des éléments thématiques ou structuraux qui définissent ce genre romanesque : l'œuvre s'achève

13. *Hugo, l'homme et l'œuvre*, p. 200.

par la mort du héros, coïncidant avec un engloutissement, non avec une ascension — une mort qui n'implique pas l'acte de la renaissance ontologique. Ce phénomène tient peut-être au fait que *Les Travailleurs de la mer* sont le roman de la confrontation de l'homme avec la nature, au niveau de l'immanence, en marge de toute ouverture sur le *surnaturalisme*. « Aucun surnaturalisme, mais la continuation occulte de la nature infinie » (I, I, VII) [14]. *Les Travailleurs de la mer* mettent en scène le conflit de l'impossible et du possible, des fatalités de la nature et des pouvoirs de l'homme. L'impossible, ce sont les obstacles, ceux d'en haut, les escarpements infranchissables, et ceux d'en bas, les précipices insondables, ceux du dehors, l'espace dans ce qu'il a d'inconnu et d'inaccessible, ceux du dedans, les mystères du cœur et de la destinée. Il est représenté métaphoriquement par le *mur*, par la limite marquée d'une espèce d'interdit, il correspond à l'univers de la fermeture par opposition au possible, qualifié par son ouverture sur l'infini et sur l'avenir. Toutefois dans *L'Archipel de la Manche* le narrateur soutient que « l'impossible est une frontière toujours reculante », comme si le roman devait être l'illustration de cet axiome. L'impossible constitue une *frontière* qui peut être franchie par le travail et le progrès tant moral que technique, une *frontière* dans laquelle le rêve, la conjecture et l'utopie ouvrent des brèches décisives, sinon dans l'immédiat, du moins dans le futur. La rêverie et le sommeil étendent devant Gilliatt « la vaste ouverture du possible » qui convertit l'invraisemblable en vraisemblable. L'impossible peut devenir le possible par l'action des forces conjointes du songe et du labeur. Lorsqu'il s'efforce de sauver la machine de la Durande, Gilliatt prend conscience que sa tâche confine et se heurte à l'impossible, figuré par la conjuration des puissances élémentaires et cosmiques. De même, dans la grotte *sidéralisée*, son regard est aux prises avec « une réalité empreinte d'impossible ». Quant aux révélations du possible, elles peu-

---

14. Cet aspect a été étudié par Yves Gohin, *Sur l'emploi des mots immanent et immanence chez Victor Hugo* et dans son introduction aux *Travailleurs de la mer*, Pléiade, p. 1284-1288.

vent être dérobées à l'œil du voyant par l'obscurité inhérente à la nature et au vertige de ses profondeurs. « La sombre vision du possible latent est interceptée à l'homme par l'opacité fatale des choses. Le plus redoutable et le plus perfide des aspects, c'est le masque de l'abîme » (II, III, I). Et pourtant Gilliatt parvient à vaincre les impossibles qui s'opposent à son entreprise : la nature, les éléments, la fatalité des choses et la pieuvre, parce qu'il croit au *possible*, cette « matrice formidable », le réceptacle des hypothèses et des vérités intuitives, des forces physiques et spirituelles. Le possible est le levier, le tremplin des énergies qui métamorphosent le songe en réalité, qui donnent à la conjecture ou à l'imaginaire la plausibilité du réel, le poids du vrai irréfutable. Il est « cette fenêtre du rêve ouverte sur le réel[15] ». Dans *La Mer et le vent*, Hugo signifie que la sagesse consiste à ne pas s'aventurer au-delà de « ce qui est, compliqué de ce qui peut être ». « Le réel est l'asymptote du possible, le point de rencontre est à l'extrémité de l'infini » (VIII). Au terme de ses épreuves, Gilliatt est parvenu aux limites du possible, qui n'aura pourtant pas le dernier mot. Après avoir vaincu l'impossible cosmique, les obstacles du temps et de l'espace, il se heurte à un autre impossible, celui-là irréductible, celui du cœur féminin, de ses penchants et de ses secrets. Déruchette devient « la femme impossible », dont les abîmes sont plus insondables que ceux de l'océan. Ce dernier affrontement avec l'obstacle intérieur de la destinée ne peut se résoudre que dans le sacrifice et la mort — ce qui incite Hugo à dire de Gilliatt : « C'est de sa grandeur même que vient sa défaite[16]. » Défaite héroïque en face de l'impossible de l'amour. L'épopée romanesque et mythique s'achève sur le seuil de cet Inconnu nocturne que la pensée solaire de Hugo n'a cessé d'interroger à travers l'expérience de la voyance, en attendant que Dieu, « l'Inconnu, splendide et un », apporte la réponse de l'apaisement à son angoisse métaphysique.

Marc EIGELDINGER.

15. *William Shakespeare*, p. 87.
16. Lettre à Paul de Saint-Victor (4 avril 1866).

BIBLIOGRAPHIE

Éditions *des* Travailleurs de la mer

Les Travailleurs de la mer, éd. Yves Gohin, dans Victor Hugo, *Notre-Dame de Paris. Les Travailleurs de la mer*, Gallimard, coll. « Bibliothèque de la Pléiade », 1999.

Les Travailleurs de la mer, éd. Yves Gohin, dans Victor Hugo, *Œuvres complètes. Roman III*, dir. Jacques Seebacher et Guy Rosa, Robert Laffont, coll. « Bouquins », 1985.

Les Travailleurs de la mer, dans Victor Hugo, *Œuvres complètes*, dir. Jean Massin, Le Club français du livre, t. XII (1860-1865), 1969.

Les Travailleurs de la mer, éd. Gaëtan Picon, Le Livre de poche, 1965.

Les Travailleurs de la mer, éd. Henri Guillemin, dans Victor Hugo, *Romans II : Les Travailleurs de la mer. L'homme qui rit. Quatrevingt-treize*, Le Seuil, coll. « L'Intégrale », 1963.

Autres œuvres de Victor Hugo

Océan. Tas de pierres, Albin Michel, 1942.

Philosophie. Commencement d'un livre (préface philosophique des *Misérables*), dans *Œuvres complètes*, dir. Jean Massin, Le Club français du livre, t. XII (1860-1865), 1969.

Promontorium somnii, éd. René Journet et Guy Robert, Les Belles Lettres, 1961.

William Shakespeare. Post-scriptum de ma vie, Albin Michel, 1937.

William Shakespeare, éd. Bernard Leuilliot, Flammarion, 1973.

Correspondance, dans *Œuvres complètes*, dir. Jean Massin, Le Club français du livre, t. XII et XIII, 1969.

L'édition des *Œuvres complètes* (dir. Jacques Seebacher et Guy Rosa, Robert Laffont, coll. « Bouquins », 1985-2002, 18 vol.) est généralement considérée comme l'édition de référence ; on y lira avec profit les textes précédemment mentionnés.

Quelques études et ouvrages généraux sur Victor Hugo

ALBOUY (Pierre), *La Création mythologique chez Victor Hugo*, José Corti, 1963.

BARRÈRE (Jean-Bertrand), *Hugo, l'homme et l'œuvre*, Boivin, 1952.

—, *Victor Hugo à l'œuvre. Le poète en exil et en voyage*, Klincksieck, 1966.

—, *La Fantaisie de Victor Hugo*, Klincksieck, 2 vol., 1972 et 1973.

BAUDOIN (Charles), *Psychanalyse de Victor Hugo*, Armand Colin, 1972 [Éditions du Mont-Blanc, 1943].

BÉNICHOU (Paul), *Les Mages romantiques*, dans *Romantismes français*, t. II, Gallimard, coll. « Quarto », 2004 [1988], p. 1229-1467.

BRIÈRE (Chantal), *Victor Hugo et le roman architectural*, Honoré Champion, coll. « Romantisme et modernités », 2007.

BROMBERT (Victor), *Victor Hugo et le roman visionnaire*, PUF, coll. « Écrivains », 1985.

BUTOR (Michel), « Victor Hugo romancier », dans *Répertoire II*, Minuit, 1964.

GOHIN (Yves), *Sur l'emploi des mots « immanent » et « immanence » chez Victor Hugo*, Caen, Minard, coll. « Lettres modernes », 1968.

GUILLEMIN (Henri), *Victor Hugo par lui-même*, Seuil, coll. « Écrivains de toujours », 1978.

HOVASSE (Jean-Marc), *Victor Hugo*, Fayard, vol. 1 : *Avant l'exil (1802-1851)*, 2001 ; vol. 2 : *Pendant l'exil I (1851-1864)*, 2008.

LEVAILLANT (Maurice), *La Crise mystique de Victor Hugo (1843-1856)*, José Corti, 1954.

MESCHONNIC (Henri), *Pour la poétique IV. Écrire Hugo*, Gallimard, 1977.

PIROUÉ (Georges), *Victor Hugo romancier ou les Dessus de l'inconnu*, Denoël, 1964.

ROMAN (Myriam), *Victor Hugo et le roman philosophique. Du « drame dans les faits » au « drame dans les idées »*, Honoré Champion, 1999. [Sur *Les Travailleurs de la mer*, voir deuxième partie, livre II, chapitre III, « Les romans de l'océan, trilogie et dialectique ».]

SPIQUEL (Agnès), dir., *Études romanesques 9. Victor Hugo et le romanesque*, Caen, Minard, coll. « Lettres modernes », 2005.

VIATTE (Auguste), *Victor Hugo et les Illuminés de son temps*, Montréal, Éditions de l'Arbre, 1942.

VILLIERS (Charles), *L'Univers métaphysique de Victor Hugo*, Vrin, 1970.

WEBER (Jean-Paul), « Hugo », dans *Genèse de l'œuvre poétique*, Gallimard, coll. « Bibliothèque des idées », 1960.

Études sur Les Travailleurs de la mer

BERNARD (Claudie), « *Les Travailleurs de la mer* et le travail du texte », dans *Berenice. Letteratura francese contemporanea*, n° 7, Rome, 1986, p. 31-47.

BERTRAND (Éric), *Étude sur Victor Hugo, Les Travailleurs de la mer*, Ellipses, coll. « Résonances », 2000.

CAILLOIS (Roger), *La Pieuvre, essai sur la logique de l'imaginaire*, La Table Ronde, 1963.

CARLSON (Marianna), *L'Art du romancier dans Les Travailleurs de la mer. Les techniques visuelles*, Caen, Minard, coll. « Lettres modernes », 1961.

CHARLES (David), « L'*épistémè* du liminaire : la religion des *Travailleurs de la mer* », dans *Roman et religion en France (1713-1866)*, dir. Jacques Wagner, Honoré Champion, 2002, p. 231-240.

—, « Hugo et la référence à l'actualité : l'exemple des *Travailleurs de la mer* », dans *Actualité[s] de Victor Hugo*, Actes du colloque de Luxembourg-Vianden, 8-11 novembre 2002, Éditions Maisonneuve et Larose, 2005, p. 119-151.

CHENET-FAUGERAS (Françoise), « *Les Travailleurs de la mer* ou l'écriture en archipel », dans *L'Insularité, thématique et représentations*, Actes du colloque international de Saint-Denis de la Réunion, avril 1992, dir. Jean-Claude Marimoutou et Jean-Michel Racault, L'Harmattan, 1995, p. 365-374.

COLLOT (Michel), « Entre chaos et cosmos : l'esthétique du paysage dans *Les Travailleurs de la mer* », dans *Paysages romantiques*, dir. Gérard Peylet, Talence, Université Michel-de-Montaigne – Bordeaux III, coll. « Eidôlon », 2000, p. 355-371.

EIGELDINGER (Marc), « La voyance avant Rimbaud », dans *Arthur Rimbaud, Lettres du voyant*, éd. Gerald Shaeffer, Genève et Paris, Droz et Minard, 1975.

GLEIZES (Delphine), « Encre marine. Subversions du paysage classique dans *Les Travailleurs de la mer* de Victor Hugo », dans *La Littérature et les arts figurés de l'Antiquité à nos jours*, Actes du XIVe congrès de l'Association Guillaume Budé, Limoges, 25-28 août 1998, Les Belles Lettres, 2001, p. 671-680.

—, « Genèse en archipel. La création à l'œuvre dans *Les Travailleurs de la mer* », dans *L'Œuvre de Victor Hugo entre fragments et œuvre totale*, Actes du colloque international de Copenhague, dir. Hans Peter Lund, Copenhague, Museum Tusculanum Press, coll. « Études romanes », 2003, p. 31-55.

GROSSMAN (Kathryn M.), « "Pleine mer, plein ciel" : The Wave of the Future in *Les Travailleurs de la mer* », dans *Victor Hugo, romancier de l'abîme. New Studies on Hugo's Novels*, dir. J.A. Hiddleston, Oxford, Legenda, 2002, p. 119-136.

—, « Le Shakespeare de la France ? Sur la trace du Barde dans *Les Travailleurs de la mer* », dans *Victor Hugo ou les Frontières effacées*, dir. Dominique Peyrache-Leborgne et Yann Jumelais, Pleins Feux, coll. « Horizons Comparatistes. Université de Nantes », 2002, p. 241-253.

LAFORGUE (Pierre), « Les barricades de l'Océan. Une lecture sociocritique des *Travailleurs de la mer* », dans *Choses vues à travers Hugo*, dir. Claude Millet, Florence Naugrette et Agnès Spiquel, Presses universitaires de Valenciennes, 2007, p. 121-131.

—, « Réalité, possible et chimère dans *Les Travailleurs de la mer* », *Recherches et travaux* (*Hugo et la Chimère*), n° 62, Grenoble, 2003, p. 49-57.

LETELLIER (Claude), « Le merveilleux insulaire à travers *Les Travailleurs de la mer* de Victor Hugo », dans *Île des merveilles. Mirage, miroir, mythe*, Actes du colloque de Cerisy-la-Salle, dir. Daniel Reig, L'Harmattan, 1997, p. 151-171.

LEUILLIOT (Bernard), « *Travailleurs de la mer*, travailleur de l'abîme », dans *Pratiques d'écriture. Mélanges de littérature et d'histoire offerts à Jean Gaudon*, dir. Pierre Laforgue, Klincksieck, 1996, p. 237-249.

LUREAU (Serge), « *Les Travailleurs de la mer*, une utopie scientifique ? », dans *L'Écriture du savoir*, Actes du colloque de Bagnoles-de-l'Orne, 7 janvier 1990, Le Mesnil-Brout, Association Diderot, l'encyclopédisme & autres, *Cahiers Diderot*, n° 3, 1991, p. 77-84.

MERCIÉ (Jean-Luc), « *Les Travailleurs de la mer* ou les avatars du roman parisien », dans Victor Hugo, *Œuvres complètes*, éd. Jean Massin, Club français du livre, t. XII (1860-1865), 1969, p. 485-512.

MILLET (Claude), « *Les Travailleurs de la mer* de Victor Hugo : un roman d'amour », *Romantisme*, n° 32, 2002, p. 13-23.

MONTIER (Jean-Pierre), « Le *finale* des *Travailleurs de la mer* », *Littérature*, n° 24, 2004, p. 3-23.

MOUTET (Muriel), « Concentration et dissolution du moi dans *Moby Dick* et *Les Travailleurs de la mer* », dans *Victor Hugo ou les Frontières effacées*, dir. Dominique Peyrache-Leborgne et Yann Jumelais, Pleins Feux, coll. « Horizons Comparatistes. Université de Nantes », 2002, p. 367-383.

NEEFS (Jacques), « Penser par la fiction (*Les Travailleurs de la mer*) », dans *Hugo le Fabuleux*, Actes du colloque de Cerisy-la-Salle, 30 juin-10 juillet 1984, dir. Jacques Seebacher et Anne Ubersfeld, Seghers, 1985, p. 98-107.

NICOLAS (Anne), « Une économie de la Violence [sur *Les Travailleurs de la mer*] », dans *La Description. Nodier. Sue. Flaubert. Hugo. Verne. Zola. Alexis. Fénéon*, dir. Philippe Bonnefis et Pierre Reboul, Presses universitaires de Lille, 1981 [1974], p. 61-80.

PARADIS (Françoise), « *Les Travailleurs de la mer* de Victor Hugo. Un personnage problématique, le pasteur Ebenezer Caudray », *L'École des lettres second cycle*, n° 8, 2002, p. 17-24.

PAULSON (William), « L'*ananké* des choses : capitalisme et sacrifice dans *Les Travailleurs de la mer* », dans *Les Modernités de Victor Hugo*, dir. David Ellison et Ralph Heyndels, Presses de l'Université Paris-Sorbonne, 2004, p. 27-39.

RICHARD (Jean-Pierre), « Scènes d'oiseaux [sur *Les Travailleurs de la mer*] », dans *Resonant Themes. Literature, History and Arts in Nineteenth and Twentieth Century Europe*, dir. Stirling Haig, Londres, University of North Carolina Press, 1999, p. 81-94.

RICHER (Jean), « Grands transparents dans *Les Travailleurs de la mer* », dans *Idéologies hugoliennes*, Actes du colloque interdisciplinaire, Université de Nice, 23-25 mai 1985, dir. Anne-Marie Amiot, Nice, Serre, 1985, p. 107-111.

RIFFATERRE (Michaël), « La vision hallucinatoire chez Victor Hugo », dans *Essais de stylistique structurale*, trad. Daniel Delas, Flammarion, 1971.

ROMAN (Myriam), « Les îles anglo-normandes : insularité et communauté dans *Les Travailleurs de la mer* », dans *Victor Hugo 6. L'écriture poétique*, dir. Ludmila Charles-Wurtz, Caen, Minard, coll. « Lettres modernes », 2006, p. 223-240.

SOUBIAS (Pierre), « L'écran hugolien : monstres cachés dans *Les Travailleurs de la mer* », dans *L'Écran de la représentation*, dir. Stéphane Lojkine, L'Harmattan, 2001, p. 95-109.

TAFA (Michèle), « Aventure maritime et quête amoureuse dans *Les Travailleurs de la mer* de Victor Hugo », dans *L'Aventure maritime*, dir. Jean-Michel Racault, L'Harmattan, 2000, p. 157-169.

VADÉ (Yves), « Persée, Gilliatt, Œdipe », *Stanford French Review*, 1982, p. 145-173.

WULF (Judith), « Vitesse de l'écriture et mise en forme de la subjectivité dans *Les Chansons des rues et des bois* et *Les Travailleurs de la mer* », *Année Victor Hugo*, n° 1, 2002, p. 115-131.

—, « L'esthétique romanesque dans *Les Travailleurs de la mer* de Victor Hugo : s'engager "chemin faisant" », dans *Cahiers du Groupe phi. L'engagement littéraire*, dir. Emmanuel Bouju, Presses universitaires de Rennes, coll. « Interférences », 2005, p. 231-241.

Sur le roman initiatique

CELLIER (Léon), *Parcours initiatiques*, Neuchâtel, La Baconnière et Presses universitaires de Grenoble, 1977.

VIERNE (Simone), *Rite, roman, initiation*, Presses universitaires de Grenoble, 1973.

Sur les îles anglo-normandes

GAUDON (Jean), « Victor Hugo à Jersey », dans Victor Hugo, *Œuvres complètes*, éd. Jean Massin, Club français du livre, t. IX (1853-1855), 1968.

GUILLOT (Claude), *Les Îles anglo-normandes*, PUF, coll. « Que sais-je ? », 1975.

LE MAISTRE (Frank), *Dictionnaire jersiais-français*, Jersey, 1966.

MÉTIVIER (Georges), *Dictionnaire franco-normand ou Recueil des mots particuliers au dialecte de Guernesey*, Londres, 1870.

POUCHAIN (Gérard), *Dans les pas de Victor Hugo en Normandie et dans les îles anglo-normandes*, Orep Éditions, 2010.

SERGENT (Jean), « Victor Hugo et les îles anglo-normandes »,
Revue française, n° 93, septembre 1957, p. 17-22.
—, « Victor Hugo à Guernesey », *Événement*, mars 1952.

Sur les dessins de Victor Hugo

BLANCHARD (Gérard), « Victor Hugo illustrateur de lui-
même », *Communication et langage*, n° 64, 1985, p. 19-37.
GLEIZES (Delphine), « Genèse des formes. Textes et dessins
autour des *Travailleurs de la mer* », dans *Victor Hugo, romancier
de l'abîme. New Studies on Hugo's Novels*, dir. J.A. Hiddleston,
Oxford, Legenda, 2002, p. 95-118.
MONTIER (Jean-Pierre), « Dessins et écriture dans le manuscrit
des *Travailleurs de la mer* de Victor Hugo », *French Studies*, n° 60,
Oxford, 2006, p. 15-31.
PIRSON (Roselyne), « Le manuscrit illustré des *Travailleurs de la
mer* : inédit avant la lettre du livre d'artiste », dans *Les Modernités
de Victor Hugo*, dir. David Ellison et Ralph Heyndels, Presses de
l'Université Paris-Sorbonne, 2004, p. 41-53.

Filmographie

Les Travailleurs de la mer (1917), film muet réalisé par André
Antoine (1858-1943), avec Armand Tallier, Marc Gérard, Charles
Mosnier, Andrée Brabant, Philippe Garnier et Romuald Joubé.
Les Travailleurs de la mer (1986), film adapté pour la télévision
par Jean-Claude Carrière et réalisé par Edmond Séchan, avec
Aurélien Recoing dans le rôle de Gilliatt.

Voir également :
GLEIZES (Delphine), « *Les Travailleurs de la mer* d'André Antoine
ou la dynamique du réel », dans *L'Œuvre de Victor Hugo à
l'écran. Des rayons et des ombres*, L'Harmattan, 2005, p. 217-233.

Site internet

On consultera avec profit le site internet du Groupe Hugo
(groupugo.div.jussieu.fr), qui fournit une bibliographie détaillée
ainsi que des contributions universitaires sur la vie et l'œuvre de
Victor Hugo.

NOTE SUR L'ÉTABLISSEMENT
DE L'ÉDITION

J'ai adopté le parti de publier *Les Travailleurs de la mer* selon le texte de la deuxième édition, parue à Bruxelles en 1866, en plaçant en tête du roman la « préface », *L'Archipel de la Manche*, que Victor Hugo ajouta en 1883. C'est pourquoi j'ai éliminé le chapitre *La Mer et le vent* et le *reliquat*, insérés dans l'édition de l'Imprimerie nationale (1911). Ce parti peut certes se discuter, mais il présente l'avantage de se conformer aux décisions de l'auteur.

Toutefois j'ai modernisé l'orthographe, corrigé quelques coquilles ou erreurs typographiques, contenues dans l'édition.

Le texte romanesque est suivi de notes explicatives où j'ai tenté d'élucider tout ce qui pouvait l'être ; mais certaines allusions et certains termes demeurent obscurs, en dépit du recours à de multiples dictionnaires et encyclopédies[*]. Quant aux termes techniques de la marine, j'ai préféré les grouper en un glossaire, parce qu'ils constituent une sorte d'ensemble et qu'ils sont parfois répétés à l'intérieur de l'œuvre.

Quelles qu'en soient les limites, cette édition résulte des avis, des efforts et des recherches de plusieurs personnes auxquelles je tiens à exprimer toute ma gratitude : ma femme, mon fils Frédéric et ma belle-fille, puis Jacques Bony, Claude Pichois, Béatrice Rytz, Gérald Schaeffer, André Schneider et Philippe Terrier.

---

[*] Néanmoins j'ai renoncé à l'explication des noms communs d'un emploi rare, figurant dans le *Petit Larousse* (édition de 1978).

LES TRAVAILLEURS
DE LA MER

Carte 1 :
Les Iles anglo-normandes.

Passage du singe

Cherbourg

Cap de la Hague

Carteret

Burhou

AURIGNY

Les Casquets

Dirouilles

Passage de la Déroute

Petit Ruau

Herm

Grand Ruau

SERCQ

Lihou

Jethou

Brechou

Ecrehou

Les Hanois

GUERNESEY

Pater Noster

JERSEY

St Hélier

Roches Douvres

Coutances

Granville

Iles Chausey

Mont-St-Michel

Cancale

Les Minquiers

St-Malo

0   10   20   30 km

St-Brieuc

Carte 2 :
Guernesey.

L'ARCHIPEL DE LA MANCHE

I

LES ANCIENS CATACLYSMES

L'Atlantique ronge nos côtes. La pression du courant du pôle déforme notre falaise ouest. La muraille que nous [1] avons sur la mer est minée de Saint-Valery-sur-Somme à Ingouville [2], de vastes blocs s'écroulent, l'eau roule des nuages de galets, nos ports s'ensablent ou s'empierrent, l'embouchure de nos fleuves se barre. Chaque jour un pan de la terre normande se détache et disparaît sous le flot. Ce prodigieux travail, aujourd'hui ralenti, a été terrible. Il a fallu pour le contenir cet éperon immense, le Finistère. Qu'on juge de la force du flux polaire et de la violence de cet affouillement par le creux qu'il a fait entre Cherbourg et Brest. Cette formation du golfe de la Manche aux dépens du sol français est antérieure aux temps historiques. La dernière voie de fait décisive de l'océan sur notre côte a pourtant date certaine. En 709 [3], soixante ans avant l'avènement de Charlemagne, un coup de mer a détaché Jersey de la France. D'autres sommets des terres antérieurement submergées sont, comme Jersey, visibles. Ces pointes qui sortent de l'eau sont des îles. C'est ce qu'on nomme l'archipel normand.

Il y a là une laborieuse fourmilière humaine.

A l'industrie de la mer qui avait fait une ruine, a succédé l'industrie de l'homme qui a fait un peuple.

II

GUERNESEY

Granit au sud, sable au nord ; ici des escarpements, là
des dunes. Un plan incliné de prairies avec des ondulations de collines et des reliefs de roches ; pour frange à ce
tapis vert froncé de plis, l'écume de l'océan ; le long de la
côte, des batteries rasantes ; des tours à meurtrières de
distance en distance ; sur toute la plage basse, un parapet
massif, coupé de créneaux et d'escaliers, que le sable
envahit, et qu'attaque le flot, unique assiégeant à craindre ; des moulins démâtés par les tempêtes ; quelques-uns,
au Valle, à la Ville-au-Roi, à Saint-Pierre-Port, à Torteval, tournant encore ; dans la falaise, des ancrages ; dans
les dunes, des troupeaux, le chien du berger et le chien du
toucheur de bœufs en quête et en travail ; les petites
charrettes des marchands de la ville galopant dans les
chemins creux ; souvent des maisons noires, goudronnées
à l'ouest à cause des pluies ; coqs, poules, fumiers ; partout des murs cyclopéens ; ceux de l'ancien havre, mal-
heureusement détruits, étaient admirables avec leurs
blocs informes, leurs poteaux puissants et leurs lourdes
chaînes ; des fermes à encadrements de futaies ; les
champs murés à hauteur d'appui avec des cordons de
pierre sèche dessinant sur les plaines un bizarre échi-
quier ; çà et là, un rempart autour d'un chardon, des
chaumières en granit, des huttes casemates, des cabanes à
défier le boulet ; parfois, dans le lieu le plus sauvage, un
petit bâtiment neuf, surmonté d'une cloche, qui est une
école ; deux ou trois ruisseaux dans des fonds de prés ;
ormes et chênes ; un lys fait exprès, qui n'est que là,
Guernsey lily : dans la saison des « grands labours », des
charrues à huit chevaux ; devant les maisons, de larges
meules de foin portées sur un cercle de bornes de pierre ;
des tas d'ajoncs épineux ; parfois des jardins de l'ancien
style français, à ifs taillés, à buis façonnés, à vases

rocailles, mêlés aux vergers et aux potagers; des fleurs d'amateurs dans des enclos de paysans; des rhododendrons parmi les pommes de terre; partout sur l'herbe des étalages de varech, couleur oreille-d'ours; dans les cimetières, pas de croix, des lames de pierre imitant au clair de lune des Dames blanches [4] debout; dix clochers gothiques sur l'horizon; vieilles églises, dogmes neufs; le rite protestant logé dans l'architecture catholique; dans les sables et sur les caps, la sombre énigme celtique [5] éparse sous ses formes diverses, menhirs, peulvens, longues pierres, pierres des fées, pierres branlantes, pierres sonnantes, galeries, cromlechs, dolmens, pouquelaies [6]; toutes sortes de traces; après les druides, les abbés; après les abbés, les recteurs; des souvenirs de chutes du ciel; à une pointe Lucifer, au château de Michel-Archange; à l'autre pointe Icare, au cap Dicart [7]; presque autant de fleurs l'hiver que l'été. Voilà Guernesey.

III

GUERNESEY. SUITE

Terre fertile, grasse, forte. Nul pâturage meilleur. Le froment est célèbre, les vaches sont illustres. Les génisses des herbages de Saint-Pierre-du-Bois sont les égales des moutons lauréats du plateau de Confolens [8]. Les comices agricoles de France et d'Angleterre couronnent les chefs-d'œuvre que font les sillons et les prairies de Guernesey. L'agriculture est servie par une voirie fort bien entendue, et un excellent réseau de circulation vivifie toute l'île. Les routes sont très bonnes. A l'embranchement de deux routes on voit à terre une pierre plate avec une croix. Le plus ancien bailli de Guernesey, celui de 1284, le premier de la liste, Gaultier de la Salle [9], a été pendu pour fait d'iniquité judiciaire. Cette croix, dite la Croix au baillif, marque le lieu de son dernier agenouillement et de sa dernière prière. La mer dans les anses et

les baies est égayée par les corps-morts, grosses toues
bariolées en pain de sucre, quadrillées de rouge et de
blanc, mi-parties de noir et de jaune, chinées de vert, de
bleu et d'orange, losangées, jaspées, marbrées, flottant à
fleur d'eau. On entend par endroits le chant monotone des
équipes halant quelque navire, et tirant le *tow rope* [10].
Non moins que « les poissonniers », les laboureurs ont
l'air content. Les jardiniers de même. Le sol, saturé de
poussière de roche, est puissant ; l'engrais, qui est de
tangue et de goémon, ajoute le sel au granit ; d'où une
vitalité extraordinaire ; la sève fait merveilles ; magnolias,
myrtes, daphnés, lauriers-roses, hortensias bleus ; les
fuchsias sont excessifs ; il y a des arcades de verbènes
triphylles ; il y a des murailles de géraniums ; l'orange et
le citron viennent en pleine terre ; de raisin point, il ne
mûrit qu'en serre ; là, il est excellent ; les camélias sont
arbres ; on voit dans les jardins la fleur de l'aloès plus
haute qu'une maison. Rien de plus opulent et de plus
prodigue que cette végétation masquant et ornant les
façades coquettes des villas et des cottages. Guernesey,
gracieuse d'un côté, est de l'autre terrible. L'ouest, dé-
vasté, est sous le souffle du large. Là, les brisants, les
rafales, les criques d'échouage, les barques rapiécées, les
jachères, les landes, les masures, parfois un hameau bas
et frissonnant, les troupeaux maigres, l'herbe courte et
salée et le grand aspect de la pauvreté sévère.

Li-Hou est une petite île tout à côté, déserte, accessible
à mer basse. Elle est pleine de broussailles et de terriers.
Les lapins de Li-Hou savent les heures. Ils ne sortent de
leur trou qu'à marée haute. Ils narguent l'homme. Leur
ami l'océan les isole. Ces grandes fraternités, c'est toute
la nature.

Si l'on creuse les alluvions de la baie Vason, on y
trouve des arbres. Il y a eu là, sous une mystérieuse
épaisseur de sable, une forêt.

Les pêcheurs rudoyés de cet ouest battu des vents font
des pilotes habiles. La mer est particulière dans les îles de
la Manche. La baie de Cancale, tout proche, est le point
du monde où les marées marnent le plus.

IV

L'HERBE

L'herbe à Guernesey, c'est l'herbe de partout, un peu plus riche pourtant ; une prairie à Guernesey, c'est presque le gazon de Cluges ou de Géménos[11]. Vous y trouvez des fétuques et des paturins, comme dans la première herbe venue, plus le cynodon pied-de-poule et la glycérie flottante, plus le brome mollet aux épillets en fuseau, plus le phalaris des Canaries, l'agrostide qui donne une teinture verte, l'ivraie ray-grass, le lupin jaune, la houlque qui a de la laine sur sa tige, la flouve qui sent bon, l'amourette qui tremble, le souci pluvial, l'ail sauvage dont la fleur est si douce et l'odeur si âcre, la fléole, le vulpin dont l'épi semble une petite massue, le stipe propre à faire des paniers, l'élyme utile à fixer les sables mouvants. Est-ce tout ? non, il y a encore le dactyle dont les fleurs se pelotonnent, le panis millet, et même, selon quelques agronomes indigènes, l'andropogon. Il y a la crépide à feuilles de pissenlit qui marque l'heure, et le laiteron de Sibérie qui annonce le temps[12]. Tout cela, c'est de l'herbe ; mais n'a pas qui veut cette herbe ; c'est l'herbe propre à l'archipel ; il faut le granit pour sous-sol, et l'océan pour arrosoir.

Maintenant faites courir là-dedans et faites voler là-dessus mille insectes, les uns hideux, les autres charmants ; sous l'herbe, les longicornes, les longinases, les calandres, les fourmis occupées à traire les pucerons leurs vaches, les sauterelles baveuses, la coccinelle, bête du bon Dieu et le taupin, bête du diable ; sur l'herbe, dans l'air, la libellule, l'ichneumon, la guêpe, les cétoines d'or, les bourdons de velours, les hémérobes de dentelle, les chrysis au ventre rouge[13], les volucelles tapageuses, et vous aurez quelque idée du spectacle plein de rêverie qu'en juin, à midi, la croupe de Jerbourg ou de Fermain-Bay offre à un entomologiste un peu songeur, et à un poète un peu naturaliste.

Tout à coup vous apercevez sous ce doux gazon vert
une petite dalle carrée où sont gravées ces deux lettres :
W.D. ce qui signifie « War Department » ; c'est-à-dire
Département de la Guerre. C'est juste. Il faut bien que la
civilisation se montre. Sans cela l'endroit serait sauvage.
Allez sur les bords du Rhin ; cherchez les recoins les plus
ignorés de cette nature ; sur de certains points le paysage a
tant de majesté qu'il semble pontifical ; on dirait que Dieu
est plus présent là qu'ailleurs ; enfoncez-vous dans les
asiles où les montagnes font le plus de solitude et où les
bois font le plus de silence ; choisissez, je suppose, Andernach et ses environs ; faites visite à cet obscur et
impassible lac de Laach [14], presque mystérieux tant il est
inconnu ; pas de tranquillité plus auguste ; la vie universelle est là dans toute sa sérénité religieuse ; nul trouble ;
partout l'ordre profond du grand désordre naturel ; pro-
menez-vous, attendri, dans ce désert ; il est voluptueux
comme le printemps et mélancolique comme l'automne ;
cheminez au hasard ; laissez derrière vous l'abbaye en
ruine, perdez-vous dans la paix touchante des ravins,
parmi les chants d'oiseaux et les bruits de feuilles, buvez
dans le creux de votre main l'eau des sources, marchez,
méditez, oubliez ; une chaumière se présente ; elle marque
l'angle d'un hameau enfoui sous les arbres ; elle est verte,
embaumée, charmante, toute vêtue de lierres et de fleurs,
pleine d'enfants et de rires ; vous approchez, et au coin de
la cabane couverte d'une éclatante déchirure d'ombre et
de soleil, sur une vieille pierre de ce vieux mur, au-dessous du nom du hameau, *Liederbreizig*, vous lisez :
22ᵉ Landw. Bataillon. 2ᵉ Comp.

Vous vous croyiez dans un village, vous êtes dans un
régiment. Tel est l'homme.

V

LES RISQUES DE MER

L'overfall, lisez : *casse-cou* [15], est partout sur la côte
ouest de Guernesey. Les vagues l'ont savamment déchi-

quetée. La nuit, sur la pointe des rochers suspects, des clartés invraisemblables, aperçues, dit-on, et affirmées par des rôdeurs de mer, avertissent ou trompent. Ces mêmes rôdeurs, hardis et crédules, distinguent sous l'eau l'holothurion des légendes, cette ortie marine et infernale qu'on ne peut toucher sans que la main prenne feu. Telle dénomination locale, Tinttajeu [16], par exemple (du gallois, Tin-Tagel), indique la présence du diable. Eustache, qui est Wace [17], le dit dans ses vieux vers :

> Dont commença mer à meller,
> Undes à croistre et à troubler,
> Noircir il cieux, noircir la nue,
> Tost fust la mer toute espandue.

Cette Manche est aussi insoumise aujourd'hui qu'au temps de Tewdrig, d'Umbrafel, d'Hamon-dhû le noir et du chevalier Emyr Lhydau, réfugié à l'île de Groix, près de Quimperlé [18]. Il y a, dans ces parages, des coups de théâtre de l'océan desquels il faut se défier. Celui-ci par exemple, qui est un des caprices les plus fréquents de la rose des vents du Channel Islands [19] : une tempête souffle du sud-est ; le calme arrive, calme complet ; vous respirez ; cela dure parfois une heure ; tout à coup l'ouragan, disparu au sud-est, revient du nord-ouest ; il vous prenait en queue, il vous prend en tête ; c'est la tempête inverse. Si vous n'êtes pas un ancien pilote et un vieil habitué, si vous n'avez pas, profitant du calme, pris la précaution de renverser votre manœuvre pendant que le vent se renversait, c'est fini, le navire se disloque et sombre. Ribeyrolles [20], qui est allé mourir au Brésil, écrivait à bâtons rompus, dans son séjour à Guernesey, un memento personnel des faits quotidiens, dont une feuille est sous nos yeux : « 1er janvier. Etrennes. Une tempête. Un navire arrivant de Portrieux s'est perdu hier sur l'Esplanade. — 2. Trois-mâts perdu à la Rocquaine. Il venait d'Amérique. Sept hommes morts. Vingt et un sauvés. — 3. Le packet n'est pas venu. — 4. La tempête continue. — ... — 14. Pluies. Eboulement aux terres qui a tué un homme. — 15. Gros temps. Le *Fawn* n'a pu partir. — 22. Brusque bourrasque. Cinq sinistres sur la côte ouest.

— 24. La tempête persiste. Naufrages de tous côtés. »
Presque jamais de repos dans ce coin de l'océan. De là les
cris de mouette jetés à travers les siècles dans cette rafale
sans fin par l'antique poète inquiet Lhy-ouar'h-henn, ce
Jérémie de la mer. Mais le gros temps n'est pas le plus
grand risque de cette navigation de l'archipel; la bourrasque est violente, et la violence avertit. On rentre au port,
ou l'on met à la cape, en ayant soin de placer le centre
d'effort des voiles au plus bas; s'il survente, on cargue
tout, et l'on peut se tirer d'affaire. Les grands périls de
ces parages sont les périls invisibles, toujours présents, et
d'autant plus funestes que le temps est plus beau. Dans
ces rencontres-là, une manœuvre spéciale est nécessaire.
Les marins de l'ouest de Guernesey excellent dans cette
sorte de manœuvre qu'on pourrait nommer préventive.
Personne n'a étudié comme eux les trois dangers de la
mer tranquille, le singe, l'anuble et le derruble. Le singe
(swinge), c'est le courant; l'anuble (lieu obscur), c'est le
bas-fond; le derruble (qu'on prononce le *terrible*), c'est
le tourbillon, le nombril, l'entonnoir de roches sous-ja-
centes, le puits sous la mer [21].

VI

LES ROCHERS

Dans l'archipel de la Manche, la côte est presque
partout sauvage. Ces îles sont de riants intérieurs, d'un
abord âpre et bourru. La Manche étant une quasi-Médi-
terranée, la vague est courte et violente, le flot est un
clapotement. De là un bizarre martellement des falaises,
et l'affouillement profond de la côte. Qui longe cette côte
passe par une série de mirages. A chaque instant le rocher
essaie de vous faire sa dupe. Où les illusions vont-elles se
nicher? Dans le granit. Rien de plus étrange. D'énormes
crapauds de pierre sont là, sortis de l'eau sans doute pour
respirer; des nonnes géantes se hâtent, penchées sur

l'horizon ; les plis pétrifiés de leur voile ont la forme de la fuite du vent ; des rois à couronnes plutoniennes méditent sur de massifs trônes à qui l'écume n'est pas épargnée ; des êtres quelconques enfouis dans la roche dressent leurs bras dehors ; on voit les doigts des mains ouvertes. Tout cela c'est la côte informe. Approchez, il n'y a plus rien. La pierre a de ces évanouissements. Voici une forteresse, voici un temple fruste, voici un chaos de masures et de murs démantelés, tout l'arrachement d'une ville déserte. Il n'existe ni ville, ni temple, ni forteresse ; c'est la falaise. A mesure qu'on s'avance ou qu'on séloigne ou qu'on dérive ou qu'on tourne, la rive se défait ; pas de kaléidoscope plus prompt à l'écroulement ; les aspects se désagrègent pour se recomposer ; la perspective fait des siennes. Ce bloc est un trépied, puis c'est un lion, puis c'est un ange, et il ouvre les ailes ; puis c'est une figure assise qui lit dans un livre. Rien ne change de forme comme les nuages, si ce n'est les rochers.

Ces formes éveillent l'idée de grandeur, non de beauté. Loin de là. Elles sont parfois maladives et hideuses. La roche a des nodosités, des tumeurs, des kystes, des ecchymoses, des loupes, des verrues. Les monts sont les gibbosités de la terre. Mme de Staël entendant M. de Chateaubriand, qui avait les épaules un peu hautes, mal parler des Alpes, disait : *jalousie de bossu*. Les grandes lignes et les grandes majestés de la nature, le niveau des mers, la silhouette des montagnes, le sombre des forêts, le bleu du ciel, se compliquent d'on ne sait quelle dislocation énorme mêlée à l'harmonie. La beauté a ses lignes, la difformité a les siennes. Il y a le sourire et il y a le rictus. La désagrégation fait sur la roche les mêmes effets que sur la nuée. Ceci flotte et se décompose, ceci est stable et incohérent. Un reste d'angoisse du chaos est dans la création. Les splendeurs ont des balafres. Une laideur, éblouissante parfois, se mêle aux choses les plus magnifiques et semble protester contre l'ordre. Il y a de la grimace dans le nuage. Il y a un grotesque céleste. Toutes les lignes sont brisées dans le flot, dans le feuillage, dans le rocher, et on ne sait quelles parodies s'y laissent entrevoir. L'informe y domine. Jamais un contour n'y est

correct. Grand, oui ; pur, non. Examinez les nuages ;
toutes sortes de visages s'y dessinent, toutes sortes de
ressemblances s'y montrent, toutes sortes de figures s'y
esquissent ; cherchez-y un profil grec. Vous y trouverez
Caliban, non Vénus ; jamais vous n'y verrez le Parthé-
non. Mais parfois, à la nuit tombante, quelque grande
table d'ombre, posée sur des jambages de nuée, et entourée de blocs de brume, ébauchera dans le livide ciel
crépusculaire un cromlech immense et monstrueux.

VII

PAYSAGE ET OCÉAN MÊLÉS

A Guernesey, les métairies sont monumentales. Quelques-unes dressent au bord des chemins un pan de mur
planté comme un décor où sont percées côte à côte la
porte charretière et la porte piétonne. Le temps a creusé
dans les chambranles et les cintres des refends profonds
où la tortue champêtre [22] abrite l'éclosion de ses spores,
et où il n'est pas rare de trouver des chauves-souris
endormies. Les hameaux sous les arbres sont décrépits et
vivaces. Des chaumières ont des vieillesses de cathédra-
les. Une cabane de pierre, route des Hubies, a dans son
mur une encoignure avec un tronçon de colonnette et
cette date : 1405. Une autre, du côté de Balmoral, offre
sur sa façade, comme les maisons paysannes d'Ernani et
d'Astigarraga [23], un blason sculpté en pleine pierre. A
chaque pas, on voit dans les fermes les croisées à mailles
losangées, les tourelles escaliers et les archivoltes de la
renaissance. Pas une porte qui n'ait son montoir à bidet,
en granit. D'autres cabanes ont été des barques ; une
coque de bateau renversée, et juchée sur des pieux et des
traverses, cela fait un toit. Une nef, la cale en haut, c'est
une église ; la voûte en bas, c'est un navire ; le récipient
de la prière, retourné, dompte la mer. Dans les paroisses
arides de l'ouest, le puits banal, debout avec son petit

dôme de maçonnerie blanche au milieu des friches, imite presque le marabout arabe. Une solive trouée avec une pierre pour pivot ferme la haie d'un champ ; on reconnaît à de certaines marques les échaliers sur lesquels les lutins et les auxcriniers se mettent à cheval la nuit. Les ravins étalent pêle-mêle sur leurs talus les fougères, les liserons, les roses de loup, les houx aux graines écarlates, l'épine blanche, l'épine rose, l'hièble d'Écosse, le troène, et ces longues lanières plissées, dites collerettes de Henri IV. Dans toute cette herbe pullule et prospère un épilobe à gousses, fort brouté des bourriques, ce que la botanique exprime avec élégance et pudeur par le mot *onagrariée*. Partout des fourrés, des charmilles, « toutes sortes de brehailles [24] », des épaisseurs vertes où ramage un monde ailé, guetté par un monde rampant ; merles, linottes, rouges-gorges, geais, torquilles ; le loriot des Ardennes se hâte à tire-d'aile ; des volées d'étourneaux manœuvrent en spirales ; ailleurs le verdier, le chardonneret, la cauvette picarde, la corneille aux pieds rouges. Çà et là une couleuvre. De petites chutes d'eau, amenées dans des encaissements de bois vermoulu qui laissent échapper des gouttes, font tourner des moulins dont on entend le battement sous les branchages. Quelques cours de fermes ont encore à leur centre le pressoir à cidre et le vieux cercle de pierre creuse où roulait la roue à broyer les pommes. Les bestiaux boivent dans des auges pareilles à des sarcophages. Un roi celte a peut-être pourri dans ce coffre de granit où s'abreuve paisiblement la vache, qui a les yeux de Junon. Les grimpereaux et les hochequeues viennent en familiarité aimable piller le grain des poules. Le long de la mer tout est fauve. Le vent use l'herbe que le soleil brûle. Quelques églises ont un caparaçon de lierre qui court jusqu'au clocher. Par endroits, dans les bruyères désertes, une excroissance de rocher s'achève en chaumière. Les bateaux tirés à terre, faute de port, sont arc-boutés sur de grosses pierres. Les voiles des barques qu'on voit à l'horizon sont plutôt couleur d'ocre ou jaune saumon que blanches. Du côté de la pluie et de la bise les arbres ont une fourrure de lichen ; les pierres elles-mêmes semblent prendre leurs précautions et ont une peau de mousse drue et dense. Il y a des murmures, des souffles, des froissements de branches, de brusques passages d'oiseaux de mer, quelques-uns avec un poisson d'argent au bec, une abondance de papillons variant de couleur selon la saison, et toutes sortes de profonds tumultes dans les rochers sonores. Des chevaux au vert galopent à travers les jachères. Ils se roulent, bondissent, s'arrêtent, font fête au vent de toute leur crinière, et regardent devant eux dans l'espace les flots qui se suppléent indéfiniment. En mai, les vieilles bâtisses rurales et marines se couvrent de giroflées; en juin, de lilas de muraille. Dans les dunes, les batteries s'écroulent. La désuétude des canons profite aux paysans; des filets de pêcheurs sèchent sur les embrasures. Entre les quatre murs du blockhaus démantelé, un âne errant, ou une chèvre au piquet, broute le gazon d'Espagne et le chardon bleu. Des enfants demi-nus rient. On voit dans les sentiers les jeux de mérelle qu'ils y tracent. Le soir, le soleil couchant, radieusement horizontal, éclaire dans les chemins creux le lent retour des génisses s'attardant à mordre les haies à droite et à gauche, ce qui fait aboyer le chien. Les sauvages caps de l'ouest s'enfoncent en ondulant sous la mer; quelques rares tamarins y frémissent. Au crépuscule, les murs cyclopéens, laissant passer le jour à travers leurs pierres, font au haut des collines de longues crêtes de guipure noire. Le bruit du vent écouté dans ces solitudes donne une sensation de lointain extraordinaire.

VIII

SAINT-PIERRE-PORT

Saint-Pierre-Port, capitale de Guernesey, a été bâti jadis en maisons de bois sculpté, apportées de Saint-Malo. Une belle maison de pierre du XVIe siècle subsiste encore dans la Grand'Rue. Saint-Pierre-Port est port franc. La ville est étagée sur un charmant désordre de

vallées et de collines froncées autour du Vieux-Havre
comme si elles avaient été prises à poignée par un géant.
Les ravins font les rues. Des escaliers abrègent les dé-
tours. Les rues fort roides sont montées et descendues au
galop par les excellents attelages anglo-normands. Dans
la grande place, les femmes du marché, assises en plein
air sur le pavé, reçoivent les averses de l'hiver ; mais il y a
à quelques pas la statue de bronze d'un prince. Il tombe
par an un pied d'eau à Jersey, et dix pouces et demi à
Guernesey. Les poissonniers sont mieux traités que les
maraîchers ; la poissonnerie, vaste halle couverte, a des
tables de marbre où s'étalent magnifiquement les pêches,
souvent miraculeuses, de Guernesey. Il n'y a point de
bibliothèque publique. Il y a une société mécanique et
littéraire. Il y a un collège. On édifie le plus d'églises
qu'on peut. Quand elles sont bâties, on les fait approuver
par les « seigneurs du conseil ». Il n'est point rare de voir
passer dans la rue des chariots portant les fenestrages
ogives en bois donnés par tel charpentier à telle église. Il
y a un palais de justice. Les juges, vêtus de violet,
opinent à haute voix. Au siècle dernier, les bouchers ne
pouvaient pas vendre une livre de bœuf ou de mouton
avant que les magistrats eussent choisi leur viande. Force
« chapelles » particulières protestent contre les églises officielles. Entrez dans une de ces chapelles. Vous enten-
drez un paysan expliquer à d'autres le nestorianisme [25],
c'est-à-dire la nuance entre la mère du Christ et la mère
de Dieu, ou enseigner comme quoi le Père est puissance,
tandis que le Fils n'est qu'une sorte de puissance ; ce qui
ressemble fort à l'hérésie d'Abeilard. Les Irlandais
catholiques foisonnent, peu patients ; de façon que les
discussions théologiques sont parfois ponctuées de coups
de poing orthodoxes. La stagnation du dimanche fait loi.
Tout est permis, excepté de boire un verre de bière le
dimanche. Si vous aviez soif « le saint jour du sabbat »,
vous scandaliseriez le digne Amos Chick qui a licence
pour vendre de l'ale et du cidre dans High street. Loi du
dimanche : chanter sans boire. En dehors de la prière, on
ne dit pas : *mon Dieu*, on dit : *mon bon*. *Good* remplace
God. Une jeune sous-maîtresse française d'un pension-

nat, ayant ramassé ses ciseaux avec cette interjection : *Ah mon Dieu!* fut congédiée pour avoir « juré ». On est plus biblique encore qu'évangélique. Il y a un théâtre. Une porte bâtarde, donnant sur un corridor dans une rue déserte, telle est l'entrée. L'intérieur se rapproche du style d'architecture adopté pour les greniers à foin. Satan n'a pas de pompes, et est mal logé. Le théâtre a pour vis-à-vis la prison, autre logis du même individu. Sur la colline nord, au Castle Carey (solécisme ; il faudrait dire Carey Castle), il existe une précieuse collection de travaux, la plupart espagnols. Publique, ce serait un musée. Dans certaines maisons aristocratiques subsistent des spécimens curieux de ce carrelage peint de Hollande dont est tapissée la cheminée du czar Pierre à Saardam [26], et de ces magnifiques tentures de faïence, dites en Portugal *azulejos*, produits d'un grand art, la faïencerie ancienne, ressuscité aujourd'hui, plus admirable que jamais, grâce à des initiateurs comme le docteur Lasalle, à des fabriques comme Premières, et à des potiers-peintres comme Deck et Devers [27]. La chaussée d'Antin de Jersey se nomme Rouge-Bouillon, le faubourg Saint-Germain de Guernesey se nomme les Rohais. Les belles rues correctes y abondent, toutes coupées de jardins. Il y a à Saint-Pierre-Port autant d'arbres que de toits, plus de nids que de maisons, et plus de bruits d'oiseaux que de bruits de voitures. Les Rohais ont la grande apparence patricienne des quartiers hautains de Londres, et sont blancs et propres. Traversez un ravin, enjambez Mill street, entrez dans une sorte d'entaille entre deux hautes maisons, montez un étroit et interminable degré à coudes tortueux et à dalles branlantes, vous êtes dans une ville bédouine ; masures, fondrières, ruelles dépavées, pignons brûlés, logis effondrés, chambres désertes sans portes ni fenêtres où l'herbe pousse, des poutres traversant la rue, des ruines barrant le passage, çà et là une bicoque habitée, de petits garçons nus, des femmes pâles ; on se croit à Zaatcha [28]. A Saint-Pierre-Port, on n'est pas horloger, on est montrier ; on n'est pas commissaire-priseur, on est encanteur ; on n'est pas badigeonneur, on est picturier ; on n'est pas maçon, on est plâtreur ; on n'est pas pédicure, on est chiropodiste; on n'est pas cuisinier, on est couque; on ne frappe pas à la porte, on *tape à l'hû*. Madame Pescott est «agente de douanes et fournisseure de navires». Un barbier annonçait dans sa boutique la mort de Wellington en ces termes: *Le commandant des soudards est mort*. Des femmes vont de porte en porte revendre de petites pacotilles achetées aux bazars ou aux marchés; cette industrie s'appelle *chiner* [29]. Les chineuses, très pauvres, gagnent à grand-peine quelques doubles dans leur journée. Voici un mot d'une chineuse: «Savez-vous que c'est bien joli, j'ai mis de côté dans ma semaine sept sous.» Un passant de nos amis donna un jour à l'une d'elles cinq francs; elle dit: *Merci bien, monsieur, voilà qui va me permettre d'acheter en gros*. Au mois de mai les yachts commencent à arriver, la rade se peuple de navires de plaisance; la plupart gréés en goélettes, quelques-uns à vapeur. Tel yacht coûte à son propriétaire cent mille francs par mois. Le cricket prospère, la boxe décroît. Les sociétés de tempérance règnent, fort utilement, disons-le. Elles ont leurs processions, et promènent leurs bannières avec un appareil presque maçonnique qui attendrit même les cabaretiers. On entend les tavernières dire aux ivrognes en les servant: «Bévez-en un varre, n'en boivez pas une boutelle.» La population est saine, belle et bonne. La prison de la ville est très souvent vide. A Christmas, le geôlier, quand il a des prisonniers, leur donne un petit banquet de famille. L'architecture locale a des fantaisies tenaces; la ville de Saint-Pierre-Port est fidèle à la reine, à la bible, et aux fenêtres-guillotines; l'été les hommes se baignent nus; un caleçon est une indécence; il souligne. Les mères excellent à vêtir les enfants; rien n'est joli comme cette variété de petites toilettes, coquettement inventées. Les enfants vont seuls dans les rues, confiance touchante et douce. Les marmots mènent les bébés. En fait de modes, Guernesey copie Paris; pas toujours. Quelquefois des rouges vifs ou des bleus crus révèlent l'alliance anglaise. Pourtant nous avons entendu une modiste locale, conseillant une élégante indigène, protester contre l'indigo et l'écarlate, et ajouter cette observation délicate: «Je trouve une couleur

bien dame et bien comme il faut un beau pensée. » La
charpenterie maritime de Guernesey est renommée; le
carénage regorge de bâtiments au radoub. On tire les
navires à terre au son de la flûte. — Le joueur de flûte,
disent les maîtres charpentiers, fait plus de besogne qu'un
ouvrier. Saint-Pierre-Port a un Pollet comme Dieppe, et
un Strand comme Londres [30]. Un homme du monde ne se
montrerait pas dans la rue avec un album ou un porte-
feuille sous le bras, mais va au marché le samedi et porte
un panier. Le passage d'une personne royale a servi de
prétexte à une tour. On enterre dans la ville. La rue du
Collège longe et côtoie à droite et à gauche deux cimetières. Une tombe de février 1610 fait partie d'un mur.
L'Hyvreuse est un square de gazon et d'arbres comparable aux plus beaux carrés des Champs-Élysées de Paris,
avec la mer de plus. On voit, aux vitrines de l'élégant
bazar dit les Arcades, des affiches telles que celle-ci : *Ici
se vend le parfum recommandé par le sixième régiment
d'artillerie.*

La ville est traversée en tous sens par des haquets
chargés de barils de bière ou de sacs de charbon de terre.
Le promeneur peut lire encore çà et là d'autres annonces :
*— Ici, on continue à prêter un joli taureau comme par le
passé. — Ici, on donne le plus haut prix pour chiques* [31]*,
plomb, verre, os. — A vendre, de nouvelles pommes de
terre rognonnes, de choix. — A vendre, rames à pois,
quelques tonnes d'avoine pour chaff, un service complet
de portes anglicées pour un salon, comme aussi un cochon gras* [32]*. Ferme de Mon-Plaisir. Saint-Jacques. — A
vendre, de bons soubats* [33] *dernièrement battus, des ca-
rottes jaunes par le cent, et une bonne seringue française. S'adresser au moulin de l'échelle Saint-André.
— Défense d'habiller du poisson et de déposer des encombriers* [34]*. — A vendre une âne donnant lait, etc.*

IX

JERSEY. AURIGNY. SERK

Les îles de la Manche sont des morceaux de France
tombés dans la mer et ramassés par l'Angleterre. De là
une nationalité complexe. Les Jersiais et les Guernesiais
ne sont certainement pas anglais sans le vouloir, mais ils
sont français sans le savoir. S'ils le savent, ils tiennent à
l'oublier. Cela se voit un peu au français qu'ils parlent.
L'archipel est fait de quatre îles ; deux grandes, Jersey et
Guernesey, et deux petites, Aurigny et Serk ; sans compter les îlots, Ortach, les Casquets, Herm, Jet-Hou, etc.
Les îlots et les écueils dans cette vieille Gaule sont volontiers qualifiés *Hou*. Aurigny a Bur-Hou, Serk a Brecq-
Hou, Guernesey a Li-Hou et Jet-Hou, Jersey a les Ecre-
Hou, Granville a le Pir-Hou. Il y a le cap la Hougue, la
Hougue-bye, la Hougue des Pommiers, les Hou-
mets, etc. Il y a l'île de Chousey, l'écueil Chouas, etc.
Ce remarquable radical de la langue primitive, *hou,* se
retrouve partout [houle, huée, hure, hourque[35], houre
(échafaud, vieux mot), houx, houperon (requin), hurlement, hulotte, chouette, d'où chouan, etc.] ; il transperce
dans les deux mots qui expriment l'indéfini, *unda* et
unde. Il est dans les deux mots qui expriment le doute, *ou*
et *où*. Serk est la moitié d'Aurigny, Aurigny est le quart
de Guernesey. Guernesey est les deux tiers de Jersey.
Toute l'île de Jersey est exactement grande comme la
ville de Londres. Il faudrait pour faire la France deux
mille sept cents Jersey. Au calcul de Charassin[36], excellent agronome pratique, la France, si elle était cultivée
comme Jersey, pourrait nourrir deux cent soixante-dix
millions d'hommes, toute l'Europe. Des quatre îles,
Serk, la plus petite, est la plus belle ; Jersey, la plus
grande, est la plus jolie ; Guernesey, sauvage et riante,
participe des deux. Il existe à Serk une mine d'argent,
inexploitée à cause de la faiblesse du rendement. Jersey a

cinquante-six mille habitants, Guernesey trente mille;
Aurigny, quatre mille cinq cents; Serk, six cents; Li-
Hou, un seul. De l'une de ces îles à l'autre, d'Aurigny à
Guernesey et de Guernesey à Jersey, il y a l'enjambée
d'une botte de sept lieues. Le bras de mer s'appelle entre
Guernesey et Herm le petit Ruau, et entre Herm et Serk le
grand Ruau. La pointe de France la plus proche est le cap
Flamanville. De Guernesey on entend le canon de Cherbourg, et de Cherbourg on entend le tonnerre de Guernesey. Les orages sur l'archipel de la Manche, nous l'avons
dit, sont terribles. Les archipels sont les pays du vent.
Entre chaque île, il y a un corridor qui fait soufflet. Loi
mauvaise pour la mer et bonne pour la terre. Le vent
emporte les miasmes et apporte les naufrages. Cette loi
est sur les Channel Islands comme sur les autres archipels. Le choléra a glissé sur Jersey et Guernesey. Il y eut
pourtant à Guernesey, au Moyen Age, une si furieuse
épidémie qu'un baillif brûla les archives pour détruire la
peste. On nomme volontiers ces îles en France *îles anglaises*, et en Angleterre *îles normandes*. Les îles de la
Manche battent monnaie; de cuivre seulement. Une voie
romaine, encore visible, menait de Coutances à Jersey.
C'est en 709, nous l'avons dit, que l'océan a arraché
Jersey à la France. Douze paroisses furent englouties.
Des familles actuellement vivantes en Normandie ont
encore la seigneurie de ces paroisses; leur droit divin est
sous l'eau; cela arrive aux droits divins.

X

HISTOIRE. LÉGENDE. RELIGION

Les six paroisses primitives de Guernesey appartenaient à un seul seigneur, Néel, vicomte de Cotentin,
vaincu à la bataille des Dunes en 1047. En ce temps-là,
au dire de Dumaresq, il y avait dans les îles de la Manche
un volcan. La date des douze paroisses de Jersey est

inscrite dans le Livre Noir de la cathédrale de Coutances.
Le sire de Briquebec s'intitulait baron de Guernesey.
Aurigny était le fief de Henri l'Artisan. Jersey a subi deux
voleurs, César et Rollon [37]. *Haro* est un cri au duc *(Ha!
Rollo!)* [38], à moins qu'il ne vienne du saxon *haran*, crier.
Le cri *Haro* se répète trois fois, à genoux, sur la grande
route, et tout travail cesse dans le lieu où le cri a été
poussé jusqu'à ce que justice ait été rendue. Avant Rollon, duc des Normands, il y avait eu, sur l'archipel,
Salomon [39], roi des Bretons. De là beaucoup de Normandie à Jersey et beaucoup de Bretagne à Guernesey; la
nature y répercute l'histoire; Jersey a plus de prairies, et
Guernesey plus de rochers; Jersey est plus verte et Guernesey plus âpre. Les gentilhommières couvraient les îles.
Le comte d'Essex [40] a laissé une ruine à Aurigny, Essex
Castle. Jersey a Montorgueil, Guernesey le château Cornet. Le château Cornet est construit sur un rocher qui a
été un Holm, ou Heaume. Cette métaphore se retrouve
dans les Casquets, Casques. Le château Cornet a été
assiégé par le pirate picard Eustache, et Montorgueil par
Duguesclin [41]; les forteresses comme les femmes se van-
tent de leurs assiégeants quand ils sont illustres. Un pape,
au XVe siècle, a déclaré Jersey et Guernesey îles neutres.
Il songeait à la guerre, et non au schisme. Calvin, prêché
à Jersey par Pierre Morice et à Guernesey par Nicolas
Baudoin, a fait son entrée dans l'archipel normand
en 1563. Il y a prospéré, ainsi que Luther, fort gêné
pourtant aujourd'hui par le wesleyanisme [42], excroissance du protestantisme qui contient l'avenir de l'Angleterre. Les églises abondent dans l'archipel. Le détail vaut
la peine qu'on y insiste; partout des temples. La dévotion
catholique est distancée; un coin de terre de Jersey ou de
Guernesey porte plus de chapelles que n'importe quel
morceau de terre espagnole ou italienne de même grandeur.   Méthodistes   proprement   dits,   méthodistes
connexes, méthodistes indépendants, baptistes, presby-
tériens, millénaires, quakers, bible-christians, brethrens
(frères de Plymouth), non-sectériens, etc.; ajoutez
l'église épiscopale anglicane, ajoutez l'église romaine
papiste. On voit à Jersey une chapelle mormone.

On reconnaît les bibles orthodoxes à ce que Satan y est écrit sans majuscule : *satan*. C'est bien fait.

A propos de Satan, on hait Voltaire, Le mot *Voltaire* est, à ce qu'il paraît, une des prononciations du nom de Satan. Quand il s'agit de Voltaire, toutes les dissidences se rallient, le mormon coïncide avec l'anglican, l'accord se fait dans la colère, et toutes les sectes ne sont plus qu'une haine. L'anathème à Voltaire est le point d'intersection de toutes les variétés du protestantisme. Un fait remarquable, c'est que le catholicisme déteste Voltaire, et que le protestantisme l'exècre. Genève enchérit sur Rome. Il y a crescendo dans la malédiction. Calas, Sirven, tant de pages éloquentes contre les dragonnades n'y font rien. Voltaire a nié le dogme, cela suffit. Il a défendu les protestants, mais il a blessé le protestantisme. Les protestants le poursuivent d'une ingratitude orthodoxe. Quelqu'un qui avait à parler en public à Saint-Hélier pour une quête fut prévenu que, s'il nommait Voltaire dans son speech, la quête avorterait. Tant que le passé aura assez de souffle pour avoir la parole, Voltaire sera rejeté. Écoutez toutes ces voix : il n'a ni génie, ni talent, ni esprit. On l'a insulté vieux, on le proscrit mort. Il est éternellement « discuté ». C'est là sa gloire. Parler de Voltaire avec calme et justice, est-ce que c'est possible ? Quand un homme domine un siècle et incarne le progrès, il n'a plus affaire à la critique, mais à la haine.

XI

LES VIEUX REPAIRES
ET LES VIEUX SAINTS

Les Cyclades dessinent le cercle ; l'archipel de la Manche dessine le triangle. Quand on regarde sur une carte, ce qui est la vue à vol d'oiseau de l'homme, les Channel Islands, un segment de mer triangulaire se découpe entre ces trois points culminants, Aurigny, qui marque la

pointe nord, Guernesey, qui marque la pointe ouest,
Jersey, qui marque la pointe sud. Chacune de ces trois
îles mères a autour d'elle ce qu'on pourrait nommer ses
poussins d'îlots. Aurigny a Bur-Hou, Ortach et les Casquets ; Guernesey a Herm, Jet-Hou et Li-Hou ; Jersey
ouvre du côté de la France le cintre de sa baie de Saint-
Aubin, vers laquelle ces deux groupes, épars mais distincts, les Grelets et les Minquiers, semblent, dans le bleu
de l'eau, qui est, comme l'air, un azur, se précipiter ainsi
que deux essaims vers une porte de ruche. Au centre de
l'archipel, Serk, à laquelle se rattachent Brecq-Hou et
l'île aux Chèvres, est le trait d'union entre Guernesey et
Jersey. La comparaison des Cyclades aux Channel
Islands eût certainement frappé l'école mystique et
mythique qui, sous la restauration, se rattachait à de
Maistre par d'Eckstein [43], et lui eût fourni matière à un
symbole : l'archipel d'Hellas arrondi, *ore rotundo ;* l'archipel de la Manche aigu, hérissé, hargneux, anguleux ;
l'un pareil à l'harmonie, l'autre à la chicane ; ce n'est pas
pour rien que l'un est grec et que l'autre est normand.

Jadis, avant les temps historiques, ces îles de la Manche étaient féroces. Les premiers insulaires étaient probablement de ces hommes primitifs dont le type se retrouve
au Moulin-Quignon [44], et qui appartenaient à la race aux
mâchoires rentrantes. Ils vivaient une moitié de l'année
de poisson et de coquillages, et, l'autre moitié, d'épaves.
Piller leur côte était leur ressource. Ils ne connaissaient
que deux saisons, *la saison de pêche et la saison de
naufrage ;* c'est ainsi que les groënlandais appellent l'été
la chasse aux rennes et l'hiver *la chasse aux phoques.*
Toutes ces îles, plus tard normandes, étaient des char-
donnières, des ronceraies, des trous de bêtes, des logis de
forbans. Un vieux chroniqueur local dit énergiquement :
Ratières et piratières. Les Romains y vinrent, et ne firent
faire à la probité qu'un pas médiocre ; ils crucifiaient les
pirates et célébraient les *Furinales* [45], c'est-à-dire la fête
des filous. Cette fête se célèbre encore dans quelques-uns
de nos villages le 25 juillet, et dans nos villes toute
l'année. Jersey, Serk et Guernesey s'appelaient jadis
Ange, Sarge et Bissarge. Aurigny est *Redanœ*, à moins

que ce ne soit Thanet. Une légende affirme que dans l'île
des Rats, *insula rattoram*, de la promiscuité des lapins
mâles et des rats femelles, naît le cochon d'Inde (Turkey
conie). A en croire Furetière, abbé de Chalivoy [46], le
même qui reprochait à La Fontaine d'ignorer la différence
du bois en grume et du bois marmanteau, la France a été
longtemps sans apercevoir Aurigny sur sa côte. Aurigny,
en effet, ne tient dans l'histoire de Normandie que fort
peu de place. Rabelais pourtant connaissait l'archipel
normand; il nomme Herm, et Serk, qu'il appelle Cercq.
«Je vous asseure que telle est cette terre icy, quelles
autres fois j'ai veu les isles de Cercq et Herm, entre
Bretagne et Angleterre.» (Édition de 1558. Lyon,
p. 423 [47].) Les Casquets sont un redoutable lieu de naufrage. Les Anglais, il y a deux cents ans, avaient pour
industrie d'y repêcher des canons. Un de ces canons,
couvert d'huîtres et de moules, est au musée de Valognes. Herm est un eremos [48]. Saint Tugdual, ami de saint
Sampson, a été en prière à Herm, de même que saint
Magloire à Serk [49]. Il y a eu des auréoles d'ermites sur
toutes ces pointes d'écueils. Hélier priait à Jersey, et
Marcouf dans les rochers du Calvados [50]. C'était le temps
où l'ermite Eparchius devenait saint Cybard dans les
cavernes d'Angoulême et où l'anachorète Crescentius, au
fond des forêts de Trèves [51], faisait crouler un temple de
Diane, en le regardant fixement pendant cinq ans. C'est à
Serk, qui était son sanctuaire, «son Ionad naomh», que
Mac-gloir composa l'hymne de la Toussaint, refaite par
Santeuil, *Cælo quos eadem gloria consecrat* [52]. C'est de
là encore qu'il jetait des pierres aux Saxons dont les
flottes pillardes vinrent à deux reprises le déranger dans
son oraison. L'archipel était aussi quelque peu incom-
modé à cette époque par l'amwarydour [53], cacique de la
colonie celte. De temps en temps Magloire passait l'eau,
et allait se concerter avec le mactierne de Guernesey [54],
Nivou, lequel était un prophète. Magloire un jour, ayant
fait un miracle, fit vœu de ne plus manger de poisson. En
outre, pour conserver les mœurs des chiens et ne point
donner de coupables pensées à ses moines, il bannit de
l'île de Serk les chiennes, loi qui subsiste encore. Saint

Magloire rendit à l'archipel plusieurs autres services. Il alla à Jersey mettre à la raison la populace qui avait, le jour de Noël, la mauvaise habitude de se changer en toutes sortes de bêtes, en l'honneur de Mithras [55]. Saint Magloire fit cesser cet abus. Ses reliques furent volées, sous le règne de Nominoë [56], feudataire de Charles le Chauve, par les moines de Lehon-lez-Dinan. Tous ces faits sont prouvés par les bollandistes, *Acta Sancti Marculphi*, etc., et par l'*Histoire ecclésiastique* de l'abbé Trigan [57]. Victrice de Rouen, ami de Martin de Tours, avait sa grotte à Serk, qui, au XIe siècle, relevait de l'abbaye de Montebourg [58]. A l'heure où nous parlons, Serk est un fief immobilisé entre quarante tenanciers.

XII

PARTICULARITÉS LOCALES

Chaque île a sa monnaie à part, son patois à part, son gouvernement à part, ses préjugés à part. Jersey s'inquiète d'un Français propriétaire. S'il allait acheter toute l'île! A Jersey, défense aux étrangers d'acheter de la terre ; à Guernesey, permission. En revanche, l'austérité religieuse est moindre dans la première île que dans la seconde, le dimanche jersiais a la clef des champs que n'a point le dimanche guernesiais. La bible est exécutoire à Saint-Pierre-Port plus qu'à Saint-Hélier. L'achat d'une propriété à Guernesey se complique, particulièrement pour l'étranger ignorant, d'un péril singulier ; l'acheteur répond sur son acquet, pendant vingt ans, de la situation commerciale et financière du vendeur telle qu'elle était au moment précis où la vente a eu lieu. D'autres enchevêtrements naissent de la diversité des monnaies et des mesures. Le schelling, notre ancien ascalin ou chelin, vaut vingt-cinq sous en Angleterre, vingt-six sous à Jersey, et vingt-quatre sous à Guernesey. Le «poids de la reine [59] »··a, lui aussi, des caprices ; la livre guernesiaise

n'est pas la livre jersiaise, qui n'est pas la livre anglaise.
A Guernesey on mesure le champ en vergées et la vergée
en perches. Ce mesurage change à Jersey. A Guernesey
on se se sert que d'argent français, et l'on ne nomme que
l'argent anglais. Un franc s'appelle un «dix pence».
L'absence de symétrie va jusque-là qu'il y a dans l'archipel plus de femmes que d'hommes; six femmes pour cinq
hommes. Guernesey a eu beaucoup de sobriquets, quelques-uns archéologiques; elle est pour les savants *Grano-
sia*, et pour les loyaux *La Petite Angleterre*. Elle ressemble, en effet, par sa forme géométrale à l'Angleterre;
Serk serait son Irlande, mais une Irlande à l'est. Guernesey a dans ses eaux deux cents variétés de testacés et
quarante espèces d'éponges. Elle a été dédiée par les
Romains à Saturne, mais par les Celtes à Gwyn [60]; elle
n'y a pas gagné grand-chose, Gwyn est, comme Saturne,
un mangeur d'enfants. Elle a un vieux code français qui
date de 1331 et qu'on intitule *Le Précepte d'Assize* [61]. De
son côté Jersey a trois ou quatre vieilles tables normandes, la cour d'héritage, où ressortissent les fiefs, la cour
de Catel, qui est criminelle, la cour du Billet, qui est un
tribunal de commerce, et la cour du Samedi, qui est une
police correctionnelle. Guernesey exporte du vinaigre, du
bétail et des fruits, mais surtout elle s'exporte elle-même;
son principal commerce, c'est le gypse et le granit. Guernesey a trois cent cinq maisons inhabitées. Pourquoi? La
réponse, pour quelques-unes du moins, est peut-être dans
un des chapitres de ce livre. Les Russes baraqués à Jersey
au commencement de ce siècle ont laissé leur souvenir
dans les chevaux; le cheval jersiais est un composé singulier du cheval normand et du cheval cosaque; c'est un
admirable coureur et un marcheur puissant. Il pourrait
porter Tancrède et traîner Mazeppa [62]. Au XVII⁰ siècle, il
y a eu guerre civile entre Guernesey et le château Cornet;
le château Cornet étant pour Stuart et Guernesey pour
Cromwell. C'est à peu près comme si l'île Saint-Louis
déclarait la guerre au quai des Ormes. A Jersey il existe
deux factions, la Rose et le Laurier; diminutif des whigs
et des tories. La division, la hiérarchie, la caste, le compartiment, plaisent aux insulaires de cet archipel, si bien

qualifié *La Normandie inconnue* [63]. Les Guernesiais en
particulier ont tellement le goût des îles qu'ils font des
îles dans la population ; en haut de ce petit ordre social,
soixante familles, les *sixty*, vivent à part ; à mi-côte,
quarante familles, les *forty*, font un autre groupe, également isolé ; autour est le peuple. Quant à l'autorité, tout à
la fois locale et anglaise, elle se décompose ainsi : dix
paroisses, dix recteurs, vingt connétables, cent soixante
douzeniers, une cour royale avec procureur et contrôle,
un parlement dit les États, douze juges, appelés juvats, un
bailli qualifié baillif. *Ballivus et coronator,* disent les
vieilles chartes [64]. Pour loi la coutume de Normandie. Le
procureur est nommé par commission, et le baillif par
patente ; nuance anglaise fort sérieuse. Outre le baillif qui
gouverne le civil, il a le doyen qui règle le spirituel, et le
gouverneur qui régit le militaire. Le détail des autres
offices est indiqué dans le « tableau des Messieurs qui ont
les premiers postes dans l'île ».

XIII

TRAVAIL DE LA CIVILISATION
DANS L'ARCHIPEL

Jersey est le septième port de l'Angleterre. En 1845,
l'archipel possédait quatre cent quarante navires jaugeant
quarante-deux mille tonneaux ; il se faisait dans ses ports
un va-et-vient de soixante mille tonneaux entrant et de
cinquante-quatre mille tonneaux sortant sur douze cent
soixante-cinq navires de toutes nations, dont cent quarante-deux steamers. Ces chiffres ont plus que triplé en
vingt ans. La monnaie fiduciaire fonctionne dans les îles
sur une large échelle et donne d'excellents résultats. A
Jersey, émet des billets de banque qui veut ; si ces billets
résistent à l'afflux du remboursement, la banque est fondée. Le billet de banque de l'archipel est invariablement
d'une livre sterling. Le jour où le billet à rente serait

compris des anglo-normands, ils le pratiqueraient sans
nul doute, et l'on aurait ce curieux spectacle de voir le
même fait à l'état d'utopie en Europe et de progrès
accompli dans les Channel Islands. La révolution financière serait microscopiquement faite dans ce petit coin du
monde. Une intelligence ferme, vive, alerte, rapide, caractérise les Jersiais, qui seraient, s'ils voulaient, d'admirables Français. Les Guernesiais, tout aussi pénétrants
et tout aussi solides, sont plus lents. Ce sont de vaillantes
et fortes populations, éclairées plus qu'on ne croit, et
chez lesquelles on a plus d'un étonnement. Les journaux
y abondent, en anglais et en français; six à Jersey, quatre
à Guernesey; de fort grands et de fort bons journaux. Tel
est le puissant et irréductible instinct anglais. Supposez
une île déserte; le lendemain de son arrivée, Robinson
fait un journal, et Vendredi s'y abonne. Pour complément
l'affiche. Affichage illimité et colossal. Pancartes de
toute couleur et de toute dimension, majuscules, images,
textes illustrés en plein air; sur tous les murs de Guernesey, une vaste vignette, représentant un homme de six
pieds de haut une cloche à la main, sonne le tocsin de
l'annonce. Guernesey, à cette heure, a plus d'affiches
que toute la France. De cette publicité sort la vie. Vie de
la pensée très souvent, avec des résultats inattendus,
nivelant la population par l'habitude de lire, qui produit la
dignité des manières. Vous causez sur la route de Saint-
Hélier ou de Saint-Pierre-Port avec un passant irréprochable, vêtu de noir, sévèrement boutonné, au linge très
blanc, vous parlant de John Brown [65] et s'informant de
Garibaldi. C'est un révérend? point. C'est un bouvier.
Un écrivain contemporain arrive à Jersey, entre chez un
épicier *, et, dans un magnifique salon attenant au magasin, aperçoit derrière une vitrine ses œuvres complètes
reliées, dans une haute et large bibliothèque surmontée
d'un buste d'Homère.

---

* Charles Asplet, Beresford street. *(Note de V. H.)*

XIV

AUTRES PARTICULARITÉS

D'une île à l'autre, on fraternise; on se raille aussi, doucement. Aurigny, subordonnée à Guernesey, s'en fâche parfois, et voudrait tirer à elle le baillage et faire de Guernesey son satellite. Guernesey riposte, sans colère, par cette « riselée » populaire [66] :

> Hale, Pier', hale, Jean,
> L'Guernesey vian.

Ces insulaires, étant une famille de mer, ont parfois de l'amertume, jamais d'aigreur. Qui leur prête des grossièretés, les méconnaît. Nous n'ajoutons aucune foi au prétendu dialogue proverbial entre Jersey et Guernesey : — *Vous êtes des ânes.* — Réplique : — *Vous êtes des crapauds.* — C'est là une salutation dont l'archipel normand est incapable. Vadius et Trissotin devenus deux îles de l'océan, nous n'admettons point cela.

Aurigny, du reste, a son importance relative. Pour les Casquets, Aurigny est Londres. La fille du garde-phare Houguer, née aux Casquets, fit, à l'âge de vingt ans, le voyage d'Aurigny. Elle fut éperdue du tumulte et redemanda son rocher. Elle n'avait jamais vu de bœufs. En apercevant un cheval, elle s'écria : Quel gros chien !

On est très jeune vieux, non de fait, mais de droit, en ces îles normandes. Deux passants causent : — Le bonhomme qui venait tous les jours par ici, il est mort. — Quel âge avait-il ? — Mais bien trente-six ans.

Les femmes de cette Normandie insulaire sont, est-ce un blâme ? est-ce un éloge ? difficilement servantes. Deux dans la même maison ont quelque peine à s'accorder. Elles ne se font aucune concession; de là un service peu souple, très intermittent, et fort cahoté. Elles s'occupent médiocrement de leur maître, sans lui en vouloir. Il devient ce qu'il peut. En 1852, une famille française, débarquée à Jersey à la suite d'événements, prit à son service une cuisinière native de Saint-Brelade et une femme de chambre native de Boulay-bay. Un matin de décembre, le maître de la maison, levé au petit jour, trouva la porte du logis, qui donnait sur un grand chemin, ouverte à deux battants, et plus de servantes. Les deux femmes n'avaient pu s'entendre, et à la suite d'une querelle, ayant probablement du reste quelques motifs pour se considérer comme payées de leurs gages, elles avaient empaqueté leurs nippes et s'en étaient allées, chacune de son côté, au milieu de la nuit, laissant derrière elles leurs maîtres endormis et la porte ouverte. L'une avait dit à l'autre : *Je ne reste pas avec une beuveresse*, et l'autre avait répliqué : *Je ne reste pas avec une voleresse*.

Toujours les deux sur les dix, est une séculaire locution proverbiale du pays. Que signifie-t-elle ? Que jamais, si vous avez chez vous un homme de peine ou une femme de service, vos deux yeux ne quittent ses dix doigts. Conseil de maître avare ; c'est la vieille défiance qui dénonce la vieille paresse. Diderot raconte que, pour un carreau cassé à sa fenêtre, en Hollande, cinq ouvriers vinrent ; un portait la vitre neuve, un le mastic, un le seau d'eau, un la truelle, et un autre l'éponge. En deux jours, et à eux cinq, ils remirent la vitre [67].

Ce sont là, disons-le, les antiques langueurs gothiques, nées du servage comme les indolences créoles sont nées de l'esclavage, vices communs à tous les peuples, et qui de nos jours disparaissent partout au frottement du progrès, dans les Channel Islands comme ailleurs, et peut-être plus rapidement qu'ailleurs. Dans ces industrieuses communautés insulaires, l'activité, qui fait partie de la probité, est de plus en plus la loi du travail.

Dans l'archipel de la Manche, certaines choses du passé sont encore visibles. Ceci par exemple : — COUR DE FIEF, tenue en la paroisse de Saint-Ouen, en la maison de M. Malzard, le lundi 22 mai 1854, heure de midi. La cour est présidée par le sénéchal, ayant à sa droite le prévôt et à sa gauche le sergent. Assiste à l'audience, noble écuyer, sire de Morville et autres lieux, possédant

en lige une partie de la paroisse. Le sénéchal a requis du
prévôt le serment, dont la teneur suit : — Vous jurez et
promettez, par votre foi en Dieu, que bien et fidèlement
vous exercerez la charge de prévôt de la cour du fief et
seigneurie de Morville, et conserverez le droit du seigneur. — Et, ledit prévôt, ayant levé la main et salué le
seigneur, a dit : — Je l'jurons.

   L'archipel normand parle français, avec quelques va-
riantes, comme on voit. Paroisse se prononce *paresse*.
On a « un mâ à la gambe qui n'est pas commun ».
— Comment vous portez-vous ? — Petitement. Moyen-
nement. Tout à l'aisi. C'est-à-dire : mal, pas mal, bien.
Être triste, c'est « avoir les esprits bas ». Sentir mauvais,
c'est avoir « un mauvais sent » ; causer du dégât, c'est
« faire du ménage » ; balayer sa chambre, laver sa vais-
selle, etc., c'est « picher son fait » ; le baquet, souvent
plein d'immondices, c'est « le bouquet ». On n'est pas
ivre, on est « bragi » ; on n'est pas mouillé, on est « mu-
cre ». Être hypocondriaque, c'est avoir « des fixes ». Une
fille est une « hardelle », un tablier est un « devantier »,
une nappe est un « doublier », une robe est un « dress »,
une poche est une « pouque », un tiroir est un « haleur »,
un chou est une « caboche », une armoire est une
« presse », un cercueil est un « coffre à mort », les étrennes
sont des « irvières », la chaussée est « la cauchie », un
masque est un « visagier », les pilules sont des « boulets ».
Bientôt, c'est « bien dupartant ». La halle est peu garnie,
la denrée est rare ; le poisson et les légumes sont
« écarts [68] ». Les pommes de terre de l'espèce précoce
sont à Guernesey *temprunes* et à Jersey *Heurives*. Plai-
der, bâtir, voyager, tenir maison, avoir table ouverte,
donner des fêtes, c'est *coûtageux* (en Belgique, et dans la
Flandre française *frayeux*). Une fille ne se laisse pas
embrasser de peur de revenir chez ses parents *bouquie*
(ébouriffée, décoiffée). *Noble* est un des mots les plus
usités dans ce français local. Toute chose réussie est un
« noble train ». Une cuisinière rapporte du marché « un
noble quartier de veau ». Un canard bien nourri « est un
noble pirot ». Une oie grasse est « un noble picot ». La
langue judiciaire et légale a, elle aussi, l'arrière-goût

normand. Un dossier de procès, une requête, un projet de
loi, sont « logés au greffe ». Un père qui marie sa fille ne
lui doit rien « pendant qu'elle est couverte de mari ».

Aux termes de la coutume normande, une fille non
mariée, qui est grosse, désigne le père de son enfant dans
la population. Elle le choisit quelquefois un peu. Cela
n'est pas sans quelque inconvénient.

Le français que parlent les anciens habitants de l'archipel n'est peut-être pas tout à fait de leur faute.

Il y a une quinzaine d'années, plusieurs Français arrivèrent à Jersey, nous venons d'indiquer ce détail. (Disons-le en passant, on ne comprenait pas bien pourquoi
ils avaient quitté leur pays ; quelques habitants les appelaient *ces biaux révoltés*.) Un de ces Français reçut la
visite d'un vieux professeur de langue française, établi
depuis longtemps, disait-il, dans le pays. C'était un Alsacien, accompagné de sa femme. Il montrait peu d'estime
pour le français normand qui est l'idiome de la Manche.
En entrant il s'écria : — J'ai pien te la beine à leur
abrendre le vranzais. On barle ici badois.

— Comment badois ?

— Oui, badois.

— Ah ! patois ?

— C'est ça, badois.

Le professeur continua ses plaintes sur le « badois »
normand. Sa femme lui ayant adressé la parole, il se
tourna vers elle et lui dit : Ne me vaites bas ici te zènes
gonchicales.

XV

ANTIQUITÉS ET ANTIQUAILLES.
COUTUMES, LOIS ET MŒURS

Aujourd'hui, constatons-le, les îles normandes, qui
possèdent chacune leur collège et de nombreuses écoles,
ont d'excellents professeurs, les uns français, les autres
guernesiais et jersiais.

Quant au patois, dénoncé par le professeur alsacien, c'est une vraie langue, point méprisable du tout. Ce patois est un idiome complet, très riche et très singulier. Il éclaire de sa lueur obscure, mais profonde, les origines de la langue française. Ce patois a des savants spéciaux, parmi lesquels il faut citer le traducteur de la Bible en guernesiais, M. Métivier, qui est à la langue celte-normande ce que l'abbé Eliçagaray était à la langue hispano-basque [69].

Il y a dans l'île de Guernesey une chapelle à toit de pierre du VIIIe siècle, et une statue gauloise du VIe, qui sert de chambranle à une porte de cimetière ; exemplaires probablement uniques. Un autre exemplaire unique est ce descendant de Rollon, très digne gentleman, dont nous avons parlé. Il consent à traiter de cousine la reine Victoria.

Sa descendance paraît prouvée et n'a rien d'improbable.

Dans ces îles, nous l'avons dit, on tient à son blason. Nous avons entendu une M. faire ce reproche aux G. : *Ils nous ont pris nos armoires pour les mettre sur leurs tombeaux.*

Les fleurs de lys abondent. L'Angleterre prend volontiers les modes que la France quitte. Peu de bourgeois situés entre cour et jardin se privent d'une clôture fleur-delysée.

On est très chatouilleux sur les mésalliances. Dans je ne sais plus laquelle des îles, à Aurigny, je crois, le fils d'une dynastie très ancienne de marchands de vin s'étant mésallié avec la fille d'un chapelier récent, l'indignation fut universelle, toute l'île blâma ce fils, et une vénérable dame s'écria : *Est-ce là une coupe à faire boire à des parents !* La princesse palatine n'était pas plus tragiquement exaspérée, quand elle reprochait à une de ses cousines, mariée au prince de Tingry, de s'être « encanaillée d'un Montmorency ».

A Guernesey donner le bras à une femme signifie fiançailles. Une nouvelle mariée, les huit jours qui suivent sa noce, ne sort que pour aller aux offices. Un peu de prison assaisonne la lune de miel. Une certaine honte est

d'ailleurs convenable. Le mariage exige si peu de formalités qu'il peut être latent. Cahaigne [70], à Jersey, a entendu cet échange de questions et de réponses entre une
mère, vieille femme, et sa fille, âgée de quarante ans :
— Pourquoi n'épousez-vous pas ce Stevens ? — Vous
voulez donc, ma mère, que je l'épouse deux fois ?
— Comment cela ? — Voilà quatre mois que nous sommes mariés.

A Guernesey, en octobre 1863, une fille a été condamnée à six semaines de prison « pour avoir ennuyé son
père ».

XVI

SUITE DES PARTICULARITÉS

Les îles de la Manche n'ont encore que deux statues,
l'une à Guernesey, du « prince-consort », l'autre à Jersey,
qu'on appelle *le Roi Doré* [71] ; on la nomme ainsi, ignorant
quel personnage elle représente et ne sachant pas qui elle
immortalise. Elle est au centre de la grande place de
Saint-Hélier. Une statue anonyme, c'est toujours une
statue, cela flatte l'amour-propre d'une population, c'est
probablement la gloire de quelqu'un. Rien ne sort plus
lentement de terre qu'une statue, et rien ne pousse plus
vite. Quand ce n'est pas le chêne, c'est le champignon.
Shakespeare attend toujours sa statue en Angleterre, Beccaria attend toujours sa statue en Italie, mais il paraît que
M. Dupin va avoir la sienne en France [72]. On aime à voir
ces hommages publics rendus aux hommes qui honorent
un pays, comme à Londres, par exemple, où l'émotion,
l'admiration, le regret et la foule en deuil ont été crescendo aux trois enterrements de Wellington, de Palmerston [73] et du boxeur Tom Sayers.

Jersey a un Mont-aux-Pendus, ce qui manque à Guernesey. Il y a soixante ans on a pendu un homme à Jersey
pour douze sous pris dans un tiroir ; il est vrai qu'à la

même époque en Angleterre on pendait un enfant de treize ans pour un vol de gâteaux et en France on guillotinait Lesurques, innocent[74]. Beautés de la peine de mort.

Aujourd'hui Jersey, plus avancée que Londres, ne tolérerait plus le gibet. La peine de mort y est tacitement abolie.

En prison on surveille fort les lectures. Un prisonnier n'a droit qu'à la Bible. En 1830, on permit à un Français condamné à mort, nommé Béasse, de lire, en attendant la potence, les tragédies de Voltaire. Cette énormité ne serait plus tolérée aujourd'hui. Ce Béasse est l'avant-dernier pendu de Guernesey. Tapner est, et sera, espérons-le, le dernier[75].

Jusqu'en 1825, le bailli de Guernesey recevait pour traitement les trente livres tournois qu'il avait au temps d'Édouard III; environ cinquante francs. Aujourd'hui il a trois cents livres sterling. A Jersey, la cour royale se nomme *la Cohue.* Une femme qui fait un procès s'appelle *l'actrice.* A Guernesey, on condamne les gens au fouet; à Jersey, on met l'accusé dans une cage de fer. On rit des reliques des saints, mais on vénère les vieilles bottes de Charles II. Elles sont respectueusement conservées au manoir de Saint-Ouen. La dîme est en vigueur. On rencontre en se promenant les magasins des dîmeurs. Le jambage semble aboli, mais le poulage sévit[76]. Celui qui écrit ces lignes donne deux poules par an à la reine d'Angleterre.

L'impôt est un peu bizarrement assis sur la fortune totale, réelle ou conjecturée, du contribuable. Ceci a l'inconvénient de ne point attirer dans l'île les grands consommateurs. M. de Rothschild, s'il habitait à Guernesey quelque joli cottage acheté une vingtaine de mille francs, payerait quinze cent mille francs d'impôt par an. Ajoutons que, s'il ne résidait que cinq mois de l'année, il ne payerait rien. C'est le sixième mois qui est grave.

Climat, un printemps répandu. L'hiver, soit; l'été, sans doute; mais sans excès; jamais de Sénégal, jamais de Sibérie. Les îles de la Manche sont les îles d'Hyères de l'Angleterre. On y envoie les poitrines délicates d'Albion. Telle paroisse de Guernesey, Saint-Martin, par

exemple, passe pour une petite Nice. Aucune Tempé,
aucune Gémenos, aucun Val-Suzon [77] ne dépasse la vallée des Vaux à Jersey et la vallée des Talbots à Guernesey. A ne voir que les versants méridionaux, rien de plus
vert, de plus tiède et de plus frais que cet archipel. La
high life y est possible. Ces petites îles ont leur grand
monde. On y parle français, nous venons de le rappeler,
on dit dans la haute société : *Elle a-z-une rose à son
chapeau*. A cela près, conversations charmantes.

Jersey admire le général Don ; Guernesey admire le
général Doyle [78]. Ce sont deux anciens gouverneurs du
commencement de ce siècle. On trouve à Jersey Don
street et à Guernesey Doyle-Road. En outre, Guernesey a
bâti et dédié à son général une grande colonne qui domine
la mer et qu'on voit des Casquets, et Jersey a fait cadeau
au sien d'un cromlech. Ce cromlech avoisinait Saint-Hélier ; il était sur la colline où est aujourd'hui le fort
Régent. Le général Don a accepté le cromlech, l'a fait
charrier bloc à bloc sur le rivage, l'a embarqué sur une
frégate, et l'a emporté. Ce monument était la merveille
des îles de la Manche ; il était le seul cromlech circulaire
de l'archipel ; il avait vu les cimmériens qui se souvenaient de Tubal-caïn [79], de même que les esquimaux se
souviennent de Probisher ; il avait vu les Celtes dont le
cerveau est au cerveau actuel comme treize est à dix-huit ;
il avait vu ces étranges donjons de bois dont on retrouve
les carcasses dans les tumulus, et qui font hésiter l'esprit
entre l'étymologie *domgio* de Du Cange et l'étymologie
domi-junctæ de Barleycourt [80] ; il avait vu les casse-tête
de silex et les haches druidiques ; il avait vu le grand
Teutatès d'osier [81] ; il existait avant la muraille romaine,
il contenait quatre mille ans d'histoire ; la nuit les matelots apercevaient de loin dans les clairs de lune cette
énorme couronne de roches droites sur la haute falaise de
Jersey. Aujourd'hui c'est un tas de pierres dans un coin
d'un Yorkshire quelconque.

XVII

COMPTABILITÉ DES EXTRÊMES

L'aînesse existe, la dîme existe, la paroisse existe, le seigneur existe, il y a le seigneur de fief et le seigneur de manoir; la clameur de haro existe, « la cause en clameur de haro entre Nicolle, écuyer, et Godfrey, seigneur de Mélèches, a été appelée devant les messieurs de justice, après que la cour a été assise par la prière d'usage ». (Jersey, 1864.) La livre tournois existe, la saisine et la dessaisine existent, le droit de commise existe, la mouvance existe, le retrait lignager existe, le passé existe [82]. On est messire. Il y a bailli. Il y a sénéchal, il y a centeniers, vingteniers et douzeniers. Il y a vingtaine à Saint-Sauveur et cueillette à Saint-Ouen [83]. Il y a tous les ans, pour le branchage des routes, chevauchée des connétables [84]. Le vicomte est en tête, « tenant à la main la perche royale [85] ». Il y a l'heure canonique, qui est avant midi. Noël, Pâques, la Saint-Jean et la Saint-Michel sont les échéances légales. On ne vend pas un immeuble, on le baille à rente. On entend de ces dialogues devant justice : « Prévôt, est-ce le jour, le lieu et l'heure auxquels les plaids de la cour du fief et seigneurie ont été publiés ? — Oui. — Amen. — Amen. » Le cas « du manant niant que sa tenure [86] soit dans les enclaves » est prévu. Il y a les « casualités, trésors trouvés, noces, etc., dont le seigneur peut profiter ». Il y a « jouissance du seigneur par voie de garde jusqu'à ce qu'il se présente partie capable ». Il y a ajour et aveu, record et double record ; il y a chefs-plaids, affieffements, empossessions, alleux et droits régaux [87]. Plein Moyen Age, direz-vous ; non, pleine liberté. Arrivez, vivez, existez. Allez où vous voudrez, faites ce que vous voudrez, soyez qui vous voudrez. Nul n'a droit de savoir votre nom. Avez-vous un Dieu à vous ? Prêchez-le. Avez-vous un drapeau à vous ? Arborez-le. Où ? Dans la rue. Il est blanc ? Soit. Il

est bleu ? très bien. Il est rouge ? Le rouge est une couleur. Vous plaît-il de dénoncer le gouvernement ? Montez
sur la borne, et parlez. Voulez-vous vous associer publiquement ? Associez-vous. Secrètement ? Associez-vous.
Combien ? Tant que vous voudrez. Quelle limite ? Nulle
limite. Avez-vous envie d'assembler le peuple ? Faites.
En quel lieu ? Dans la place publique. J'attaquerai la
royauté ? Cela ne nous regarde pas. Je veux afficher ?
Voilà les murailles. Pensez, parlez, écrivez, imprimez,
haranguez, c'est votre affaire. Tout entendre et tout lire,
d'un côté, cela implique, de l'autre, tout dire et tout
écrire. Donc franchise absolue de parole et de presse. Est
imprimeur qui veut, est apôtre qui veut, est pontife qui
peut. Il ne tient qu'à vous d'être pape. Vous n'avez pour
cela qu'à inventer une religion. Imaginez une nouvelle
forme de Dieu dont vous vous ferez le prophète. Personne
n'a rien à y voir. Au besoin les policemen vous aident.
D'entrave point. Toute liberté ; spectacle grandiose. On
discute la chose jugée. De même qu'on sermonne le
prêtre, on juge le juge. Les journaux impriment : « Hier la
cour a rendu un arrêt inique. » L'erreur judiciaire possible
n'a droit, chose étonnante, à aucun respect. La justice
humaine est livrée aux contestations comme la révélation
céleste. L'indépendance individuelle irait difficilement
plus loin. Chacun est son propre souverain, non de par la
loi, mais de par les mœurs. Souveraineté si entière et si
mêlée à la vie qu'on ne la sent, pour ainsi dire, plus. Le
droit est devenu respirable ; il est incolore, inaperçu et
nécessaire comme l'air. En même temps, on est « loyal ».
Ce sont des citoyens qui ont la vanité d'être sujets. Au
total le XIXᵉ siècle règne et gouverne. Il entre par toutes
les fenêtres de ce Moyen Age resté debout. La vieille
légalité normande est de part en part traversée par la
liberté. Cette masure est pleine de cette lumière. Jamais
anachronisme ne fut si peu réfractaire. L'histoire fait
gothique cet archipel, l'industrie et l'intelligence le font
actuel. Il échappe à l'immobilisation par le simple jeu des
poumons du peuple. Ce qui n'empêche pas qu'on ne soit
seigneur de Mélèches. Une féodalité de droit, une république de fait. Tel est le phénomène.

Cette liberté souffre une exception; une seule; nous l'avons indiquée déjà. Il existe en Angleterre un tyran. Le tyran des Anglais a le même nom que le créancier de don Juan, il s'appelle Dimanche. L'Angleterre est le peuple qui a dit: *time is money;* le tyran Dimanche réduit la semaine active à six jours, c'est-à-dire prend aux Anglais le septième de leur capital. Et aucune résistance n'est possible. Le dimanche règne par les mœurs, despotes bien autres que les lois. Le dimanche, ce roi d'Angleterre, a pour prince de Galles le spleen. Il a le droit d'ennui. Il ferme les ateliers, les laboratoires, les bibliothèques, les musées, les théâtres, presque les jardins et les bois. Du reste, insistons-y le dimanche anglais opprime moins Jersey que Guernesey. A Guernesey, une pauvre tavernière française verse un verre de bière à un promeneur; c'est le dimanche, quinze jours de prison. Un proscrit, bottier, veut travailler le dimanche afin de nourrir sa femme et ses enfants; il ferme ses volets pour qu'on n'entende pas son marteau; si on l'entend, amende. Un dimanche, un peintre, frais débarqué de Paris, s'arrête sur un chemin pour dessiner un arbre, un centenier l'interpelle, lui enjoint de cesser ce scandale, et, par clémence, veut bien ne point le *loger au greffe*. Un barbier de Southampton rase un passant le dimanche; il paye trois livres sterling au fisc. C'est tout simple, Dieu s'étant reposé ce jour-là.

Heureux, du reste, le peuple qui est libre six jours sur sept. Dimanche étant donné comme synonyme de servitude, nous connaissons des nations dont la semaine a sept dimanches.

Tôt ou tard, ces dernières entraves tomberont. Sans doute l'esprit d'orthodoxie est tenace. Sans doute le procès intenté à l'évêque Colenso [88], par exemple, est grave. Pensez pourtant au chemin qu'a fait l'Angleterre dans la liberté depuis le temps où Elliott [89] était traduit en cour d'assises pour avoir dit que le soleil était habité.

Il y a un automne pour la chute des préjugés. C'est l'heure du déclin des monarchies. Cette heure est arrivée.

La civilisation de l'archipel normand est en marche et ne s'arrêtera pas. Cette civilisation est autochtone, ce qui

ne l'empêche point d'être hospitalière et cosmopolite.
Elle a reçu, au XVIIe siècle, le contrecoup de la révolution
anglaise et au XIXe le contrecoup de la révolution française. Elle a eu deux fois le profond tremblement de
l'indépendance.

Au surplus, tous les archipels sont des pays libres.
Mystérieux travail de la mer et du vent.

XVIII

ASILE

Ces îles, autrefois redoutables, se sont adoucies. Elles
étaient écueils, elles sont refuges. Ces lieux de détresse
sont devenus des points de sauvetage. Qui sort du désastre, émerge là. Tous les naufragés y viennent, celui-ci des
tempêtes, celui-là des révolutions. Ces hommes, le marin
et le proscrit, mouillés d'écumes diverses, se sèchent
ensemble à ce tiède soleil. Chateaubriand, jeune, pauvre,
obscur, sans patrie, s'est assis sur une pierre du vieux
quai de Guernesey. Une bonne femme lui a dit : *Que
désirez-vous, mon ami?* C'est une grande douceur pour le
banni français, et presque un apaisement mystérieux, de
retrouver dans les Channel Islands cet idiome qui est la
civilisation même, ces accents de nos provinces, ces cris
de nos ports, ces refrains de nos rues et de nos campagnes, *reminiscitur Argos* [90]. Louis XIV a jeté dans cette
antique peuplade normande un contingent utile de braves
Français parlant purement; la révocation de l'édit de
Nantes a ravitaillé dans les îles la langue française. Les
Français hors de France vont volontiers faire leur temps
dans cet archipel de la Manche; ils promènent dans ces
rochers leur rêverie d'hommes qui attendent; ce choix
s'explique par le charme d'y retrouver l'idiome natal. Le
marquis de Rivière [91], le même à qui Charles X disait : *A
propos, j'ai oublié de te dire que je t'avais fait duc*,
pleurait devant les pommiers de Jersey et préférait le

Pier'road de Saint-Hélier à l'Oxford street de Londres.
C'est dans ce Pier'road que logeait le duc d'Anville, qui
était Rohan et La Rochefoucauld. Un jour, M. d'Anville,
qui avait un vieux basset de chasse, eut à consulter pour
sa santé un médecin de Saint-Hélier, qu'il trouva bon
aussi pour son chien. Il demanda au médecin jersiais une
ordonnance pour son basset. Le chien n'était pas même
malade, et c'était une gaieté de grand seigneur. Le docteur donna son avis. Le lendemain, le duc reçut du docteur une note ainsi conçue :
     « Deux consultations ;
     « 1° Pour M. le duc, un louis.
     « 2° Pour son chien, dix louis. »
     Ces îles ont été des lieux d'abri de la destinée ; toutes
les formes de la fatalité les ont traversées, depuis
Charles II sortant de Cromwell jusqu'au duc de Berry
allant à Louvel [92]. Il y a deux mille ans, César, promis à
Brutus, y était venu. A dater du XVIIᵉ siècle, ces îles ont
été fraternelles au monde entier ; l'hospitalité est leur
gloire. Elles ont l'impartialité de l'asile. Royalistes, elles
accueillent la république vaincue ; huguenotes, elles admettent le catholicisme émigré. Elles lui font même cette
politesse, nous l'avons dit, de haïr autant que lui Voltaire. Et comme, selon beaucoup de gens, et surtout selon
les religions d'État, haïr nos ennemis c'est la meilleure
manière de nous aimer, le catholicisme doit se trouver
fort aimé dans les îles de la Manche. Pour le nouveau
venu sorti d'un naufrage et faisant là un stage dans la
destinée inconnue, quelquefois l'accablement de ces solitudes est profond ; il y a du désespoir dans l'air ; et tout à
coup on y sent une caresse ; un souffle passe qui vous
relève. Qu'est ce souffle ? une note, un mot, un soupir,
rien. Ce rien suffit. Qui n'a senti en ce monde la puissance de ceci : un rien ! Il y a dix ou douze ans, un
Français, débarqué depuis peu à Guernesey, rôdait sur
une des grèves de l'ouest, seul, triste, amer, songeant à la
patrie perdue. A Paris on flâne, à Guernesey on rôde.
Cette île lui apparaissait lugubre. La brume couvrait tout,
la côte sonnait sous la vague, la mer faisait sur les rochers
d'immenses décharges d'écume, le ciel était hostile et

noir. On était pourtant au printemps; mais le printemps
de la mer a un nom farouche, il s'appelle équinoxe. Il est
plus volontiers ouragan que Zéphyr, et l'on pourrait citer
un jour de mai où l'écume, sous ce souffle, a sauté vingt
pieds au-dessus de la pointe du mât de signal qui est sur la
plus haute plate-forme du château Cornet. Ce Français
avait le sentiment qu'il était en Angleterre; il ne savait
pas un mot d'anglais; il voyait un vieil Union-jack, déchiré par le vent, flotter sur une tour ruinée au bout d'un
cap désert; deux ou trois chaumières étaient là; au loin
tout était sable, bruyère, lande, ajonc, épineux; quelques
batteries rasantes, à larges embrasures, montraient leurs
angles; les pierres taillées par l'homme avaient la même
tristesse que les rochers maniés par la mer; le Français
sentait poindre en lui cet épaississement du deuil intérieur
qui commence la nostalgie; il regardait, il écoutait; pas
un rayon; des cormorans en chasse, des nuages en fuite;
partout sur l'horizon une pesanteur de plomb; un vaste
rideau livide tombant du zénith; le spectre du spleen dans
le linceul des tempêtes; rien nulle part qui ressemblât à
l'espérance, et rien qui ressemblât à la patrie; ce Français
songeait, de plus en plus assombri; tout à coup il releva la
tête; une voix sortait d'une des chaumières entrouvertes,
une voix claire, fraîche, délicate, une voix d'enfant, et
cette voix chantait :

> La clef des champs, la clef des bois,
> La clef des amourettes!

XIX

Toutes les réminiscences de la France dans l'archipel
ne sont pas également gracieuses. Nous connaissons un
passant qui, dans l'admirable île de Serk, un dimanche, a
entendu dans la cour d'une ferme ce couplet d'un ancien
cantique huguenot français, très solennellement chanté en
chœur par des voix religieuses ayant le grave accent
calviniste :

Tout le monde pue, pue, pue,
Comme une charogne.
Gniac' gniac' gniac' mon doux Jésus
Qui ait l'odeur bonne.

Il est mélancolique et presque douloureux de penser qu'on est mort dans les Cévennes sur ces paroles-là. Ce couplet, d'un haut comique involontaire, est tragique. On en rit ; on en devrait pleurer. Sur ce couplet, Bossuet, l'un des quarante de l'Académie française, criait : Tue ! Tue !

Du reste, pour le fanatisme, hideux quand il persécute, auguste et touchant quand il est persécuté, l'hymne extérieur n'est rien. Il a son grand et sombre hymne intérieur qu'il chante mystérieusement en son âme à travers toutes les paroles. Il pénètre de sublime même le grotesque, et, quelles que soient la poésie et la prose de ses prêtres, il transfigure cette prose et cette poésie par l'immense harmonie latente de sa foi. Il corrige la difformité des formules par la grandeur des épreuves acceptées et des supplices subis. Où la poésie manque, il met la conscience. Le libretto du martyre peut être plat, qu'importe, si le martyre est magnanime.

XX

HOMO EDAX [92 bis]

Dans un temps donné la configuration d'une île change. Une île est une construction de l'océan. La matière est éternelle, non l'aspect. Tout sur la terre est perpétuellement pétri par la mort, même les monuments extra-humains, même le granit. Tout se déforme, même l'informe. Les édifices de la mer s'écroulent comme les autres.

La mer qui les a élevés, les renverse.

En quinze cents ans, seulement entre l'embouchure de l'Elbe et l'embouchure du Rhin, sept îles sur vingt-trois ont sombré. Cherchez-les au fond de la mer. C'est au

xiii' siècle que la mer a fait le Zuyderzée; c'est au xv'
qu'elle a créé la baie de Bies-Bosch en supprimant vingt-
deux villages; c'est au xvi' qu'elle a improvisé le golfe
de Dollart, en engloutissant Torum [93]. Il y a cent ans,
devant le Bourg-d'Ault, aujourd'hui coupé à pic sur la
falaise normande, on voyait encore sous les vagues le
clocher de l'ancien Bourg-d'Ault submergé. A Écré-Hou,
on distingue, dit-on, parfois, à marée basse, les arbres
aujourd'hui sous-marins de la forêt druidique noyée au
viii' siècle. Jadis Guernesey adhérait à Herm, Herm à
Serk, Serk à Jersey et Jersey à la France. Entre la France
et Jersey, un enfant enjambait le détroit. On y jetait un
fagot, quand l'évêque de Coutances passait, pour que
l'évêque ne se mouillât point les pieds.

La mer édifie et démolit; et l'homme aide la mer, non à
bâtir, mais à détruire.

De toutes les dents du temps, celle qui travaille le plus,
c'est la pioche de l'homme. L'homme est un rongeur.
Tout sous lui se modifie et s'altère, soit pour le mieux,
soit pour le pire. Ici il défigure, là il transfigure. La
brèche de Roland n'est pas si fabuleuse qu'elle en a l'air;
l'entaille de l'homme est sur la nature. La balafre du
travail humain est visible sur l'œuvre divine. Il semble
que l'homme soit chargé d'une certaine quantité d'achèvement. Il approprie la création à l'humanité. Telle est sa
fonction. Il en a l'audace; on pourrait presque dire, l'im-
piété. La collaboration est parfois offensante. L'homme,
ce vivant à brève échéance, ce perpétuel mourant, entreprend l'infini. A tous les flux et reflux de la nature, à
l'élément qui veut communiquer avec l'élément, aux
phénomènes ambiants, à la vaste navigation des forces
dans les profondeurs, l'homme signifie son blocus. Il dit
lui aussi son *Tu n'iras pas plus loin*. Il a sa convenance,
et il faut que l'univers l'accepte. N'a-t-il pas d'ailleurs un
univers à lui? Il entend en faire ce que bon lui semble. Un
univers est une matière première. Le monde, œuvre de
Dieu, est le canevas de l'homme.

Tout borne l'homme, mais rien ne l'arrête. Il réplique à
la limite par l'enjambée. L'impossible est une frontière
toujours reculante [94].

Une formation géologique qui a à sa base la boue du déluge et à son sommet la neige éternelle est pour l'homme un mur comme un autre, il la perce, et passe outre. Il coupe un isthme, fore un volcan, menuise une falaise, évide un gisement, met un promontoire en petits morceaux. Jadis il se donnait toute cette peine pour Xercès, aujourd'hui, moins bête, il se la donne pour lui-même. Cette diminution de bêtise s'appelle le progrès. L'homme travaille à sa maison, et sa maison c'est la terre. Il dérange, déplace, supprime, abat, rase, mine, sape, creuse, fouille, casse, pulvérise, efface cela, abolit ceci, et reconstruit avec de la destruction. Rien ne le fait hésiter, nulle masse, nul bloc, nul encombrement, nulle autorité de la matière splendide, nulle majesté de la nature. Si les énormités de la création sont à sa portée, il les bat en brèche. Ce côté de Dieu qui peut être ruiné le tente, et il monte à l'assaut de l'immensité, le marteau à la main. L'avenir verra peut-être mettre en démolition les Alpes. Globe, laisse faire ta fourmi.

L'enfant, brisant son jouet, a l'air d'en chercher l'âme. L'homme aussi semble chercher l'âme de la Terre.

Pourtant, ne nous exagérons pas notre puissance, quoi que l'homme fasse, les grandes lignes de la création persistent; la masse suprême ne dépend point de l'homme. Il peut sur le détail, non sur l'ensemble. Et il est bon que cela soit ainsi. Le Tout est providentiel. Les lois passent au-dessus de nous. Ce que nous faisons ne va pas au-delà de la surface. L'homme habille ou déshabille la terre; un déboisement est un vêtement qu'on ôte. Mais ralentir la rotation du globe sur son axe, accélérer la course du globe dans son orbite, ajouter ou retrancher une toise à l'étape de sept cent dix-huit mille lieues par jour que fait la terre autour du soleil, modifier la précession des équinoxes, supprimer une goutte de pluie, jamais. Ce qui est en haut reste en haut. L'homme peut changer le climat, non la saison. Faites donc rouler la lune ailleurs que dans l'écliptique!

Des rêveurs, quelques-uns illustres, ont rêvé la restitution du printemps perpétuel à la terre. Les saisons extrêmes, été et hiver, sont produites par l'excès d'inclinaison de l'axe de la terre sur le plan de cette écliptique dont nous venons de parler. Pour supprimer ces saisons, il suffirait de redresser cet axe. Rien de plus simple. Plantez dans le pôle un pieu allant jusqu'au centre du globe, attachez-y une chaîne, trouvez hors de la terre un champ de tirage, ayez dix milliards d'attelages de dix milliards de chevaux chacun, faites tirer, l'axe se redressera, et vous aurez votre printemps. On le voit, pas grand-chose à faire.

Cherchons ailleurs l'éden. Le printemps est bon; la liberté et la justice valent mieux. L'éden est moral, et non matériel.

Être libres et justes, cela dépend de nous.

La sérénité est intérieure. C'est au-dedans de nous qu'est notre printemps perpétuel.

XXI

PUISSANCE DES CASSEURS DE PIERRES

Guernesey est une Trinacrie [95]. La reine des trinacries, c'est la Sicile. La Sicile appartenait à Neptune, et chacun de ses trois angles était dédié à l'une des pointes du trident. Les trois caps portaient trois temples; l'un à Dextra, l'autre à Dubia, l'autre à Sinistra; Dextra était la pointe des fleuves, Sinistra, la pointe des mers, Dubia, la pointe des pluies. Quoi qu'en ait, dit le pharaon Psammuthis [96], menaçant Trasidée, roi d'Agrigente, de faire la Sicile « ronde comme un disque », ces trinacries échappent au remaniement de l'homme, et garderont leurs trois promontoires jusqu'à ce que le déluge qui les a faits vienne les défaire. La Sicile aura toujours son cap Pelore vers l'Italie, son cap Pachynum vers la Grèce et son cap Lilybée vers l'Afrique; et Guernesey aura toujours sa pointe de l'Ancresse au nord, sa pointe de Plainmont au sud-ouest, et sa pointe de Jerbourg au sud-est.

A cela près, l'île de Guernesey est en pleine démoli-

tion. Ce granit est bon, qui en veut? Toute la falaise est
mise en adjudication. Les habitants vendent l'île en détail. Le curieux rocher la Roque-au-Diable a été dernriè-
rement brocanté pour quelques livres sterling; la vaste
carrière de la Ville-Baudue épuisée, on passera à une
autre.

Toute l'Angleterre demande de cette pierre. Rien que
pour la digue construite sur la Tamise, il en faudra deux
cent mille tonnes. Les personnes loyales qui tiennent à la
solidité des statues royales ont fort regretté que le piédestal du bronze Albert, qui est en granit de Cheesering,
n'ait pas été fait en bonne roche de Guernesey. Quoi qu'il
en soit, les côtes de Guernesey tombent sous la pioche.
En quatre ans, à Saint-Pierre-Port, sous les fenêtres des
habitants de la Falue, une montagne a disparu.

Et cela se fait en Amérique comme en Europe. A
l'heure qu'il est, Valparaiso est en train de vendre à
l'enchère aux équarrisseurs les collines magnifiques et
vénérables qui l'avait fait surnommer *Vallée-Paradis*.

Les anciens guernesiais ne reconnaissent plus leur île.
Ils seraient tentés de dire : *on m'a changé mon lieu natal*.
Wellington le disait de Waterloo, qui était son lieu natal à
lui. Ajoutez à cela que Guernesey, qui jadis parlait français, parle aujourd'hui anglais; autre démolition.

Jusque vers 1805, Guernesey a été coupée en deux
îles. Un fleuve de mer la traversait de part en part, du
mont Crevel de l'est au mont Crevel de l'ouest. Ce bras
de mer débouchait à l'occident vis-à-vis les Fruquiers et
les deux Sauts-Roquiers; il avait des baies entrant assez
avant dans les terres, une allait jusqu'à Salterns; on
nommait ce bras de mer la Braye du Valle. Saint-Sampson, au siècle dernier, était un amarrage de barques des
deux côtés d'une rue de l'océan. Rue étroite et sinueuse.
De même que les Hollandais ont desséché la mer de
Harlem dont ils ont fait une plaine assez laide, les Guernesiais ont comblé la Braye du Valle, à cette heure
prairie. De la rue ils ont fait un cul-de-sac; ce cul-de-sac
est le port de Saint-Sampson.

XXII

BONTÉ DU PEUPLE DE L'ARCHIPEL

Qui a vu l'archipel normand, l'aime; qui l'a habité, l'estime.

C'est là un noble petit peuple, grand par l'âme. Il a l'âme de la mer. Ces hommes des îles de la Manche sont une race à part. Ils gardent sur « la grand'terre » on ne sait quelle suprématie, ils le prennent de haut avec les Anglais, disposés parfois à dédaigner « ces trois ou quatre pots de fleurs dans cette pièce d'eau ». Jersey et Guernesey répliquent : *Nous sommes les Normands, et c'est nous qui avons conquis l'Angleterre.* On peut sourire, on peut admirer aussi. Un jour viendra où Paris mettra ces îles à la mode et fera leur fortune; elles le méritent. Une prospérité sans cesse croissante les attend le jour où elles seront connues. Elles ont ce singulier attrait de combiner un climat fait pour l'oisiveté avec une population faite pour le travail. Cette églogue est un chantier. L'archipel normand a moins de soleil que les Cyclades, mais plus de verdure; autant de verdure que les Orcades, et plus de soleil. Il n'a pas le temple d'Astypalée [97], mais il a les cromlechs; il n'a pas la grotte de Fingal, mais il a Serk. Le moulin Huet vaut Le Tréport; la grève d'Azette vaut Trouville; Plémont vaut Étretat. Le pays est beau, le peuple est bon, l'histoire est fière. Le côté sauvage est majestueux. L'archipel a un apôtre, Hélier, un poète, Robert Wace, un héros, Pierson [98]. Plusieurs des meilleurs généraux et des meilleurs amiraux de l'Angleterre sont nés dans l'archipel. Ces pauvres pêcheurs sont dans l'occasion magnifiques; dans les souscriptions pour les inondés de Lyon et les affamés de Manchester, Jersey et Guernesey ont plus donné, proportion gardée, que la France et l'Angleterre *. Ces peuples ont gardé de leur

---

* *Voici, en particulier, pour Guernesey et pour les inondés français de 1856, la proportion des sommes souscrites : la France a donné par tête d'habitant,* trente centimes, *l'Angleterre,* six centimes, *Guernesey,* trente-huit centimes. *(Note de V. H.)*

vieille vie de contrebandiers un goût hautain pour le risque et le danger. Ils vont partout. Ils essaiment. L'archipel normand colonise aujourd'hui, comme jadis l'archipel grec. C'est là une gloire. Il y a des Jersiais et des Guernesiais en Australie, en Californie, à Ceylan. L'Amérique du Nord a son New-Jersey, et son New-Guernesey, qui est dans l'Ohio. Ces Anglo-normands, quoique un peu ankylosés par les sectes, ont une incorruptible aptitude au progrès. Toutes les superstitions, soit, mais toute la raison aussi. Est-ce que la France n'a pas été brigande ? Est-ce que l'Angleterre n'a pas été anthropophage ? Soyons modestes, et pensons à nos ancêtres tatoués.

Où prospérait le banditisme, le commerce règne. Transformation superbe. Œuvre des siècles, sans doute, mais des hommes aussi. Ce magnanime exemple, c'est ce microscopique archipel qui le donne. Ces espèces de petites nations-là font la preuve de la civilisation. Aimons-les, et vénérons-les. Ces microcosmes reflètent en petit, dans toutes ses phases, la grande formation humaine. Jersey, Guernesey, Aurigny ; anciens repaires, ateliers à présent. Anciens écueils, ports maintenant.

Pour l'observateur de cette série d'avatars qu'on appelle l'histoire, pas de spectacle plus émouvant que de voir lentement et par degrés monter et surgir au soleil de la civilisation ce peuple nocturne de la mer. L'homme des ténèbres se retourne et fait face à l'aurore. Rien n'est plus grand, rien n'est plus pathétique. Jadis forban, aujourd'hui ouvrier ; jadis sauvage, aujourd'hui citoyen ; jadis loup, aujourd'hui homme. A-t-il moins d'audace qu'autrefois ? Non. Seulement cette audace va à la lumière. Quelle splendide différence entre la navigation actuelle, côtière, riveraine, marchande, honnête, fraternelle, et le vieux dromon informe ayant pour devise : *Homo homini monstrum* [99] ! Le barrage s'est fait pont. L'obstacle est devenu l'aide. Là où ce peuple a été pirate, il est pilote. Et il est plus entreprenant et plus hardi que jamais. Ce pays est resté le pays de l'aventure en devenant le pays de la probité. Plus le point de départ a été infime, plus on est attendri de l'ascension. La fiente du

nid sur la coquille de l'œuf fait admirer l'envergure de
l'oiseau. C'est en bonne part qu'on pense aujourd'hui à
l'ancienne piraterie de l'archipel normand. En présence
de toutes ces voiles charmantes et sereines triomphale-
ment guidées à travers ces dédales de flots et d'écueils par
le phare lenticulaire et la light-house électrique, on
songe, avec le bien-être de conscience inhérent au progrès constaté, à ces vieux marins furtifs et farouches,
naviguant jadis, en des chaloupes sans boussole, sur les
vagues noires lividement éclairées de loin en loin, de
promontoire en promontoire, par ces antiques brasiers à
frissons de flammes, que tourmentaient dans des cages de
fer les immenses vents des profondeurs.

Je dédie ce livre au rocher d'hospitalité et de liberté, à ce coin de vieille terre normande où vit le noble petit peuple de la mer, à l'île de Guernesey, sévère et douce, mon asile actuel, mon tombeau probable.

V. H.

La religion, la société, la nature; telles sont les trois luttes de l'homme. Ces trois luttes sont en même temps ses trois besoins; il faut qu'il croie, de là le temple; il faut qu'il crée, de là la cité; il faut qu'il vive, de là la charrue et le navire. Mais ces trois solutions contiennent trois guerres. La mystérieuse difficulté de la vie sort de toutes les trois. L'homme a affaire à l'obstacle sous la forme superstition, sous la forme préjugé, et sous la forme élément. Un triple anankè pèse sur nous, l'anankè des dogmes, l'anankè des lois, l'anankè des choses. Dans *Notre-Dame de Paris*, l'auteur a dénoncé le premier; dans *Les Misérables*, il a signalé le second; dans ce livre, il indique le troisième [100].

A ces trois fatalités qui enveloppent l'homme se mêle la fatalité intérieure, l'anankè suprême, le cœur humain.

Hauteville House, mars 1866.

PREMIÈRE PARTIE

SIEUR CLUBIN

LIVRE PREMIER

DE QUOI SE COMPOSE UNE MAUVAISE RÉPUTATION

I

UN MOT ÉCRIT SUR UNE PAGE BLANCHE

La Christmas de 182... fut remarquable à Guernesey. Il neigea ce jour-là. Dans les îles de la Manche, un hiver où il gèle à glace est mémorable, et la neige fait événement.

Le matin de cette Christmas, la route qui longe la mer de Saint-Pierre-Port au Valle était toute blanche. Il avait neigé depuis minuit jusqu'à l'aube. Vers neuf heures, peu après le lever du soleil, comme ce n'était pas encore le moment pour les anglicans d'aller à l'église de Saint-Sampson et pour les wesleyens d'aller à la chapelle El-dad, le chemin était à peu près désert. Dans tout le tronçon de route qui sépare la première tour de la seconde tour, il n'y avait que trois passants, un enfant, un homme et une femme. Ces trois passants, marchant à distance les uns des autres, n'avaient visiblement aucun lien entre eux. L'enfant, d'une huitaine d'années, s'était arrêté, et regardait la neige avec curiosité. L'homme venait derrière la femme, à une centaine de pas d'intervalle. Il allait comme elle du côté de Saint-Sampson. L'homme, jeune encore, semblait quelque chose comme un ouvrier ou un matelot. Il avait ses habits de tous les jours, une vareuse de gros drap brun, et un pantalon à jambières goudronnées, ce qui paraissait indiquer qu'en dépit de la fête il n'irait à aucune chapelle. Ses épais souliers de cuir brut, aux semelles garnies de gros clous, laissaient sur la neige une empreinte plus ressemblante à une serrure de prison qu'à un pied d'homme. La passante, elle, avait évidemment déjà sa toilette d'église ; elle portait une large mante ouatée de soie noire à faille, sous laquelle elle était fort

coquettement ajustée d'une robe de popeline d'Irlande à
bandes alternées blanches et roses, et, si elle n'eût eu des
bas rouges, on eût pu la prendre pour une Parisienne. Elle
allait devant elle avec une vivacité libre et légère, et, à
cette marche qui n'a encore rien porté de la vie, on
devinait une jeune fille. Elle avait cette grâce fugitive de
l'allure qui marque la plus délicate des transitions, l'adolescence, les deux crépuscules mêlés, le commencement
d'une femme dans la fin d'un enfant. L'homme ne la
remarquait pas.

Tout à coup, près d'un bouquet de chênes verts qui est
à l'angle d'un courtil, au lieu-dit les Basses Maisons, elle
se retourna, et ce mouvement fit que l'homme la regarda.
Elle s'arrêta, parut le considérer un moment, puis se
baissa, et l'homme crut voir qu'elle écrivait avec son
doigt quelque chose sur la neige. Elle se redressa, se
remit en marche, doubla le pas, se retourna encore, cette
fois en riant, et disparut à gauche du chemin, dans le
sentier bordé de haies qui mène au château de Lierre.
L'homme, quand elle se retourna pour la seconde fois,
reconnut Déruchette, une ravissante fille du pays.

Il n'éprouva aucun besoin de se hâter, et, quelques
instants après, il se trouva près du bouquet de chênes à
l'angle du courtil. Il ne songeait déjà plus à la passante
disparue, et il est probable que si, en cette minute-là,
quelque marsouin eût sauté dans la mer ou quelque rouge-
gorge dans les buissons, cet homme eût passé son chemin, l'œil fixé sur le rouge-gorge ou le marsouin. Le
hasard fit qu'il avait les paupières baissées, son regard
tomba machinalement sur l'endroit où la jeune fille s'était
arrêtée. Deux petits pieds s'y étaient imprimés, et à côté
il lut ce mot tracé par elle dans la neige : *Gilliatt*.

Ce mot était son nom.

Il s'appelait Gilliatt.

Il resta longtemps immobile, regardant ce nom, ces
petits pieds, cette neige, puis continua sa route, pensif.

II

LE BÛ DE LA RUE

Gilliatt habitait la paroisse de Saint-Sampson. Il n'y était pas aimé. Il y avait des raisons pour cela.

D'abord il avait pour logis une maison « visionnée [101] ». Il arrive quelquefois, à Jersey ou à Guernesey, qu'à la campagne, à la ville même, passant dans quelque coin désert ou dans une rue pleine d'habitants, vous rencontrez une maison dont l'entrée est barricadée ; le houx obstrue la porte ; on ne sait quels hideux emplâtres de planches clouées bouchent les fenêtres du rez-de-chaussée ; les fenêtres des étages supérieurs sont à la fois fermées et ouvertes, tous les châssis sont verrouillés, mais tous les carreaux sont cassés. S'il y a un beyle [102], une cour, l'herbe y pousse, le parapet d'enceinte s'écroule ; s'il y a un jardin, il est ortie, ronce et ciguë ; et l'on peut y épier les insectes rares. Les cheminées se crevassent, le toit s'effondre ; ce qu'on voit du dedans des chambres est démantelé ; le bois est pourri, la pierre est moisie. Il y a aux murs du papier qui se décolle. Vous pouvez y étudier les vieilles modes du papier peint, les griffons de l'Empire, les draperies en croissant du Directoire, les balustres et les cippes [103] de Louis XVI. L'épaississement des toiles pleines de mouches indique la paix profonde des araignées. Quelquefois on aperçoit un pot cassé sur une planche. C'est là une maison « visionnée ». Le diable y vient la nuit.

La maison comme l'homme peut devenir cadavre. Il suffit qu'une superstition la tue. Alors elle est terrible. Ces maisons mortes ne sont point rares dans les îles de la Manche.

Les populations campagnardes et maritimes ne sont pas
tranquilles à l'endroit du diable. Celles de la Manche,
archipel anglais et littoral français, ont sur lui des notions
très précises. Le diable a des envoyés par toute la terre. Il
est certain que Belphégor est ambassadeur de l'enfer en
France, Hutgin en Italie, Bélial en Turquie, Thamuz en
Espagne, Martinet en Suisse, et Mammon en Angleterre.
Satan est un empereur comme un autre. Satan César. Sa
maison est très bien montée : Dagon est grand panetier ;
Succor Bénoth est chef des eunuques, Asmodée, banquier des jeux, Kobal, directeur du théâtre, et Verdelet,
grand maître des cérémonies ; Nybbas est bouffon [104].
Wiérus [105], homme savant, bon strygologue et démono-
graphe bien renseigné, appelle Nybbas « le grand paro-
diste ».
   Les pêcheurs normands de la Manche ont bien des
précautions à prendre quand ils sont en mer, à cause des
illusions que le diable fait. On a longtemps cru que saint
Maclou[106] habitait le gros rocher carré Ortach, qui est au
large entre Aurigny et les Casquets, et beaucoup de vieux
matelots d'autrefois affirmaient l'y avoir très souvent vu
de loin, assis et lisant dans un livre. Aussi les marins de
passage faisaient-ils force génuflexions devant le rocher
Ortach jusqu'au jour où la fable s'est dissipée et a fait
place à la vérité. On a découvert et l'on sait aujourd'hui
que ce qui habite le rocher Ortach, ce n'est pas un saint,
mais un diable. Ce diable, un nommé Jochmus, avait eu
la malice de se faire passer pendant plusieurs siècles pour
saint Maclou. Au reste l'Église elle-même tombe dans
ces méprises. Les diables Raguhel, Oribel et Tobiel ont
été saints jusqu'en 745 où le pape Zacharie [107], les ayant
flairés, les mit dehors. Pour faire de ces expulsions, qui
sont certes très utiles, il faut beaucoup se connaître en
diables.
   Les anciens du pays racontent, mais ces faits-là appartiennent au passé, que la population catholique de l'Archipel normand a été autrefois, bien malgré elle, plus en
communication encore avec le démon que la population
huguenote. Pourquoi ? nous l'ignorons. Ce qui est certain, c'est que cette minorité fut jadis fort ennuyée par le

diable. Il avait pris les catholiques en affection, et cherchait à les fréquenter, ce qui donnerait à croire que le diable est plutôt catholique que protestant. Une de ses plus insupportables familiarités, c'était de faire des visites nocturnes aux lits conjugaux catholiques, au moment où le mari était endormi tout à fait, et la femme à moitié. De là des méprises. Patouillet [108] pensait que Voltaire était né de cette façon. Cela n'a rien d'invraisemblable. Ce cas du reste est parfaitement connu et décrit dans les formulaires d'exorcismes, sous la rubrique : *De erroribus nocturnis et de semine diabolorum* [109]. Il a particulièrement sévi à Saint-Hélier vers la fin du siècle dernier, probablement en punition des crimes de la révolution. Les conséquences des excès révolutionnaires sont incalculables. Quoi qu'il en soit, cette survenue possible du démon, la nuit, quand on n'y voit pas clair, quand on dort, embarrassait beaucoup de femmes orthodoxes. Donner naissance à un Voltaire n'a rien d'agréable. Une d'elles, inquiète, consulta son confesseur sur le moyen d'éclaircir à temps ce quiproquo. Le confesseur répondit : — Pour vous assurer si vous avez affaire au diable ou à votre mari, tâtez le front, si vous trouvez des cornes, vous serez sûre...

— De quoi ? demanda la femme.

La maison qu'habitait Gilliatt avait été visionnée et ne l'était plus. Elle n'en était que plus suspecte. Personne n'ignore que, lorsqu'un sorcier s'installe dans un logis hanté, le diable juge le logis suffisamment tenu, et fait au sorcier la politesse de n'y plus venir, à moins d'être appelé, comme le médecin.

Cette maison se nommait le Bû de la Rue. Elle était située à la pointe d'une langue de terre ou plutôt de rocher qui faisait un petit mouillage à part dans la crique de Houmet-Paradis. Il y a là une eau profonde. Cette maison était toute seule sur cette pointe presque hors de l'île, avec juste assez de terre pour un petit jardin. Les hautes marées noyaient quelquefois le jardin. Entre le port de Saint-Sampson et la crique de Houmet-Paradis, il y a la grosse colline que surmonte le bloc de tours et de lierre appelé le château du Valle ou de l'Archange, en sorte que de Saint-Sampson on ne voyait pas le Bû de la Rue.

Rien n'est moins rare qu'un sorcier [110] à Guernesey. Ils exercent leur profession dans certaines paroisses, et le XIXᵉ siècle n'y fait rien. Ils ont des pratiques véritablement criminelles. Ils font bouillir de l'or. Ils cueillent des herbes à minuit. Ils regardent de travers les bestiaux des gens. On les consulte; ils se font apporter dans des bouteilles de « l'eau des malades », et on les entend dire à demi-voix: *l'eau paraît bien triste*. L'un d'eux un jour, en mars 1857, a constaté dans « l'eau » d'un malade sept diables. Ils sont redoutés et redoutables. Un d'eux a récemment ensorcelé un boulanger « ainsi que son four ». Un autre a la scélératesse de cacheter et sceller avec le plus grand soin des enveloppes « où il n'y a rien dedans ». Un autre va jusqu'à avoir dans sa maison sur une planche trois bouteilles étiquetées B. Ces faits monstrueux sont constatés. Quelques sorciers sont complaisants, et pour deux ou trois guinées, prennent vos maladies. Alors ils se roulent sur leur lit en poussant des cris. Pendant qu'ils se tordent, vous dites: Tiens, je n'ai plus rien. D'autres vous guérissent de tous les maux en vous nouant un mouchoir autour du corps. Moyen si simple qu'on s'étonne que personne ne s'en soit encore avisé. Au siècle dernier la cour royale de Guernesey les mettait sur un tas de fagots, et les brûlait vifs. De nos jours elle les condamne à huit semaines de prison, quatre semaines au pain et à l'eau, et quatre semaines au secret, alternant. *Amant alterna catenæ* [111].

Le dernier brûlement de sorciers à Guernesey a eu lieu en 1747. La ville avait utilisé pour cela une de ses places, le carrefour du Bordage. Le carrefour du Bordage a vu brûler onze sorciers, de 1565 à 1700. En général ces coupables avouaient. On les aidait à l'aveu au moyen de la torture. Le carrefour du Bordage a rendu d'autres services encore à la société et à la religion. On y a brûlé les hérétiques. Sous Marie Tudor, on y brûla, entre autres huguenots, une mère et ses deux filles; cette mère s'appelait Perrotine Massy. Une des filles était grosse. Elle accoucha dans la braise du bûcher. La chronique dit:

«Son ventre éclata.» Il sortit de ce ventre un enfant vivant; le nouveau-né roula hors de la fournaise; un nommé House le ramassa. Le bailli Hélier Gosselin [112], bon catholique, fit rejeter l'enfant dans le feu.

POUR TA FEMME, QUAND TU TE MARIERAS

Revenons à Gilliatt.

On contait dans le pays qu'une femme, qui avait avec elle un petit enfant, était venue vers la fin de la révolution habiter Guernesey. Elle était anglaise, à moins qu'elle ne fût française. Elle avait un nom quelconque dont la prononciation guernesiaise et l'orthographe paysanne avaient fait Gilliatt. Elle vivait seule avec cet enfant qui était pour elle, selon les uns un neveu, selon les autres un fils, selon les autres un petit-fils, selon les autres rien du tout. Elle avait un peu d'argent, de quoi vivre pauvrement. Elle avait acheté une pièce de pré à la Sergentée, et une jaonnière à la Roque-Crespel, près de Rocquaine. La maison du Bû de la Rue était, à cette époque, visionnée. Depuis plus de trente ans, on ne l'habitait plus. Elle tombait en ruine. Le jardin, trop visité par la mer, ne pouvait rien produire. Outre les bruits nocturnes et les lueurs, cette maison avait cela de particulièrement effrayant que, si on y laissait le soir sur la cheminée une pelote de laine, des aiguilles et une pleine assiette de soupe, on trouvait le lendemain matin la soupe mangée, l'assiette vide, et une paire de mitaines tricotée. On offrait cette masure à vendre avec le démon qui était dedans, pour quelques livres sterling. Cette femme l'acheta, évidemment tentée par le diable. Ou par le bon marché.

Elle fit plus que l'acheter, elle s'y logea, elle et son enfant; et à partir de ce moment la maison s'apaisa. *Cette maison a ce qu'elle veut,* dirent les gens du pays. Le visionnement cessa. On n'y entendit plus de cris au point du jour. Il n'y eut plus d'autre lumière que le suif allumé

le soir par la bonne femme. Chandelle de sorcière vaut
torche du diable. Cette explication satisfit le public.

Cette femme tirait parti des quelques vergées[113] de
terre qu'elle avait. Elle avait une bonne vache à beurre
jaune. Elle récoltait des mouzettes blanches, des caboches[114] et des pommes de terre Golden Drops. Elle
vendait, tout comme une autre, «des panais par le tonneau, des oignons par le cent, et des fèves par le dénerel[115]». Elle n'allait pas au marché, mais faisait vendre
sa récolte par Guilbert Falliot, aux Abreveurs Saint-
Sampson. Le registre de Falliot constate qu'il vendit pour
elle une fois jusqu'à douze boisseaux de *patates dites
trois mois, des plus temprunes*[116].

La maison avait été chétivement réparée, assez pour y
vivre. Il ne pleuvait dans les chambres que par les très
gros temps. Elle se composait d'un rez-de-chaussée et
d'un grenier. Le rez-de-chaussée était partagé en trois
salles, deux où l'on couchait, une où l'on mangeait. On
montait au grenier par une échelle. La femme faisait la
cuisine et montrait à lire à l'enfant. Elle n'allait point aux
églises; ce qui fit que, tout bien considéré, on la déclara
française. N'aller «à aucune place», c'est grave.

En somme, c'étaient des gens que rien ne prouvait.

Française, il est probable qu'elle l'était. Les volcans
lancent des pierres et les révolutions des hommes. Des
familles sont ainsi envoyées à de grandes distances, les
destinées sont dépaysées, des groupes sont dispersés et
s'émiettent; des gens tombent des nues, ceux-ci en Allemagne, ceux-là en Angleterre, ceux-là en Amérique. Ils
étonnent les naturels du pays. D'où viennent ces inconnus?
C'est ce vésuve qui fume là-bas qui les a expectorés. On
donne des noms à ces aérolithes, à ces individus expulsés et
perdus, à ces éliminés du sort; on les appelle émigrés,
réfugiés, aventuriers. S'ils restent, on les tolère; s'ils s'en
vont, on est content. Quelquefois ce sont des êtres absolument inoffensifs, étrangers, les femmes du moins, aux
événements qui les ont chassés, n'ayant ni haine, ni colère,
projectiles sans le vouloir, très étonnés. Ils reprennent
racine comme ils peuvent. Ils ne faisaient rien à personne et
ne comprennent pas ce qui leur est arrivé. J'ai vu une pauvre

touffe d'herbe lancée éperdument en l'air par une explosion
de mine. La révolution française, plus que toute autre
explosion, a eu de ces jets lointains.

La femme qu'à Guernesey on appelait *la Gilliatt* était
peut-être cette touffe d'herbe-là.

La femme vieillit, l'enfant grandit. Ils vivaient seuls,
et évités. Ils se suffisaient. Louve et louveteau se pourlè-
chent. Ceci est encore une des formules que leur appliqua
la bienveillance environnante. L'enfant devint un adolescent, l'adolescent devint un homme, et alors, les vieilles
écorces de la vie devant toujours tomber, la mère mourut.
Elle lui laissa le pré de la Sergentée, la jaonnière de la
Roque-Crespel, la maison du Bû de la Rue, plus, dit
l'inventaire officiel, « cent guinées d'or dans le pid d'une
cauche », c'est-à-dire dans le pied d'un bas. La maison
était suffisamment meublée de deux coffres de chêne, de
deux lits, de six chaises et d'une table, avec ce qu'il faut
d'ustensiles. Sur une planche il y avait quelques livres,
et, dans un coin, une malle pas du tout mystérieuse qui
dut être ouverte pour l'inventaire. Cette malle était en
cuir fauve à arabesques de clous de cuivre et d'étoiles
d'étain, et contenait un trousseau de femme neuf et complet en belle toile de fil de Dunkerque, chemises et jupes,
plus des robes de soie en pièce, avec un papier où on lisait
ceci écrit de la main de la morte : *Pour ta femme, quand
tu te marieras.*

Cette mort fut pour le survivant un accablement. Il était
sauvage, il devint farouche. Le désert s'acheva autour de
lui. Ce n'était que l'isolement, ce fut le vide. Tant qu'on
est deux, la vie est possible. Seul, il semble qu'on ne
pourra plus la traîner. On renonce à tirer. C'est la première forme du désespoir. Plus tard on comprend que le
devoir est une série d'acceptations. On regarde la mort,
on regarde la vie, et l'on consent. Mais c'est un consentement qui saigne.

Gilliatt étant jeune, sa plaie se cicatrisa. A cet âge, les
chairs du cœur reprennent. Sa tristesse, effacée peu à
peu, se mêla autour de lui à la nature, y devint une sorte
de charme, l'attira vers les choses et loin des hommes, et
amalgama de plus en plus cette âme à la solitude.

IMPOPULARITÉ

Gilliatt, nous l'avons dit, n'était pas aimé dans la paroisse. Rien de plus naturel que cette antipathie. Les motifs abondaient. D'abord, on vient de l'expliquer, la maison qu'il habitait. Ensuite, son origine. Qu'est-ce que c'était que cette femme? et pourquoi cet enfant? Les gens des pays n'aiment pas qu'il y ait énigmes sur les étrangers. Ensuite, son vêtement qui était d'un ouvrier, tandis qu'il avait, quoique pas riche, de quoi vivre sans rien faire. Ensuite, son jardin, qu'il réussissait à cultiver et d'où il tirait des pommes de terre malgré les coups d'équinoxe. Ensuite, de gros livres qu'il avait sur une planche, et où il lisait.

D'autres raisons encore.

D'où vient qu'il vivait solitaire? Le Bû de la Rue était une sorte de lazaret; on tenait Gilliatt en quarantaine; c'est pourquoi il était tout simple qu'on s'étonnât de son isolement, et qu'on le rendît responsable de la solitude qu'on faisait autour de lui.

Il n'allait jamais à la chapelle. Il sortait souvent la nuit. Il parlait aux sorciers. Une fois on l'avait vu assis dans l'herbe d'un air étonné. Il hantait le dolmen de l'Ancresse et les pierres fées qui sont dans la campagne çà et là. On croyait être sûr de l'avoir vu saluer poliment la Roque qui Chante. Il achetait tous les oiseaux qu'on lui apportait et les mettait en liberté. Il était honnête aux personnes bourgeoises dans les rues de Saint-Sampson, mais faisait volontiers un détour pour n'y point passer. Il pêchait souvent, et revenait toujours avec du poisson. Il travaillait à son jardin le dimanche. Il avait un bag-pipe [117], acheté par lui à des soldats écossais de passage à Guerne-sey, et dont il jouait dans les rochers au bord de la mer, à la nuit tombante. Il faisait des gestes comme un semeur. Que voulez-vous qu'un pays devienne avec un homme comme cela?

Quant aux livres, qui venaient de la femme morte, et où il lisait, ils étaient inquiétants. Le révérend Jaquemin Hérode, recteur de Saint-Sampson, quand il était entré dans la maison pour l'enterrement de la femme, avait lu au dos de ces livres les titres que voici: *Dictionnaire de Rosier, Candide,* par Voltaire, *Avis au peuple sur sa santé,* par Tissot [118]. Un gentilhomme français, émigré, retiré à Saint-Sampson, avait dit: *Ce doit être le Tissot qui a porté la tête de la princesse de Lamballe.*

Le révérend avait remarqué sur un de ces livres ce titre véritablement bourru et menaçant: *De Rhubarbaro.*

Disons-le pourtant, l'ouvrage étant, comme le titre l'indique, écrit en latin, il était douteux que Gilliatt, qui ne savait pas le latin, lût ce livre.

Mais ce sont précisément les livres qu'un homme ne lit pas qui l'accusent le plus. L'inquisition d'Espagne a jugé ce point, et l'a mis hors de doute.

Du reste ce n'était autre chose que le traité du docteur Tilingius *Sur la Rhubarbe,* publié en Allemagne en 1679 [119].

On n'était pas sûr que Gilliatt ne fît pas des charmes, des philtres et des « bouilleries [120] ». Il avait des fioles.

Pourquoi allait-il se promener le soir, et quelquefois jusqu'à minuit, dans les falaises? évidemment pour causer avec les mauvaises gens qui sont la nuit au bord de la mer dans de la fumée.

Une fois il avait aidé la sorcière de Torteval à désembourber son chariot, Une vieille, nommée Moutonne Gahy.

A un recensement qui s'était fait dans l'île, interrogé sur sa profession, il avait répondu: — *Pêcheur, quand il y a du poisson à prendre*. —Mettez-vous à la place des gens, on n'aime pas ces réponses-là.

La pauvreté et la richesse sont de comparaison. Gilliatt avait des champs et une maison, et, comparé à ceux qui n'ont rien du tout, il n'était pas pauvre. Un jour, pour l'éprouver, et peut-être aussi pour lui faire une avance, car il y a des femmes qui épouseraient le diable riche, une fille dit à Gilliatt : Quand donc prendrez-vous femme ? Il répondit : *Je prendrai femme quand la Roque qui Chante prendra homme.*

Cette Roque qui Chante est une grande pierre plantée droite dans un courtil proche M. Lemézurier de Fry. Cette pierre est fort à surveiller. On ne sait ce qu'elle fait là. On y entend chanter un coq qu'on ne voit pas, chose extrêmement désagréable. Ensuite il est avéré qu'elle a été mise dans ce courtil par les sarregousets, qui sont la même chose que les sins [121].

La nuit, quand il tonne, si l'on voit des hommes voler dans le rouge des nuées et dans le tremblement de l'air, ce sont les sarregousets. Une femme, qui demeure au Grand-Mielles, les connaît. Un soir qu'il y avait des sarregousets dans un carrefour, cette femme cria à un charretier qui ne savait quelle route prendre : *Demandez-leur votre chemin ; c'est des gens bien faisants, c'est des gens bien civils à deviser au monde.* Il y a gros à parier que cette femme est une sorcière.

Le judicieux et savant roi Jacques Ier faisait bouillir toutes vives les femmes de cette espèce, goûtait le bouillon, et, au goût du bouillon, disait : *C'était une sorcière,* ou : *Ce n'en était pas une.*

Il est à regretter que les rois d'aujourd'hui n'aient plus de ces talents-là, qui faisaient comprendre l'utilité de l'institution.

Gilliatt, non sans de sérieux motifs, vivait en odeur de sorcellerie. Dans un orage, à minuit, Gilliatt étant en mer seul dans une barque du côté de la Sommeilleuse, on l'entendit demander :

— Y a-t-il du rang pour passer ?

Une voix cria du haut des roches :

— Voire ! hardi !

A qui parlait-il, si ce n'est à quelqu'un qui lui répondait ? Ceci nous semble une preuve.

Dans une autre soirée d'orage, si noire qu'on ne voyait rien, tout près de la Catiau-Roque, qui est une double

rangée de roches où les sorciers, les chèvres et les faces [122] vont danser le vendredi, on crut être certain de
reconnaître la voix de Gilliatt mêlée à l'épouvantable
conversation que voici :

— Comment se porte Vésin Brovard ? (C'était un maçon qui était tombé d'un toit.)

— Il guarit.

— Ver dia ! il a chu de plus haut que ce grand pau *.
C'est ravissant qu'il ne se soit rien rompu.

— Les gens eurent beau temps au varech la semaine
passée.

— Plus qu'ogny **.

— Voire ! il n'y aura pas hardi de poisson au marché.

— Il vente trop dur.

— Ils ne sauraient mettre leurs rets bas.

— Comment va la Catherine ?

— Elle est de charme.

« La Catherine » était évidemment une sarregousette.

Gilliatt, selon toute apparence, faisait œuvre de nuit.
Du moins, personne n'en doutait.

On le voyait quelquefois, avec une cruche qu'il avait,
verser de l'eau à terre. Or l'eau qu'on jette à terre trace la
forme des diables.

Il existe sur la route de Saint-Sampson, vis-à-vis le
martello numéro I [123], trois pierres arrangées en escalier.
Elles ont porté sur leur plate-forme, vide aujourd'hui, une
croix, à moins qu'elles n'aient porté un gibet. Ces pierres
sont très malignes.

Des gens fort prud'hommes et des personnes absolument croyables affirmaient avoir vu, près de ces pierres,
Gilliatt causer avec un crapaud. Or, il n'y a pas de
crapauds à Guernesey ; Guernesey a toutes les couleu-
vres, et Jersey a tous les crapauds. Ce crapaud avait dû
venir de Jersey à la nage pour parler à Gilliatt. La conversation était amicale.

Ces faits demeurèrent constatés ; et la preuve, c'est que
les trois pierres sont encore là. Les gens qui douteraient

---

* *Pau*, poteau.
** *Ogny*, aujourd'hui.

peuvent les aller voir, et même, à peu de distance, il y a une maison au coin de laquelle on lit cette enseigne : *Marchand en bétail mort et vivant, vieux cordage, fer, os et chiques, est prompt dans son paiement et dans son attention.*

Il faudrait être de mauvaise foi pour contester la présence de ces pierres et l'existence de cette maison. Tout cela nuisait à Gilliatt.

Les ignorants seuls ignorent que le plus grand danger des mers de la Manche, c'est le Roi de Auxcriniers [124]. Pas de personnage marin plus redoutable. Qui l'a vu fait naufrage entre Saint-Michel et l'autre. Il est petit, étant nain, et il est sourd, étant roi. Il sait les noms de tous ceux qui sont morts dans la mer et l'endroit où ils sont. Il connaît à fond le cimetière Océan. Une tête massive en bas et étroite en haut, un corps trapu, un ventre visqueux et difforme, des nodosités sur le crâne, de courtes jambes, de longs bras, pour pieds des nageoires, pour mains des griffes, un large visage vert, tel est ce roi. Ses griffes sont palmées et ses nageoires sont onglées. Qu'on imagine un poisson qui est un spectre, et qui a une figure d'homme. Pour en finir avec lui, il faudrait l'exorciser, ou le pêcher. En attendant, il est sinistre. Rien n'est moins rassurant que de l'apercevoir. On entrevoit, au-dessus des lames et des houles, derrière les épaisseurs de la brume, un linéament qui est un être ; un front bas, un nez camard, des oreilles plates, une bouche démesurée où il manque des dents, un rictus glauque, des sourcils en chevrons, et de gros yeux gais. Il est rouge quand l'éclair est livide, et blafard quand l'éclair est pourpre. Il a une barbe ruisselante et rigide qui s'étale, coupée carrément, sur une membrane en forme de pèlerine, laquelle est ornée de quatorze coquilles, sept par devant et sept par derrière. Ces coquilles sont extraordinaires pour ceux qui se connaissent en coquilles. Le Roi des Auxcriniers n'est visible que dans la mer violente. Il est le baladin lugubre de la tempête. On voit sa forme s'ébaucher dans le brouillard, dans la rafale, dans la pluie. Son nombril est hideux. Une carapace de squames lui cache les côtés, comme ferait un gilet. Il se dresse debout au haut de ces vagues roulées qui jaillissent sous la pression des souffles et se tordent comme les copeaux sortant du rabot du menuisier. Il se tient tout entier hors de l'écume, et, s'il y a à l'horizon des navires en détresse, blême dans l'ombre, la face éclairée de la lueur d'un vague sourire, l'air fou et terrible, il danse. C'est là une vilaine rencontre. A l'époque où Gilliatt était une des préoccupations de Saint-Sampson, les dernières personnes qui avaient vu le Roi des Auxcriniers déclaraient qu'il n'avait plus à sa pèlerine que treize coquilles. Treize; il n'en était que plus dangereux. Mais qu'était devenue la quatorzième ? L'avait-il donnée à quelqu'un ? Et à qui l'avait-il donnée ? Nul ne pouvait le dire, et l'on se bornait à conjecturer. Ce qui est certain, c'est que M. Lupin-Mabier, du lieu les Godaines, homme ayant de la surface, propriétaire taxé à quatre-vingts quartiers, était prêt à jurer sous serment qu'il avait vu une fois dans les mains de Gilliatt une coquille très singulière.

Il n'était point rare d'entendre de ces dialogues entre deux paysans :

— N'est-ce pas, mon voisin, que j'ai là un beau bœuf ?

— Bouffi, mon voisin.

— Tiens, c'est vrai tout de même.

— Il est meilleur en suif qu'il n'est en viande.

— Ver dia !

— Êtes-vous certain que Gilliatt ne l'a point regardé ?

Gilliatt s'arrêtait au bord des champs près des laboureurs et au bord des jardins près des jardiniers, et il lui arrivait de leur dire des paroles mystérieuses :

— Quand le mors du diable fleurit, moissonnez le seigle d'hiver.

(Parenthèse : le mors du diable, c'est la scabieuse.)

— Le frêne se feuille, il ne gèlera plus.

— Solstice d'été, chardon en fleur.

— S'il ne pleut pas en juin, les blés prendront le blanc. Craignez la nielle.

— Le merisier fait ses grappes, méfiez-vous de la pleine lune.

— Si le temps, le sixième jour de la lune, se comporte

comme le quatrième jour ou comme le cinquième jour, il se comportera de même, neuf fois sur douze dans le premier cas, et onze fois sur douze dans le second, pendant toute la lune.

— Ayez l'œil sur les voisins en procès avec vous. Prenez garde aux malices. Un cochon à qui on fait boire du lait chaud, crève. Une vache à qui on frotte les dents avec du poireau, ne mange plus.

— L'éperlan fraye, gare les fièvres.
— La grenouille se montre, semez les melons.
— L'hépatique fleurit, semez l'orge.
— Le tilleul fleurit, fauchez les prés.
— L'ypréau fleurit, ouvrez les bâches.
— Le tabac fleurit, fermez les serres.

Et, chose terrible, si l'on suivait ses conseils, on s'en trouvait bien.

Une nuit de juin qu'il joua du bug-pipe dans la dune, du côté de la Demie de Fontenelle, la pêche aux maquereaux manqua.

Un soir, à la marée basse, sur la grève en face de sa maison du Bû de la Rue, une charrette chargée de varech versa. Il eut probablement peur d'être traduit en justice, car il se donna beaucoup de peine pour aider à relever la charrette, et il la rechargea lui-même.

Une petite fille du voisinage ayant des poux, il était allé à Saint-Pierre-Port, était revenu avec un onguent, et en avait frotté l'enfant; et Gilliatt lui avait ôté ses poux, ce qui prouve que Gilliatt les lui avait donnés.

Tout le monde sait qu'il y a un charme pour donner des poux aux personnes.

Gilliatt passait pour regarder les puits, ce qui est dangereux quand le regard est mauvais; et le fait est qu'un jour, aux Arculons, près Saint-Pierre-Port, l'eau d'un puits devint malsaine. La bonne femme à qui était le puits dit à Gilliatt : Voyez donc cette eau. Et elle lui en montra un plein verre. Gilliatt avoua. L'eau est épaisse, dit-il; c'est vrai. La bonne femme, qui se méfiait, lui dit : Guérissez-moi-la donc. Gilliatt lui fit des questions : — si elle avait une étable? — si l'étable avait un égout? — si le ruisseau de l'égout ne passait pas tout près du

puits ? — La bonne femme répondit oui. Gilliatt entra
dans l'étable, travailla à l'égout, détourna le ruisseau, et
l'eau du puits redevint bonne. On pensa dans le pays ce
qu'on voulut. Un puits n'est pas mauvais, et ensuite bon,
sans motif; on ne trouva point la maladie de ce puits
naturelle, et il est difficile de ne pas croire en effet que
Gilliatt avait jeté un sort à cette eau.

Une fois qu'il était allé à Jersey, on remarqua qu'il
s'était logé à Saint-Clément, rue des Alleurs. Les alleurs,
ce sont les revenants.

Dans les villages, on recueille des indices sur un
homme; on rapproche ces indices; le total fait une réputation.

Il arriva que Gilliatt fut surpris saignant du nez. Ceci
parut grave. Un patron de barque, fort voyageur, qui
avait presque fait le tour du monde, affirma que chez les
Tungouses tous les sorciers saignent du nez. Quand on
voit un homme saigner du nez, on sait à quoi s'en tenir.
Toutefois les gens raisonnables firent remarquer que ce
qui caractérise les sorciers en Tungousie [125] peut ne point
les caractériser au même degré à Guernesey.

Aux environs d'une Saint-Michel, on le vit s'arrêter
dans un pré des courtils des Huriaux, bordant la grande
route des Videclins. Il siffla dans le pré, et un moment
après il y vint un corbeau, et un moment après il y vint
une pie. Le fait fut attesté par un homme notable, qui
depuis a été douzenier dans la Douzaine autorisée à faire
un nouveau livre de Perchage du fief le Roi [126].

Au Hamel, dans la vingtaine de l'Épine, il y avait des
vieilles femmes qui disaient être sûres d'avoir entendu un
matin, à la piperette du jour [127], des hirondelles appeler
Gilliatt.

Ajoutez qu'il n'était pas bon.

Un jour, un pauvre homme battait un âne. L'âne
n'avançait pas. Le pauvre homme lui donna quelques
coups de sabot dans le ventre, et l'âne tomba. Gilliatt
accourut pour relever l'âne, l'âne était mort. Gilliatt
souffleta le pauvre homme.

Un autre jour, voyant un garçon descendre d'un arbre
avec une couvée de petits épluque-pommiers [128] nou-

veau-nés, presque sans plumes et tout nus, Gilliatt prit cette couvée à ce garçon, et poussa la méchanceté jusqu'à la reporter dans l'arbre.

Des passants lui en firent des reproches, il se borna à montrer le père et la mère épluque-pommiers qui criaient au-dessus de l'arbre et qui revenaient à leur couvée. Il avait un faible pour les oiseaux. C'est un signe auquel on reconnaît généralement les magiciens.

Les enfants ont pour joie de dénicher les nids de goélands et de mauves dans les falaises. Ils en rapportent des quantités d'œufs bleus, jaunes et verts avec lesquels on fait des rosaces sur les devantures des cheminées. Comme les falaises sont à pic, quelquefois le pied leur glisse, ils tombent, et se tuent. Rien n'est joli comme les paravents décorés d'œufs d'oiseaux de mer. Gilliatt ne savait qu'inventer pour faire le mal. Il grimpait, au péril de sa propre vie, dans les escarpements des roches marines, et y accrochait des bottes de foin avec de vieux chapeaux et toutes sortes d'épouvantails, afin d'empêcher les oiseaux d'y nicher, et, par conséquent, les enfants d'y aller.

C'est pourquoi Gilliatt était à peu près haï dans le pays. On le serait à moins.

V

AUTRES CÔTÉS LOUCHES DE GILLIATT

L'opinion n'était pas bien fixée sur le compte de Gilliatt.

Généralement on le croyait marcou, quelques-uns allaient jusqu'à le croire cambion. Le cambion est le fils qu'une femme a du diable.

Quand une femme a d'un homme sept enfants mâles consécutifs, le septième est marcou. Mais il ne faut pas qu'une fille gâte la série des garçons.

Le marcou a une fleur de lis naturelle empreinte sur une partie quelconque du corps, ce qui fait qu'il guérit les écrouelles aussi bien que les rois de France. Il y a des marcous en France un peu partout, particulièrement dans l'Orléanais. Chaque village du Gâtinais a son marcou. Il suffit, pour guérir les malades, que le marcou souffle sur leurs plaies ou leur fasse toucher sa fleur de lis. La chose réussit surtout dans la nuit du vendredi saint. Il y a une dizaine d'années, le marcou d'Ormes en Gâtinais, surnommé le Beau Marcou et consulté de toute la Beauce, était un tonnelier appelé Foulon, qui avait cheval et voiture. On dut, pour empêcher ses miracles, faire jouer la gendarmerie. Il avait la fleur de lis sous le sein gauche. D'autres marcous l'ont ailleurs.

Il y a des marcous à Jersey, à Aurigny et à Guernesey. Cela tient sans doute aux droits que la France a sur le duché de Normandie. Autrement, à quoi bon la fleur de lis?

Il y a aussi dans les îles de la Manche des scrofuleux; ce qui rend les marcous nécessaires.

Quelques personnes s'étant trouvées présentes un jour

que Gilliatt se baignait dans la mer avaient cru lui voir la fleur de lis. Questionné là-dessus, il s'était, pour toute réponse, mis à rire. Car il riait comme les autres hommes, quelquefois. Depuis ce temps-là, on ne le voyait plus se baigner; il ne se baignait que dans des lieux périlleux et solitaires. Probablement la nuit, au clair de lune; chose, on en conviendra, suspecte.

Ceux qui s'obstinaient à le croire cambion, c'est-à-dire fils du diable, se trompaient évidemment. Ils auraient dû savoir qu'il n'y a guère de cambions qu'en Allemagne. Mais le Valle et Saint-Sampson étaient, il y a cinquante ans, des pays d'ignorance.

Croire, à Guernesey, quelqu'un fils du diable, il y a visiblement là de l'exagération.

Gilliatt, par cela même qu'il inquiétait, était consulté. Les paysans venaient, avec peur, lui parler de leurs maladies. Cette peur-là contient de la confiance; et, dans la campagne, plus le médecin est suspect, plus le remède est sûr. Gilliatt avait des médicaments à lui, qu'il tenait de la vieille femme morte; il en faisait part à qui les lui demandait, et ne voulait pas recevoir d'argent. Il guérissait les panaris avec des applications d'herbes, la liqueur d'une de ses fioles coupait la fièvre; le chimiste de Saint-Sampson, que nous appellerions pharmacien en France, pensait que c'était probablement une décoction de quinquina. Les moins bienveillants convenaient volontiers que Gilliatt était assez bon diable pour les malades quand il s'agissait de ses remèdes ordinaires; mais comme marcou, il ne voulait rien entendre; si un scrofuleux lui demandait à toucher sa fleur de lis, pour toute réponse il lui fermait sa porte au nez; faire des miracles était une chose à laquelle il se refusait obstinément, ce qui est ridicule à un sorcier. Ne soyez pas sorcier, mais si vous l'êtes, faites votre métier.

Il y avait une ou deux exceptions à l'antipathie universelle. Sieur Landoys, du Clos-Landès, était clerc greffier de la paroisse de Saint-Pierre-Port, chargé des écritures et gardien du registre des naissances, mariages et décès. Ce greffier Landoys tirait vanité de descendre du trésorier de Bretagne Pierre Landais, pendu en 1485[129]. Un jour

sieur Landoys poussa son bain trop avant dans la mer, et
faillit se noyer. Gilliatt se jeta à l'eau, faillit se noyer lui
aussi, et sauva Landoys. A partir de ce jour, Landoys ne
dit plus de mal de Gilliatt. A ceux qui s'en étonnaient, il
répondait : *Pourquoi voulez-vous que je déteste un
homme qui ne m'a rien fait, et qui m'a rendu service ?* Le
clerc greffier en vint même à prendre Gilliatt en une
certaine amitié. Ce clerc greffier était un homme sans
préjugés. Il ne croyait pas aux sorciers. Il riait de ceux qui
ont peur des revenants. Quant à lui, il avait un bateau, il
pêchait dans ses heures de loisir pour s'amuser, et il
n'avait jamais rien vu d'extraordinaire, si ce n'est une
fois au clair de lune une femme blanche qui sautait sur
l'eau, et encore il n'en était pas bien sûr. Moutonne
Gahy, la sorcière de Torteval, lui avait donné un petit sac
qu'on s'attache sous la cravate et qui protège contre les
esprits ; il se moquait de ce sac, et ne savait ce qu'il
contenait ; pourtant il le portait, se sentant plus en sûreté
quand il avait cette chose au cou.

Quelques personnes hardies se risquaient, à la suite du
sieur Landoys, à constater en Gilliatt certaines circonstances atténuantes, quelques apparences de qualités, sa
sobriété, son abstinence de gin et de tabac, et l'on en
venait parfois jusqu'à faire de lui ce bel éloge : *Il ne boit,
ne fume, ne chique, ni ne snuffe* [130].

Mais être sobre, ce n'est une qualité que lorsqu'on en a
d'autres.

L'aversion publique était sur Gilliatt.

Quoi qu'il en fût, comme marcou, Gilliatt pouvait
rendre des services. Un certain vendredi saint, à minuit,
jour et heure usités pour ces sortes de cures, tous les
scrofuleux de l'île, d'inspiration ou par rendez-vous pris
entre eux, vinrent en foule au Bû de la Rue, à mains
jointes, et avec des plaies pitoyables, demander à Gilliatt
de les guérir. Il refusa. On reconnut là sa méchanceté.

VI

LA PANSE

Tel était Gilliatt.

Les filles le trouvaient laid.

Il n'était pas laid. Il était beau peut-être. Il avait dans le profil quelque chose d'un barbare antique. Au repos, il ressemblait à un Dace de la colonne trajane. Son oreille était petite, délicate, sans lambeau, et d'une admirable forme acoustique. Il avait entre les deux yeux cette fière ride verticale de l'homme hardi et persévérant. Les deux coins de sa bouche tombaient, ce qui est amer; son front était d'une courbe noble et sereine, sa prunelle franche regardait bien, quoique troublée par ce clignement que donne aux pêcheurs la réverbération des vagues. Son rire était puéril et charmant. Pas de plus pur ivoire que ses dents. Mais le hâle l'avait fait presque nègre. On ne se mêle pas impunément à l'océan, à la tempête et à la nuit; à trente ans, il en paraissait quarante-cinq. Il avait le sombre masque du vent et de la mer.

On l'avait surnommé Gilliatt le Malin.

Une fable de l'Inde dit: Un jour Brahmâ demanda à la Force: qui est plus fort que toi? Elle répondit: l'Adresse. Un proverbe chinois dit: Que ne pourrait le lion, s'il était singe! Gilliatt n'était ni lion, ni singe; mais les choses qu'il faisait venaient à l'appui du proverbe chinois et de la fable hindoue. De taille ordinaire et de force ordinaire, il trouvait moyen, tant sa dextérité était inventive et puissante, de soulever des fardeaux de géant et d'accomplir des prodiges d'athlète.

Il y avait en lui du gymnaste; il se servait indifféremment de sa main droite et de sa main gauche.

Il ne chassait pas, mais il pêchait. Il épargnait les oiseaux, non les poissons. Malheur aux muets! Il était nageur excellent.

La solitude fait des gens à talents ou des idiots. Gilliatt s'offrait sous ces deux aspects. Par moment on lui voyait « l'air étonné » dont nous avons parlé, et on l'eût pris pour une brute. Dans d'autres instants, il avait on ne sait quel regard profond. L'antique Chaldée a eu de ces hommes-là; à de certaines heures, l'opacité du pâtre devenait transparente et laissait voir le mage [131].

En somme, ce n'était qu'un pauvre homme sachant lire et écrire. Il est probable qu'il était sur la limite qui sépare le songeur du penseur. Le penseur veut, le songeur subit. La solitude s'ajoute aux simples, et les complique d'une certaine façon. Ils se pénètrent à leur insu d'horreur sacrée. L'ombre où était l'esprit de Gilliatt se composait, en quantité presque égale, de deux éléments obscurs tous deux, mais bien différents: en lui, l'ignorance, infirmité; hors de lui, le mystère, immensité.

A force de grimper dans les rochers, d'escalader les escarpements, d'aller et de venir dans l'archipel par tous les temps, de manœuvrer la première embarcation venue, de se risquer jour et nuit dans les passes les plus difficiles, il était devenu, sans en tirer parti du reste, et pour sa fantaisie et son plaisir, un homme de mer surprenant.

Il était pilote né. Le vrai pilote est le marin qui navigue sur le fond plus encore que sur la surface. La vague est un problème extérieur, continuellement compliqué par la configuration sous-marine des lieux où le navire fait route. Il semblait, à voir Gilliatt voguer sur les bas-fonds et à travers les récifs de l'archipel normand, qu'il eût sous la voûte du crâne une carte du fond de la mer. Il savait tout et bravait tout.

Il connaissait les balises mieux que les cormorans qui s'y perchent. Les différences imperceptibles qui distinguent l'une de l'autre les quatre balises poteaux du Creux, d'Alligande, des Trémies et de la Sardrette étaient parfaitement nettes et claires pour lui, même dans le brouillard. Il n'hésitait ni sur le pieu à pomme ovale d'Anfré, ni sur le triple fer de lance de la Rousse, ni sur la boule blanche de la Corbette, ni sur la boule noire de Longue-Pierre, et il n'était pas à craindre qu'il confondît la croix de Goubeau avec l'épée plantée en terre de la Platte, ni la balise marteau des Barbées avec la balise queue-d'aronde du Moulinet.

Sa rare science de marin éclata singulièrement un jour qu'il y eut à Guernesey une de ces sortes de joutes marines qu'on nomme régates. La question était celle-ci : être seul dans une embarcation à quatre voiles, la conduire de Saint-Sampson à l'île de Herm, qui est à une lieue, et la ramener de Herm à Saint-Sampson. Manœuvrer seul un bateau à quatre voiles, il n'est pas de pêcheur qui ne fasse cela, et la difficulté ne semble pas grande, mais voici ce qui l'aggravait : premièrement, l'embarcation elle-même, laquelle était une de ces larges et fortes chaloupes ventrues d'autrefois, à la mode de Rotterdam, que les marins du siècle dernier appelaient des *panses hollandaises*. On rencontre encore quelquefois en mer cet ancien gabarit de Hollande, joufflu et plat, et ayant à bâbord et à tribord deux ailes qui s'abattent, tantôt l'une, tantôt l'autre, selon le vent, et remplacent la quille. Deuxièmement, le retour de Herm ; retour qui se compliquait d'un lourd lest de pierres. On allait vide, mais on revenait chargé. Le prix de la joute était la chaloupe. Elle était d'avance donnée au vainqueur. Cette panse avait servi de bateau-pilote ; le pilote qui l'avait montée et conduite pendant vingt ans était le plus robuste des marins de la Manche ; à sa mort on n'avait trouvé personne pour gouverner la panse, et l'on s'était décidé à en faire le prix d'une régate. La panse, quoique non pontée, avait des qualités, et pouvait tenter un manœuvrier. Elle était mâtée en avant, ce qui augmentait la puissance de traction de la voilure. Autre avantage, le mât ne gênait point le chargement. C'était une coque solide ; pesante, mais vaste, et tenant bien le large ; une vraie barque commère. Il y eut empressement à se la disputer ; la joute était rude, mais le prix était beau. Sept ou huit pêcheurs, les plus vigoureux de l'île, se présentèrent. Ils essayèrent tour à tour ; pas un ne put aller jusqu'à Herm. Le dernier qui lutta était connu pour avoir franchi à la rame par un gros

temps le redoutable étranglement de mer qui est entre
Serk et Brecq-Hou. Ruisselant de sueur, il ramena la
panse et dit : C'est impossible. Alors Gilliatt entra dans la
barque, empoigna d'abord l'aviron, ensuite la grande
écoute, et poussa au large. Puis, sans bitter l'écoute, ce
qui eût été une imprudence, et sans la lâcher, ce qui le
maintenait maître de la grande voile, laissant l'écoute
rouler sur l'estrope au gré du vent sans dériver, il saisit de
la main gauche la barre. En trois quarts d'heure, il fut à
Herm. Trois heures après, quoiqu'un fort vent du sud se
fût élevé et eût pris la rade en travers, la panse, montée
par Gilliatt, rentrait à Saint-Sampson avec le chargement
de pierres. Il avait, par luxe et bravade, ajouté au chargement le petit canon de bronze de Herm, que les gens de
l'île tiraient tous les ans le 5 novembre en réjouissance de
la mort de Guy Fawkes [132].

Guy Fawkes, disons-le en passant, est mort il y a deux
cent soixante ans ; c'est là une longue joie.

Gilliatt, ainsi surchargé et surmené, quoiqu'il eût de
trop le canon de Guy Fawkes dans sa barque et le vent du
sud dans sa voile, ramena, on pourrait dire rapporta, la
panse à Saint-Sampson.

Ce que voyant, mess Lethierry s'écria : Voilà un matelot hardi !

Et il tendit la main à Gilliatt.

Nous reparlerons de mess Lethierry.

La panse fut adjugée à Gilliatt.

Cette aventure ne nuisit pas à son surnom de Malin.

Quelques personnes déclarèrent que la chose n'avait
rien d'étonnant, attendu que Gilliatt avait caché dans le
bateau une branche de mélier sauvage. Mais cela ne put
être prouvé.

A partir de ce jour, Gilliatt n'eut plus d'autre embarcation que la panse. C'est dans cette lourde barque qu'il
allait à la pêche. Il l'amarrait dans le très bon petit
mouillage qu'il avait pour lui tout seul sous le mur même
de sa maison du Bû de la Rue. A la tombée de la nuit, il
jetait ses filets sur son dos, traversait son jardin, enjambait le parapet de pierres sèches, dégringolait d'un rocher
à l'autre, et sautait dans la panse. De là au large.

Il pêchait beaucoup de poisson, mais on affirmait que la branche de mélier était toujours attachée à son bateau. Le mélier, c'est le néflier. Personne n'avait vu cette branche, mais tout le monde y croyait.

Le poisson qu'il avait de trop, il ne le vendait pas, il le donnait.

Les pauvres recevaient son poisson, mais lui en voulaient pourtant, à cause de cette branche de mélier. Cela ne se fait pas. On ne doit point tricher la mer.

Il était pêcheur, mais il n'était pas que cela. Il avait, d'instinct et pour se distraire, appris trois ou quatre métiers. Il était menuisier, ferron, charron, calfat, et même un peu mécanicien. Personne ne racommodait une roue comme lui. Il fabriquait dans un genre à lui tous ses engins de pêche. Il avait dans un coin du Bû de la Rue une petite forge et une enclume, et, la panse n'ayant qu'une ancre, il lui en avait fait, lui-même et lui seul, une seconde. Cette ancre était excellente ; l'organeau avait la force voulue, et Gilliatt, sans que personne le lui eût enseigné, avait trouvé la dimension exacte que doit avoir le jouail pour empêcher l'ancre de cabaner.

Il avait patiemment remplacé tous les clous du bordage de la panse par des gournables, ce qui rendait les trous de rouille impossibles.

De cette manière il avait beaucoup augmenté les bonnes qualités de mer de la panse. Il en profitait pour s'en aller de temps en temps passer un mois ou deux dans quelque îlot solitaire comme Chousey ou les Casquets. On disait : « Tiens, Gilliatt n'est plus là. » Cela ne faisait de peine à personne.

A MAISON VISIONNÉE HABITANT VISIONNAIRE

Gilliatt était l'homme du songe [133]. De là ses audaces, de là aussi ses timidités. Il avait ses idées à lui.

Peut-être y avait-il en Gilliatt de l'halluciné et de l'illuminé. L'hallucination hante tout aussi bien un paysan comme Martin [134] qu'un roi comme Henri IV. L'Inconnu fait parfois à l'esprit de l'homme des surprises. Une brusque déchirure de l'ombre laisse tout à coup voir l'invisible, puis se referme. Ces visions sont quelquefois transfiguratrices; elles font d'un chamelier Mahomet et d'une chevrière Jeanne d'Arc. La solitude dégage une certaine quantité d'égarement sublime. C'est la fumée du buisson ardent. Il en résulte un mystérieux tremblement d'idées qui dilate le docteur en voyant [135] et le poète en prophète; il en résulte Horeb, le Cédron, Ombos, les ivresses du laurier de Castalie mâché, les révélations du mois Busion [136]; il en résulte Péléïa à Dodone; Phémonoé à Delphes, Trophonius à Lébadée, Ézéchiel sur le Kébar [137], Jérôme dans la Thébaïde. Le plus souvent l'état visionnaire accable l'homme, et le stupéfie. L'abrutissement sacré existe. Le fakir a pour fardeau sa vision comme le crétin son goître. Luther parlant aux diables dans le grenier de Wittemberg, Pascal masquant l'enfer avec le paravent de son cabinet, l'obi nègre [138] dialoguant avec le dieu Bossum à face blanche, c'est le même phénomène, diversement porté par les cerveaux qu'il traverse, selon leur force et leur dimension. Luther et Pascal sont et restent grands; l'obi est imbécile.

Gilliatt n'était ni si haut, ni si bas. C'était un pensif. Rien de plus.

Il voyait la nature un peu étrangement.

De ce qu'il lui était arrivé plusieurs fois de trouver dans de l'eau de mer parfaitement limpide d'assez gros animaux inattendus, de formes diverses, de l'espèce méduse, qui, hors de l'eau, ressemblaient à du cristal mou, et qui, rejetés dans l'eau, s'y confondaient avec leur milieu, par l'identité de diaphanéité et de couleur, au point d'y disparaître, il concluait que, puisque des transparences vivantes habitaient l'eau, d'autres transparences, également vivantes, pouvaient bien habiter l'air. Les oiseaux ne sont pas les habitants de l'air; ils en sont les amphibies. Gilliatt ne croyait pas à l'air désert. Il disait : puisque la mer est remplie, pourquoi l'atmosphère serait-elle vide ? Des créatures couleur d'air s'effaceraient dans la lumière et échapperaient à notre regard; qui nous prouve qu'il n'y en a pas ? L'analogie indique que l'air doit avoir ses poissons comme la mer a les siens; ces poissons de l'air seraient diaphanes, bienfait de la prévoyance créatrice pour nous comme pour eux; laissant passer le jour à travers leur forme et ne faisant point d'ombre, et n'ayant pas de silhouette, ils resteraient ignorés de nous, et nous n'en pourrions rien saisir. Gilliatt imaginait que si l'on pouvait mettre la terre à sec d'atmosphère, et que si l'on pêchait l'air comme on pêche un étang, on y trouverait une foule d'êtres surprenants. Et, ajoutait-il dans sa rêverie, bien des choses s'expliqueraient.

La rêverie, qui est la pensée à l'état de nébuleuse, confine au sommeil, et s'en préoccupe comme de sa frontière. L'air habité par des transparences vivantes, ce serait le commencement de l'inconnu; mais au-delà s'offre la vaste ouverture du possible. Là d'autres êtres, là d'autres faits. Aucun surnaturalisme [139]; mais la continuation occulte de la nature infinie. Gilliatt, dans ce désœuvrement laborieux qui était son existence, était un bizarre observateur. Il allait jusqu'à observer le sommeil. Le sommeil est en contact avec le possible, que nous nommons aussi l'invraisemblable. Le monde nocturne est un monde. La nuit, en tant que nuit, est un univers. L'organisme matériel humain, sur lequel pèse une co-

lonne atmosphérique de quinze lieues de haut, est fatigué
le soir, il tombe de lassitude, il se couche, il se repose ;
les yeux de chair se ferment ; alors dans cette tête assoupie, moins inerte qu'on ne croit, d'autres yeux s'ouvrent ;
l'Inconnu apparaît. Les choses sombres du monde ignoré
deviennent voisines de l'homme, soit qu'il y ait communication véritable, soit que les lointains de l'abîme aient
un grossissement visionnaire ; il semble que les vivants
indistincts de l'espace viennent nous regarder et qu'ils
aient une curiosité de nous, les vivants terrestres ; une
création fantôme monte ou descend vers nous et nous
côtoie dans un crépuscule ; devant notre contemplation
spectrale, une vie autre que la nôtre s'agrège et se désagrège, composée de nous-mêmes et d'autre chose ; et le
dormeur, pas tout à fait voyant, pas tout à fait inconscient, entrevoit ces animalités étranges, ces végétations
extraordinaires, ces lividités terribles ou souriantes, ces
larves, ces masques, ces figures, ces hydres, ces confu-
sions, ce clair de lune sans lune, ces obscures décompo-
sitions du prodige, ces croissances et ces décroissances
dans une épaisseur trouble, ces flottaisons de formes dans
les ténèbres, tout ce mystère que nous appelons le songe
et qui n'est autre chose que l'approche d'une réalité
invisible. Le rêve est l'aquarium de la nuit [140].
    Ainsi songeait Gilliatt

VIII

LA CHAISE GILD-HOLM-'UR

Ce serait vainement qu'on chercherait aujourd'hui, dans l'anse du Houmet, la maison de Gilliatt, son jardin, et la crique où il abritait la panse. Le Bû de la Rue n'existe plus. La petite presqu'île qui portait cette maison est tombée sous le pic des démolisseurs de falaises et a été chargée, charretée à charretée, sur les navires des brocanteurs de rochers et des marchands de granit. Elle est devenue quai, église et palais, dans la capitale. Toute cette crête d'écueils est depuis longtemps partie pour Londres.

Ces allongements de rochers dans la mer, avec leurs crevasses et leurs dentelures, sont de vraies petites chaînes de montagnes; on a, en les voyant, l'impression qu'aurait un géant regardant les Cordillères. L'idiome local les appelle Banques. Ces banques ont des figures diverses. Les unes ressemblent à une épine dorsale; chaque rocher est une vertèbre; les autres à une arête de poisson; les autres à un crocodile qui boit.

A l'extrémité de la banque du Bû de la Rue, il y avait une grande roche que les pêcheurs du Houmet appelaient la Corne de la Bête. Cette roche, sorte de pyramide, ressemblait, quoique moins élevée, au Pinacle de Jersey. A marée haute, le flot la séparait de la banque, et la Corne était isolée. A marée basse, on y arrivait par un isthme de roches praticables. La curiosité de ce rocher, c'était, du côté de la mer, une sorte de chaise naturelle creusée par la vague et polie par la pluie. Cette chaise était traître. On y était insensiblement amené par la beauté de la vue; on s'y arrêtait «pour l'amour du prospect», comme on dit à

Guernesey ; quelque chose vous retenait ; il y a un charme
dans les grands horizons. Cette chaise s'offrait ; elle faisait une sorte de niche dans la façade à pic du rocher ;
grimper à cette niche était facile ; la mer qui l'avait taillée
dans le roc avait étagé au-dessous et commodément disposé une sorte d'escalier de pierres plates ; l'abîme a de
ces prévenances, défiez-vous de ses politesses ; la chaise
tentait, on y montait, on s'y asseyait ; là on était à l'aise ;
pour siège le granit usé et arrondi par l'écume, pour
accoudoirs deux anfractuosités qui semblaient faites exprès, pour dossier toute la haute muraille verticale du
rocher qu'on admirait au-dessus de sa tête sans penser à
se dire qu'il serait impossible de l'escalader ; rien de plus
simple que de s'oublier dans ce fauteuil ; on découvrait
toute la mer, on voyait au loin les navires arriver ou s'en
aller, on pouvait suivre des yeux une voile jusqu'à ce
qu'elle s'enfonçât au-delà des Casquets sous la rondeur
de l'océan, on s'émerveillait, on regardait, on jouissait,
on sentait la caresse de la brise et du flot ; il existe à
Cayenne un vespertilio, sachant ce qu'il fait, qui vous
endort dans l'ombre avec un doux et ténébreux battement
d'ailes, le vent est cette chauve-souris invisible ; quand il
n'est pas ravageur, il est endormeur. On contemplait la
mer, on écoutait le vent, on se sentait gagner par l'assoupissement de l'extase. Quand les yeux sont remplis d'un
excès de beauté et de lumière, c'est une volupté de les
fermer. Tout à coup on se réveillait. Il était trop tard. La
marée avait grossi peu à peu. L'eau enveloppait le rocher.

On était perdu.

Redoutable blocus que celui-ci : la mer montante.

La marée croît insensiblement d'abord, puis violemment. Arrivée aux rochers, la colère la prend, elle écume.
Nager ne réussit pas toujours dans les brisants. D'excellents nageurs s'étaient noyés à la Corne du Bû de la Rue.

En de certains lieux, à de certaines heures, regarder la
mer est un poison. C'est comme, quelquefois, regarder
une femme.

Les très anciens habitants de Guernesey appelaient
jadis cette niche façonnée dans le roc par le flot la Chaise
Gild-Holm-'Ur, ou *Kidormur*. Mot celte, dit-on, que

ceux qui savent le celte ne comprennent pas et que ceux qui savent le français comprennent. *Qui-dort-meurt.* Telle est la traduction paysanne.

On est libre de choisir entre cette traduction, *Qui-dort-meurt,* et la traduction donnée en 1819, je crois, dans l'*Armoricain,* par M. Athénas [141]. Selon cet honorable celtisant, Gild-Holm-'Ur signifierait *Halte-de-troupes-d'oiseaux.*

Il existe à Aurigny une autre chaise de ce genre, qu'on nomme la Chaise-au-Moine, si bien confectionnée par le flot, et avec une saillie de roche ajustée si à propos qu'on pourrait dire que la mer a la complaisance de vous mettre un tabouret sous les pieds.

Au plein de la mer, à la marée haute, on n'apercevait plus la chaise Gild-Holm-'Ur. L'eau la couvrait entièrement.

La chaise Gild-Holm-'Ur était la voisine du Bû de la Rue. Gilliatt la connaissait et s'y asseyait. Il venait souvent là. Méditait-il ? Non. Nous venons de le dire, il songeait. Il ne se laissait pas surprendre par la marée.

LIVRE DEUXIÈME

MESS LETHIERRY

I

Vie agitée et conscience tranquille

Mess Lethierry [142], l'homme notable de Saint-Sampson, était un matelot terrible. Il avait beaucoup navigué. Il avait été mousse, voilier, gabier, timonier, contre-maître, maître d'équipage, pilote, patron. Il était maintenant armateur. Il n'y avait pas un autre homme comme lui pour savoir la mer. Il était intrépide aux sauvetages. Dans les gros temps il s'en allait le long de la grève, regardant à l'horizon. Qu'est-ce que c'est que ça là-bas ? il y a quelqu'un en peine. C'est un chasse-marée de Weymouth, c'est un coutre d'Aurigny, c'est une bisquine de Courseulle, c'est le yacht d'un lord, c'est un Anglais, c'est un Français, c'est un pauvre, c'est un riche, c'est le diable, n'importe, il sautait dans une barque, appelait deux ou trois vaillants hommes, s'en passait au besoin, faisait l'équipe à lui tout seul, détachait l'amarre, prenait la rame, poussait en haute mer, montait et descendait et remontait dans les creux du flot, plongeait dans l'ouragan, allait au danger. On le voyait de loin dans la rafale, debout sur l'embarcation, ruisselant de pluie, mêlé aux éclairs, avec la face d'un lion qui aurait une crinière d'écume. Il passait quelquefois ainsi toute sa journée dans le risque, dans la vague, dans la grêle, dans le vent, accostant les navires en perdition, sauvant les hommes, sauvant les chargements, cherchant dispute à la tempête. Le soir il rentrait chez lui et tricotait une paire de bas.

Il mena cette vie cinquante ans, de dix ans à soixante, tant qu'il fut jeune. A soixante ans, il s'aperçut qu'il ne levait plus d'un seul bras l'enclume de la forge du Var-

clin ; cette enclume pesait trois cents livres ; et tout à coup
il fut fait prisonnier par les rhumatismes. Il lui fallut
renoncer à la mer. Alors il passa de l'âge héroïque à l'âge
patriarcal. Ce ne fut plus qu'un bonhomme.

Il était arrivé en même temps aux rhumatismes et à
l'aisance. Ces deux produits du travail se tiennent volontiers compagnie. Au moment où l'on devient riche, on est
paralysé. Cela couronne la vie.

On se dit : jouissons maintenant.

Dans les îles comme Guernesey, la population est
composée d'hommes qui ont passé leur vie à faire le tour
de leur champ et d'hommes qui ont passé leur vie à faire
le tour du monde. Ce sont les deux sortes de laboureurs,
ceux-ci de la terre, ceux-là de la mer. Mess Lethierry était
des derniers. Pourtant il connaissait la terre. Il avait eu
une forte vie de travailleur. Il avait voyagé sur le continent. Il avait été quelque temps charpentier de navire à
Rochefort, puis à Cette [143]. Nous venons de parler du tour
du monde ; il avait accompli son tour de France comme
compagnon dans la charpenterie. Il avait travaillé aux
appareils d'épuisement des salines de Franche-Comté.
Cet honnête homme avait eu une vie d'aventurier. En
France il avait appris à lire, à penser, à vouloir. Il avait
fait de tout, et de tout ce qu'il avait fait, il avait extrait la
probité. Le fond de sa nature, c'était le matelot. L'eau lui
appartenait. Il disait : « Les poissons sont chez moi. » En
somme toute son existence, à deux ou trois années près,
avait été donnée à l'océan ; *jetée à l'eau,* disait-il. Il avait
navigué dans les grandes mers, dans l'Atlantique et dans
le Pacifique, mais il préférait la Manche. Il s'écriait avec
amour : *C'est celle-là qui est rude !* Il y était né et voulait
y mourir. Après avoir fait un ou deux tours du monde,
sachant à quoi s'en tenir, il était revenu à Guernesey, et
n'en avait plus bougé. Ses voyages désormais étaient
Granville et Saint-Malo.

Mess Lethierry était guernesiais, c'est-à-dire normand,
c'est-à-dire anglais, c'est-à-dire français. Il avait en lui
cette patrie quadruple, immergée et comme noyée dans sa
grande patrie, l'océan. Toute sa vie et partout, il avait
gardé ses mœurs de pêcheur normand.

Cela ne l'empêchait point d'ouvrir un bouquin dans l'occasion, de se plaire à un livre, de savoir des noms de philosophes et de poètes, et de baragouiner un peu toutes les langues.

II

UN GOÛT QU'IL AVAIT

Gilliatt était un sauvage. Mess Lethierry en était un autre.

Ce sauvage avait ses élégances.

Il était difficile pour les mains des femmes. Dans sa jeunesse, presque enfant encore, étant entre matelot et mousse, il avait entendu le bailli de Suffren [144] s'écrier : *Voilà une jolie fille, mais quelles grandes diables de mains rouges !* Un mot d'amiral, en toute matière, commande. Au-dessus d'un oracle, il y a une consigne. L'exclamation du bailli de Suffren avait rendu Lethierry délicat et exigeant en fait de petites mains blanches. Sa main à lui, large spatule couleur acajou, était massue pour la légèreté et tenaille pour la caresse, et cassait un pavé en tombant dessus, fermée.

Il ne s'était jamais marié. Il n'avait pas voulu ou pas trouvé. Cela tenait peut-être à ce que ce matelot prétendait à des mains de duchesse. On ne rencontre guère de ces mains-là dans les pêcheuses de Portbail.

On racontait pourtant qu'à Rochefort en Charente, il avait jadis fait la trouvaille d'une grisette réalisant son idéal. C'était une jolie fille ayant de jolies mains. Elle médisait et égratignait. Il ne fallait point s'attaquer à elle. Griffes au besoin, et d'une propreté exquise, ses ongles étaient sans reproche et sans peur. Ces charmants ongles avaient enchanté Lethierry, puis l'avaient inquiété ; et, craignant de ne pas être un jour le maître de sa maîtresse, il s'était décidé à ne point mener par-devant monsieur le maire cette amourette.

Une autre fois, à Aurigny, une fille lui avait plu. Il

songeait aux épousailles, quand un habitant lui dit : *Je
vous fais mon compliment. Vous aurez là une bonne
bouselière.* Il se fit expliquer l'éloge. A Aurigny, on a
une mode. On prend de la bouse de vache et on la jette
contre les murs. Il y a une manière de la jeter. Quand elle
est sèche, elle tombe, et l'on se chauffe avec cela. On
appelle ces bouses sèches des *coipiaux.* On n'épouse une
fille que si elle est bonne bouselière. Ce talent mit
Lethierry en fuite.

Du reste il avait, en matière d'amour, ou d'amourette,
une bonne grosse philosophie paysanne, une sagesse de
matelot toujours pris, jamais enchaîné, et il se vantait de
s'être, dans sa jeunesse, aisément laissé vaincre par le
« cotillon ». Ce qu'on nomme aujourd'hui une crinoline,
on l'appelait alors un cotillon. Cela signifie plus et moins
qu'une femme.

Ces rudes marins de l'archipel normand ont de l'esprit.
Presque tous savent lire et lisent. On voit le dimanche de
petits mousses de huit ans assis sur un rouleau de cordages un livre à la main. De tout temps ces marins normands ont été sardoniques, et ont, comme on dit aujourd'hui, fait des mots. Ce fut l'un d'eux, le hardi pilote
Quéripel, qui jeta à Montgomery réfugié à Jersey après
son malencontreux coup de lance à Henri II, cette apostrophe : *Tête folle a cassé tête vide.* C'est un autre, Tou-
zeau, patron à Saint-Brelade, qui a fait ce calembour
philosophique, attribué à tort à l'évêque Camus [145] :
*Après la mort les papes deviennent papillons et les sires
deviennent cirons.*

III

LA VIEILLE LANGUE DE MER

Ces marins des Channel-Islands sont de vrais vieux
Gaulois. Ces îles, qui aujourd'hui s'anglaisent rapide-
ment, sont restées longtemps autochtones. Le paysan de
Serk parle la langue de Louis XIV.

Il y a quarante ans, on retrouvait dans la bouche des
matelots de Jersey et d'Aurigny l'idiome marin classique.
On se fût cru en pleine marine du XVIIe siècle. Un archéologue spécialiste eût pu venir étudier là l'antique
patois de manœuvre et de bataille rugi par Jean Bart dans
ce porte-voix qui terrifiait l'amiral Hidde. Le vocabulaire
maritime de nos pères, presque entièrement renouvelé
aujourd'hui, était encore usité à Guernesey vers 1820. Un
navire qui tient bien le vent était « bon boulinier » ; un
navire qui se range au vent presque de lui-même, malgré
ses voiles d'avant et son gouvernail, était « un vaisseau
ardent ». Entrer en mouvement, c'était « prendre aire » ;
mettre à la cape, c'était « capeyer » ; amarrer le bout d'une
manœuvre courante, c'était « faire dormant » ; prendre le
vent dessus, c'était « faire chapelle » ; tenir bon sur le
câble, c'était « faire teste » ; être en désordre à bord,
c'était « être en pantenne » ; avoir le vent dans les voiles,
c'était « porter-plain ». Rien de tout cela ne se dit plus.
Aujourd'hui on dit : *louvoyer,* alors on disait : *leauvoyer ;*
on dit : *naviguer,* on disait : *naviger ;* on dit : *virer vent
devant,* on disait : *donner vent devant ;* on dit : *aller de
l'avant,* on disait : *tailler de l'avant ;* on dit : *tirez d'accord,* on disait : *halez d'accord ;* on dit : *dérapez,* on
disait : *déplantez ;* on dit : *embraquez,* on disait : *abraquez ;* on dit : *taquets,* on disait : *bittons ;* on dit : *burins,*

on disait : *tappes ;* on dit : *balancines,* on disait : *valanci-nes ;* on dit : *tribord,* on disait : *stribord ;* on dit : *les hommes de quart à bâbord,* on disait : *les basbourdis.* Tourville écrivait à Hocquincourt [146] : *nous avons singlé.* Au lieu de « la rafale », *le raffal ;* au lieu de « bossoir », *boussoir ;* au lieu de « drosse », *drousse ;* au lieu de « loffer », *faire une olofée ;* au lieu de « élonger », *alonger ;* au lieu de « forte brise », *survent ;* au lieu de « jouail », *jas ;* au lieu de « soute », *fosse ;* telle était, au commencement de ce siècle, la langue de bord des îles de la Manche. En entendant parler un pilote jersiais, Ango [147] eût été ému. Tandis que partout les voiles *faseyaient,* aux îles de la Manche, elles *barbeyaient.* Une saute-de-vent était une « folle-vente ». On n'employait plus que là les deux modes gothiques d'amarrage, la valture et la portugaise. On n'entendait plus que là les vieux commandements : *Tour-et-choque ! — Bosse et bitte !* — Un matelot de Granville disait déjà *le clan,* qu'un matelot de Saint-Aubin ou de Saint-Sampson disait encore *le canal de pouliot.* Ce qui était *bout d'alonge* à Saint-Malo était à Saint-Hélier *oreille d'âne.* Mess Lethierry, absolument comme le duc de Vivonne [148], appelait la courbure concave des ponts *la tonture* et le ciseau du calfat *la patarasse.* C'est avec ce bizarre idiome entre les dents que Duquesne battit Ruyter, que Duguay-Trouin battit Wasnaer [149], et que Tourville en 1681 embossa en plein jour la première galère qui bombarda Alger. Aujourd'hui, c'est une langue morte. L'argot de la mer est actuellement tout autre. Duperré [150] ne comprendrait pas Suffren.

La langue des signaux ne s'est pas moins transformée ; et il y a loin des quatre flammes rouge, blanche, bleue et jaune de La Bourdonnais [151] aux dix-huit pavillons d'aujourd'hui qui, arborés deux par deux, trois par trois, et quatre par quatre, offrent aux besoins de la communication lointaine soixante-dix mille combinaisons, ne restent jamais court, et, pour ainsi dire, prévoient l'imprévu.

IV

ON EST VULNÉRABLE DANS CE QU'ON AIME

Mess Lethierry avait le cœur sur la main; une large main et un grand cœur. Son défaut, c'était cette admirable qualité, la confiance. Il avait une façon à lui de prendre un engagement; c'était solennel; il disait: *J'en donne ma parole d'honneur au bon Dieu.* Cela dit, il allait jusqu'au bout. Il croyait au bon Dieu, pas au reste. Le peu qu'il allait aux églises était politesse. En mer, il était superstitieux.

Pourtant jamais un gros temps ne l'avait fait reculer; cela tenait à ce qu'il était peu accessible à la contradiction. Il ne la tolérait pas plus de l'océan que d'un autre. Il entendait être obéi; tant pis pour la mer si elle résistait; il fallait qu'elle en prît son parti. Mess Lethierry ne cédait point. Une vague qui se cabre, pas plus qu'un voisin qui dispute, ne réussissait à l'arrêter. Ce qu'il disait était dit, ce qu'il projetait était fait. Il ne se courbait ni devant une objection, ni devant une tempête. *Non*, pour lui, n'existait pas; ni dans la bouche d'un homme, ni dans le grondement d'un nuage. Il passait outre. Il ne permettait point qu'on le refusât. De là son entêtement dans la vie et son intrépidité sur l'océan.

Il assaisonnait volontiers lui-même sa soupe au poisson, sachant la dose de poivre et de sel et les herbes qu'il fallait, et se régalait autant de la faire que de la manger. Un être qu'un suroît transfigure et qu'une redingote abrutit, qui ressemble, les cheveux au vent, à Jean Bart, et, en chapeau rond, à Jocrisse [152], gauche à la ville, étrange et redoutable à la mer, un dos de portefaix, point de jurons, très rarement de la colère, un petit accent très doux qui

devient tonnerre dans un porte-voix, un paysan qui a lu
l'Encyclopédie, un Guernesiais qui a vu la révolution, un
ignorant très savant, aucune bigoterie, mais toutes sortes
de visions, plus de foi à la Dame blanche qu'à la sainte
Vierge, la forme de Polyphème, la logique de la gi-
rouette, la volonté de Christophe Colomb, quelque chose
d'un taureau et quelque chose d'un enfant, un nez presque camard, des joues puissantes, une bouche qui a toutes
ses dents, un froncement partout sur la figure, une face
qui semble avoir été tripotée par la vague et sur laquelle la
rose des vents a tourné pendant quarante ans, un air
d'orage sur le front, une carnation de roche en pleine
mer ; maintenant mettez dans ce visage dur un regard bon,
vous aurez mess Lethierry.

Mess Lethierry avait deux amours : Durande et
Déruchette.

LIVRE TROISIÈME

DURANDE ET DÉRUCHETTE

I

BABIL ET FUMÉE

Le corps humain pourrait bien n'être qu'une apparence. Il cache notre réalité. Il s'épaissit sur notre lumière ou sur notre ombre. La réalité, c'est l'âme [153]. A parler absolument, notre visage est un masque. Le vrai homme, c'est ce qui est sous l'homme. Si l'on apercevait cet homme-là, tapi et abrité derrière cette illusion qu'on nomme la chair, on aurait plus d'une surprise. L'erreur commune, c'est de prendre l'être extérieur pour l'être réel. Telle fille, par exemple, si on la voyait ce qu'elle est, apparaîtrait oiseau.

Un oiseau qui a la forme d'une fille, quoi de plus exquis ! Figurez-vous que vous l'avez chez vous. Ce sera Déruchette. Le délicieux être ! On serait tenté de lui dire : Bonjour, mademoiselle la bergeronnette. On ne voit pas les ailes, mais on entend le gazouillement. Par instants, elle chante. Par le babil, c'est au-dessous de l'homme ; par le chant, c'est au-dessus. Il y a le mystère dans ce chant ; une vierge est une enveloppe d'ange. Quand la femme se fait, l'ange s'en va ; mais plus tard, il revient, apportant une petite âme à la mère. En attendant la vie, celle qui sera mère un jour est très longtemps un enfant, la petite fille persiste dans la jeune fille, et c'est une fauvette. On pense en la voyant : qu'elle est aimable de ne pas s'envoler ! Le doux être familier prend ses aises dans la maison, de branche en branche, c'est-à-dire de chambre en chambre, entre, sort, s'approche, s'éloigne, lisse ses plumes ou peigne ses cheveux, fait toutes sortes de petits bruits délicats, murmure on ne sait quoi d'ineffable à vos oreilles. Il questionne, on lui répond ; on l'interroge, il gazouille. On jase avec lui. Jaser, cela délasse de parler. Cet être a du ciel en lui. C'est une pensée bleue mêlée à votre pensée noire. Vous lui savez gré d'être si léger, si fuyant, si échappant, si peu saisissable, et d'avoir la bonté de ne pas être invisible, lui qui pourrait, ce semble, être impalpable. Ici-bas, le joli, c'est le nécessaire. Il y a sur la terre peu de fonctions plus importantes que celle-ci : être charmant. La forêt serait au désespoir sans le colibri. Dégager de la joie, rayonner du bonheur, avoir parmi les choses sombres une exsudation de lumière, être la dorure du destin, être l'harmonie, être la grâce, être la gentillesse, c'est vous rendre service. La beauté me fait du bien en étant belle. Telle créature a cette féerie d'être pour tout ce qui l'entoure un enchantement ; quelquefois elle n'en sait rien elle-même, ce n'en est que plus souverain ; sa présence éclaire, son approche réchauffe ; elle passe, on est content ; elle s'arrête, on est heureux ; la regarder, c'est vivre ; elle est de l'aurore ayant la figure humaine ; elle ne fait pas autre chose que d'être là, cela suffit, elle édénise [154] la maison, il lui sort par tous les pores un paradis ; cette extase, elle la distribue à tous sans se donner d'autre peine que de respirer à côté d'eux. Avoir un sourire qui, on ne sait comment, diminue le poids de la chaîne énorme traînée en commun par tous les vivants, que voulez-vous que je vous dise, c'est divin. Ce sourire, Déruchette l'avait. Disons plus, Déruchette était ce sourire. Il y a quelque chose qui nous ressemble plus que notre visage, c'est notre physionomie ; et il y a quelque chose qui nous ressemble plus que notre physionomie, c'est notre sourire. Déruchette souriant, c'était Déruchette.

C'est un sang particulièrement attrayant que celui de Jersey et de Guernesey. Les femmes, les filles surtout, sont d'une beauté fleurie et candide. C'est la blancheur saxonne et la fraîcheur normande combinées. Des joues roses et des regards bleus. Il manque à ces regards l'étoile. L'éducation anglaise les amortit. Ces yeux limpides seront irrésistibles, le jour où la profondeur parisienne y apparaîtra. Paris, heureusement, n'a pas encore fait son entrée dans les Anglaises. Déruchette n'était pas

une Parisienne, mais n'était pas non plus une Guernesiaise. Elle était née à Saint-Pierre-Port, mais mess
Lethierry l'avait élevée. Il l'avait élevée pour être mi-
gnonne ; elle l'était.

Déruchette avait le regard indolent, et agressif sans le
savoir. Elle ne connaissait peut-être pas le sens du mot
amour, et elle rendait volontiers les gens amoureux
d'elle. Mais sans mauvaise intention. Elle ne songeait à
aucun mariage. Le vieux gentilhomme émigré qui avait
pris racine à Saint-Sampson, disait : *Cette petite fait de la
flirtation à poudre*.

Déruchette avait les plus jolies petites mains du monde
et des pieds assortis aux mains, *quatre pattes de mouche*,
disait mess Lethierry. Elle avait dans toute sa personne la
bonté et la douceur, pour famille et pour richesse mess
Lethierry, son oncle, pour travail de se laisser vivre, pour
talent quelques chansons, pour science la beauté, pour
esprit l'innocence, pour cœur l'ignorance ; elle avait la
gracieuse paresse créole, mêlée d'étourderie et de vivacité, la gaieté taquine de l'enfance avec une pente à la
mélancolie, des toilettes un peu insulaires, élégantes,
mais incorrectes, des chapeaux de fleurs toute l'année, le
front naïf, le cou souple et tentant, les cheveux châtains,
la peau blanche avec quelques taches de rousseur l'été, la
bouche grande et saine, et sur cette bouche l'adorable et
dangereuse clarté du sourire. C'était là Déruchette.

Quelquefois, le soir, après le soleil couché, au moment
où la nuit se mêle à la mer, à l'heure où le crépuscule
donne une sorte d'épouvante aux vagues, on voyait entrer
dans le goulet de Saint-Sampson, sur le soulèvement
sinistre des flots, on ne sait quelle masse informe, une
silhouette monstrueuse qui sifflait et crachait, une chose
horrible qui râlait comme une bête et qui fumait comme
un volcan, une espèce d'hydre bavant dans l'écume et
traînant un brouillard et se ruant vers la ville avec un
effrayant battement de nageoires et une gueule d'où sortait de la flamme. C'était Durande.

II

HISTOIRE ÉTERNELLE DE L'UTOPIE

C'était une prodigieuse nouveauté qu'un bateau à vapeur dans les eaux de la Manche en 182... Toute la côte
normande en fut longtemps effarée. Aujourd'hui dix ou
douze steamers se croisant en sens inverse sur un horizon
de mer ne font lever les yeux à personne ; tout au plus
occupent-ils un moment le connaisseur spécial qui distingue à la couleur de leur fumée que celui-ci brûle du
charbon de Wales et celui-là du charbon de Newcastle. Ils
passent, c'est bien. Welcome, s'ils arrivent. Bon voyage,
s'ils partent.

On était moins calme à l'endroit de ces inventions-là
dans le premier quart de ce siècle, et ces mécaniques et
leur fumée étaient particulièrement mal vues chez les
insulaires de la Manche. Dans cet archipel puritain où la
reine d'Angleterre a été blâmée de violer la Bible * en
accouchant par le chloroforme, le bateau à vapeur eut
pour premier succès d'être baptisé : *Le Bateau-Diable*
(Devil-Boat). A ces bons pêcheurs d'alors, jadis catholiques, désormais calvinistes, toujours bigots, cela sembla
être de l'enfer qui flottait. Un prédicateur local traita cette
question : *A-t-on le droit de faire travailler ensemble
l'eau et le feu, que Dieu a séparés ***? Cette bête de feu
et de fer ne ressemblait-elle pas à Léviathan ? N'était-ce
pas refaire dans la mesure humaine le chaos ? Ce n'est pas
la première fois que l'ascension du progrès est qualifiée
retour au chaos.

_____

* *Genèse*, chap. III, vers. 16 : Tu enfanteras avec douleur.
** *Genèse*, chap. I, vers 4.

Idée folle, erreur grossière, absurdité ; tel avait été le verdict de l'académie des sciences consultée, au commencement de ce siècle, sur le bateau à vapeur par Napoléon ; les pêcheurs de Saint-Sampson sont excusables de n'être, en matière scientifique, qu'au niveau des géomètres de Paris, et, en matière religieuse, une petite île comme Guernesey n'est pas forcée d'avoir plus de lumières qu'un grand continent comme l'Amérique. En 1807, quand le premier bateau de Fulton, patronné par Livingston [155], pourvu de la machine de Watt envoyée d'Angleterre, et monté, outre l'équipage, par deux Français seulement, André Michaux et un autre, quand ce premier bateau à vapeur fit son premier voyage de New York à Albany, le hasard fit que ce fut le 17 août. Sur ce, le méthodisme prit la parole, et dans toutes les chapelles les prédicateurs maudirent cette machine, déclarant que ce nombre *dix-sept* était le total des dix antennes et des sept têtes de la bête de l'Apocalypse. En Amérique on invoquait contre le navire à vapeur la bête de l'Apocalypse et en Europe la bête de la Genèse. Là était toute la différence.

Les savants avaient rejeté le bateau à vapeur comme impossible ; les prêtres à leur tour le rejetaient comme impie. La science avait condamné, la religion damnait. Fulton était une variété de Lucifer. Les gens simples des côtes et des campagnes adhéraient à la réprobation par le malaise que leur donnait cette nouveauté. En présence du bateau à vapeur, le point de vue religieux était ceci :
— l'eau et le feu sont un divorce. Ce divorce est ordonné de Dieu. On ne doit pas désunir ce que Dieu a uni ; on ne doit pas unir ce qu'il a désuni. — Le point de vue paysan était ceci : ça me fait peur.

Pour oser à cette époque lointaine une telle entreprise, un bateau à vapeur de Guernesey à Saint-Malo, il ne fallait rien moins que mess Lethierry. Lui seul pouvait la concevoir comme libre penseur, et la réaliser comme hardi marin. Son côté français eut l'idée, son côté anglais l'exécuta.

A quelle occasion ? disons-le.

III

RANTAINE

Quarante ans environ avant l'époque où se passent les
faits que nous racontons ici, il y avait dans la banlieue de
Paris, près du mur de ronde, entre la Fosse-aux-Lions et
la Tombe-Issoire, un logis suspect. C'était une masure
isolée, coupe-gorge au besoin. Là demeurait avec sa
femme et son enfant une espèce de bourgeois bandit,
ancien clerc de procureur au Châtelet, devenu voleur tout
net. Il figura plus tard en cour d'assises. Cette famille
s'appelait les Rantaine. On voyait dans la masure sur une
commode d'acajou deux tasses en porcelaine fleurie ; on
lisait en lettres dorées sur l'une : *souvenir d'amitié*, et sur
l'autre : *don d'estime*. L'enfant était dans le bouge pêle-
mêle avec le crime. Le père et la mère ayant été de la
demi-bourgeoisie, l'enfant apprenait à lire ; on l'élevait.
La mère pâle, presque en guenilles, donnait machinalement « de l'éducation » à son petit, le faisait épeler, et
s'interrompait pour aider son mari à quelque guet-apens
ou pour se prostituer à un passant. Pendant ce temps-là, la
Croix de Jésus, ouverte à l'endroit où on l'avait quittée,
restait sur la table, et l'enfant auprès, rêveur.

Le père et la mère, saisis dans quelque flagrant délit,
disparurent dans la nuit pénale. L'enfant disparut aussi.

Lethierry dans ses courses rencontra un aventurier
comme lui, le tira d'on ne sait quel mauvais pas, lui
rendit service, lui en fut reconnaissant, le prit en gré, le
ramassa, l'amena à Guernesey, le trouva intelligent au
cabotage, et en fit son associé. C'était le petit Rantaine
devenu grand.

Rantaine, comme Lethierry, avait une nuque robuste,

une large et puissante marge à porter des fardeaux entre les deux épaules, et des reins d'Hercule Farnèse. Lethierry et lui, c'était la même allure et la même encolure ; Rantaine était de plus haute taille. Qui les voyait de dos se promener côte à côte sur le port, disait : Voilà les deux frères. De face, c'était autre chose. Tout ce qui était ouvert chez Lethierry était fermé chez Rantaine. Rantaine était circonspect. Rantaine était maître d'armes, jouait de l'harmonica, mouchait une chandelle d'une balle à vingt pas, avait un coup de poing magnifique, récitait des vers de la Henriade et devinait les songes. Il savait pas cœur *Les Tombeaux de Saint-Denis,* par Treneuil [156]. Il disait avoir été lié avec le sultan de Calicut [157] *« que les Portugais appellent le Zamorin ».* Si l'on eût pu feuilleter le petit agenda qu'il avait sur lui, on y eût trouvé, entre autres notes, des mentions du genre de celle-ci : « A Lyon, dans une des fissures du mur d'un des cachots de Saint-Joseph, il y a une lime cachée. » Il parlait avec une sage lenteur. Il se disait fils d'un chevalier de Saint-Louis. Son linge était dépareillé et marqué à des lettres différentes. Personne n'était plus chatouilleux que lui sur le point d'honneur ; il se battait et tuait. Il avait dans le regard quelque chose d'une mère d'actrice.

La force servant d'enveloppe à la ruse, c'était là Rantaine.

La beauté de son coup de poing, appliqué dans une foire sur une *Cabeza de moro* [158], avait gagné jadis le cœur de Lethierry.

On ignorait pleinement à Guernesey ses aventures. Elles étaient bigarrées. Si les destinées ont un vestiaire, la destinée de Rantaine devait être vêtue en arlequin. Il avait vu le monde et fait la vie. C'était un circumnavigateur. Ses métiers étaient une gamme. Il avait été cuisinier à Madagascar, éleveur d'oiseaux à Sumatra, général à Honolulu, journaliste religieux aux îles Galapagos, poète à Oomrawuttee [159], franc-maçon à Haïti. Il avait prononcé en cette dernière qualité au Grand-Goâve [160] une oraison funèbre dont les journaux locaux ont conservé ce fragment : « ... Adieu donc, belle âme ! dans la voûte azurée des cieux où tu prends maintenant ton vol, tu rencontreras sans doute le bon abbé Léandre Crameau du Petit-Goâve. Dis-lui que, grâce à dix années d'efforts glorieux, tu as terminé l'église de l'Anse-à-Veau! Adieu, génie transcendant, maç... modèle!» Son masque de franc-maçon ne l'empêchait pas, comme on voit, de porter le faux nez catholique. Le premier lui conciliait les hommes de progrès et le second les hommes d'ordre. Il se déclarait blanc pur sang, il haïssait les Noirs; pourtant il eût certainement admiré Soulouque [161]. A Bordeaux, en 1815, il avait été verdet [162]. A cette époque, la fumée de son royalisme lui sortait du front sous la forme d'un immense plumet blanc. Il avait passé sa vie à faire des éclipses, paraissant, disparaissant, reparaissant. C'était un coquin à feu tournant. Il savait du turc; au lieu de *guillotiné* il disait *néboïssé*. Il avait été esclave en Tripoli chez un thaleb [163], et il y avait appris le turc à coups de bâton; sa fonction avait été d'aller le soir aux portes des mosquées et d'y lire à haute voix devant les fidèles le Koran écrit sur des planchettes de bois ou sur des omoplates de chameau. Il était probablement renégat.

Il était capable de tout, et de pire.

Il éclatait de rire et fronçait le sourcil en même temps. Il disait: *En politique, je n'estime que les gens inaccessibles aux influences*. Il disait: *Je suis pour les mœurs*. Il disait: *Il faut replacer la pyramide sur sa base*. Il était plutôt gai et cordial qu'autre chose. La forme de sa bouche démentait le sens de ses paroles. Ses narines eussent pu passer pour des naseaux. Il avait au coin de l'œil un carrefour de rides où toutes sortes de pensées obscures se donnaient rendez-vous. Le secret de sa physionomie ne pouvait être déchiffré que là. Sa patte d'oie était une serre de vautour. Son crâne était bas au sommet et large aux tempes. Son oreille difforme et encombrée de broussailles semblait dire: ne parlez pas à la bête qui est dans cet antre.

Un beau jour, à Guernesey, on ne sut plus où était Rantaine.

L'associé de Lethierry avait «filé», laissant vide la caisse de l'association.

Dans cette caisse il y avait de l'argent à Rantaine sans

doute, mais il y avait aussi cinquante mille francs à Lethierry.

Lethierry, dans son métier de caboteur et de charpentier de navires, avait, en quarante ans d'industrie et de probité, gagné cent mille francs. Rantaine lui en emporta la moitié.

Lethierry, à moitié ruiné, ne fléchit pas et songea immédiatement à se relever. On ruine la fortune des gens de cœur, non leur courage. On commençait alors à parler du bateau à vapeur. L'idée vint à Lethierry d'essayer la machine Fulton, si contestée, et de relier par un bateau à feu l'archipel normand à la France. Il joua son va-tout sur cette idée. Il y consacra son reste. Six mois après la fuite de Rantaine, on vit sortir du port stupéfait de Saint-Sampson un navire à fumée, faisant l'effet d'un incendie en mer, le premier steamer qui ait navigué dans la Manche.

Ce bateau, que la haine et le dédain de tous gratifièrent immédiatement du sobriquet « la Galiote à Lethierry », s'annonça comme devant faire le service régulier de Guernesey à Saint-Malo.

IV

SUITE DE L'HISTOIRE DE L'UTOPIE

La chose, on le comprend de reste, prit d'abord fort
mal. Tous les propriétaires de coutres faisant le voyage de
l'île guernesiaise à la côte française jetèrent les hauts cris.
Ils dénoncèrent cet attentat à l'Écriture sainte et à leur
monopole. Quelques chapelles fulminèrent. Un révérend,
nommé Elihu, qualifia le bateau à vapeur « un libertinage ». Le navire à voiles fut déclaré orthodoxe. On vit
distinctement les cornes du diable sur la tête des bœufs
que le bateau à vapeur apportait et débarquait. Cette
protestation dura un temps raisonnable. Cependant peu à
peu on finit par s'apercevoir que ces bœufs arrivaient
moins fatigués, et se vendaient mieux, la viande étant
meilleure ; que les risques de mer étaient moindres pour
les hommes aussi ; que ce passage, moins coûteux, était
plus sûr et plus court ; qu'on partait à heure fixe et qu'on
arrivait à heure fixe ; que le poisson, voyageant plus vite,
était plus frais, et qu'on pouvait désormais déverser sur
les marchés français l'excédent des grandes pêches, si
fréquentes à Guernesey ; que le beurre des admirables
vaches de Guernesey faisait plus rapidement le trajet dans
le Devil-Boat que dans les sloops à voiles, et ne perdait
plus rien de sa qualité, de sorte que Dinan en demandait,
et que Saint-Brieuc en demandait, et que Rennes en
demandait ; qu'enfin il y avait, grâce à ce qu'on appelait
la Galiote à Lethierry, sécurité de voyage, régularité de
communication, va-et-vient facile et prompt, agrandissement de circulation, multiplication de débouchés, extension de commerce, et qu'en somme il fallait prendre
son parti de ce Devil-Boat qui violait la Bible et enrichis-

sait l'île. Quelques esprits forts se hasardèrent à approuver dans une certaine mesure. Sieur Landoys, le greffier, accorda son estime à ce bateau. Du reste, ce fut impartialité de sa part, car il n'aimait pas Lethierry; d'abord Lethierry était mess et Landoys n'était que sieur. Ensuite, quoique greffier à Saint-Pierre-Port, Landoys était paroissien de Saint-Sampson; or ils n'étaient dans la paroisse que deux hommes, Lethierry et lui, n'ayant point de préjugés; c'était bien le moins que l'un détestât l'autre. Être du même bord, cela éloigne.

Sieur Landoys néanmoins eut l'honnêteté d'approuver le bateau à vapeur. D'autres se joignirent à sieur Landoys. Insensiblement, le fait monta; les faits sont une marée; et, avec le temps, avec le succès continu et croissant, avec l'évidence du service rendu, l'augmentation du bien-être de tous étant constatée, il vint un jour où, quelques sages exceptés, tout le monde admira « la Galiote à Lethierry ».

On l'admirerait moins aujourd'hui. Ce steamer d'il y a quarante ans ferait sourire nos constructeurs actuels. Cette merveille était difforme; ce prodige était infirme.

De nos grands steamers transatlantiques d'à présent au bateau à roues et à feu que Denis Papin fit manœuvrer sur la Fulde en 1707 [164], il n'y a pas moins de distance que du vaisseau à trois ponts de *Montebello*, long de deux cents pieds, large de cinquante, ayant une grande vergue de cent quinze pieds, déplaçant un poids de trois mille tonneaux, portant onze cents hommes, cent vingt canons, dix mille boulets et cent soixante paquets de mitraille, vomissant à chaque bordée, quand il combat, trois mille trois cents livres de fer, et déployant au vent, quand il marche, cinq mille six cents mètres carrés de toile, au dromon danois du IIe siècle, trouvé plein de haches de pierre, d'arcs et de massues, dans les boues marines de Wester-Satrup, et déposé à l'hôtel de ville de Flensbourg [165].

Cent ans juste d'intervalle, 1707-1807, séparent le premier bateau de Papin du premier bateau de Fulton. « La Galiote à Lethierry » était, à coup sûr, un progrès sur ces deux ébauches, mais était une ébauche elle-même. Cela ne l'empêchait pas d'être un chef-d'œuvre. Tout embryon de la science offre ce double aspect; monstre comme fœtus; merveille comme germe.

V

LE BATEAU-DIABLE

« La Galiote à Lethierry » n'était pas mâtée selon le point vélique, et ce n'était pas là son défaut, car c'est une des lois de la construction navale ; d'ailleurs, le navire ayant pour propulseur le feu, la voilure était l'accessoire. Ajoutons qu'un navire à roues est presque insensible à la voilure qu'on lui met. La Galiote était trop courte, trop ronde, trop ramassée ; elle avait trop de joue et trop de hanche ; la hardiesse n'avait pas été jusqu'à la faire légère ; la Galiote avait quelques-uns des inconvénients et quelques-unes des qualités de la Panse. Elle tanguait peu, mais roulait beaucoup. Les tambours étaient trop hauts. Elle avait trop de bau pour sa longueur. La machine, massive, l'encombrait, et, pour rendre le navire capable d'une forte cargaison, on avait dû hausser démesurément la muraille, ce qui donnait à la Galiote à peu près le défaut des vaisseaux de soixante-quatorze, qui sont un gabarit bâtard, et qu'il faut raser pour les rendre battants et marins. Étant courte, elle eût dû virer vite, les temps employés à une évolution étant comme les longueurs des navires, mais sa pesanteur lui ôtait l'avantage que lui donnait sa brièveté. Son maître-couple était trop large, ce qui la ralentissait, la résistance de l'eau étant proportionnelle à la plus grande section immergée et au carré de la vitesse du navire. L'avant était vertical, ce qui ne serait pas une faute aujourd'hui, mais en ce temps-là l'usage invariable était de l'incliner de quarante-cinq degrés. Toutes les courbes de la coque étaient bien raccordées, mais pas assez longues pour l'obliquité et surtout pour le parallélisme avec le prisme d'eau déplacé, lequel ne doit

jamais être refoulé que latéralement. Dans les gros temps,
elle tirait trop d'eau, tantôt par l'avant, tantôt par l'arrière, ce qui indiquait un vice dans le centre de gravité.
La charge n'étant pas où elle devait être, à cause du poids
de la machine, le centre de gravité passait souvent à
l'arrière du grand mât, et alors il fallait s'en tenir à la
vapeur, et se défier de la grande voile, car l'effet de la
grande voile dans ce cas-là faisait arriver le vaisseau au
lieu de le soutenir au vent. La ressource était, quand on
était au plus près du vent, de larguer en bande la grande
écoute; le vent, de la sorte, était fixé sur l'avant par
l'amure, et la grande voile ne faisait plus l'effet d'une
voile de poupe. Cette manœuvre était difficile. Le gouvernail était l'antique gouvernail, non à roue comme
aujourd'hui, mais à barre, tournant sur ses gonds scellés
dans l'étambot et mû par une solive horizontale passant
par-dessus la barre d'arcasse. Deux canots, espèces de
youyous, étaient suspendus aux pistolets. Le navire avait
quatre ancres, la grosse ancre, la seconde ancre qui est
l'ancre travailleuse, *working-anchor*, et deux ancres
d'affourche. Ces quatre ancres, mouillées avec des chaînes, étaient manœuvrées, selon les occasions, par le
grand cabestan de poupe et le petit cabestan de proue. A
cette époque, le guindoir à pompe [166] n'avait pas encore
remplacé l'effort intermittent de la barre d'anspect.
N'ayant que deux ancres d'affourche, l'une à tribord,
l'autre à bâbord, le navire ne pouvait affourcher en patte
d'oie, ce qui le désarmait un peu devant certains vents.
Pourtant il pouvait en ce cas s'aider de la seconde ancre.
Les bouées étaient normales, et construites de manière à
porter le poids de l'orin des ancres, tout en restant à flot.
La chaloupe avait la dimension utile. C'était le véritable
en cas du bâtiment; elle était assez forte pour lever la
maîtresse ancre. Une nouveauté de ce navire, c'est qu'il
était en partie gréé avec des chaînes, ce qui du reste
n'ôtait rien de leur mobilité aux manœuvres courantes et
de leur tension aux manœuvres dormantes. La mâture,
quoique secondaire, n'avait aucune incorrection; le capelage, bien serré, bien dégagé, paraissait peu. Les
membrures étaient solides, mais grossières, la vapeur

n'exigeant point la même délicatesse de bois que la voile. Ce navire marchait avec une vitesse de deux lieues à l'heure. En panne il faisait bien son abattée. Telle qu'elle était, « la Galiote à Lethierry » tenait bien la mer, mais elle manquait de pointe pour diviser le liquide, et l'on ne pouvait dire qu'elle eût de belles façons. On sentait que dans un danger, écueil ou trombe, elle serait peu maniable. Elle avait le craquement d'une chose informe. Elle faisait, en roulant sur la vague, un bruit de semelle neuve.

Ce navire était surtout un récipient, et, comme tout bâtiment plutôt armé en marchandise qu'en guerre, il était exclusivement disposé pour l'arrimage. Il admettait peu de passagers. Le transport du bétail rendait l'arrimage difficile et très particulier. On arrimait alors les bœufs dans la cale, ce qui était une complication. Aujourd'hui on les arrime sur l'avant-pont. Les tambours du *Devil-Boat Lethierry* étaient peints en blanc, la coque, jusqu'à la ligne de flottaison, en couleur de feu, et tout le reste du navire, selon la mode assez laide de ce siècle, en noir.

Vide, il calait sept pieds, et chargé, quatorze.

Quant à la machine, elle était puissante. La force était d'un cheval pour trois tonneaux, ce qui est presque une force de remorqueur. Les roues étaient bien placées, un peu en avant du centre de gravité du navire. La machine avait une pression maximum de deux atmosphères. Elle usait beaucoup de charbon, quoiqu'elle fût à condensation et à détente. Elle n'avait pas de volant à cause de l'instabilité du point d'appui, et elle y remédiait, comme on le fait encore aujourd'hui, par un double appareil faisant alterner deux manivelles fixées aux extrémités de l'arbre de rotation et disposées de manière que l'une fût toujours à son point fort quand l'autre était à son point mort. Toute la machine reposait sur une seule plaque de fonte ; de sorte que, même dans un cas de grave avarie, aucun coup de mer ne lui ôtait l'équilibre et que la coque déformée ne pouvait déformer la machine. Pour rendre la machine plus solide encore, on avait placé la bielle principale près du cylindre, ce qui transportait du milieu à l'extrémité le centre d'oscillation du balancier. Depuis on a inventé les cylindres oscillants qui permettent de sup-

primer les bielles; mais, à cette époque, la bielle près du
cylindre semblait le dernier mot de la machinerie. La
chaudière était coupée de cloisons et pourvue de sa
pompe de saumure. Les roues étaient très grandes, ce qui
diminuait la perte de force, et la cheminée était très haute,
ce qui augmentait le tirage du foyer; mais la grandeur des
roues donnait prise au flot et la hauteur de la cheminée
donnait prise au vent. Aubes de bois, crochets de fer,
moyeux de fonte, telles étaient les roues, bien construites
et, chose qui étonne, pouvant se démonter. Il y avait
toujours trois aubes immergées. La vitesse du centre des
aubes ne surpassait que d'un sixième la vitesse du navire;
c'était là le défaut de ces roues. En outre, le manneton
des manivelles était trop long, et le tiroir distribuait la
vapeur dans le cylindre avec trop de frottement. Dans ce
temps-là, cette machine semblait et était admirable.

Cette machine avait été forgée en France à l'usine de
fer de Bercy. Mess Lethierry l'avait un peu imaginée; le
mécanicien qui l'avait construite sur son épure était mort;
de sorte que cette machine était unique, et impossible à
remplacer. Le dessinateur restait, mais le constructeur
manquait.

La machine avait coûté quarante mille francs.

Lethierry avait construit lui-même la Galiote sous la
grande cale couverte qui est à côté de la première tour
entre Saint-Pierre-Port et Saint-Sampson. Il avait été à
Brême acheter le bois. Il avait épuisé dans cette construction tout son savoir-faire de charpentier de marine, et l'on
reconnaissait son talent au bordage dont les coutures
étaient étroites et égales, et recouvertes de sarangousti,
mastic de l'Inde meilleur que le brai [167]. Le doublage
était bien mailleté. Lethierry avait enduit la carène de
gallegalle [168]. Il avait, pour remédier à la rondeur de la
coque, ajusté un boute-hors au beaupré, ce qui lui permettait d'ajouter à la civadière une fausse civadière. Le
jour du lancement, il avait dit : me voilà à flot! La Galiote
réussit en effet, on l'a vu.

Par hasard ou exprès, elle avait été lancée un 14 juillet.
Ce jour-là, Lethierry, debout sur le pont entre les deux
tambours, regarda fixement la mer et lui cria : — C'est

ton tour ! les Parisiens ont pris la Bastille ; maintenant
nous te prenons, toi !

La Galiote à Lethierry faisait une fois par semaine le
voyage de Guernesey à Saint-Malo. Elle partait le mardi
matin et revenait le vendredi soir, veille du marché qui est
le samedi. Elle était d'un plus fort échantillon de bois que
les plus grands sloops caboteurs de tout l'archipel, et, sa
capacité étant en raison de sa dimension, un seul de ses
voyages valait, pour l'apport et pour le rendement, quatre
voyages d'un coutre ordinaire. De là de forts bénéfices.
La réputation d'un navire dépend de son arrimage, et
Lethierry était un arrimeur. Quand il ne put plus travailler
en mer lui-même, il dressa un matelot pour le remplacer
comme arrimeur. Au bout de deux années, le bateau à
vapeur rapportait net sept cent cinquante livres sterling
par an, c'est-à-dire dix-huit mille francs. La livre sterling
de Guernesey vaut vingt-quatre francs, celle d'Angleterre
vingt-cinq et celle de Jersey vingt-six. Ces chinoiseries
sont moins chinoises qu'elles n'en ont l'air ; les banques y
trouvent leur compte.

VI

ENTRÉE DE LETHIERRY DANS LA GLOIRE

« La Galiote » prospérait. Mess Lethierry voyait s'approcher le moment où il deviendrait monsieur. A Guernesey on n'est pas de plain-pied monsieur. Entre l'homme et le monsieur il y a toute une échelle à gravir ; d'abord, premier échelon, le nom tout sec, Pierre, je suppose ; puis, deuxième échelon, vésin (voisin) Pierre ; puis, troisième échelon, père Pierre ; puis, quatrième échelon, sieur Pierre ; puis, cinquième échelon, mess Pierre ; puis, sommet, monsieur Pierre.

Cette échelle, qui sort de terre, se continue dans le bleu. Toute la hiérarchique Angleterre y entre et s'y étage. En voici les échelons, de plus en plus lumineux : au-dessus du monsieur *(gentleman)*, il y a l'esq. (écuyer), au-dessus de l'esq., le chevalier (*sir* viager), puis, en s'élevant toujours, le baronet (*sir* héréditaire), puis le lord, *laird* en Écosse, puis le baron, puis le vicomte, puis le comte (*earl* en Angleterre, *jarl* en Norvège), puis le marquis, puis le duc, puis le pair d'Angleterre, puis le prince du sang royal, puis le roi. Cette échelle monte du peuple à la bourgeoisie, de la bourgeoisie au baronetage, du baronetage à la pairie, de la pairie à la royauté.

Grâce à son coup de tête réussi, grâce à la vapeur, grâce à sa machine, grâce au Bateau-Diable, mess Lethierry était devenu quelqu'un. Pour construire « la Galiote », il avait dû emprunter ; il s'était endetté à Brême, il s'était endetté à Saint-Malo ; mais chaque année il amortissait son passif.

Il avait de plus acheté à crédit, à l'entrée même du port de Saint-Sampson, une jolie maison de pierre, toute neuve, entre mer et jardin, sur l'encoignure de laquelle on lisait ce nom : *les Bravées*. Le logis *les Bravées*, dont la devanture faisait partie de la muraille même du port, était remarquable par une double rangée de fenêtres, au nord, du côté d'un enclos plein de fleurs, au sud, du côté de l'océan ; de sorte que cette maison avait deux façades, l'une sur les tempêtes, l'autre sur les roses.

Ces façades semblaient faites pour les deux habitants, mess Lethierry et miss Déruchette.

La maison *les Bravées* était populaire à Saint-Sampson. Car mess Lethierry avait fini par être populaire. Cette popularité lui venait un peu de sa bonté, de son dévouement et de son courage, un peu de la quantité d'hommes qu'il avait sauvés, beaucoup de son succès, et aussi de ce qu'il avait donné au port de Saint-Sampson le privilège des départs et des arrivées du bateau à vapeur. Voyant que décidément le *Devil-Boat* était une bonne affaire, Saint-Pierre, la capitale, l'avait réclamé pour son port, mais Lethierry avait tenu bon pour Saint-Sampson. C'était sa ville natale. — C'est là que j'ai été lancé à la mer, disait-il. — De là une vive popularité locale. Sa qualité de propriétaire payant taxe faisait de lui ce qu'on appelle à Guernesey un *unhabitant*. On l'avait nommé douzenier. Ce pauvre matelot avait franchi cinq échelons sur six de l'ordre social guernesiais ; il était mess ; il touchait au monsieur, et qui sait s'il n'arriverait pas même à franchir le monsieur ? Qui sait si un jour on ne lirait pas dans l'almanach de Guernesey au chapitre *Gentry and Nobility* cette inscription inouïe et superbe : *Lethierry, esq.* ?

Mais mess Lethierry dédaignait ou plutôt ignorait le côté par lequel les choses sont vanité. Il se sentait utile, c'était là sa joie. Être populaire le touchait moins qu'être nécessaire. Il n'avait, nous l'avons dit, que deux amours, et par conséquent, que deux ambitions : Durande et Déruchette.

Quoi qu'il en fût, il avait mis à la loterie de la mer, et il y avait gagné le quine.

Le quine, c'était la Durande naviguant.

VII

LE MÊME PARRAIN ET LA MÊME PATRONNE

Après avoir créé ce bateau à vapeur, Lethierry l'avait baptisé. Il l'avait nommé *Durande*. La Durande, — nous ne l'appellerons plus autrement. On nous permettra également, quel que soit l'usage typographique, de ne point souligner ce nom *Durande,* nous conformant en cela à la pensée de mess Lethierry pour qui la Durande était presque une personne.

Durande et Déruchette, c'est le même nom. Déruchette est le diminutif. Ce diminutif est fort usité dans l'ouest de la France.

Les saints dans les campagnes portent souvent leur nom avec tous ses diminutifs et tous ses augmentatifs. On croirait à plusieurs personnes là où il n'y en a qu'une. Ces identités de patrons et de patronnes sous des noms différents ne sont point chose rare. Lise, Lisette, Lisa, Élisa, Isabelle, Lisbeth, Betsy, cette multitude est Élisabeth. Il est probable que Mahout, Maclou, Malo et Magloire sont le même saint. Du reste, nous n'y tenons pas.

Sainte Durande est une sainte de l'Angoumois et de la Charente. Est-elle correcte? Ceci regarde les bollandistes. Correcte ou non, elle a des chapelles.

Lethierry, étant à Rochefort, jeune matelot, avait fait connaissance avec cette sainte, probablement dans la personne de quelque jolie Charentaise, peut-être de la grisette aux beaux ongles. Il lui en était resté assez de souvenir pour qu'il donnât ce nom aux deux choses qu'il aimait : Durande à la galiote, Déruchette à la fille.

Il était le père de l'une et l'oncle de l'autre.

Déruchette était la fille d'un frère qu'il avait eu. Elle

n'avait plus ni père ni mère. Il l'avait adoptée. Il remplaçait le père, et la mère.

Déruchette n'était pas seulement sa nièce. Elle était sa filleule. C'était lui qui l'avait tenue sur les fonts de baptême. C'était lui qui lui avait trouvé cette patronne : sainte Durande, et ce prénom : Déruchette.

Déruchette, nous l'avons dit, était née à Saint-Pierre-Port. Elle était inscrite à sa date sur le registre de paroisse.

Tant que la nièce fut enfant et tant que l'oncle fut pauvre, personne ne prit garde à cette appellation : *Déruchette ;* mais quand la petite fille devint une miss et quand le matelot devint un gentleman, *Déruchette* choqua. On s'en étonnait. On demandait à mess Lethierry : Pourquoi Déruchette ? Il répondait : C'est un nom qui est comme ça. On essaya plusieurs fois de la débaptiser. Il ne s'y prêta point. Un jour une belle dame de la high life de Saint-Sampson, femme d'un forgeron riche ne travaillant plus, dit à mess Lethierry : Désormais j'appellerai votre fille *Nancy*. — Pourquoi pas Lons-le-Saulnier ? dit-il. La belle dame ne lâcha point prise, et lui dit le lendemain : Nous ne voulons décidément pas de Déruchette. J'ai trouvé pour votre fille un joli nom : *Marianne*. — Joli nom en effet, repartit mess Lethierry, mais composé de deux vilaines bêtes, un mari et un âne. Il maintint Déruchette.

On se tromperait si l'on concluait du mot ci-dessus qu'il ne voulait point marier sa nièce. Il voulait la marier, certes, mais à sa façon. Il entendait qu'elle eût un mari dans son genre à lui, travaillant beaucoup, et qu'elle ne fît pas grand-chose. Il aimait les mains noires de l'homme et les mains blanches de la femme. Pour que Déruchette ne gâtât point ses jolies mains, il l'avait tournée vers la demoiselle. Il lui avait donné un maître de musique, un piano, une petite bibliothèque, et aussi un peu de fil et d'aiguilles dans une corbeille de travail. Elle était plutôt liseuse que couseuse, et plutôt musicienne que liseuse. Mess Lethierry la voulait ainsi. Le charme, c'était tout ce qu'il lui demandait. Il l'avait élevée plutôt à être fleur qu'à être femme. Quiconque a étudié les marins com-

prendra ceci. Les rudesses aiment les délicatesses. Pour
que la nièce réalisât l'idéal de l'oncle, il fallait qu'elle fût
riche. C'est bien ce qu'entendait mess Lethierry. Sa
grosse machine de mer travaillait dans ce but. Il avait
chargé Durande de doter Déruchette.

VIII

L'AIR BONNY DUNDEE [169]

Déruchette habitait la plus jolie chambre des Bravées, à deux fenêtres, meublée en acajou ronceux, ornée d'un lit à rideaux quadrillés vert et blanc, et ayant vue sur le jardin et sur la haute colline où est le château du Valle. C'est de l'autre côté de cette colline qu'était le Bû de la Rue.

Déruchette avait dans cette chambre sa musique et son piano. Elle s'accompagnait de ce piano en chantant l'air qu'elle préférait, la mélancolique mélodie écossaise *Bonny Dundee ;* tout le soir est dans cet air, toute l'aurore était dans sa voix ; cela faisait un contraste doucement surprenant ; on disait : miss Déruchette est à son piano ; et les passants du bas de la colline s'arrêtaient quelquefois devant le mur du jardin des Bravées pour écouter ce chant si frais et cette chanson si triste.

Déruchette était de l'allégresse allant et venant dans la maison. Elle y faisait un printemps perpétuel. Elle était belle, mais plus jolie que belle, et plus gentille que jolie. Elle rappelait aux bons vieux pilotes amis de mess Lethierry cette princesse d'une chanson de soldats et de matelots qui était si belle « qu'elle passait pour telle dans le régiment ». Mess Lethierry disait : « Elle a un câble de cheveux. »

Dès l'enfance, elle avait été ravissante. On avait craint longtemps son nez, mais la petite, probablement déterminée à être jolie, avait tenu bon ; la croissance ne lui avait fait aucun mauvais tour ; son nez ne s'était ni trop allongé, ni trop raccourci ; et en devenant grande, elle était restée charmante.

Elle n'appelait jamais son oncle autrement que « mon père ».

Il lui tolérait quelques talents de jardinière, et même de ménagère. Elle arrosait elle-même ses plates-bandes de roses trémières, de molènes pourpres, de phlox vivaces et de benoîtes écarlates ; elle cultivait le crépis rose et l'oxalide rose ; elle tirait parti du climat de cette île de Guernesey, si hospitalière aux fleurs. Elle avait, comme tout le monde, des aloès en pleine terre, et, ce qui est plus difficile, elle faisait réussir la potentille du Népaul [170]. Son petit potager était savamment ordonné ; elle y faisait succéder les épinards aux radis et les pois aux épinards ; elle savait semer des choux-fleurs de Hollande et des choux de Bruxelles qu'elle repiquait en juillet, des navets pour août, de la chicorée frisée pour septembre, des panais ronds pour l'automne et de la raiponce pour l'hiver. Mess Lethierry la laissait faire, pourvu qu'elle ne maniât pas trop la bêche et le râteau et surtout qu'elle ne mît pas l'engrais elle-même. Il lui avait donné deux servantes, nommée l'une Grâce et l'autre Douce, qui sont deux noms de Guernesey. Grâce et Douce faisaient le service de la maison et du jardin, et elles avaient le droit d'avoir les mains rouges.

Quant à mess Lethierry, il avait pour chambre un petit réduit donnant sur le port, et attenant à la grande salle basse du rez-de-chaussée où était la porte d'entrée et où venaient aboutir les divers escaliers de la maison. Sa chambre était meublée de son branle, de son chronomètre et de sa pipe. Il y avait aussi une table et une chaise. Le plafond, à poutres, avait été blanchi au lait de chaux, ainsi que les quatre murs ; à droite de la porte était cloué l'archipel de la Manche, belle carte marine portant cette mention : *W. Faden, 5, Charing Cross. Geographer to His Majesty ;* et à gauche d'autres clous étalaient sur la muraille un de ces gros mouchoirs de coton où sont figurés en couleur les signaux de toute la marine du globe, ayant aux quatre coins les étendards de France, de Russie, d'Espagne et des États-Unis d'Amérique, et au centre l'Union-Jack d'Angleterre.

Douce et Grâce étaient deux créatures quelconques, du

bon côté du mot. Douce n'était pas méchante et Grâce n'était pas laide. Ces noms dangereux n'avaient pas mal tourné. Douce, non mariée, avait un « galant ». Dans les îles de la Manche le mot est usité ; la chose aussi. Ces deux filles avaient ce qu'on pourrait appeler le service créole, une sorte de lenteur propre à la domesticité normande dans l'archipel. Grâce, coquette et jolie, considérait sans cesse l'horizon avec une inquiétude de chat. Cela tenait à ce qu'ayant, comme Douce, un galant, elle avait, de plus, disait-on, un mari matelot, dont elle craignait le retour. Mais cela ne nous regarde pas. La nuance entre Grâce et Douce, c'est que, dans une maison moins austère et moins innocente, Douce fût restée la servante et Grâce fût devenue la soubrette. Les talents possibles de Grâce se perdaient avec une fille candide comme Déruchette. Du reste, les amours de Douce et de Grâce étaient latents. Rien n'en revenait à mess Lethierry, et rien n'en rejaillissait sur Déruchette.

La salle basse du rez-de-chaussée, halle à cheminée entourée de bancs et de tables, avait, au siècle dernier, servi de lieu d'assemblée à un conventicule de réfugiés français protestants. Le mur de pierre nue avait pour tout luxe un cadre de bois noir où s'étalait une pancarte de parchemin ornée des prouesses de Bénigne Bossuet, évêque de Meaux. Quelques pauvres diocésains de cet aigle, persécutés par lui lors de la révocation de l'édit de Nantes, et abrités à Guernesey, avaient accroché ce cadre à ce mur pour porter témoignage. On y lisait, si l'on parvenait à déchiffrer une écriture lourde et une encre jaunie, les faits peu connus que voici : — « Le 29 octobre 1685, « démolition des temples de Morcef et de Nanteuil, de- « mandée au Roy par M. l'évêque de Meaux. » — « Le « 2 avril 1686, arrestation de Cochard père et fils pour « religion à la prière de M. l'évêque de Meaux. Relâ- « chés ; les Cochard ayant abjuré. » — « Le 28 octo- « bre 1699, M. l'évêque de Meaux envoie à M. de Pont- « chartrain un mémoire remontrant qu'il serait nécessaire « de mettre les demoiselles de Chalandes et de Neuville, « qui sont de la religion réformée, dans la maison des « Nouvelles-Catholiques de Paris. » — « Le 7 juillet

« 1703, est exécuté l'ordre demandé au Roy par
« M. l'évêque de Meaux de faire enfermer à l'hôpital le
« nommé Baudoin et sa femme, *mauvais catholiques* de
« Fublaines. »

Au fond de la salle, près de la porte de la chambre de
mess Lethierry, un petit retranchement en planches qui
avait été la chaire huguenote était devenu, grâce à un
grillage avec chatière, « l'office » du bateau à vapeur,
c'est-à-dire le bureau de la Durande, tenu par mess
Lethierry en personne. Sur le vieux pupitre de chêne, un
registre aux pages cotées Doit et Avoir remplaçait la
bible.

IX

L'HOMME QUI AVAIT DEVINÉ RANTAINE

Tant que mess Lethierry avait pu naviguer, il avait conduit la Durande, et il n'avait pas eu d'autre pilote et d'autre capitaine que lui-même, mais il était venu une heure, nous l'avons dit, où mess Lethierry avait dû se faire remplacer. Il avait choisi pour cela sieur Clubin, de Torteval, homme silencieux. Sieur Clubin avait sur toute la côte un renom de probité sévère. C'était l'*alter ego* et le vicaire de mess Lethierry.

Sieur Clubin, quoiqu'il eût plutôt l'air d'un notaire que d'un matelot, était un marin capable et rare. Il avait tous les talents que veut le risque perpétuellement transformé. Il était arrimeur habile, gabier méticuleux, bosseman [171] soigneux et connaisseur, timonier robuste, pilote savant, et hardi capitaine. Il était prudent, et il poussait quelquefois la prudence jusqu'à oser, ce qui est une grande qualité à la mer. Il avait la crainte du probable tempérée par l'instinct du possible. C'était un de ces marins qui affrontent le danger dans une proportion à eux connue et qui de toute aventure savent dégager le succès. Toute la certitude que la mer peut laisser à un homme, il l'avait. Sieur Clubin, en outre, était un nageur renommé ; il était de cette race d'hommes rompus à la gymnastique de la vague, qui restent tant qu'on veut dans l'eau, qui, à Jersey, partent du Havre-des-Pas, doublent la Colette, font le tour de l'ermitage et du château Élisabeth, et reviennent au bout de deux heures à leur point de départ. Il était de Torteval, et il passait pour avoir souvent fait à la nage le trajet redouté des Hanois à la pointe de Plainmont.

Une des choses qui avaient le plus recommandé sieur
Clubin à mess Lethierry, c'est que, connaissant ou péné-
trant Rantaine, il avait signalé à mess Lethierry l'improbité de cet homme, et lui avait dit : — *Rantaine vous
volera*. Ce qui s'était vérifié. Plus d'une fois, pour des
objets, il est vrai, peu importants, mess Lethierry avait
mis à l'épreuve l'honnêteté, poussée jusqu'au scrupule,
de sieur Clubin, et il se reposait de ses affaires sur lui.
Mess Lethierry disait : Toute conscience veut toute
confiance.

X

LES RÉCITS DE LONG COURS

Mess Lethierry, mal à l'aise autrement, portait toujours ses habits de bord, et plutôt sa vareuse de matelot que sa vareuse de pilote. Cela faisait plisser le petit nez de Déruchette. Rien n'est joli comme les grimaces de la grâce en colère. Elle grondait et riait. — *Bon père,* s'écriait-elle, *pouah! vous sentez le goudron.* Et elle lui donnait une petite tape sur sa grosse épaule.

Ce bon vieux héros de la mer avait rapporté de ses voyages des récits surprenants. Il avait vu à Madagascar des plumes d'oiseau dont trois suffisaient à faire le toit d'une maison. Il avait vu dans l'Inde des tiges d'oseille hautes de neuf pieds. Il avait vu dans la Nouvelle-Hollande [172] des troupeaux de dindons et d'oies menés et gardés par un chien de berger qui est un oiseau, et qu'on appelle l'agami [173]. Il avait vu des cimetières d'éléphants. Il avait vu en Afrique des gorilles, espèces d'hommes-tigres, de sept pieds de haut. Il connaissait les mœurs de tous les singes, depuis le macaque sauvage qu'il appelait *macaco bravo* jusqu'au macaque hurleur qu'il appelait *macaco barbado.* Au Chili, il avait vu une guenon attendrir les chasseurs en leur montrant son petit. Il avait vu en Californie un tronc d'arbre creux tombé à terre dans l'intérieur duquel un homme à cheval pouvait faire cent cinquante pas. Il avait vu au Maroc les Mozabites et les Biskris [174] se battre à coups de matraks et de barres de fer, les Biskris pour avoir été traités de *kelb,* qui veut dire chiens, et les Mozabites pour avoir été traités de *khamsi,* qui veut dire gens de la cinquième secte. Il avait vu en Chine couper en petits morceaux le pirate Chanh-thong-

quan-larh-Quoi, pour avoir assassiné le âp d'un village.
A Thu-dan-mot [175], il avait vu un lion enlever une vieille
femme en plein marché de la ville. Il avait assisté à
l'arrivée du grand serpent venant de Canton à Saïgon
pour célébrer dans la pagode de Cho-len la fête de Quan-
nam, déesse des navigateurs. Il avait contemplé chez les
Moï [176] le grand Quan-Sû. A Rio-Janeiro, il avait vu les
dames brésiliennes se mettre le soir dans les cheveux de
petites bulles de gaze contenant chacune une vagalumes,
belle mouche à phosphore, ce qui les coiffe d'étoiles. Il
avait combattu dans l'Uruguay les fourmilières et dans le
Paraguay les araignées d'oiseaux, velues, grosses comme
une tête d'enfant, couvrant de leurs pattes un diamètre
d'un tiers d'aune, et attaquant l'homme auquel elles lancent leurs poils qui s'enfoncent comme des flèches dans
la chair et y soulèvent des pustules. Sur le fleuve Arinos,
affluent du Tocantins [177], dans les forêts vierges au nord
de Diamantina, il avait constaté l'effrayant peuple chauve-souris, les murcilagos, hommes qui naissent avec les
cheveux blancs et les yeux rouges, habitent le sombre des
bois, dorment le jour, s'éveillent la nuit, et pêchent et
chassent dans les ténèbres, y voyant mieux quand il n'y a
pas de lune. Près de Beyrouth, dans un campement d'une
expédition dont il faisait partie, un pluviomètre ayant été
volé dans une tente, un sorcier habillé de deux ou trois
bandelettes de cuir et ressemblant à un homme qui serait
vêtu de ses bretelles, avait si furieusement agité une
sonnette au bout d'une corne qu'une hyène était venue
rapporter le pluviomètre. Cette hyène était la voleuse.
Ces histoires vraies ressemblaient tant à des contes
qu'elles amusaient Déruchette.

La poupée de la Durande était le lien entre le bateau et
la fille. On nomme *poupée* dans les îles normandes la
figure taillée dans la proue, statue de bois sculptée à peu
près. De là, pour dire *naviguer*, cette locution locale : *être
entre poupe et poupée*.

La poupée de la Durande était particulièrement chère à
mess Lethierry. Il l'avait commandée au charpentier ressemblante à Déruchette. Elle ressemblait à coups de hache.
C'était une bûche faisant effort pour être une jolie fille.

Ce bloc légèrement difforme faisait illusion à mess Lethierry. Il le considérait avec une contemplation de croyant. Il était de bonne foi devant cette figure. Il y reconnaissait parfaitement Déruchette. C'est un peu comme cela que le dogme ressemble à la vérité, et l'idole à Dieu.

Mess Lethierry avait deux grandes joies par semaine ; une joie le mardi et une joie le vendredi. Première joie, voir partir la Durande ; deuxième joie, la voir revenir. Il s'accoudait à sa fenêtre, regardait son œuvre, et était heureux. Il y a quelque chose de cela dans la Genèse. *Et vidit quod esset bonum* [177 bis].

Le vendredi, la présence de mess Lethierry à sa fenêtre valait un signal. Quand on voyait, à la croisée des Bravées, s'allumer sa pipe, on disait : Ah ! le bateau à vapeur est à l'horizon. Une fumée annonçait l'autre.

La Durande en rentrant au port nouait son câble sous les fenêtres de mess Lethierry à un gros anneau de fer scellé dans le soubassement des Bravées. Ces nuits-là, Lethierry faisait un admirable somme dans son branle, sentant d'un côté Déruchette endormie et de l'autre Durande amarrée.

Le lieu d'amarrage de la Durande était voisin de la cloche du port. Il y avait là, devant la porte des Bravées, un petit bout de quai.

Ce quai, les Bravées, la maison, le jardin, les ruettes bordées de haies, la plupart même des habitations environnantes, n'existent plus aujourd'hui. L'exploitation du granit de Guernesey a fait vendre ces terrains. Tout cet emplacement est occupé, à l'heure où nous sommes, par des chantiers de casseurs de pierres.

XI

COUP D'ŒIL SUR LES MARIS ÉVENTUELS

Déruchette grandissait, et ne se mariait pas.

Mess Lethierry, en en faisant une fille aux mains blanches, l'avait rendue difficile. Ces éducations-là se retournent plus tard contre vous.

Du reste, il était, quant à lui, plus difficile encore. Le mari qu'il imaginait pour Déruchette était aussi un peu un mari pour Durande. Il eût voulu pourvoir d'un coup ses deux filles. Il eût voulu que le conducteur de l'une pût être aussi le pilote de l'autre. Qu'est-ce qu'un mari? C'est le capitaine d'une traversée. Pourquoi pas le même patron à la fille et au bateau? Un ménage obéit aux marées. Qui sait mener une barque sait mener une femme. Ce sont les deux sujettes de la lune et du vent. Sieur Clubin, n'ayant guère que quinze ans de moins que mess Lethierry, ne pouvait être pour Durande qu'un patron provisoire; il fallait un pilote jeune, un patron définitif, un vrai successeur du fondateur, de l'inventeur, du créateur. Le pilote définitif de Durande serait un peu le gendre de mess Lethierry. Pourquoi ne pas fondre les deux gendres dans un? Il caressait cette idée. Il voyait, lui aussi, apparaître dans ses songes un fiancé. Un puissant gabier basané et fauve, athlète de la mer, voilà son idéal. Ce n'était pas tout à fait celui de Déruchette. Elle faisait un rêve plus rose.

Quoi qu'il en fût, l'oncle et la nièce semblaient être d'accord pour ne point se hâter. Quand on avait vu Déruchette devenir une héritière probable, les partis s'étaient présentés en foule. Ces empressements-là ne sont pas toujours de bonne qualité. Mess Lethierry le sentait. Il grommelait : fille d'or, épouseur de cuivre. Et il éconduisait les prétendants. Il attendait. Elle de même.

Chose singulière, il tenait peu à l'aristocratie. De ce côté-là, mess Lethierry était un Anglais invraisemblable. On croira difficilement qu'il avait été jusqu'à refuser pour Déruchette un Ganduel, de Jersey, et un Bugnet-Nicolin, de Serk. On n'a pas même craint d'affirmer, mais nous doutons que cela soit possible, qu'il n'avait point accepté une ouverture venant de l'aristocratie d'Aurigny, et qu'il avait décliné les propositions d'un membre de la famille Édou, laquelle évidemment descend d'Édou-ard le Confesseur [178].

XII

EXCEPTION DANS LE CARACTÈRE DE LETHIERRY

Mess Lethierry avait un défaut; un gros. Il haïssait, non quelqu'un, mais quelque chose, le prêtre. Un jour, lisant, — car il lisait, — dans Voltaire, — car il lisait Voltaire, — ces mots : « les prêtres sont des chats », il posa le livre, et on l'entendit grommeler à demi-voix : je me sens chien.

Il faut se souvenir que les prêtres, les luthériens et les calvinistes comme les catholiques, l'avaient, dans sa création du Devil-Boat local, vivement combattu et doucement persécuté. Être révolutionnaire en navigation, essayer d'ajuster un progrès à l'archipel normand, faire essuyer à la pauvre petite île de Guernesey les plâtres d'une invention nouvelle, c'était là, nous ne l'avons point dissimulé, une témérité damnable. Aussi l'avait-on un peu damné. Nous parlons ici, qu'on ne l'oublie pas, du clergé ancien, bien différent du clergé actuel, qui, dans presque toutes les églises locales, a une tendance libérale vers le progrès. On avait entravé Lethierry de cent manières; toute la quantité d'obstacle qu'il peut y avoir dans les prêches et dans les sermons lui avait été opposée. Détesté des hommes d'église, il les détestait. Leur haine était la circonstance atténuante de la sienne.

Mais, disons-le, son aversion des prêtres était idiosyncrasique. Il n'avait pas besoin pour les haïr d'en être haï. Comme il le disait, il était le chien de ces chats. Il était contre eux par l'idée, et, ce qui est le plus irréductible, par l'instinct. Il sentait leurs griffes latentes, et il montrait les dents. Un peu à tort et à travers, convenons-en, et pas toujours à propos. Ne point distinguer est un tort. Il n'y a

pas de bonne haine en bloc. Le vicaire savoyard n'eût
point trouvé grâce devant lui. Il n'est pas sûr que, pour
mess Lethierry, il y eût un bon prêtre. A force d'être
philosophe, il perdait un peu de sagesse. L'intolérance
des tolérants existe, de même que la rage des modérés.
Mais Lethierry était si débonnaire qu'il ne pouvait être
vraiment haineux. Il repoussait plutôt qu'il n'attaquait. Il
tenait les gens d'église à distance. Ils lui avaient fait du
mal, il se bornait à ne pas leur vouloir de bien. La nuance
entre leur haine et la sienne, c'est que la leur était animo-
sité, et que la sienne était antipathie.

Guernesey, toute petite île qu'elle est, a de la place
pour deux religions. Elle contient de la religion catholique et de la religion protestante. Ajoutons qu'elle ne met
point les deux religions dans la même église. Chaque
culte à son temple ou sa chapelle. En Allemagne, à
Heidelberg, par exemple, on n'y fait pas tant de façons ;
on coupe l'église en deux ; une moitié à saint Pierre, une
moitié à Calvin ; entre deux, une cloison pour prévenir les
gourmades ; parts égales ; les catholiques ont trois autels,
les huguenots ont trois autels ; comme ce sont les mêmes
heures d'offices, la cloche unique sonne à la fois pour les
deux services. Elle appelle en même temps à Dieu et au
diable. Simplification.

Le flegme allemand s'accommode de ces voisinages.
Mais à Guernesey chaque religion est chez elle. Il y a la
paroisse orthodoxe et il y a la paroisse hérétique. On peut
choisir. Ni l'une, ni l'autre. Tel avait été le choix de
mess Lethierry.

Ce matelot, cet ouvrier, ce philosophe, ce parvenu du
travail, très simple en apparence, n'était pas du tout
simple au fond. Il avait ses contradictions et ses opiniâ-
tretés. Sur le prêtre, il était inébranlable. Il eût rendu des
points à Montlosier [179].

Il se permettait des railleries très déplacées. Il avait des
mots à lui, bizarres, mais ayant un sens. Aller à confesse, il
appelait cela : « peigner sa conscience ». Le peu de lettres
qu'il avait, bien peu, une certaine lecture glanée
çà et là, entre deux bourrasques, se compliquait de
fautes d'orthographe. Il avait aussi des fautes de pronon-

ciation, pas toujours naïves. Quand la paix fut faite par
Waterloo entre la France de Louis XVIII et l'Angleterre
de Wellington, mess Lethierry dit : *Bourmont* [180] *a été
le traître d'union entre les deux camps.* Une fois il écrivit papauté, *pape ôté.* Nous ne pensons pas que ce fût
exprès.

Cet antipapisme ne lui conciliait point les anglicans. Il
n'était pas plus aimé des recteurs protestants que des
curés catholiques. En présence des dogmes les plus graves, son irréligion éclatait presque sans retenue. Un hasard l'ayant conduit à un sermon sur l'enfer du révérend
Jacquemin Hérode, sermon magnifique rempli d'un bout
à l'autre de textes sacrés prouvant les peines éternelles,
les supplices, les tourments, les damnations, les châtiments inexorables, les brûlements sans fin, les malédic-
tions inextinguibles, les colères de la Toute-Puissance,
les fureurs célestes, les vengeances divines, choses in-
contestables, on l'entendit, en sortant avec un des fidèles,
dire doucement : — Voyez-vous, moi, j'ai une drôle
d'idée. Je m'imagine que Dieu est bon.

Ce levain d'athéisme lui venait de son séjour en
France.

Quoique Guernesiais, et assez pur sang, on l'appelait
dans l'île « le Français », à cause de son esprit *improper.*
Lui-même ne s'en cachait point, il était imprégné d'idées
subversives. Son acharnement de faire ce bateau à vapeur, ce Devil-Boat, l'avait bien prouvé. Il disait : *J'ai
tété 89.* Ce n'est point là un bon lait.

Du reste, des contresens, il en faisait. Il est très difficile de rester entier dans les petits pays. En France,
garder les apparences, en Angleterre, *être respectable,*
la vie tranquille est à ce prix. Être respectable, cela
implique une foule d'observances, depuis le dimanche
bien sanctifié jusqu'à la cravate bien mise. « Ne pas se
faire montrer au doigt », voilà encore une loi terrible. Être
montré au doigt, c'est le diminutif de l'anathème. Les
petites villes, marais de commères, excellent dans cette
malignité isolante, qui est la malédiction vue par le petit
bout de la lorgnette. Les plus vaillants redoutent ce raca [180 bis]. On affronte la mitraille, on affronte l'ouragan,

on recule devant Mme Pimbêche. Mess Lethierry était plutôt tenace que logique. Mais, sous cette pression, sa ténacité même fléchissait. Il mettait, autre locution pleine de concessions latentes, et parfois inavouables, « de l'eau dans son vin ». Il se tenait à l'écart des hommes du clergé, mais il ne leur fermait point résolument sa porte. Aux occasions officielles et aux époques voulues des visites pastorales, il recevait d'une façon suffisante, soit le recteur luthérien, soit le chapelain papiste. Il lui arrivait, de loin en loin, d'accompagner à la paroisse anglicane Déruchette, laquelle elle-même, nous l'avons dit, n'y allait qu'aux quatre grandes fêtes de l'année.

Somme toute, ces compromis, qui lui coûtaient, l'irritaient, et, loin de l'incliner vers les gens d'église, augmentaient son escarpement intérieur. Il s'en dédommageait par plus de moquerie. Cet être sans amertume n'avait d'âcreté que de ce côté-là. Aucun moyen de l'amender là-dessus.

De fait et absolument, c'était là son tempérament, et il fallait en prendre son parti.

Tout clergé lui déplaisait. Il avait l'irrévérence révolutionnaire. D'une forme à l'autre du culte il distinguait peu. Il ne rendait même pas justice à ce grand progrès : ne point croire à la présence réelle. Sa myopie en ces choses allait jusqu'à ne point voir la nuance entre un ministre et un abbé. Il confondait un révérend docteur avec un révérend père. Il disait : *Wesley ne vaut pas mieux que Loyola*. Quand il voyait passer un pasteur avec sa femme, il se détournait. *Prêtre marié !* disait-il, avec l'accent absurde que ces deux mots avaient en France à cette époque. Il contait qu'à son dernier voyage en Angleterre, il avait vu « l'évêchesse de Londres ». Ses révoltes sur ce genre d'unions allaient jusqu'à la colère. — Une robe n'épouse pas une robe ! s'écriait-il. — Le sacerdoce lui faisait l'effet d'un sexe. Il eût volontiers dit : « ni homme, ni femme ; prêtre ». Il appliquait avec mauvais goût, au clergé anglican et au clergé papiste, les mêmes épithètes dédaigneuses ; il enveloppait les deux « soutanes » dans la même phraséologie ; et il ne se donnait pas la peine de varier, à propos des prêtres, quels qu'ils fussent, catho-

liques ou luthériens, les métonymies soldatesques usitées dans ce temps-là. Il disait à Déruchette : *Marie-toi
avec qui tu voudras, pourvu que ce ne soit pas avec un
calotin.*

XIII

L'INSOUCIANCE FAIT PARTIE DE LA GRÂCE

Une fois une parole dite, mess Lethierry s'en souvenait; une fois une parole dite, Déruchette l'oubliait. Là était la nuance entre l'oncle et la nièce.

Déruchette, élevée comme on l'a vu, s'était accoutumée à peu de responsabilité. Il y a, insistons-y, plus d'un péril latent dans une éducation pas assez prise au sérieux. Vouloir faire son enfant heureux trop tôt, c'est peut-être une imprudence.

Déruchette croyait que, pourvu qu'elle fût contente, tout était bien. Elle sentait d'ailleurs son oncle joyeux de la voir joyeuse. Elle avait à peu près les idées de mess Lethierry. Sa religion se satisfaisait d'aller à la paroisse quatre fois par an. On l'a vue en toilette pour Noël. De la vie, elle ignorait tout. Elle avait tout ce qu'il faut pour être un jour folle d'amour. En attendant, elle était gaie.

Elle chantait au hasard, jasait au hasard, vivait devant elle, jetait un mot et passait, faisait une chose et fuyait, était charmante. Joignez à cela la liberté anglaise. En Angleterre les enfants vont seuls, les filles sont leurs maîtresses, l'adolescence a la bride sur le cou. Telles sont les mœurs. Plus tard ces filles libres font des femmes esclaves. Nous prenons ici ces deux mots en bonne part : libres dans la croissance, esclaves dans le devoir.

Déruchette s'éveillait chaque matin avec l'inconscience de ses actions de la veille. Vous l'eussiez bien embarrassée en lui demandant ce qu'elle avait fait la semaine passée. Ce qui ne l'empêchait pas d'avoir, à de certaines heures troubles, un malaise mystérieux, et de sentir on ne sait quel passage du sombre de la vie sur son

épanouissement et sur sa joie. Ces azurs-là ont ces nua-
ges-là. Mais ces nuages s'en allaient vite. Elle en sortait
par un éclat de rire, ne sachant pourquoi elle avait été
triste ni pourquoi elle était sereine. Elle jouait avec tout.
Son espièglerie becquetait les passants. Elle faisait des
malices aux garçons. Si elle eût rencontré le diable, elle
n'en eût pas eu pitié, elle lui eût fait une niche. Elle était
jolie, et en même temps si innocente, qu'elle en abusait.
Elle donnait un sourire comme un jeune chat donne un
coup de griffe. Tant pis pour l'égratigné. Elle n'y songeait plus. Hier n'existait pas pour elle ; elle vivait dans la
plénitude d'aujourd'hui. Voilà ce que c'est que trop de
bonheur. Chez Déruchette le souvenir s'évanouissait
comme la neige fond.

LIVRE QUATRIÈME

LE BAG-PIPE

I

PREMIÈRES ROUGEURS D'UNE AURORE, OU D'UN INCENDIE

Gilliatt n'avait jamais parlé à Déruchette. Il la connaissait pour l'avoir vue de loin, comme on connaît l'étoile du matin.

A l'époque où Déruchette avait rencontré Gilliatt dans le chemin de Saint-Pierre-Port au Valle et lui avait fait la surprise d'écrire son nom sur la neige, elle avait seize ans. La veille précisément, mess Lethierry lui avait dit : Ne fais plus d'enfantillages. Te voilà grande fille.

Ce nom, *Gilliatt*, écrit par cette enfant, était tombé dans une profondeur inconnue.

Qu'était-ce que les femmes pour Gilliatt ? lui-même n'aurait pu le dire. Quand il en rencontrait une, il lui faisait peur, et il en avait peur. Il ne parlait à une femme qu'à la dernière extrémité. Il n'avait jamais été « le galant » d'aucune campagnarde. Quand il était seul dans un chemin et qu'il voyait une femme venir vers lui, il enjambait une clôture de courtil ou se fourrait dans une broussaille et s'en allait. Il évitait même les vieilles. Il avait vu dans sa vie une Parisienne. Une Parisienne de passage, étrange événement pour Guernesey à cette époque lointaine. Et Gilliatt avait entendu cette Parisienne raconter en ces termes ses malheurs : « Je suis très ennuyée, je viens de recevoir des gouttes de pluie sur mon chapeau, il est abricot, et c'est une couleur qui ne pardonne pas. » Ayant trouvé plus tard, entre les feuillets d'un livre, une ancienne gravure de modes représentant « une dame de la chaussée d'Antin » en grande toilette, il l'avait collée à son mur, en souvenir de cette apparition. Les soirs d'été, il se cachait derrière les rochers de la

crique Houmet-Paradis pour voir les paysannes se baigner
en chemise dans la mer. Un jour, à travers une haie, il
avait regardé la sorcière de Torteval remettre sa jarretière.
Il était probablement vierge.

Ce matin de Noël où il rencontra Déruchette et où elle
écrivit son nom en riant, il rentra chez lui ne sachant plus
pourquoi il était sorti. La nuit venue, il ne dormit pas. Il
songea à mille choses ; — qu'il ferait bien de cultiver des
radis noirs dans son jardin ; que l'exposition était bonne ;
— qu'il n'avait pas vu passer le bateau de Serk ; était-il
arrivé quelque chose à ce bateau ? — qu'il avait vu des
trique-madame en fleur, chose rare pour la saison. Il
n'avait jamais su au juste ce que lui était la vieille femme
qui était morte, il se dit que décidément elle devait être sa
mère, et il pensa à elle avec un redoublement de ten-
dresse. Il pensa au trousseau de femme qui était dans la
malle de cuir. Il pensa que le révérend Jacquemin Hérode
serait probablement un jour ou l'autre nommé doyen de
Saint-Pierre-Port subrogé de l'évêque, et que le rectorat
de Saint-Sampson deviendrait vacant. Il pensa que le
lendemain de Noël on serait au vingt-septième jour de la
lune, et que par conséquent la haute mer serait à trois
heures vingt-une minutes, la demi-retirée à sept heures
quinze, la basse mer à neuf heures trente-trois, et la
demi-montée à douze heures trente-neuf. Il se rappela
dans les moindres détails le costume du highlander qui lui
avait vendu le bag-pipe, son bonnet orné d'un chardon, sa
claymore [181], son habit serré aux pans courts et carrés,
son jupon, le scilt or philaberg, orné de la bourse sporran
et du smushing-mull, tabatière de corne, son épingle faite
d'une pierre écossaire, ses deux ceintures, la sashwise et
le belt, son épée, le swond, son coutelas, le dirck, et le
skene dhu, couteau noir à poignée noire ornée de deux
cairgorums, et les genoux nus de ce soldat, ses bas, ses
guêtres quadrillées et ses souliers à boucles. Cet équipe-
ment devint un spectre, le poursuivit, lui donna la fièvre
et l'assoupit. Il se réveilla au grand jour, et sa première
pensée fut Déruchette.

Le lendemain il dormit, mais il revit toute la nuit le
soldat écossais. Il se dit à travers son sommeil que les

Chefs-Plaids d'après Noël seraient tenus le 21 janvier. Il
rêva aussi du vieux recteur Jacquemin Hérode. En se
réveillant il songea à Déruchette, et il eut contre elle une
violente colère; il regretta de ne plus être petit, parce
qu'il irait jeter des pierres dans ses carreaux.

Puis il pensa que, s'il était petit, il aurait sa mère, et il
se mit à pleurer.

Il forma le projet d'aller passer trois mois à Chousey ou
aux Minquiers. Pourtant il ne partit pas.

Il ne remit plus les pieds dans la route de Saint-Pierre-
Port au Valle.

Il se figurait que son nom, *Gilliatt,* était resté là gravé
sur la terre et que tous les passants devaient le regarder.

II

ENTRÉE, PAS À PAS, DANS L'INCONNU

En revanche, il voyait tous les jours les Bravées. Il ne le faisait par exprès, mais il allait de ce côté-là. Il se trouvait que son chemin était toujours de passer par le sentier qui longeait le mur du jardin de Déruchette.

Un matin, comme il était dans ce sentier, une femme du marché qui revenait des Bravées dit à une autre : *Miss Lethierry aime les seakales.*

Il fit dans son jardin du Bû de la Rue une fosse à seakales. Le seakale est un chou qui a le goût de l'asperge.

Le mur du jardin des Bravées était très bas ; on pouvait l'enjamber. L'idée de l'enjamber lui eût paru épouvantable. Mais il n'était pas défendu d'entendre en passant, comme tout le monde, les voix des personnes qui parlaient dans les chambres ou dans le jardin. Il n'écoutait pas, mais il entendait. Une fois, il entendit les deux servantes, Douce et Grâce, se quereller. C'était un bruit dans la maison. Cette querelle lui resta dans l'oreille comme une musique.

Une autre fois, il distingua une voix qui n'était pas comme celle des autres et qui lui sembla devoir être la voix de Déruchette. Il prit la fuite.

Les paroles que cette voix avait prononcées demeurèrent à jamais gravées dans sa pensée. Il se les redisait à chaque instant. Ces paroles étaient : *Vous plairait-il me bailler le genêt* ?*

Par degrés il s'enhardit. Il osa s'arrêter. Il arriva une

---

* Me donner le balai.

fois que Déruchette, impossible à apercevoir du dehors, quoique sa fenêtre fût ouverte, était à son piano, et chantait. Elle chantait son air *Bonny Dundee*. Il devint très pâle, mais il poussa la fermeté jusqu'à écouter.

Le printemps arriva. Un jour, Gilliatt eut une vision, le ciel s'ouvrit. Gilliatt vit Déruchette arroser des laitues.

Bientôt, il fit plus que s'arrêter. Il observa ses habitudes, il remarqua ses heures, et il l'attendit.

Il avait bien soin de ne pas se montrer.

Peu à peu, en même temps que les massifs se remplissaient de papillons et de roses, immobile et muet des heures entières, caché derrière ce mur, vu de personne, retenant son haleine, il s'habitua à voir Déruchette aller et venir dans le jardin. On s'accoutume au poison.

De la cachette où il était, il entendait souvent Déruchette causer avec mess Lethierry sous une épaisse tonnelle de charmille où il y avait un banc. Les paroles venaient distinctement jusqu'à lui.

Que de chemin il avait fait! Maintenant il en était venu à guetter et à prêter l'oreille. Hélas! le cœur humain est un vieil espion.

Il y avait un autre banc, visible et tout proche, au bord d'une allée. Déruchette s'y asseyait quelquefois.

D'après les fleurs qu'il voyait Déruchette cueillir et respirer, il avait deviné ses goûts en fait de parfums. Le liseron était l'odeur qu'elle préférait, puis l'œillet, puis le chèvrefeuille, puis le jasmin. La rose n'était que la cinquième. Elle regardait le lis; mais elle ne le respirait pas.

D'après ce choix de parfums, Gilliatt la composait dans sa pensée. A chaque odeur il rattachait une perfection.

La seule idée d'adresser la parole à Déruchette lui faisait dresser les cheveux.

Une bonne vieille chineuse [182] que son industrie ambulante ramenait de temps en temps dans la ruette longeant l'enclos des Bravées, en vint à remarquer confusément les assiduités de Gilliatt pour cette muraille et sa dévotion à ce lieu désert. Rattacha-t-elle la présence de cet homme devant ce mur à la possibilité d'une femme derrière ce mur? Aperçut-elle ce vague fil invisible?

Était-elle, en sa décrépitude mendiante, restée assez
jeune pour se rappeler quelque chose des belles années, et
savait-elle encore, dans son hiver et dans sa nuit, ce que
c'est que l'aube? Nous l'ignorons, mais il paraît qu'une
fois, en passant près de Gilliatt «faisant sa faction», elle
dirigea de son côté toute la quantité de sourire dont elle
était encore capable, et grommela entre ses gencives: *ça
chauffe*.

Gilliatt entendit ce mot, il en fut frappé, il murmura
avec un point d'interrogation intérieur: — Ça chauffe?
Que veut dire cette vieille? — Il répéta machinalement le
mot toute la journée, mais il ne le comprit pas.

Un soir qu'il était à sa fenêtre du Bû de la Rue, cinq ou
six jeunes filles de l'Ancresse vinrent par partie de plaisir
se baigner dans la crique de Houmet. Elles jouaient dans
l'eau, très naïvement, à cent pas de lui. Il ferma sa fenêtre
violemment. Il s'aperçut qu'une femme nue lui faisait
horreur.

L'AIR BONNY DUNDEE TROUVE UN ÉCHO
DANS LA COLLINE

Derrière l'enclos du jardin des Bravées, un angle de mur couvert de houx et de lierre, encombré d'orties, avec une mauve sauvage arborescente et un grand bouillon-blanc poussant dans les granits, ce fut dans ce recoin qu'il passa à peu près tout son été. Il était là, inexprimablement pensif. Les lézards, accoutumés à lui, se chauffaient dans les mêmes pierres au soleil. L'été fut lumineux et caressant. Gilliatt avait au-dessus de sa tête le va-et-vient des nuages. Il était assis dans l'herbe. Tout était plein de bruits d'oiseaux. Il se prenait le front à deux mains et se demandait : Mais enfin pourquoi a-t-elle écrit mon nom sur la neige? Le vent de mer jetait au loin de grands souffles. Par intervalles, dans la carrière lointaine de la Vaudue, la trompe des mineurs grondait brusquement, avertissant les passants de s'écarter et qu'une mine allait faire explosion. On ne voyait pas le port de Saint-Sampson; mais on voyait les pointes des mâts par-dessus les arbres. Les mouettes volaient éparses. Gilliatt avait entendu sa mère dire que les femmes pouvaient être amoureuses des hommes, que cela arrivait quelquefois. Il se répondait : Voilà. Je comprends, Déruchette est amoureuse de moi. Il se sentait profondément triste. Il se disait : Mais elle aussi, elle pense à moi de son côté; c'est bien fait. Il songeait que Déruchette était riche, et que, lui, il était pauvre. Il pensait que le bateau à vapeur était une exécrable invention. Il ne pouvait jamais se rappeler quel quantième du mois on était. Il regardait vaguement les gros bourdons noirs à croupes jaunes et à ailes courtes qui s'enfoncent avec bruit dans les trous des murailles.

210   SIEUR CLUBIN

Un soir, Déruchette rentrait se coucher. Elle s'approcha de sa fenêtre pour la fermer. La nuit était obscure.
Tout à coup Déruchette prêta l'oreille. Dans cette profondeur d'ombre il y avait une musique. Quelqu'un qui était
probablement sur le versant de la colline, ou au pied des
tours du château du Valle, ou peut-être plus loin encore,
exécutait un air sur un instrument. Déruchette reconnut sa
mélodie favorite *Bonny Dundee* jouée sur le bag-pipe.
Elle n'y comprit rien.

Depuis ce moment, cette musique se renouvela de
temps en temps à la même heure, particulièrement dans
les nuits très noires.

Déruchette n'aimait pas beaucoup cela.

IV

Pour l'oncle et le tuteur, bonshommes taciturnes,
Les sérénades sont des tapages nocturnes.
                    (Vers d'une comédie inédite.)

Quatre années passèrent.

Déruchette approchait de ses vingt et un ans et n'était toujours pas mariée.

Quelqu'un a écrit quelque part : — Une idée fixe, c'est une vrille. Chaque année elle s'enfonce d'un tour. Si on veut nous l'extirper la première année, on nous tirera les cheveux ; la deuxième année, on nous déchirera la peau ; la troisième année, on nous brisera l'os ; la quatrième année, on nous arrachera la cervelle.

Gilliatt en était à cette quatrième année-là.

Il n'avait pas encore dit une parole à Déruchette. Il songeait du côté de cette charmante fille. C'était tout.

Il était arrivé qu'une fois, se trouvant par hasard à Saint-Sampson, il avait vu Déruchette causant avec mess Lethierry devant la porte des Bravées qui s'ouvrait sur la chaussée du port. Gilliatt s'était risqué à approcher très près. Il croyait être sûr qu'au moment où il avait passé elle avait souri. Il n'y avait à cela rien d'impossible.

Déruchette entendait toujours de temps en temps le bag-pipe.

Ce bag-pipe, mess Lethierry aussi l'entendait. Il avait fini par remarquer cet acharnement de musique sous les fenêtres de Déruchette. Musique tendre, circonstance aggravante. Un galant nocturne n'était pas de son goût. Il voulait marier Déruchette le jour venu, quand elle voudrait et quand il voudrait, purement et simplement, sans roman et sans musique. Impatienté, il avait guetté, et il croyait bien avoir entrevu Gilliatt. Il s'était passé les ongles dans les favoris, signe de colère, et il avait grommelé : *Qu'a-t-il à piper, cet animal-là ? Il aime Déru-*

chette, c'est clair. Tu perds ton temps. Qui veut Déru-
chette doit s'adresser à moi, et pas en jouant de la flûte.

Un événement considérable, prévu depuis longtemps,
s'accomplit. On annonça que le révérend Jaquemin Hérode était nommé subrogé de l'évêque de Winchester,
doyen de l'île et recteur de Saint-Pierre-Port, et qu'il
quitterait Saint-Sampson pour Saint-Pierre immédiatement après avoir installé son successeur.

Le nouveau recteur ne pouvait tarder à arriver. Ce
prêtre était un gentleman d'origine normande, monsieur
Joë Ebenezer Caudray, anglaisé Cawdry.

On avait sur le futur recteur des détails que la bienveillance et la malveillance commentaient en sens inverse. On le disait jeune et pauvre, mais sa jeunesse était
tempérée par beaucoup de doctrine et sa pauvreté par
beaucoup d'espérance. Dans la langue spéciale créée
pour l'héritage et la richesse, la mort s'appelle espérance.
Il était le neveu et l'héritier du vieux et opulent doyen de
Saint-Asaph [183]. Ce doyen mort, il serait riche. M. Ebenezer Caudray avait des parentés distinguées; il avait
presque droit à la qualité d'honorable. Quant à sa doctrine, on la jugeait diversement. Il était anglican, mais,
selon l'expression de l'évêque Tillotson, très « libertin »;
c'est-à-dire très sévère. Il répudiait le pharisaïsme; il se
ralliait plutôt au presbytère qu'à l'épiscopat. Il faisait le
rêve de la primitive église, où Adam avait le droit de
choisir Ève, et où Frumentanus, évêque d'Hiérapolis,
enlevait une fille pour en faire sa femme en disant aux
parents: *Elle le veut et je le veux, vous n'êtes plus son*
père et vous n'êtes plus sa mère, je suis l'ange d'Hiéra-
polis, et celle-ci est mon épouse. Le père, c'est Dieu. S'il
fallait en croire ce qu'on disait, M. Ebenezer Caudray
subordonnait le texte: *Tes père et mère honoreras,* au
texte, selon lui supérieur: *La femme est la chair de*
l'homme. La femme quittera son père et sa mère pour
suivre son mari. Du reste, cette tendance à circonscrire
l'autorité paternelle, et à favoriser religieusement tous les
modes de formation du lien conjugal, est propre à tout le
protestantisme, particulièrement en Angleterre et singulièrement en Amérique.

V

LE SUCCÈS JUSTE EST TOUJOURS HAÏ

Voici quel était à ce moment-là le bilan de mess
Lethierry. La Durande avait tenu tout ce qu'elle avait
promis. Mess Lethierry avait payé ses dettes, réparé ses
brèches, acquitté les créances de Brême, fait face aux
échéances de Saint-Malo. Il avait exonéré sa maison des
Bravées des hypothèques qui la grevaient ; il avait racheté
toutes les petites rentes locales inscrites sur cette maison.
Il était possesseur d'un grand capital productif, la Durande. Le revenu net du navire était maintenant de mille
livres sterling et allait croissant. A proprement parler, la
Durande était toute sa fortune. Elle était aussi la fortune
du pays. Le transport des bœufs étant un des plus gros
bénéfices du navire, on avait dû, pour améliorer l'arrimage et faciliter l'entrée et la sortie des bestiaux, supprimer les portemanteaux et les deux canots. C'était peut-
être une imprudence. La Durande n'avait plus qu'une
embarcation, la chaloupe. La chaloupe, il est vrai, était
excellente.

Il s'était écoulé dix ans depuis le vol Rantaine.

Cette prospérité de la Durande avait un côté faible,
c'est qu'elle n'inspirait point confiance ; on la croyait un
hasard. La situation de mess Lethierry n'était acceptée
que comme exception. Il passait pour avoir fait une folie
heureuse. Quelqu'un qui l'avait imité à Cowes, dans l'île
de Wight, n'avait pas réussi. L'essai avait ruiné ses
actionnaires. Lethierry disait : C'est que la machine était
mal construite. Mais on hochait la tête. Les nouveautés
ont cela contre elles que tout le monde leur en veut ; le
moindre faux pas les compromet. Un des oracles com-

merciaux de l'archipel normand, le banquier Jauge, de
Paris [184], consulté sur une spéculation de bateaux à vapeur, avait, dit-on, répondu en tournant le dos : *C'est une
conversion que vous me proposez là. Conversion de l'argent en fumée*. En revanche, les bateaux à voiles trouvaient des commandites tant qu'ils en voulaient. Les
capitaux s'obstinaient pour la toile contre la chaudière. A
Guernesey, la Durande était un fait, mais la vapeur n'était
pas un principe. Tel est l'acharnement de la négation en
présence du progrès. On disait de Lethierry : *C'est bon,
mais il ne recommencerait pas*. Loin d'encourager, son
exemple faisait peur. Personne n'eût osé risquer une
deuxième Durande.

VI

CHANCE QU'ONT EUE CES NAUFRAGÉS
DE RENCONTRER CE SLOOP

L'équinoxe s'annonce de bonne heure dans la Manche.
C'est une mer étroite qui gêne le vent et l'irrite. Dès le
mois de février, il y a commencement de vents d'ouest, et
toute la vague est secouée en tout sens. La navigation
devient inquiète; les gens de la côte regardent le mât de
signal; on se préoccupe des navires qui peuvent être en
détresse. La mer apparaît comme un guet-apens; un
clairon invisible sonne on ne sait quelle guerre; de grands
coups d'haleine furieuse bouleversent l'horizon; il fait un
vent terrible. L'ombre siffle et souffle. Dans la profondeur des nuées la face noire de la tempête enfle ses joues.

Le vent est un danger; le brouillard en est un autre.

Les brouillards ont été de tout temps craints des navigateurs. Dans certains brouillards sont en suspension des
prismes microscopiques de glace auxquels Mariotte attribue les halos, les parhélies et les parasélènes [185]. Les
brouillards orageux sont composites; des vapeurs diverses, de pesanteur spécifique inégale, s'y combinent avec
la vapeur d'eau, et se superposent dans un ordre qui
divise la brume en zones et fait du brouillard une véritable
formation; l'iode est en bas, le soufre au-dessus de
l'iode, le brome au-dessus du soufre, le phosphore au-
dessus du brome. Ceci, dans une certaine mesure, en
faisant la part de la tension électrique et magnétique,
explique plusieurs phénomènes, le feu Saint-Elme [186] de
Colomb et de Magellan, les étoiles volantes mêlées aux
navires dont parle Sénèque, les deux flammes Castor et
Pollux dont parle Plutarque, la légion romaine dont César
crut voir les javelots prendre feu, la pique du château de

Duino dans le Frioul que le soldat de garde faisait étinceler en la touchant du fer de sa lance, et peut-être même
ces fulgurations d'en bas que les anciens appelaient « les
éclairs terrestres de Saturne ». A l'équateur, une immense
brume permanente semble nouée autour du globe, c'est le
Cloud-ring, l'anneau des nuages. Le Cloud-ring a pour
fonction de refroidir le tropique de même que le Gulf-
stream a pour fonction de réchauffer le pôle. Sous le
Cloud-ring, le brouillard est fatal. Ce sont les latitudes
des chevaux, *Horse latitude ;* les navigateurs des derniers
siècles jetaient là les chevaux à la mer, en temps d'orage
pour s'alléger, en temps de calme pour économiser la
provision d'eau. Colomb disait : *Nube abaxo es muerte.*
« Le nuage bas est la mort. » Les Étrusques, qui sont pour
la météorologie ce que les Chaldéens sont pour l'astronomie, avaient deux pontificats, le pontificat du tonnerre
et le pontificat de la nuée ; les fulgurateurs observaient les
éclairs et les aquilèges [187] observaient le brouillard. Le
collège des prêtres-augures de Tarquinies était consulté
par les Tyriens, les Phéniciens, les Pélasges, et tous les
navigateurs primitifs de l'antique Marinterne [188]. Le
mode de génération des tempêtes était dès lors entrevu ; il
est intimement lié au mode de génération des brouillards,
et c'est, à proprement parler, le même phénomène. Il
existe sur l'océan trois régions des brumes, une équato-
riale, deux polaires ; les marins leur donnent un seul nom :
Le Pot au noir.

Dans tous les parages et surtout dans la Manche, les
brouillards d'équinoxe sont dangereux. Ils font brusquement la nuit sur la mer. Un des périls du brouillard, même
quand il n'est pas très épais, c'est d'empêcher de reconnaître le changement de fond par le changement de couleur de l'eau ; il en résulte une dissimulation redoutable de
l'approche des brisants et des bas-fonds. On est près d'un
écueil sans que rien vous en avertisse. Souvent les
brouillards ne laissent au navire en marche d'autre ressource que de mettre en panne ou de jeter l'ancre. Il y a
autant de naufrages de brouillard que de vent.

Pourtant, après une bourrasque fort violente qui suc-
céda à une de ces journées de brouillard, le sloop de poste

Cashmere arriva parfaitement d'Angleterre. Il entra à Saint-Pierre-Port au premier rayon du jour sortant de la mer, au moment même où le château Cornet tirait son coup de canon au soleil. Le ciel s'était éclairci. Le sloop *Cashmere* était attendu comme devant amener le nouveau recteur de Saint-Sampson. Peu après l'arrivée du sloop, le bruit se répandit dans la ville qu'il avait été accosté la nuit en mer par une chaloupe contenant un équipage naufragé.

VII

CHANCE QU'A EUE CE FLANEUR D'ÊTRE APERÇU
PAR CE PÊCHEUR

Cette nuit-là, Gilliatt, au moment où le vent avait molli, était allé pêcher, sans toutefois pousser la panse trop loin de la côte.

Comme il rentrait, à la marée montante, vers deux heures de l'après-midi, par un très beau soleil, en passant devant la Corne de la Bête pour gagner l'anse du Bû de la Rue, il lui sembla voir dans la projection de la chaise Gild-Holm-'Ur une ombre portée qui n'était pas celle du rocher. Il laissa arriver la panse de ce côté, et il reconnut qu'un homme était assis dans la chaise Gild-Holm-'Ur. La mer était déjà très haute, la roche était cernée par le flot, le retour n'était plus possible. Gilliatt fit à l'homme de grands gestes, l'homme resta immobile. Gilliatt approcha. L'homme était endormi.

Cet homme était vêtu de noir. — Cela a l'air d'un prêtre, pensa Gilliatt. Il approcha plus près encore, et vit un visage d'adolescent.

Ce visage lui était inconnu.

La roche heureusement était à pic, il y avait beaucoup de fond, Gilliatt effaça, et parvint à élonger la muraille. La marée soulevait assez la barque pour que Gilliatt en se haussant debout sur le bord de la panse pût atteindre aux pieds de l'homme. Il se dressa sur le bordage et éleva les mains. S'il fût tombé en ce moment-là, il est douteux qu'il eût reparu sur l'eau. La lame battait. Entre la panse et le rocher l'écrasement était inévitable.

Il tira le pied de l'homme endormi.

— Hé, que faites-vous là ?

L'homme se réveilla.

— Je regarde, dit-il.

Il se réveilla tout à fait et reprit :

— J'arrive dans le pays, je suis venu par ici en me promenant, j'ai passé la nuit en mer, j'ai trouvé la vue belle, j'étais fatigué, je me suis endormi.

— Dix minutes plus tard, vous étiez noyé, dit Gilliatt.

— Bah !

— Sautez dans ma barque.

Gilliatt maintint la barque du pied, se cramponna d'une main au rocher et tendit l'autre main à l'homme vêtu de noir, qui sauta lestement dans le bateau. C'était un très beau jeune homme.

Gilliatt prit l'aviron, et en deux minutes la panse arriva dans l'anse du Bû de la Rue.

Le jeune homme avait un chapeau rond et une cravate blanche. Sa longue redingote noire était boutonnée jusqu'à la cravate. Il avait des cheveux blonds en couronne, le visage féminin, l'œil pur, l'air grave.

Cependant la panse avait touché terre. Gilliatt passa le câble dans l'anneau d'amarre, puis se tourna, et vit la main très blanche du jeune homme qui lui présentait un souverain d'or.

Gilliatt écarta doucement cette main.

Il y eut un silence. Le jeune homme le rompit.

— Vous m'avez sauvé la vie.

— Peut-être, répondit Gilliatt.

L'amarre était nouée. Ils sortirent de la barque.

Le jeune homme reprit :

— Je vous dois la vie, monsieur.

— Qu'est-ce que ça fait ?

Cette réponse de Gilliatt fut encore suivie d'un silence.

— Êtes-vous de cette paroisse ? demanda le jeune homme.

— Non, répondit Gilliatt.

— De quelle paroisse êtes-vous ?

Gilliatt leva la main droite, montra le ciel, et dit :

— De celle-ci.

Le jeune homme le salua et le quitta.

Au bout de quelques pas, le jeune homme s'arrêta,

fouilla dans sa poche, en tira un livre, et revint vers Gilliatt en lui tendant le livre.

— Permettez-moi de vous offrir ceci.

Gilliatt prit le livre.

C'était une bible.

Un instant après, Gilliatt, accoudé sur son parapet, regardait le jeune homme tourner l'angle du sentier qui va à Saint-Sampson.

Peu à peu il baissa la tête, oublia ce nouveau venu, ne sut plus si la chaise Gild-Holm-'Ur existait, et tout disparut pour lui dans l'immersion sans fond de la rêverie. Gilliatt avait un abîme, Déruchette.

Une voix qui l'appelait le tira de cette ombre.

— Hé, Gilliatt !

Il reconnut la voix et leva les yeux.

— Qu'y a-t-il, sieur Landoys ?

C'était en effet sieur Landoys qui passait sur la route à cent pas du Bû de la Rue dans son phiaton (phaéton) attelé de son petit cheval. Il s'était arrêté pour héler Gilliatt, mais il semblait affairé et pressé :

— Il y a du nouveau, Gilliatt.

— Où ça ?

— Aux Bravées.

— Quoi donc ?

— Je suis trop loin pour vous conter cela.

Gilliatt frissonna.

— Est-ce que miss Déruchette se marie ?

— Non. Il s'en faut.

— Que voulez-vous dire ?

— Allez aux Bravées. Vous le saurez.

Et sieur Landoys fouetta son cheval.

LIVRE CINQUIÈME

LE REVOLVER

I

LES CONVERSATIONS DE L'AUBERGE JEAN

Sieur Clubin était l'homme qui attend une occasion.

Il était petit et jaune avec la force d'un taureau. La mer n'avait pu réussir à le hâler. Sa chair semblait de cire. Il était de la couleur d'un cierge et il en avait la clarté discrète dans les yeux. Sa mémoire était quelque chose d'imperturbable et de particulier. Pour lui, voir un homme une fois, c'était l'avoir; comme on a une note dans un registre. Ce regard laconique empoignait. Sa prunelle prenait une épreuve d'un visage et la gardait; le visage avait beau vieillir, sieur Clubin le retrouvait. Impossible de dépister ce souvenir tenace. Sieur Clubin était bref, sobre, froid; jamais un geste. Son air de candeur gagnait tout d'abord. Beaucoup de gens le croyaient naïf; il avait au coin de l'œil un pli d'une bêtise étonnante. Pas de meilleur marin que lui, nous l'avons dit; personne comme lui pour amurer une voile, pour baisser le point du vent, et pour maintenir avec l'écoute la voile orientée. Aucune réputation de religion et d'intégrité ne dépassait la sienne. Qui l'eût soupçonné eût été suspect. Il était lié d'amitié avec M. Rébuchet, changeur à Saint-Malo, rue Saint-Vincent, à côté de l'armurier, et M. Rébuchet disait : *Je donnerais ma boutique à garder à Clubin.* Sieur Clubin était veuvier [189]. Sa femme avait été l'honnête femme comme il était l'honnête homme. Elle était morte avec la renommée d'une vertu à tout rompre. Si le bailli lui eût conté fleurette, elle l'eût été dire au roi; et si le bon Dieu eût été amoureux d'elle, elle l'eût été dire au curé. Ce couple, sieur et dame Clubin, avait réalisé dans Torteval l'idéal de l'épithète anglaise « respectable ». Dame

Clubin était le cygne; sieur Clubin était l'hermine. Il fût mort d'une tâche. Il n'eût pu trouver une épingle sans en chercher le propriétaire. Il eût tambouriné un paquet d'allumettes. Il était entré un jour dans un cabaret à Saint-Servan, et avait dit au cabaretier: «J'ai déjeuné ici il y a trois ans, vous vous êtes trompé dans l'addition», et il avait remboursé au cabaretier soixante-cinq centimes. C'était une grande probité, avec un pincement de lèvres attentif.

Il semblait en arrêt. Sur qui? sur les coquins probablement.

Tous les mardis il menait la Durande de Guernesey à Saint-Malo. Il arrivait à Saint-Malo le mardi soir, séjournait deux jours pour faire son chargement, et repartait pour Guernesey le vendredi matin.

Il y avait alors à Saint-Malo une petite hôtellerie sur le port qu'on appelait l'Auberge Jean.

La construction des quais actuels a démoli cette auberge. A cette époque la mer venait mouiller la porte Saint-Vincent et la porte Dinan; Saint-Malo et Saint-Servan communiquaient à marée basse par des carrioles et des maringottes [190] roulant et circulant entre les navires à sec, évitant les bouées, les ancres et les cordages, et risquant parfois de crever leur capote de cuir à une basse vergue ou à une barre de clin-foc. Entre deux marées, les cochers houspillaient leurs chevaux sur ce sable où, six heures après, le vent fouettait le flot. Sur cette même grève rôdaient jadis les vingt-quatre dogues portiers de Saint-Malo, qui mangèrent un officier de marine en 1770. Cet excès de zèle les a fait supprimer. Aujourd'hui on n'entend plus d'aboiements nocturnes entre le petit Talard et le grand Talard.

Sieur Clubin descendait à l'Auberge Jean. C'est là qu'était le bureau français de la Durande.

Les douaniers et les gardes-côtes venaient prendre leurs repas et boire à l'Auberge Jean. Ils avaient leur table à part. Les douaniers de Binic se rencontraient là, utilement pour le service, avec les douaniers de Saint-Malo.

Des patrons de navires y venaient aussi, mais mangeaient à une autre table.

Sieur Clubin s'asseyait tantôt à l'une, tantôt à l'autre, plus volontiers pourtant à la table des douaniers qu'à celle des patrons. Il était bienvenu aux deux.

Ces tables étaient bien servies. Il y avait des raffinements de boissons locales étrangères pour les marins dépaysés. Un matelot petit-maître de Bilbao y eût trouvé une *helada* [191]. On y buvait du stout comme à Greenwich et de la gueuse brune comme à Anvers.

Des capitaines au long cours et des armateurs faisaient quelquefois figure à la mense [192] des patrons. On y échangeait les nouvelles : « Où en sont les sucres ? — Cette douceur ne figure que pour de petits lots. Pourtant les bruts vont ; trois mille sacs de Bombay et cinq cents boucauts de Sagua [193]. — Vous verrez que la droite finira par renverser Villèle [194]. — Et l'indigo ? — On n'a traité que sept surons [195] Guatemala. — La *Nanine-Julie* est montée en rade. Joli trois-mâts de Bretagne. — Voilà encore les deux villes de la Plata en bisbille. — Quand Montevideo engraisse, Buenos-Aires maigrit. — Il a fallu transborder le chargement du *Regina-Cœli*, condamné au Callao [196]. — Les cacaos marchent ; les sacs Caraques sont cotés deux cent trente-quatre et les sacs Trinidad soixante-treize [197]. — Il paraît qu'à la revue du Champ de Mars on a crié : A bas les ministres ! — Les cuirs salés verts Saladeros [198] se vendent, les bœufs soixante francs et les vaches quarante-huit. — A-t-on passé le Balkan ? Que fait Diebitsch [199] ? — A San Francisco l'anisette en pomponelles manque. L'huile d'olive Plagniol est calme. Le fromage de Gruyère en tins, trente-deux francs le quintal. — Eh bien, Léon XII est-il mort ? » etc., etc.

Ces choses-là se criaient et se commentaient bruyamment. A la table des douaniers et des gardes-côtes on parlait moins haut.

Les faits de police des côtes et des ports veulent moins de sonorité et moins de clarté dans le dialogue.

La table des patrons était présidée par un vieux capitaine au long cours, M. Gertrais-Gaboureau. M. Gertrais-Gaboureau n'était pas un homme, c'était un baromètre. Son habitude de la mer lui avait donné une surprenante infaillibilité de pronostic. Il décrétait le temps qu'il fera demain. Il auscultait le vent ; il tâtait le pouls à la marée. Il disait au nuage : montre-moi ta langue. C'est-à-dire l'éclair. Il était le docteur de la vague, de la brise, de la rafale. L'océan était son malade ; il avait fait le tour du monde comme on fait une clinique, examinant chaque climat dans sa bonne et mauvaise santé ; il savait à fond la pathologie des saisons. On l'entendait énoncer des faits comme ceci : — Le baromètre a descendu une fois, en 1796, à trois lignes au-dessous de tempête. — Il était marin par amour. Il haïssait l'Angleterre de toute l'amitié qu'il avait pour la mer. Il avait étudié soigneusement la marine anglaise pour en connaître le côté faible. Il expliquait en quoi le *Sovereign* de 1637 différait du *Royal William* de 1670 et de la *Victory* de 1755. Il comparait les accastillages. Il regrettait les tours sur le pont et les hunes en entonnoir du *Great Harry* de 1514, probablement au point de vue du boulet français, qui se logeait si bien dans ces surfaces. Les nations pour lui n'existaient que par leurs institutions maritimes ; des synonymies bizarres lui étaient propres. Il désignait volontiers l'Angleterre par *Trinity House*, l'Écosse par *Northern commissioners*, et l'Irlande par *Ballast board*. Il abondait en renseignements ; il était alphabet et almanach ; il était étiage et tarif. Il savait par cœur le péage des phares, surtout des anglais ; un penny par tonne en passant devant celui-ci, un farthing devant celui-là. Il vous disait : *Le phare de Small's Rock, qui ne consommait que deux cents gallons d'huile, en brûle maintenant quinze cents gallons.* Un jour, à bord, dans une maladie grave qu'il fit, on le croyait mort, l'équipage entourait son branle, il interrompit les hoquets de l'agonie pour dire au maître charpentier : — Il serait avantageux d'adapter dans l'épaisseur des chouquets une mortaise de chaque côté pour y recevoir un réa en fonte ayant son essieu en fer et pour servir à passer les guinderesses. — De tout cela résultait une figure magistrale.

Il était rare que le sujet de conversation fût le même à la table des patrons et à la table des douaniers. Ce cas pourtant se présenta précisément dans les premiers jours

de ce mois de février où nous ont amenés les faits que
nous racontons. Le trois-mâts *Tamaulipas*, capitaine
Zuela, venant du Chili et y retournant, appela l'attention
des deux menses. A la mense des patrons on parla de son
chargement, et à la mense des douaniers de ses allures.

Le capitaine Zuela, de Copiapo, était un Chilien un peu
Colombien, qui avait fait avec indépendance les guerres
de l'indépendance, tenant tantôt pour Bolivar, tantôt pour
Morillo[200], selon qu'il y trouvait son profit. Il s'était
enrichi à rendre service à tout le monde. Pas d'homme
plus bourbonien, plus bonapartiste, plus absolutiste, plus
libéral, plus athée et plus catholique. Il était de ce grand
parti qu'on pourrait nommer le parti Lucratif. Il faisait de
temps en temps en France des apparitions commerciales ;
et, à en croire les ouï-dire, il donnait volontiers passage à
son bord à des gens en fuite, banqueroutiers ou proscrits
politiques, peu lui importait, payants. Son procédé d'embarquement était simple. Le fugitif attendait sur un point
désert de la côte, et, au moment d'appareiller, Zuela
détachait un canot qui l'allait prendre. Il avait ainsi, à son
précédent voyage, fait évader un contumace du procès
Berton[201], et cette fois il comptait, disait-on, emmener
des hommes compromis dans l'affaire de la Bidassoa[202].
La police, avertie, avait l'œil sur lui.

Ces temps étaient une époque de fuites. La restauration
était une réaction ; or les révolutions amènent des émigra-
tions, et les restaurations entraînent des proscriptions.
Pendant les sept ou huit premières années après la rentrée
des Bourbons, la panique fut partout, dans la finance,
dans l'industrie, dans le commerce, qui sentaient la terre
trembler et où abondaient les faillites. Il y avait un sauve-
qui-peut dans la politique. Lavalette avait pris la fuite ;
Lefebvre-Desnouettes avait pris la fuite, Delon avait pris
la fuite[203]. Les tribunaux d'exception sévissaient, plus
Trestaillon[204]. On fuyait le pont de Saumur, l'esplanade
de la Réole, le mur de l'Observatoire de Paris, la tour de
Taurias d'Avignon, silhouettes lugubrement debout dans
l'histoire, qu'a marquées la réaction, et où l'on distingue
encore aujourd'hui cette main sanglante. A Londres le
procès Thistlewood, ramifié en France, à Paris le procès

Trogoff [205], ramifié en Belgique, en Suisse et en Italie, avaient multiplié les motifs d'inquiétude et de disparition, et augmenté cette profonde déroute souterraine qui faisait le vide jusque dans les plus hauts rangs de l'ordre social d'alors. Se mettre en sûreté, tel était le souci. Être compromis, c'était être perdu. L'esprit des cours prévôtales avait survécu à l'institution. Les condamnations étaient de complaisance. On se sauvait au Texas, aux montagnes Rocheuses, au Pérou, au Mexique. Les hommes de la Loire, brigands alors, paladins aujourd'hui, avaient fondé le champ d'Asile [206]. Une chanson de Béranger disait : *Sauvages, nous sommes français ; prenez pitié de notre gloire.* S'expatrier était la ressource. Mais rien n'est moins simple que de fuir ; ce monosyllabe contient des abîmes. Tout fait obstacle à qui s'esquive. Se dérober implique se déguiser. Des personnes considérables, et même illustres, étaient réduites à des expédients de malfaiteurs. Et encore elles y réussissaient mal. Elles y étaient invraisemblables. Leur habitude de coudées franches rendait difficile leur glissement à travers les mailles de l'évasion. Un filou en rupture de ban était devant l'œil de la police plus correct qu'un général. S'imagine-t-on l'innocence contrainte à se grimer, la vertu contrefaisant sa voix, la gloire mettant un masque ? Tel passant à l'air suspect était une renommée en quête d'un faux passeport. Les allures louches de l'homme qui s'échappe ne prouvaient pas qu'on n'eût point devant les yeux un héros. Traits fugitifs et caractéristiques des temps, que l'histoire dite régulière néglige, et que le vrai peintre d'un siècle doit souligner. Derrière ces fuites d'honnêtes gens se faufilaient, moins surveillées et moins suspectes, les fuites des fripons. Un chenapan forcé de s'éclipser profitait du pêle-mêle, faisait nombre parmi les proscrits, et souvent, nous venons de le dire, grâce à plus d'art, semblait dans ce crépuscule plus honnête homme que l'honnête homme. Rien n'est gauche comme la probité reprise de justice. Elle n'y comprend rien et fait des maladresses. Un faussaire s'échappait plus aisément qu'un conventionnel.

Chose bizarre à constater, on pourrait presque dire,

particulièrement pour les malhonnêtes gens, que l'évasion menait à tout. La quantité de civilisation qu'un coquin apportait de Paris ou de Londres lui tenait lieu de dot dans les pays primitifs ou barbares, le recommandait, et en faisait un initiateur. Cette aventure n'avait rien d'impossible d'échapper ici au code pour arriver là-bas au sacerdoce. Il y avait de la fantasmagorie dans la disparition, et plus d'une évasion a eu des résultats de rêve. Une fugue de ce genre conduisait à l'inconnu et au chimérique. Tel banqueroutier sorti d'Europe par ce trou à la lune a reparu vingt ans après grand vizir au Mogol ou roi en Tasmanie.

Aider aux évasions, c'était une industrie et, vu la fréquence du fait, une industrie à gros profits. Cette spéculation complétait de certains commerces. Qui voulait se sauver en Angleterre s'adressait aux contrebandiers; qui voulait se sauver en Amérique s'adressait à des fraudeurs de long cours, tels que Zuela.

II

CLUBIN APERÇOIT QUELQU'UN

Zuela venait quelquefois manger à l'Auberge Jean. Sieur Clubin le connaissait de vue.

Du reste, sieur Clubin n'était pas fier; il ne dédaignait pas de connaître de vue les chenapans. Il allait même quelquefois jusqu'à les connaître de fait, leur donnant la main en pleine rue et leur disant bonjour. Il parlait anglais au *smogler* [207] et baragouinait l'espagnol avec le *contrabandista*. Il avait là-dessus des sentences : — On peut tirer du bien de la connaissance du mal. — Le garde-chasse cause utilement avec le braconnier. — Le pilote doit sonder le pirate ; le pirate étant un écueil. — Je goûte à un coquin comme un médecin goûte à un poison. — C'était sans réplique. Tout le monde donnait raison au capitaine Clubin. On l'approuvait de ne point être un délicat ridicule. Qui donc eût osé en médire ? Tout ce qu'il faisait était évidemment « pour le bien du service ». De lui tout était simple. Rien ne pouvait le compromettre. Le cristal voudrait se tacher qu'il ne pourrait. Cette confiance était la juste récompense d'une longue honnêteté, et c'est là l'excellence des réputations bien assises. Quoi que fît ou quoi que semblât faire Clubin, on y entendait malice dans le sens de la vertu ; l'impeccabilité lui était acquise ; — par-dessus le marché, il était très avisé, disait-on ; — et de telle ou telle accointance qui dans un autre eût été suspecte, sa probité sortait avec un relief d'habileté. Ce renom d'habileté se combinait harmonieusement avec son renom de naïveté, sans contradiction ni trouble. Un naïf habile, cela existe. C'est une des variétés de l'honnête homme, et une des plus appré-

ciées. Sieur Clubin était de ces hommes qui, rencontrés
en conversation intime avec un escroc ou un bandit, sont
acceptés ainsi, pénétrés, compris, respectés d'autant
plus, et ont pour eux le clignement d'yeux satisfait de
l'estime publique.

Le *Tamaulipas* avait complété son chargement. Il était
en partance et allait prochainement appareiller.

Un mardi soir la Durande arriva à Saint-Malo comme il
faisait encore grand jour. Sieur Clubin, debout sur la
passerelle et surveillant la manœuvre de l'approche du
port, aperçut près du Petit Bey, sur la plage de sable,
entre deux rochers, dans un lieu très solitaire, deux hommes qui causaient. Il les visa de sa lunette marine, et
reconnut l'un des deux hommes. C'était le capitaine
Zuela. Il paraît qu'il reconnut aussi l'autre.

Cet autre était un personnage de haute taille, un peu
grisonnant. Il portait le large chapeau et le grave vêtement des Amis. C'était probablement un quaker. Il baissait les yeux avec modestie.

En arrivant à l'Auberge Jean, sieur Clubin apprit que le
Tamaulipas comptait appareiller dans une dizaine de
jours.

On a su depuis qu'il avait pris encore quelques autres
informations.

A la nuit il entra chez l'armurier de la rue Saint-Vincent et lui dit :

— Savez-vous ce que c'est qu'un revolver ?

— Oui, répondit l'armurier, c'est américain.

— C'est un pistolet qui recommence la conversation.

— En effet, ça a la demande et la réponse.

— Et la réplique.

— C'est juste, monsieur Clubin. Un canon tournant.

— Et cinq ou six balles.

L'armurier entrouvrit le coin de sa lèvre et fit entendre
ce bruit de langue qui, accompagné d'un hochement de
tête, exprime l'admiration.

— L'arme est bonne, monsieur Clubin. Je crois
qu'elle fera son chemin.

— Je voudrais un revolver à six canons.

— Je n'en ai pas.

— Comment ça, vous armurier?

— Je ne tiens pas encore l'article. Voyez-vous, c'est
nouveau. Ça débute. On ne fait encore en France que du
pistolet.

— Diable!

— Ça n'est pas encore dans le commerce.

— Diable!

— J'ai d'excellents pistolets.

— Je veux un revolver.

— Je conviens que c'est plus avantageux. Mais attendez donc, monsieur Clubin.

— Quoi?

— Je crois savoir qu'il y en a un en ce moment à
Saint-Malo, d'occasion.

— Un revolver?

— Oui.

— A vendre?

— Oui.

— Où ça?

— Je crois savoir où. Je m'informerai.

— Quand pourrez-vous me rendre réponse?

— D'occasion. Mais bon.

— Quand faut-il que je revienne?

— Si je vous procure un revolver, c'est qu'il sera bon.

— Quand me rendrez-vous réponse?

— A votre prochain voyage.

— Ne dites pas que c'est pour moi, dit Clubin.

III

CLUBIN EMPORTE ET NE RAPPORTE POINT

Sieur Clubin fit le chargement de la Durande, embarqua nombre de bœufs et quelques passagers, et quitta, comme à l'ordinaire, Saint-Malo pour Guernesey le vendredi matin.

Ce même jour vendredi, quand le navire fut au large, ce qui permet au capitaine de s'absenter quelques instants du pont de commandement, Clubin entra dans sa cabine, s'y enferma, prit un sac-valise qu'il avait, mit des vêtements dans le compartiment élastique, du biscuit, quelques boîtes de conserves, quelques livres de cacao en bâton, un chronomètre et une lunette marine dans le compartiment solide, cadenassa le sac, et passa dans les oreillons une aussière toute préparée pour le hisser au besoin. Puis il descendit dans la cale, entra dans la fosse aux câbles, et on le vit remonter avec une de ces cordes à nœuds armées d'un crampon qui servent aux calfats sur mer et aux voleurs sur terre. Ces cordes facilitent les escalades.

Arrivé à Guernesey, Clubin alla à Torteval. Il y passa trente-six heures. Il y emporta le sac-valise et la corde à nœuds, et ne les rapporta pas.

Disons-le une fois pour toutes, le Guernesey dont il est question dans ce livre, c'est l'ancien Guernesey, qui n'existe plus et qu'il serait impossible de retrouver aujourd'hui, ailleurs que dans les campagnes. Là il est encore vivant, mais il est mort dans les villes. La remarque que nous faisons pour Guernesey doit être aussi faite pour Jersey. Saint-Hélier vaut Dieppe ; Saint-Pierre-Port vaut Lorient. Grâce au progrès, grâce à l'admirable esprit

d'initiative de ce vaillant petit peuple insulaire, tout s'est
transformé depuis quarante ans dans l'archipel de la
Manche. Où il y avait de l'ombre, il y a de la lumière.
Cela dit, passons.

En ces temps qui sont déjà, par l'éloignement, des
temps historiques, la contrebande était très active dans la
Manche. Les navires fraudeurs abondaient particulièrement sur la côte ouest de Guernesey. Les personnes
renseignées à outrance, et qui savent dans les moindres
détails ce qui se passait il y a tout à l'heure un demi-siè-
cle, vont jusqu'à citer les noms de plusieurs de ces navires, presque tous asturiens et guipuzcoans [208]. Ce qui est
hors de doute, c'est qu'il ne s'écoulait guère de semaine
sans qu'il en vînt un ou deux, soit dans la baie des Saints,
soit à Plainmont. Cela avait presque les allures d'un
service régulier. Une cave [209] de la mer à Serk s'appelait
et s'appelle encore les Boutiques, parce que c'était dans
cette grotte qu'on venait acheter aux fraudeurs leurs marchandises. Pour les besoins de ces commerces, il se
parlait dans la Manche une espèce de langue contreban-
dière, oubliée aujourd'hui, et qui était à l'espagnol ce que
le levantin est à l'italien.

Sur beaucoup de points du littoral anglais et français, la
contrebande était en cordiale entente secrète avec le négoce patent et patenté. Elle avait ses entrées chez plus
d'un haut financier, par la porte dérobée, il est vrai; et
elle fusait souterrainement dans la circulation commerciale et dans tout le système veineux de l'industrie. Né-
gociant par devant, contrebandier par derrière; c'était
l'histoire de beaucoup de fortunes. Séguin [210] le disait de
Bourgain; Bourgain le disait de Séguin. Nous ne nous
faisons point garant de leurs paroles; peut-être se calom-
niaient-ils l'un et l'autre. Quoi qu'il en fût, la contrebande, traquée par la loi, était incontestablement fort bien
apparentée dans la finance. Elle était en rapport « avec le
meilleur monde ». Cette caverne, où Mandrin coudoyait
jadis le comte de Charolais [211], était honnête au-dehors,
et avait une façade irréprochable sur la société; pignon
sur rue.

De là beaucoup de connivences, nécessairement mas-

quées. Ces mystères voulaient une ombre impénétrable.
Un contrebandier savait beaucoup de choses et devait les
taire ; une foi inviolable et rigide était sa loi. La première
qualité d'un fraudeur était la loyauté. Sans discrétion pas
de contrebande. Il y avait le secret de la fraude comme il
y a le secret de la confession.

Ce secret était imperturbablement gardé. Le contrebandier jurait de tout taire, et tenait parole. On ne pouvait
se fier à personne mieux qu'à un fraudeur. Le juge-alcade
d'Oyarzun [212] prit un jour un contrebandier des Ports
secs, et le fit mettre à la question pour le forcer à nommer
son bailleur de fonds secret. Le contrebandier ne nomma
point le bailleur de fonds. Ce bailleur de fonds était le
juge-alcade. De ces deux complices, le juge et le contrebandier, l'un avait dû, pour obéir aux yeux de tous à la
loi, ordonner la torture, à laquelle l'autre avait résisté,
pour obéir à son serment.

Les deux plus fameux contrebandiers hantant Plainmont à cette époque étaient Blasco et Blasquito. Ils
étaient *tocayos* [213]. C'est une parenté espagnole et catholique qui consiste à avoir le même patron dans le paradis,
chose, on en conviendra, non moins digne de considéra-
tion que d'avoir le même père sur la terre.

Quand on était à peu près au fait du furtif itinéraire de
la contrebande, parler à ces hommes, rien n'était plus
facile et plus difficile. Il suffisait de n'avoir aucun préjugé nocturne, d'aller à Plainmont, et d'affronter le mystérieux point d'interrogation qui se dresse là.

IV

PLAINMONT

Plainmont, près Torteval, est un des trois angles de Guernesey. Il y a là, à l'extrémité du cap, une haute croupe de gazon qui domine la mer.

Ce sommet est désert.

Il est d'autant plus désert qu'on y voit une maison.

Cette maison ajoute l'effroi à la solitude.

Elle est, dit-on, visionnée.

Hantée ou non, l'aspect en est étrange.

Cette maison, bâtie en granit, et élevée d'un étage, est au milieu de l'herbe. Elle n'a rien d'une ruine. Elle est parfaitement habitable. Les murs sont épais et le toit est solide. Pas une pierre ne manque aux murailles, pas une tuile au toit. Une cheminée de brique contrebute l'angle du toit. Cette maison tourne le dos à la mer. Sa façade du côté de l'océan n'est qu'une muraille. En examinant attentivement cette façade, on y distingue une fenêtre, murée. Les deux pignons offrent trois lucarnes, une à l'est, deux à l'ouest, murées toutes trois. La devanture qui fait face à la terre a seule une porte et des fenêtres. La porte est murée. Les deux fenêtres du rez-de-chaussée sont murées. Au premier étage, et c'est là ce qui frappe tout d'abord quand on approche, il y a deux fenêtres ouvertes ; mais les fenêtres murées sont moins farouches que ces fenêtres ouvertes. Leur ouverture les fait noires en plein jour. Elles n'ont pas de vitres, pas même de châssis. Elles s'ouvrent sur l'ombre du dedans. On dirait les trous vides de deux yeux arrachés. Rien dans cette maison. On aperçoit par les croisées béantes le délabrement intérieur. Pas de lambris, nulle boiserie, la pierre

nue. On croit voir un sépulcre à fenêtres permettant aux
spectres de regarder dehors. Les pluies affouillent les
fondations du côté de la mer. Quelques orties agitées par
le vent caressent le bas des murs. A l'horizon, aucune
habitation humaine. Cette maison est une chose vide où il
y a le silence. Si l'on s'arrête pourtant et si l'on colle son
oreille à la muraille, on y entend confusément par instants
des battements d'ailes effarouchés. Au-dessus de la porte
murée, sur la pierre qui fait l'architrave, sont gravées ces
lettres : ELM-PBILG, et cette date : 1780.

La nuit, la lune lugubre entre là.

Toute la mer est autour de cette maison. Sa situation
est magnifique, et par conséquent sinistre. La beauté du
lieu devient une énigme. Pourquoi aucune famille humaine n'habite-t-elle ce logis ? La place est belle, la
maison est bonne. D'où vient cet abandon ? Aux questions de la raison s'ajoutent les questions de la rêverie. Ce
champ est cultivable, d'où vient qu'il est inculte ? Pas de
maître. La porte murée. Qu'a donc ce lieu ? pourquoi
l'homme en fuite ? que se passe-t-il ici ? S'il ne s'y passe
rien, pourquoi n'y a-t-il personne ? Quand tout est endormi, y a-t-il ici quelqu'un d'éveillé ? La rafale ténébreuse, le vent, les oiseaux de proie, les bêtes cachées,
les êtres ignorés, apparaissent à la pensée et se mêlent à
cette maison. De quels passants est-elle l'hôtellerie ? On
se figure des ténèbres de grêle et de pluie s'engouffrant
dans les fenêtres. De vagues ruissellements de tempêtes
ont laissé leurs traces sur la muraille intérieure. Ces
chambres murées et ouvertes sont visitées par l'ouragan.
S'est-il commis un crime là ? Il semble que la nuit cette
maison livrée à l'ombre doit appeler au secours. Reste-
t-elle muette ? en sort-il des voix ? à qui a-t-elle affaire
dans cette solitude ? Le mystère des heures noires est à
l'aise ici. Cette maison est inquiétante à midi ; qu'est-elle
à minuit ? En la regardant, on regarde un secret. On se
demande, la rêverie ayant sa logique et le possible ayant
sa pente, ce que devient cette maison entre le crépuscule
du soir et le crépuscule du matin. L'immense dispersion
de la vie extra-humaine a-t-elle sur ce sommet désert un
nœud où elle s'arrête et qui la force à devenir visible et à

descendre? l'épars vient-il y tourbillonner? l'impalpable
s'y condense-t-il jusqu'à prendre forme? Énigmes.
L'horreur sacrée est dans ces pierres. Cette ombre qui est
dans ces chambres défendues est plus que de l'ombre;
c'est de l'inconnu. Après le soleil couché, les bateaux
pêcheurs rentreront, les oiseaux se tairont, le chevrier qui
est derrière le rocher s'en ira avec ses chèvres, les entre-
deux des pierres livreront passage aux premiers glisse-
ments des reptiles rassurés, les étoiles commenceront à
regarder, la bise soufflera, le plein de l'obscurité se fera,
ces deux fenêtres seront là, béantes. Cela s'ouvre aux
songes; et c'est par des apparitions, par des larves, par
des faces de fantômes vaguement distinctes, par des masques dans des lueurs, par de mystérieux tumultes d'âmes
et d'ombres, que la croyance populaire, à la fois stupide
et profonde, traduit les sombres intimités de cette demeure avec la nuit.

La maison est «visionnée»; ce mot répond à tout.

Les esprits crédules ont leur explication; mais les esprits positifs ont aussi la leur. Rien de plus simple,
disent-ils, que cette maison. C'est un ancien poste d'observation, du temps des guerres de la révolution et de
l'empire, et des contrebandes. Elle a été bâtie là pour
cela. La guerre finie, le poste a été abandonné. On n'a
pas démoli la maison parce qu'elle peut redevenir utile.
On a muré la porte et les fenêtres du rez-de-chaussée
contre les stercoraires humains [214], et pour que personne
n'y pût entrer; on a muré les fenêtres des trois côtés sur la
mer, à cause du vent du sud et du vent d'ouest. Voilà
tout.

Les ignorants et les crédules insistent. D'abord, la
maison n'a pas été bâtie à l'époque des guerres de la
révolution. Elle porte la date — 1780 — antérieure à la
révolution. Ensuite, elle n'a pas été bâtie pour être un
poste; elle porte les lettres ELM-PBILG, qui sont le
double monogramme de deux familles, et qui indiquent,
suivant l'usage, que la maison a été construite pour l'établissement d'un jeune ménage. Donc, elle a été habitée.
Pourquoi ne l'est-elle plus? Si l'on a muré la porte et les
croisées pour que personne ne pût pénétrer dans la mai-

son, pourquoi a-t-on laissé deux fenêtres ouvertes ? Il
fallait tout murer, ou rien. Pourquoi pas de volets ? pourquoi pas de châssis ? pourquoi pas de vitres ? pourquoi
murer les fenêtres d'un côté si on ne les mure pas de
l'autre ? On empêche la pluie d'entrer par le sud, mais on
la laisse entrer par le nord.

Les crédules ont tort, sans doute, mais à coup sûr les
positifs n'ont pas raison. Le problème persiste.

Ce qui est sûr, c'est que la maison passe pour avoir été
plutôt utile que nuisible aux contrebandiers.

Le grossissement de l'effroi ôte aux faits leur vraie
proportion. Sans nul doute, bien des phénomènes nocturnes, parmi ceux dont s'est peu à peu composé le « visionnement » de la masure, pourraient s'expliquer par des
présences obscures et furtives, par de courtes stations
d'hommes tout de suite rembarqués, tantôt par les précautions, tantôt par les hardiesses de certains industriels
suspects se cachant pour mal faire et se laissant entrevoir
pour faire peur.

A cette époque déjà lointaine beaucoup d'audaces
étaient possibles. La police, surtout dans les petits pays,
n'était pas ce qu'elle est aujourd'hui.

Ajoutons que, si cette masure était, comme on le dit,
commode aux fraudeurs, leurs rendez-vous devaient
avoir là jusqu'à un certain point leurs coudées franches,
précisément parce que la maison était mal vue. Être mal
vue l'empêchait d'être dénoncée. Ce n'est guère aux
douaniers et aux sergents qu'on s'adresse contre les
spectres. Les superstitieux font des signes de croix et non
des procès-verbaux. Ils voient ou croient voir, s'enfuient
et se taisent. Il existe une connivence tacite, non voulue,
mais réelle, entre ceux qui font peur et ceux qui ont peur.
Les effrayés se sentent dans leur tort d'avoir été effrayés,
ils s'imaginent avoir surpris un secret, ils craignent d'ag-
graver leur position, mystérieuse pour eux-mêmes, et de
fâcher les apparitions. Ceci les rend discrets. Et, même
en dehors de ce calcul, l'instinct des gens crédules est le
silence ; il y a du mutisme dans l'épouvante ; les terrifiés
parlent peu ; il semble que l'horreur dise : chut !

Il faut se souvenir que ceci remonte à l'époque où les

paysans guernesiais croyaient que le mystère de la Crèche
était tous les ans, à jour fixe, répété par les bœufs et les
ânes ; époque où personne, dans la nuit de Noël, n'eût osé
pénétrer dans une étable, de peur d'y trouver les bêtes à
genoux.

S'il faut ajouter foi aux légendes locales et aux récits
des gens qu'on rencontre, la superstition autrefois a été
quelquefois jusqu'à suspendre aux murs de cette maison
de Plainmont, à des clous dont on voit encore çà et là la
trace, des rats sans pattes, des chauves-souris sans ailes,
des carcasses de bêtes mortes, des crapauds écrasés entre
les pages d'une bible, des brins de lupin jaune, étranges
ex-voto, accrochés là par d'imprudents passants nocturnes qui avaient cru voir quelque chose, et qui, par ces
cadeaux, espéraient obtenir leur pardon, et conjurer la
mauvaise humeur des stryges, des larves et des brucolaques [215]. Il y a eu de tout temps des crédules aux abacas et
aux sabbats, et même d'assez haut placés. César consul-
tait Sagane, et Napoléon Mlle Lenormand [216]. Il est des
consciences inquiètes jusqu'à tâcher d'obtenir des indul-
gences du diable. « Que Dieu fasse et que Satan ne dé-
fasse pas » ; c'était là une des prières de Charles Quint.
D'autres esprits sont plus timorés encore. Ils vont jusqu'à
se persuader qu'on peut avoir des torts envers le mal. Être
irréprochable vis-à-vis du démon, c'est une de leurs
préoccupations. De là des pratiques religieuses tournées
vers l'immense malice obscure. C'est un bigotisme
comme un autre. Les crimes contre le démon existent
dans certaines imaginations malades ; avoir violé la loi
d'en bas tourmente de bizarres casuistes de l'ignorance ;
on a des scrupules du côté des ténèbres. Croire à l'effica-
cité de la dévotion aux mystères du Brocken [217] et d'Ar-
muyr, se figurer qu'on a péché contre l'enfer, avoir
recours pour des infractions chimériques à des pénitences
chimériques, avouer la vérité à l'esprit de mensonge,
faire son *mea culpa* devant le père de la Faute, se confes-
ser en sens inverse, tout cela existe ou a existé ; les procès
de magie le prouvent à chaque page de leurs dossiers. Le
songe humain va jusque-là. Quand l'homme se met à
s'effarer, il ne s'arrête point. On rêve des fautes imagi-

naires, on rêve des purifications imaginaires, et l'on fait faire le nettoyage de sa conscience par l'ombre du balai des sorcières.

Quoi qu'il en soit, si cette maison a des aventures, c'est son affaire; à part quelques hasards et quelques exceptions, nul n'y va voir, elle est laissée seule; il n'est du goût de personne de se risquer aux rencontres infernales.

Grâce à la terreur qui la garde, et qui en éloigne quiconque pourrait observer et témoigner, il a été de tout temps facile de s'introduire la nuit dans cette maison, au moyen d'une échelle de corde, ou même tout simplement du premier échalier venu pris aux courtils voisins. Un en-cas de hardes et de vivres apporté là permettrait d'y attendre en toute sécurité l'éventualité et l'à-propos d'un embarquement furtif. La tradition raconte qu'il y a une quarantaine d'années, un fugitif, de la politique selon les uns, du commerce selon les autres, a séjourné quelque temps caché dans la maison visionnée de Plainmont, d'où il a réussi à s'embarquer sur un bateau pêcheur pour l'Angleterre. D'Angleterre on gagne aisément l'Amérique.

Cette même tradition affirme que des provisions déposées dans cette masure y demeurent sans qu'on y touche, Lucifer, comme les contrebandiers, ayant intérêt à ce que celui qui les a mises là revienne.

Du sommet où est cette maison, on aperçoit au sud-ouest, à un mille de la côte, l'écueil des Hanois.

Cet écueil est célèbre. Il a fait toutes les mauvaises actions que peut faire un rocher. C'était un des plus redoutables assassins de la mer. Il attendait en traître les navires dans la nuit. Il a élargi les cimetières de Torteval et de la Rocquaine.

En 1862 on a placé sur cet écueil un phare.

Aujourd'hui l'écueil des Hanois éclaire la navigation qu'il fourvoyait; le guet-apens a un flambeau à la main. On cherche à l'horizon comme un protecteur et un guide ce rocher qu'on fuyait comme un malfaiteur. Les Hanois rassurent ces vastes espaces nocturnes qu'ils effrayaient. C'est quelque chose comme le brigand devenu gendarme.

Il y a trois Hanois : le grand Hanois, le petit Hanois, et la Mauve. C'est sur le petit Hanois qu'est aujourd'hui le « Light Red ».

Cet écueil fait partie d'un groupe de pointes, quelques-unes sous-marines, quelques-unes sortant de la mer. Il les domine. Il a, comme une forteresse, ses ouvrages avancés : du côté de la haute mer, un cordon de treize rochers ; au nord, deux brisants, les Hautes-Fourquies, les Aiguillons, et un banc de sable, l'Hérouée ; au sud, trois rochers, le Cat Rock, la Percée et la Roque Herpin ; plus deux boues, la South Boue et la Boue le Mouet, et en outre, devant Plainmont, à fleur d'eau, le Tas de Pois d'Aval.

Qu'un nageur franchisse le détroit des Hanois à Plainmont, cela est malaisé, non impossible. On se souvient que c'était une des prouesses de sieur Clubin. Le nageur qui connaît ces bas-fonds a deux stations où il peut se reposer, la Roque ronde, et plus loin, en obliquant un peu à gauche, la Roque rouge.

V

LES DÉNIQUOISEAUX

C'est à peu près vers cette journée de samedi, passée par sieur Clubin à Torteval, qu'il faut rapporter un fait singulier, peu ébruité d'abord dans le pays, et qui ne transpira que longtemps après. Car beaucoup de choses, nous venons de le remarquer, restent inconnues à cause même de l'effroi qu'elles ont fait à ceux qui en ont été témoins.

Dans la nuit du samedi au dimanche, nous précisons la date et nous la croyons exacte, trois enfants escaladèrent l'escarpement de Plainmont. Ces enfants s'en retournaient au village. Ils venaient de la mer. C'était ce qu'on appelle dans la langue locale des *déniquoiseaux*. Lisez déniche-oiseaux. Partout où il y a des falaises et des trous de rochers au-dessus de la mer, les enfants dénicheurs d'oiseaux abondent. Nous en avons dit un mot déjà. On se souvient que Gilliatt s'en préoccupait, à cause des oiseaux et à cause des enfants.

Les déniquoiseaux sont des espèces de gamins de l'océan, peu timides.

La nuit était très obscure. D'épaisses superpositions de nuées cachaient le zénith. Trois heures du matin venaient de sonner au clocher de Torteval, qui est rond et pointu et qui ressemble à un bonnet de magicien.

Pourquoi ces enfants revenaient-ils si tard ? Rien de plus simple. Ils étaient allés à la chasse aux nids de mauves, dans le Tas de Pois d'Aval. La saison ayant été très douce, les amours des oiseaux commençaient de très bonne heure. Ces enfants, guettant les allures des mâles et des femelles autour des gîtes, et distraits par l'acharnement de cette poursuite, avaient oublié l'heure. Le flux

les avait cernés; ils n'avaient pu regagner à temps la
petite anse où ils avaient amarré leur canot, et ils avaient
dû attendre sur une des pointes du Tas de Pois que la mer
se retirât. De là leur rentrée nocturne. Ces rentrées-là sont
attendues par la fiévreuse inquiétude des mères, laquelle,
rassurée, dépense sa joie en colère, et, grossie dans les
larmes, se dissipe en taloches. Aussi se hâtaient-ils, assez
inquiets. Ils avaient cette manière de se hâter qui s'attar-
derait volontiers, et qui contient un certain désir de ne pas
arriver. Ils avaient en perspective un embrassement compliqué de gifles.

Un seul de ces enfants n'avait rien à craindre; c'était
un orphelin. Ce garçon était français, sans père ni mère,
et content en cette minute-là de n'avoir pas de mère.
Personne ne s'intéressant à lui, il ne serait pas battu. Les
deux autres étaient guernesiais, et de la paroisse même de
Torteval.

La haute croupe de roches escaladée, les trois déniquoiseaux parvinrent sur le plateau où est la maison
visionnée.

Ils commencèrent par avoir peur, ce qui est le devoir de
tout passant, et surtout de tout enfant, à cette heure et
dans ce lieu.

Ils eurent bien envie de se sauver à toutes jambes, et
bien envie de s'arrêter pour regarder.

Ils s'arrêtèrent.

Ils regardèrent la maison.

Elle était toute noire, et formidable.

C'était, au milieu du plateau désert, un bloc obscur,
une excroissance symétrique et hideuse, une haute masse
carrée à angles rectilignes, quelque chose de semblable à
un énorme autel de ténèbres.

La première pensée des enfants avait été de s'enfuir; la
seconde fut de s'approcher. Ils n'avaient jamais vu cette
maison-là à cette heure-là. La curiosité d'avoir peur
existe. Ils avaient un petit Français avec eux, ce qui fit
qu'ils approchèrent.

On sait que les Français ne croient à rien.

D'ailleurs, être plusieurs dans un danger, rassure;
avoir peur à trois, encourage.

Et puis, on est chasseur; on est enfant à trois qu'on est, on n'a pas trente ans; on est en quête, on fouille, on épie les choses cachées; est-ce pour s'arrêter en chemin? on avance la tête dans ce trou-ci, comment ne point l'avancer dans ce trou-là? qui est en chasse subit un entraînement; qui va à la découverte est dans un engrenage. Avoir tant regardé dans le nid des oiseaux, cela donne la démangeaison de regarder un peu dans le nid des spectres. Fureter dans l'enfer; pourquoi pas?

De gibier en gibier, on arrive au démon. Après les moineaux, les farfadets. On va savoir à quoi s'en tenir sur toutes ces peurs que vos parents vous ont faites. Être sur la piste des contes bleus, rien n'est plus glissant. En savoir aussi long que les bonnes femmes, cela tente.

Tout ce pêle-mêle d'idées, à l'état de confusion et d'instinct dans la cervelle des déniquoiseaux guernesiais, eut pour résultante leur témérité. Ils marchèrent vers la maison.

Du reste, le petit qui leur servait de point d'appui dans cette bravoure, en était digne. C'était un garçon résolu, apprenti calfat, de ces enfants déjà hommes, couchant au chantier sur de la paille dans un hangar, gagnant sa vie, ayant une grosse voix, grimpant volontiers aux murs et aux arbres, sans préjugés vis-à-vis des pommes près desquelles il passait, ayant travaillé à des radoubs de vaisseaux de guerre, fils du hasard, enfant de raccroc, orphelin gai, né en France, et on ne savait où, deux raisons pour être hardi, ne regardant pas à donner un double à un pauvre, très méchant, très bon, blond jusqu'au roux, ayant parlé à des Parisiens. Pour le moment, il gagnait un chelin par jour à calfater des barques de poissonniers, en réparation aux Pêqueries. Quand l'envie lui en prenait, il se donnait des vacances, et allait dénicher des oiseaux. Tel était le petit Français.

La solitude du lieu avait on ne sait quoi de funèbre. On sentait là l'inviolabilité menaçante. C'était farouche. Ce plateau, silencieux et nu, dérobait à très courte distance dans le précipice sa courbe déclive et fuyante. La mer en bas se taisait. Il n'y avait point de vent. Les brins d'herbe ne bougeaient pas.

Les petits déniquoiseaux avançaient à pas lents, l'enfant français en tête, en regardant la maison.

L'un d'eux, plus tard, en racontant le fait, ou l'à peu près qui lui en était resté, ajoutait : « elle ne disait rien ».

Ils s'approchaient en retenant leur haleine, comme on approcherait d'une bête.

Ils avaient gravi le roidillon qui est derrière la maison et qui aboutit du côté de la mer à un petit isthme de rochers peu praticable ; ils étaient parvenus assez près de la masure ; mais ils ne voyaient que la façade sud, qui est toute murée ; ils n'avaient pas osé tourner à gauche, ce qui les eût exposés à voir l'autre façade où il y a deux fenêtres, ce qui est terrible.

Cependant ils s'enhardirent, l'apprenti calfat leur ayant dit tout bas : « Virons à bâbord. » C'est ce côté-là qui est le beau. Il faut voir les deux fenêtres noires.

Ils « virèrent à bâbord » et arrivèrent de l'autre côté de la maison.

Les deux fenêtres étaient éclairées.

Les enfants s'enfuirent.

Quand ils furent loin, le petit Français se retourna.

— Tiens, dit-il, il n'y a plus de lumière.

En effet, il n'y avait plus de clarté aux fenêtres. La silhouette de la masure se dessinait, découpée comme à l'emporte-pièce, sur la lividité diffuse du ciel.

La peur ne s'en alla point, mais la curiosité revint. Les déniquoiseaux se rapprochèrent.

Brusquement, aux deux fenêtres à la fois, la lumière se refit.

Les deux gars de Torteval reprirent leurs jambes à leur cou, et se sauvèrent. Le petit satan de Français n'avança pas, mais ne recula pas.

Il demeura immobile, faisant face à la maison, et la regardant.

La clarté s'éteignit, puis brilla de nouveau. Rien de plus horrible. Le reflet faisait une vague traînée de feu sur l'herbe mouillée par la buée de la nuit. A un certain moment, la lueur dessina sur le mur intérieur de la masure de grands profils noirs qui remuaient et des ombres de têtes énormes.

Du reste, la masure étant sans plafonds ni cloisons et n'ayant plus que les quatre murs et le toit, une fenêtre ne peut pas être éclairée sans que l'autre le soit.

Voyant que l'apprenti calfat restait, les deux autres déniquoiseaux revinrent, pas à pas, l'un après l'autre, tremblants, curieux. L'apprenti calfat leur dit tout bas : — Il y a des revenants dans la maison. J'ai vu le nez d'un. — Les deux petits de Torteval se blottirent derrière le Français, et haussés sur la pointe du pied, par-dessus son épaule, abrités par lui, le prenant pour bouclier, l'opposant à la chose, rassurés de le sentir entre eux et la vision, ils regardèrent, eux aussi.

La masure, de son côté, semblait les regarder. Elle avait, dans cette vaste obscurité muette, deux prunelles rouges. C'étaient les fenêtres. La lumière s'éclipsait, reparaissait, s'éclipsait encore, comme font ces lumières-là. Ces intermittences sinistres tiennent probablement au va-et-vient de l'enfer. Cela s'entrouvre, puis se referme. Le soupirail du sépulcre a des effets de lanterne sourde.

Tout à coup une noirceur très opaque ayant la forme humaine se dressa sur l'une des fenêtres comme si elle venait du dehors, puis s'enfonça dans l'intérieur de la maison. Il sembla que quelqu'un venait d'entrer.

Entrer par la croisée, c'est l'habitude des alleurs [218].

La clarté fut un moment plus vive, puis s'éteignit et ne reparut plus. La maison redevint noire. Alors il en sortit des bruits. Ces bruits ressemblaient à des voix. C'est toujours comme cela. Quand on voit, on n'entend pas; quand on ne voit pas, on entend.

La nuit sur la mer a une taciturnité particulière. Le silence de l'ombre est là plus profond qu'ailleurs. Lorsqu'il n'y a ni vent ni flot, dans cette remuante étendue où d'ordinaire on n'entend pas voler les aigles, on entendrait une mouche voler. Cette paix sépulcrale donnait un relief lugubre aux bruits qui sortaient de la masure.

— Voyons voir, dit le petit Français.

Et il fit un pas vers la maison.

Les deux autres avaient une telle peur qu'ils se décidèrent à le suivre. Ils n'osaient plus s'enfuir tout seuls.

Comme ils venaient de dépasser un assez gros tas de
fagots qui, on ne sait pas pourquoi, les rassurait dans
cette solitude, une chevêche s'envola d'un buisson. Cela
fit un froissement de branches. Les chevêches ont une
espèce de vol louche, d'une obliquité inquiétante. L'oiseau passa de travers près des enfants, en fixant sur eux la
rondeur de ses yeux clairs dans la nuit.

Il y eut un certain tremblement dans le groupe derrière
le petit Français.

Il apostropha la chevêche.

— Moineau, tu viens trop tard. Il n'est plus temps. Je
veux voir.

Et il avança.

Le craquement de ses gros souliers cloutés sur les
ajoncs n'empêchait pas d'entendre les bruits de la masure
qui s'élevaient et s'abaissaient, avec l'accentuation calme
et la continuité d'un dialogue.

Un moment après, il ajouta :

— D'ailleurs il n'y a que les bêtes qui croient aux
revenants.

L'insolence dans le danger rallie les traînards et les
pousse en avant.

Les deux gars de Torteval se remirent en marche,
emboîtant le pas à la suite de l'apprenti calfat.

La maison visionnée leur faisait l'effet de grandir démesurément. Dans cette illusion d'optique de la peur il y
avait de la réalité. La maison grandissait en effet, parce
qu'ils en approchaient.

Cependant les voix qui étaient dans la maison prenaient
une saillie de plus en plus nette. Les enfants écoutaient.
L'oreille aussi a ses grossissements. C'était autre chose
qu'un murmure, plus qu'un chuchotement, moins qu'un
brouhaha. Par instants une ou deux paroles clairement
articulées se détachaient. Ces paroles, impossibles à
comprendre, sonnaient bizarrement. Les enfants s'arrêtaient, écoutaient, puis recommençaient à avancer.

— C'est la conversation des revenants, murmura l'apprenti calfat, mais je ne crois pas aux revenants.

Les petits de Torteval étaient bien tentés de se replier
derrière le tas de fagots ; mais ils en étaient déjà loin, et

leur ami le calfat continuait de marcher vers la masure. Ils tremblaient de rester avec lui, et ils n'osaient pas le quitter.

Pas à pas, et perplexes, ils le suivaient.

L'apprenti calfat se tourna vers eux et leur dit :

— Vous savez que ce n'est pas vrai. Il n'y en a pas.

La maison devenait de plus en plus haute. Les voix devenaient de plus en plus distinctes.

Ils approchaient.

En approchant, on reconnaissait qu'il y avait dans la maison quelque chose comme de la lumière étouffée. C'était une lueur très vague, un de ces effets de lanterne sourde indiqués tout à l'heure, et qui abondent dans l'éclairage des sabbats.

Quand ils furent tout près, ils firent halte.

Un des deux de Torteval hasarda cette observation :

— Ce n'est pas des revenants ; c'est des dames blanches.

— Qu'est-ce que c'est que ça qui pend à une fenêtre ? demanda l'autre.

— Ça a l'air d'une corde.

— C'est un serpent.

— C'est de la corde de pendu, dit le Français avec autorité. Ça leur sert. Mais je n'y crois pas.

Et, en trois bonds plutôt qu'en trois pas, il fut au pied du mur et de la masure. Il y avait de la fièvre dans cette hardiesse.

Les deux autres, frissonnants, l'imitèrent, et vinrent se coller près de lui, se serrant l'un contre son côté droit, l'autre contre son côté gauche. Les enfants appliquèrent leur oreille contre la muraille. On continuait de parler dans la maison.

Voici ce que disaient les fantômes :

— *Asi, entendido está?*

— *Entendido.*

— *Dicho?*

— *Dicho.*

— *Aqui esparará un hombre, y podra marcharse en Inglaterra con Blasquito?*

    — *Pagando.*

    — *Pagando.*

    — *Blasquito tomará al hombre en su barca.*

    — *Sin buscar para conocer a su pais?*

    — *No nos toca.*

    — *Ni a su nombre del hombre?*

    — Ainsi, c'est entendu?

    — Entendu.

    — C'est dit?

    — Dit.

    — Un homme attendra ici, et pourra s'en aller en Angleterre avec Blasquito?

    — En payant.

    — En payant.

    — Blasquito prendra l'homme dans sa barque.

    — Sans chercher à savoir de quel pays il est?

    — Cela ne nous regarde pas.

    — Sans lui demander son nom?

    — *No se pide el nombre, pero se pesa la bolsa.*

    — *Bien. Esperará el hombre en esa casa.*

    — *Tenga que comer.*

    — *Tendrá.*

    — *Onde?*

    — *En este saco que he llevado.*

    — *Muy bien.*

    — *Puedo dexar el saco aqui?*

    — *Los contrabandistas no son ladrones.*

    — *Y vosotros, cuando os marchais?*

    — *Mañana por la mañana. Si su hombre de usted esta parado, podria venir con nosotros.*

    — On ne demande pas le nom; on pèse la bourse.

    — Bien. L'homme attendra dans cette maison.

    — Il faudra qu'il ait de quoi manger.

    — Il en aura.

    — Où?

    — Dans ce sac que j'apporte.

    — Très bien.

    — Puis-je laisser ce sac ici?

    — Les contrebandiers ne sont pas des voleurs.

    — Et vous autres, quand partez-vous?

— Demain matin. Si votre homme était prêt, il pourrait venir avec nous.

— *Parado no está.*

— *Hacienda suya.*

— *Cuantos dias esperará alli?*

— *Dos, tres, quatro dias. Menos o mas.*

— *Es cierto que el Blasquito vendrá?*

— *Cierto.*

— *En este Plainmont?*

— *En este Plainmont.*

— *A qual semana?*

— *La que viene.*

— *A qual dia?*

— *Viernes, o sábado, o domingo.*

— Il n'est pas prêt.

— C'est son affaire.

— Combien de jours aura-t-il à attendre dans cette
maison?

— Deux, trois, quatre jours. Moins ou plus.

— Est-il certain que Blasquito viendra?

— Certain.

— Ici? A Plainmont?

— A Plainmont.

— Quelle semaine?

— La semaine prochaine.

— Quel jour?

— Vendredi, samedi, ou dimanche.

— *No puede faltar?*

— *Es mi tocayo.*

— *Por qualquiera tiempo viene?*

— *Qualquiera. No tieme. Soy el Blasco, es el Blasquito.*

— *Asi, no puede faltar de venir en Guernesey?*

— *Vengo a un mes, y viene al otro mes.*

— *Entiendo.*

— *A cuentar del otro sábado, desde hoy en ocho, ne
se pasarán cinco dias sin que venga el Blasquito.*

— *Pero un muy malo mar?*

— Il ne peut manquer?

— Il est mon tocayo.

— Il vient par tous les temps?

— Par tous. Il n'a pas peur. Je suis Blasco, il est Blasquito.

— Ainsi, il ne peut manquer de venir à Guernesey?

— Je viens un mois; il vient l'autre mois.

— Je comprends.

— A compter de samedi prochain, d'aujourd'hui en huit, il ne se passera pas cinq jours sans que Blasquito arrive.

— Mais si la mer était très dure?

— *Egurraldia gaïztoa?*

— *Si.*

— *No vendría el Blasquito tan pronto, pero vendría.*

— *Donde vendrá?*

— *De Vilvao.*

— *Onde irá?*

— *En Portland.*

— *Bien.*

— *O en Tor Bay.*

— *Mejor.*

— *Su humbre de usted puede estarse quieto.*

— Egurraldia gaïztoa*?

— Oui.

— Blasquito ne viendrait pas si vite, mais il viendrait.

— D'où viendra-t-il?

— De Bilbao.

— Où ira-t-il?

— A Portland.

— C'est bien.

— Ou à Tor Bay.

— C'est mieux.

— Votre homme peut être tranquille.

— *No traidor será, el Blasquito?*

— *Los cobardes son traidores. Somos valientes. El mar es la iglesia del invierno. La traición es la iglesia del infierno.*

— *No se entiende a lo que dicemos?*

---

*Basque. Mauvais temps.

— *Escuchar a nosotros y mirar a nosotros es imposible. La espanta hace alli el desierto.*

— *Lo sè.*

— *Quien se atraversaría a escuchar?*

— *Es verdad.*

— *Y escucharían que no entiendrían. Hablamos a una lengua fiera y nuestra que no se conoce. Despues que la sabéis, eréis con nosotros.*

— Blasquito ne trahira pas?

— Les lâches sont les traîtres. Nous sommes des vaillants. La mer est l'église de l'hiver. La trahison est l'église de l'enfer.

— Personne n'entend ce que nous disons?

— Nous écouter et nous regarder est impossible. L'épouvante fait ici le désert.

— Je le sais.

— Qui oserait se hasarder à nous écouter?

— C'est vrai.

— D'ailleurs on écouterait qu'on ne comprendrait pas. Nous parlons une farouche langue à nous que personne ne connaît. Puisque vous la savez, c'est que vous êtes des nôtres.

— *Soy venido para componer las haciendas con ustedes.*

— *Bueno.*

— *Y ahora me voy.*

— *Mucho.*

— *Dígame usted, hombre. Si el pasagero quiere que el Blasquito le lleve en ninguna otra parte que Portland o Tor Bay?*

— *Tenga onces.*

— *El Blasquito hará lo que querrá el hombre?*

— *El Blasquito hace lo que quieren las onces.*

— *Es menester mucho tiempo para ir en Tor Bay?*

— Je suis venu pour prendre des arrangements avec vous.

— C'est bon.

— Maintenant je m'en vais.

— Soit.

— Dites-moi, si le passager veut que Blasquito le conduise ailleurs qu'à Portland ou à Tor Bay?

— Qu'il ait des onces*.

— Blasquito fera-t-il ce que l'homme voudra?

— Blasquito fera ce que les onces voudront.

— Faut-il beaucoup de temps pour aller à Tor Bay?

— *Como quiere el viento.*

— *Ocho horas?*

— *Menos, o mas.*

— *El Blasquito obedecerá al pasagero?*

— *Si le obedece el mar a el Blasquito.*

— *Bien pagado será.*

— *El oro es el oro. El viento es el viento.*

— *Mucho.*

— *El hombre hace lo que puede con el oro. Dios con el viento hace lo que quiere.*

— *Aqui será viernes el que desea marcharse con Blasquito.*

— *Pues.*

— Comme il plaît au vent.

— Huit heures?

— Moins ou plus.

— Blasquito obéira-t-il à son passager?

— Si la mer obéit à Blasquito.

— Il sera bien payé.

— L'or est l'or. Le vent est le vent.

— C'est juste.

— L'homme avec l'or fait ce qu'il peut. Dieu avec le vent fait ce qu'il veut.

— L'homme qui compte partir avec Blasquito sera ici vendredi.

— Bien.

— *A qual momento llega Blasquito?*

— *A la noche. A la noche se llega, a la noche se marcha. Tenemos una muger quien se llama el mar, y una hermana quien se llama la noche. La muger puede faltar, la hermana no.*

— *Todo dicho está. Abour, hombres.*

— *Buenas tardes. Un golpe de aguardiente?*

— *Gracias.*

---

* Des quadruples.

— *Es mejor que xarope.*
— *Tengo vuestra palabra.*
— *Mi nombre es Pundonor.*
— *Sea usted con Dios.*
— *Eréis gentleman y soy caballero.*
— A quel moment arrive Blasquito?
— A la nuit. On arrive la nuit. On part la nuit. Nous avons une femme qui s'appelle la mer, et une sœur qui s'appelle la nuit. La femme trompe quelquefois; la sœur jamais.
— Tout est convenu. Adieu, hommes.
— Bonsoir. Un coup d'eau-de-vie?
— Merci.
— C'est meilleur que du sirop.
— J'ai votre parole.
— Mon nom est Point-d'honneur.
— Adieu.
— Vous êtes gentilhomme et je suis chevalier.

Il était clair que des diables seuls pouvaient parler ainsi. Les enfants n'en écoutèrent pas davantage, et cette fois prirent la fuite pour de bon, le petit Français, enfin convaincu, courant plus vite que les autres.

Le mardi qui suivit ce samedi, sieur Clubin était de retour à Saint-Malo, ramenant la Durande.

Le *Tamaulipas* était toujours en rade.

Sieur Clubin, entre deux bouffées de pipe, demanda à l'aubergiste de l'Auberge Jean:

— Eh bien, quand donc part-il, ce *Tamaulipas*?
— Après-demain jeudi, répondit l'aubergiste.

Ce soir-là, Clubin soupa à la table des gardes-côtes, et, contre son habitude, sortit après son souper. Il résulta de cette sortie qu'il ne put tenir le bureau de la Durande, et qu'il manqua à peu près son chargement. Cela fut remarqué d'un homme si exact.

Il paraît qu'il causa quelques instants avec son ami le changeur.

Il rentra deux heures après que Noguette eut sonné le couvre-feu. La cloche brésilienne sonne à dix heures. Il était donc minuit.

VI

LA JACRESSARDE

Il y a quarante ans, Saint-Malo possédait une ruelle dite la ruelle Coutanchez. Cette ruelle n'existe plus, ayant été comprise dans les embellissements.

C'était une double rangée de maisons de bois penchées les unes vers les autres, et laissant entre elles assez de place pour un ruisseau qu'on appelait la rue. On marchait les jambes écartées des deux côtés de l'eau, en heurtant de la tête ou du coude les maisons de droite et de gauche. Ces vieilles baraques du Moyen Age normand ont des profils presque humains. De masure à sorcière il n'y a pas loin. Leurs étages rentrants, leurs surplombs, leurs auvents circonflexes et leurs broussailles de ferrailles simulent des lèvres, des mentons, des nez et des sourcils. La lucarne est l'œil, borgne. La joue c'est la muraille, ridée et dartreuse. Elles se touchent du front comme si elles complotaient un mauvais coup. Tous ces mots de l'ancienne civilisation, coupe-gorge, coupe-trogne, coupe-gueule, se rattachent à cette architecture.

Une des maisons de la ruelle Coutanchez, la plus grande, la plus fameuse ou la plus famée, se nommait la Jacressarde.

La Jacressarde était le logis de ceux qui ne logent pas. Il y a, dans toutes les villes, et particulièrement dans les ports de mer, au-dessous de la population, un résidu. Des gens sans aveu, à ce point que souvent la justice elle-même ne parvient pas à leur en arracher un, des écumeurs d'aventures, des chasseurs d'expédients, des chimistes de l'espèce escroc, remettant toujours la vie au creuset, toutes les formes du haillon et toutes les manières de le

porter, les fruits secs de l'improbité, les existences en
banqueroute, les consciences qui ont déposé leur bilan,
ceux qui ont avorté dans l'escalade et le bris de clôture
(car les grands faiseurs d'effractions planent et restent en
haut), les ouvriers et les ouvrières du mal, les drôles et les
drôlesses, les scrupules déchirés et les coudes percés, les
coquins aboutis à l'indigence, les méchants mal récom-
pensés, les vaincus du duel social, les affamés qui ont été
les dévorants, les gagne-petit du crime, les gueux, dans la
double et lamentable acception du mot; tel est le personnel. L'intelligence humaine est là, bestiale. C'est le tas
d'ordure des âmes. Cela s'amasse dans un coin, où passe de
temps en temps ce coup de balai qu'on nomme une descente
de police. A Saint-Malo la Jacressarde était ce coin.

Ce qu'on trouve dans ces repaires, ce ne sont pas les
forts criminels, les bandits, les escarpes, les grands produits de l'ignorance et de l'indigence. Si le meurtre y est
représenté, c'est par quelque ivrogne brutal; le vol n'y
dépasse point le filou. C'est plutôt le crachat de la société
que son vomissement. Le truand, oui; le brigand, non.
Pourtant il ne faudrait pas s'y fier. Ce dernier étage des
bohèmes peut avoir des extrémités scélérates. Une fois,
en jetant le filet sur l'Épi-scié [219] qui était pour Paris ce
que la Jacressarde était pour Saint-Malo, la police prit
Lacenaire.

Ces gîtes admettent tout. La chute est un nivellement.
Quelquefois l'honnêteté qui se déguenille tombe là. La
vertu et la probité ont, cela s'est vu, des aventures. Il ne
faut, d'emblée, ni estimer les Louvres ni mépriser les
bagnes. Le respect public de même que la réprobation
universelle, veulent être épluchés. On y a des surprises.
Un ange dans le lupanar, une perle dans le fumier, cette
sombre et éblouissante trouvaille est possible.

La Jacressarde était plutôt une cour qu'une maison, et
plutôt un puits qu'une cour. Elle n'avait point d'étage sur
la rue. Un haut mur percé d'une porte basse était sa
façade. On levait le loquet, on poussait la porte, on était
dans une cour.

Au milieu de cette cour, on apercevait un trou rond,
entouré d'une marge de pierre au niveau du sol. C'était

un puits. La cour était petite, le puits était grand. Un pavage défoncé encadrait la margelle.

La cour, carrée, était bâtie de trois côtés. Du côté de la rue, rien ; mais en face de la porte, et à droite et à gauche, il y avait du logis.

Si, après la nuit tombée, on entrait là, un peu à ses risques et périls, on entendait comme un bruit d'haleines mêlées, et, s'il y avait assez de lune ou d'étoiles pour donner forme aux linéaments obscurs qu'on avait sous les yeux, voici ce qu'on voyait :

La cour. Le puits. Autour de la cour, vis-à-vis la porte, un hangar figurant une sorte de fer à cheval qui serait carré, galerie vermoulue, tout ouverte, à plafond de solives, soutenue par des piliers de pierre inégalement espacés ; au centre, le puits ; autour du puits, sur une litière de paille, et faisant comme un chapelet circulaire, des semelles droites, des dessous de bottes éculées, des orteils passant par des trous de souliers, et force talons nus, des pieds d'homme, des pieds de femme, des pieds d'enfant. Tous ces pieds dormaient.

Au-delà de ces pieds, l'œil, en s'enfonçant dans la pénombre du hangar, distinguait des corps, des formes, des têtes assoupies, des allongements inertes, des guenilles des deux sexes, une promiscuité dans du fumier, on ne sait quel sinistre gisement humain. Cette chambre à coucher était à tout le monde. On y payait deux sous par semaine. Les pieds touchaient le puits. Dans les nuits d'orage, il pleuvait sur ces pieds ; dans les nuits d'hiver, il neigeait sur ces corps.

Qu'était-ce que ces êtres ? Les inconnus. Ils venaient là le soir et s'en allaient le matin. L'ordre social se complique de ces larves. Quelques-uns se glissaient pour une nuit et ne payaient pas. La plupart n'avaient point mangé de la journée. Tous les vices, toutes les abjections, toutes les infections, toutes les détresses ; le même sommeil d'accablement sur le même lit de boue. Les rêves de toutes ces âmes faisaient bon voisinage. Rendez-vous funèbre où remuaient et s'amalgamaient dans le même miasme les lassitudes, les défaillances, les ivresses cuvées, les marches et contre-marches d'une journée sans

un morceau de pain et sans une bonne pensée, les lividités
à paupières closes, des remords, des convoitises, des
chevelures mêlées de balayures, des visages qui ont le
regard de la mort, peut-être des baisers de bouches de
ténèbres. Cette putridité humaine fermentait dans cette
cuve. Ils étaient jetés dans ce gîte par la fatalité, par le
voyage, par le navire arrivé la veille, par une sortie de
prison, par la chance, par la nuit. Chaque jour la destinée
vidait là sa hotte. Entrait qui voulait, dormait qui pouvait,
parlait qui osait. Car c'était un lieu de chuchotement. On
se hâtait de se mêler. On tâchait de s'oublier dans le
sommeil, puisqu'on ne peut se perdre dans l'ombre. On
prenait de la mort ce qu'on pouvait. Ils fermaient les yeux
dans cette agonie pêle-mêle recommançant tous les soirs.
D'où sortaient-ils ? de la société, étant la misère ; de la
vague, étant l'écume.

    N'avait point de la paille qui voulait. Plus d'une nudité
traînait sur le pavé ; ils se couchaient éreintés ; ils se
levaient ankylosés. Le puits, sans parapet et sans couvercle, toujours béant, avait trente pieds de profondeur. La
pluie y tombait, les immondices y suintaient, tous les
ruissellements de la cour y filtraient. Le seau pour tirer
l'eau était à côté. Qui avait soif, y buvait. Qui avait
ennui, s'y noyait. Du sommeil dans le fumier on glissait à
ce sommeil-là. En 1819, on en retira un enfant de quatorze ans.

    Pour ne point courir de danger dans cette maison, il
fallait être « de la chose ». Les laïques étaient mal vus.

    Ces êtres se connaissaient-ils entre eux ? Non. Ils se
flairaient.

    Une femme était la maîtresse du logis, jeune, assez
jolie, coiffée d'un bonnet à rubans, débarbouillée quelquefois avec l'eau du puits, ayant une jambe de bois.

    Dès l'aube, la cour se vidait ; les habitués s'envolaient.

    Il y avait dans la cour un coq et des poules, grattant le
fumier tout le jour. La cour était traversée par une poutre
horizontale sur poteaux, figure d'un gibet pas trop dépay-
sée là. Souvent, le lendemain des soirées pluvieuses, on
voyait sécher sur cette poudre une robe de soie mouillée
et crottée, qui était à la femme jambe de bois.

Au-dessus du hangar, et, comme lui, encadrant la cour, il y avait un étage, et au-dessus de l'étage un grenier. Un escalier de bois pourri trouant le plafond du hangar menait en haut; échelle branlante gravie bruyamment par la femme chancelante.

Les locataires de passage, à la semaine ou à la nuit, habitaient la cour; les locataires à demeure habitaient la maison.

Des fenêtres, pas un carreau; des chambranles, pas une porte; des cheminées, pas un foyer; c'était la maison. On passait d'une chambre dans l'autre indifféremment par un trou carré long qui avait été la porte ou par une baie triangulaire qui était l'entre-deux des solives de la cloison. Les plâtrages tombés couvraient le plancher. On ne savait comment tenait la maison. Le vent la remuait. On montait comme on pouvait sur le glissement des marches usées de l'escalier. Tout était à claire-voie. L'hiver entrait dans la masure comme l'eau dans une éponge. L'abondance des araignées rassurait contre l'écroulement immédiat. Aucun meuble. Deux ou trois paillasses dans des coins, ventre ouvert, montrant plus de cendre que de paille. Çà et là une cruche et une terrine, servant à divers usages. Une odeur douce et hideuse.

Des fenêtres on avait vue sur la cour. Cette vue ressemblait à un dessus de tombereau de boueux. Les choses, sans compter les hommes, qui pourrissaient là, qui s'y rouillaient, qui y moisissaient, étaient indescriptibles. Les débris fraternisaient; il en tombait des murailles, il en tombait des créatures. Les loques ensemençaient les décombres.

Outre sa population flottante, cantonnée dans la cour, la Jacressarde avait trois locataires; un charbonnier, un chiffonnier et un faiseur d'or [220]. Le charbonnier et le chiffonnier occupaient deux des paillasses du premier; le faiseur d'or, chimiste, logeait au grenier, qu'on appelait, on ne sait pourquoi, le galetas. On ignorait dans quel coin couchait la femme. Le faiseur d'or était un peu poète. Il habitait dans le toit, sous les tuiles, une chambre où il y avait une lucarne étroite et une grande cheminée de pierre, gouffre à faire mugir le vent. La lucarne n'ayant pas de châssis, il avait cloué dessus un morceau de feuillard provenant d'une déchirure de navire. Cette tôle laissait passer peu de jour et beaucoup de froid. Le charbonnier payait d'un sac de charbon de temps en temps, le chiffonnier payait d'un setier de grain aux poules par semaine, le faiseur d'or ne payait pas. En attendant il brûlait la maison. Il avait arraché le peu qu'il y avait de boiserie, et à chaque instant il tirait du mur ou du toit une latte pour faire chauffer sa marmite à or. Sur la cloison, au-dessus du grabat du chiffonnier, on voyait deux colonnes de chiffres à la craie, tracées par le chiffonnier semaine à semaine, une colonne de 3 et une colonne de 5, selon que le setier de grain coûtait trois liards ou cinq centimes. La marmite à or du « chimiste » était une vieille bombe cassée, promue par lui chaudière, où il combinait des ingrédients. La transmutation l'absorbait. Quelquefois il en parlait dans la cour aux va-nu-pieds, qui en riaient. Il disait : *Ces gens-là sont pleins de préjugés.* Il était résolu à ne pas mourir sans jeter la pierre philosophale dans les vitres de la science. Son fourneau mangeait beaucoup de bois. La rampe de l'escalier y avait disparu. Toute la maison y passait, à petit feu. L'hôtesse lui disait : Vous ne me laisserez que la coque. Il la désarmait en lui faisant des vers.

Telle était la Jacressarde.

Un enfant, qui était peut-être un nain, âgé de douze ans ou de soixante ans, goîtreux, ayant un balai à la main, était le domestique.

Les habitués entraient par la porte de la cour ; le public entrait par la boutique.

Qu'était-ce que la boutique ?

Le haut mur faisant façade sur la rue était percé, à droite de l'entrée de la cour, d'une baie en équerre à la fois porte et fenêtre, avec volet et châssis, le seul volet dans toute la maison qui eût des gonds et des verrous, le seul châssis qui eût des vitres. Derrière cette devanture, ouverte sur la rue, il y avait une petite chambre, compartiment pris sur le hangar-dortoir. On lisait sur la porte de la rue cette inscription charbonnée : *Ici on tient la curiosité.* Le mot était dès lors usité. Sur trois planches s'ap-

pliquant en étagère au vitrage, on apercevait quelques
pots de faïence sans anse, un parasol chinois en baudru-
che à figures, crevé çà et là, impossible à ouvrir et à
fermer, des tessons de fer ou de grès informes, des
chapeaux d'homme et de femme effondrés, trois ou quatre coquilles d'ormers [221], quelques paquets de vieux
boutons d'os et de cuivre, une tabatière avec portrait de
Marie-Antoinette, et un volume dépareillé de l'Algèbre
de Boisbertrand [222]. C'était la boutique. Cet assortiment
était « la curiosité ». La boutique communiquait, par une
arrière-porte, avec la cour où était le puits. Il y avait une
table et un escabeau. La femme à la jambe de bois était la
dame de comptoir.

ACHETEURS NOCTURNES ET VENDEUR
TÉNÉBREUX

Clubin avait été absent de l'Auberge Jean le mardi toute la soirée; il le fut encore le mercredi soir.

Ce soir-là, à la brune, deux hommes s'engagèrent dans la ruelle Coutanchez; ils s'arrêtèrent devant la Jacressarde. L'un d'eux cogna à la vitre. La porte de la boutique s'ouvrit. Ils entrèrent. La femme à la jambe de bois leur fit le sourire réservé aux bourgeois. Il y avait une chandelle sur la table.

Ces hommes étaient deux bourgeois en effet.

Celui des deux qui avait cogné dit: « Bonjour, la femme. Je viens pour la chose. »

La femme jambe de bois fit un deuxième sourire et sortit par l'arrière-porte, qui donnait sur la cour au puits. Un moment après, l'arrière-porte se rouvrit, et un homme se présenta dans l'entrebâillement. Cet homme avait une casquette et une blouse, et la saillie d'un objet sous sa blouse. Il avait des brins de paille dans les plis de sa blouse et le regard de quelqu'un qu'on vient de réveiller.

Il avança. On se regarda. L'homme en blouse avait l'air ahuri et fin. Il dit:

— C'est vous l'armurier?

Celui qui avait cogné répondit:

— Oui. C'est vous le Parisien?

— Dit Peaurouge. Oui.

— Montrez.

— Voici.

L'homme tira de dessous sa blouse un engin fort rare en Europe à cette époque, un revolver.

Ce revolver était neuf et brillant. Les deux bourgeois

l'examinèrent. Celui qui semblait connaître la maison et
que l'homme en blouse avait qualifié « l'armurier » fit
jouer le mécanisme. Il passa l'objet à l'autre, qui paraissait être moins de la ville et qui se tenait le dos tourné à la
lumière.

L'armurier reprit :

— Combien ?

L'homme en blouse répondit :

— J'arrive d'Amérique avec. Il y a des gens qui apportent des singes, des perroquets, des bêtes, comme si
les Français étaient des sauvages. Moi j'apporte ça. C'est
une invention utile.

— Combien ? repartit l'armurier.

— C'est un pistolet qui fait le moulinet.

— Combien ?

— Paf. Un premier coup. Paf. Un deuxième coup.
Paf... une grêle, quoi ! Ça fait de la besogne.

— Combien ?

— Il y a six canons.

— Eh bien, combien ?

— Six canons, c'est six louis.

— Voulez-vous cinq louis ?

— Impossible. Un louis par balle. C'est le prix.

— Voulons-nous faire affaire ? soyons raisonnable.

— J'ai dit le prix juste. Examinez-moi ça, monsieur
l'arquebusier.

— J'ai examiné.

— Le moulinet tourne comme monsieur Talleyrand.
On pourrait mettre ce moulinet-là dans le Dictionnaire
des girouettes. C'est un bijou.

— Je l'ai vu.

— Quant aux canons, c'est de forge espagnole.

— Je l'ai remarqué.

— C'est rubané. Voici comment ça se confectionne,
ces rubans-là. On vide dans la forge la hotte d'un chiffonnier en vieux fer. On prend tout plein de vieille ferraille, des vieux clous de maréchal, des fers à cheval
cassés...

— Et de vieilles lames de faux.

— J'allais le dire, monsieur l'armurier. On vous fiche

à tout ce bric-à-brac une bonne chaude suante, et ça vous fait une magnifique étoffe de fer...

— Oui, mais qui peut avoir des crevasses, des éventures, des travers.

— Pardine. Mais on remédie aux travers par des petites queues-d'aronde, de même qu'on évite le risque des doublures en battant ferme. On corroie son étoffe de fer au gros marteau, on lui flanque deux autres chaudes suantes ; si le fer a été surchauffé, on le rétablit par des chaudes grasses, et à petits coups. Et puis on étire l'étoffe, et puis on la roule bien sur la chemise, et avec ce fer-là fichtre ! on vous fait ces canons-là.

— Vous êtes donc du métier ?

— Je suis de tous les métiers.

— Les canons sont couleur d'eau.

— C'est une beauté, monsieur l'armurier. Ça s'obtient avec du beurre d'antimoine.

— Nous disons donc que nous allons vous payer cela cinq louis ?

— Je me permets de faire observer à monsieur que j'ai eu l'honneur de dire six louis.

L'armurier baissa la voix.

— Écoutez, Parisien. Profitez de l'occasion. Défaites-vous de ça. Ça ne vaut rien pour vous autres, une arme comme ça. Ça fait remarquer un homme.

— En effet, dit Parisien, c'est un peu voyant. C'est meilleur pour un bourgeois.

— Voulez-vous cinq louis ?

— Non, six. Un par trou.

— Eh bien, six napoléons.

— Je veux six louis.

— Vous n'êtes donc pas bonapartiste ? vous préférez un louis à un napoléon !

Parisien, dit Peaurouge, sourit.

— Napoléon vaut mieux, dit-il, mais Louis vaut plus.

— Six napoléons.

— Six louis. C'est pour moi une différence de vingt-quatre francs.

— Pas d'affaire en ce cas.

— Soit. Je garde le bibelot.

— Gardez-le.

— Du rabais ! par exemple ! il ne sera pas dit que je me serai défait comme ça d'une chose qui est une invention.

— Bonsoir, alors.

— C'est un progrès sur le pistolet, que les Indiens chesapeakes appellent Nortay-u-Hah.

— Cinq louis payés comptant, c'est de l'or.

— Nortay-u-Hah, cela veut dire *Fusil-Court*. Beaucoup de personnes ignorent cela.

— Voulez-vous cinq louis, et un petit écu de rabiot ?

— Bourgeois, j'ai dit six.

L'homme qui tournait le dos à la chandelle et qui n'avait pas encore parlé faisait pendant ce dialogue pivoter le mécanisme. Il s'approcha de l'oreille de l'armurier et lui chuchota :

— L'objet est-il bon ?

— Excellent.

— Je donne les six louis.

Cinq minutes après, pendant que Parisien dit Peaurouge serrait dans une fente secrète sous l'aisselle de sa blouse les six louis d'or qu'il venait de recevoir, l'armurier et l'acheteur emportant dans la poche de son pantalon le revolver sortaient de la ruelle Coutanchez.

VIII

CARAMBOLAGE DE LA BILLE ROUGE
ET DE LA BILLE NOIRE

Le lendemain, qui était le jeudi, à peu de distance de Saint-Malo, près de la pointe du Décollé, à un endroit où la falaise est haute et où la mer est profonde, il se passa une chose tragique.

Une langue de rochers en forme de fer de lance qui se relie à la terre par un isthme étroit, se prolonge dans l'eau et s'y achève brusquement par un grand brisant à pic, rien n'est plus fréquent dans l'architecture de la mer. Pour arriver, en venant du rivage, au plateau de la roche à pic, on suit un plan incliné dont la montée est quelquefois assez âpre.

C'est sur un plateau de ce genre qu'était debout vers quatre heures du soir un homme enveloppé dans une large cape d'ordonnance et probablement armé dessous, chose facile à reconnaître à de certains plis droits et anguleux de son manteau. Le sommet où se tenait cet homme était une plate-forme assez vaste semée de gros cubes de roche pareils à des pavés démesurés, et laissant entre eux des passages étroits. Cette plate-forme, où croissait une petite herbe épaisse et courte, se terminait du côté de la mer par un espace libre, aboutissant à un escarpement vertical. L'escarpement, élevé d'une soixantaine de pieds au-dessus de la haute mer, semblait taillé au fil à plomb. Son angle de gauche pourtant se ruinait et offrait un de ces escaliers naturels propres aux falaises de granit, dont les marches peu commodes exigent quelquefois des enjambées de géants ou des sauts de clowns. Cette dégringolade de rochers descendait perpendiculairement jusqu'à la mer et s'y enfonçait. C'était à peu près un casse-cou. Cependant, à la rigueur, on pouvait par là s'aller embarquer sous la muraille même de la falaise.

La brise soufflait. L'homme, serré dans sa cape, ferme sur ses jarrets, la main gauche empoignant son coude droit, clignait un œil et appuyait l'autre sur une longue-vue. Il semblait absorbé dans une attention sérieuse. Il s'était approché du bord de l'escarpement, et il se tenait là immobile, le regard imperturbablement attaché sur l'horizon. La marée était pleine. Le flot battait au-dessous de lui le bas de la falaise.

Ce que cet homme observait, c'était un navire au large qui faisait en effet un jeu singulier.

Ce navire, qui venait de quitter depuis une heure à peine le port de Saint-Malo, s'était arrêté derrière les Banquetiers. C'était un trois-mâts. Il n'avait pas jeté l'ancre, peut-être parce que le fond ne lui eût permis d'abattre que sur le bord du câble, et parce que le navire eût serré son ancre sous le taille-mer. Il s'était borné à mettre en panne.

L'homme, qui était un garde-côte, comme le faisait voir sa cape d'uniforme, épiait toutes les manœuvres du trois-mâts et semblait en prendre note mentalement. Le navire avait mis en panne vent dessus vent dedans; ce qu'indiquaient le petit hunier coiffé et le vent laissé dans le grand hunier; il avait bordé l'artimon et orienté le perroquet de fougue au plus près, de façon à contrarier les voiles les unes par les autres, et à avoir peu d'arrivée et moins de dérive. Il ne se souciait point de se présenter beaucoup au vent, car il n'avait brassé le petit hunier que perpendiculairement à la quille. De cette façon, tombant en travers, il ne dérivait au plus que d'une demi-lieue à l'heure.

Il faisait encore grand jour, surtout en pleine mer et sur le haut de la falaise. Le bas des côtes devenait obscur.

Le garde-côte, tout à sa besogne et espionnant consciencieusement le large, n'avait pas songé à scruter le rocher à côté et au-dessous de lui. Il tournait le dos à l'espèce d'escalier peu praticable qui mettait en communication le plateau de la falaise et la mer. Il ne remarquait pas que quelque chose y remuait. Il y avait dans cet

escalier, derrière une anfractuosité, quelqu'un, un
homme, caché là, selon toute apparence, avant l'arrivée
du garde-côte. De temps en temps, dans l'ombre, une tête
sortait de dessous la roche, regardait en haut, et guettait le
guetteur. Cette tête, coiffée d'un large chapeau américain, était celle de l'homme, du quaker, qui, une dizaine
de jours auparavant, parlait, dans les pierres du Petit-
Bey, au capitaine Zuela.

Tout à coup l'attention du garde-côte parut redoubler.
Il essuya rapidement du drap de sa manche le verre de sa
longue-vue et le braqua avec énergie sur le trois-mâts.

Un point noir venait de s'en détacher.

Ce point noir, semblable à une fourmi sur la mer, était
une embarcation.

L'embarcation semblait vouloir gagner la terre. Quelques marins la montaient, ramant vigoureusement.

Elle obliquait peu à peu et se dirigeait vers la pointe du
Décollé.

Le guet du garde-côte était arrivé à son plus haut degré
de fixité. Il ne perdait pas un mouvement de l'embarcation. Il s'était rapproché plus près encore de l'extrême
bord de la falaise.

En ce moment un homme de haute stature, le quaker,
surgit derrière le garde-côte au haut de l'escalier. Le
guetteur ne le voyait pas.

Cet homme s'arrêta un instant, les bras pendants et les
poings crispés, et, avec l'œil d'un chasseur qui vise, il
regarda le dos du garde-côte.

Quatre pas seulement le séparaient du garde-côte ; il
mit un pied en avant, puis s'arrêta ; il fit un second pas, et
s'arrêta encore ; il ne faisait point d'autre mouvement que
de marcher, tout le reste de son corps était statue ; son
pied s'appuyait sur l'herbe sans bruit ; il fit le troisième
pas, et s'arrêta ; il touchait presque le garde-côte, toujours
immobile avec sa longue-vue. L'homme ramena lentement ses deux mains fermées à la hauteur de ses clavicu-
les, puis, brusquement, ses avant-bras s'abattirent, et ses
deux poings, comme lâchés par une détente, frappèrent
les deux épaules du garde-côte. Le choc fut sinistre. Le
garde-côte n'eut pas le temps de jeter un cri. Il tomba la

tête la première du haut de la falaise dans la mer. On vit ses deux semelles le temps d'un éclair. Ce fut une pierre dans l'eau. Tout se referma.

Deux ou trois grands cercles se firent dans l'eau sombre.

Il ne resta que la longue-vue échappée des mains du garde-côte et tombée à terre sur l'herbe.

Le quaker se pencha sur le bord de l'escarpement, regarda les cercles s'effacer dans le flot, attendit quelques minutes, puis se redressa en chantant entre ses dents :

> Monsieur d'la Police est mort
> En perdant la vie.

Il se pencha une seconde fois. Rien ne reparut. Seulement, à l'endroit où le garde-côte s'était englouti, il s'était formé à la surface de l'eau une sorte d'épaisseur brune qui s'élargissait sur le balancement de la lame. Il était probable que le garde-côte s'était brisé le crâne sur quelque roche sous-marine. Son sang remontait et faisait cette tache dans l'écume. Le quaker, tout en considérant cette flaque rougeâtre, reprit :

> Un quart d'heure avant sa mort,
> Il était encore...

Il n'acheva pas.

Il entendit derrière lui une voix très douce qui disait :

— Vous voilà, Rantaine. Bonjour. Vous venez de tuer un homme.

Il se retourna, et vit à une quinzaine de pas en arrière de lui, à l'issue d'un des entre-deux des rochers, un petit homme qui avait un revolver à la main.

Il répondit :

— Comme vous voyez. Bonjour, sieur Clubin.

Le petit homme eut un tressaillement.

— Vous me reconnaissez ?

— Vous m'avez bien reconnu, repartit Rantaine.

Cependant on entendait un bruit de rames sur la mer. C'était l'embarcation observée par le garde-côte, qui approchait.

Sieur Clubin dit à demi-voix, comme se parlant à lui-même :

— Cela a été vite fait.

— Qu'y a-t-il pour votre service? demanda Rantaine.

— Pas grand-chose. Voilà tout à l'heure dix ans que je ne vous ai vu. Vous avez dû faire de bonnes affaires. Comment vous portez-vous?

— Bien, dit Rantaine. Et vous?

— Très bien, répondit sieur Clubin.

Rantaine fit un pas vers sieur Clubin.

Un petit coup sec arriva à son oreille. C'était sieur Clubin qui armait le revolver.

— Rantaine, nous sommes à quinze pas. C'est une bonne distance. Restez où vous êtes.

— Ah çà, fit Rantaine, qu'est-ce que vous me voulez?

— Moi, je viens causer avec vous.

Rantaine ne bougea plus. Sieur Clubin reprit:

— Vous venez d'assassiner un garde-côte.

Rantaine souleva le bord de son chapeau et répondit:

— Vous m'avez déjà fait l'honneur de me le dire.

— En termes moins précis. J'avais dit: un homme; je dis maintenant: un garde-côte. Ce garde-côte portait le numéro six cent dix-neuf. Il était père de famille. Il laisse une femme et cinq enfants.

— Ça doit être, dit Rantaine.

Il y eut un imperceptible temps d'arrêt.

— Ce sont des hommes de choix, ces gardes-côtes, fit Clubin, presque tous d'anciens marins.

— J'ai remarqué, dit Rantaine, qu'en général on laisse une femme et cinq enfants.

Sieur Clubin continua:

— Devinez combien m'a coûté ce revolver.

— C'est une jolie pièce, répondit Rantaine.

— Combien l'estimez-vous?

— Je l'estime beaucoup.

— Il m'a coûté cent quarante-quatre francs.

— Vous avez dû acheter ça, dit Rantaine, à la boutique d'armes de la rue Coutanchez.

Clubin reprit:

— Il n'a pas crié. La chute coupe la voix.

— Sieur Cublin, il y aura de la brise cette nuit.

— Je suis seul dans le secret.

— Logez-vous toujours à l'Auberge Jean? demanda
Rantaine.

— Oui, on n'y est pas mal.

— Je me rappelle y avoir mangé de bonne choucroute.

— Vous devez être excessivement fort, Rantaine.
Vous avez des épaules! Je ne voudrais pas recevoir une
chiquenaude de vous. Moi, quand je suis venu au monde,
j'avais l'air si chétif qu'on ne savait pas si on réussirait à
m'élever.

— On y a réussi, c'est heureux.

— Oui, je loge toujours à cette vieille Auberge Jean.

— Savez-vous, sieur Clubin, pourquoi je vous ai reconnu? C'est parce que vous m'avez reconnu. J'ai dit: Il
n'y a pour cela que Clubin.

Et il avança d'un pas.

— Replacez-vous où vous étiez, Rantaine.

Rantaine recula et fit cet aparté:

— On devient un enfant devant ces machins-là.

Sieur Clubin poursuivit.

— Situation. Nous avons à droite, du côté de Saint-
Énogat, à trois cents pas d'ici, un autre garde-côte, le
numéro six cent dix-huit, qui est vivant, et à gauche, du
côté de Saint-Lunaire, un poste de douanes. Cela fait sept
hommes armés qui peuvent être ici dans cinq minutes. Le
rocher sera cerné. Le col sera gardé. Impossible de s'évader. Il y a un cadavre au pied de la falaise.

Rantaine jeta un œil oblique sur le revolver.

— Comme vous dites, Rantaine. C'est une jolie pièce.
Peut-être n'est-il chargé qu'à poudre. Mais qu'est-ce que
cela fait? Il suffit d'un coup de feu pour faire accourir la
force armée. J'en ai six à tirer.

Le choc alternatif des rames devenait très distinct. Le
canot n'était pas loin.

Le grand homme regardait le petit homme, étrangement. Sieur Clubin parlait d'une voix de plus en plus
tranquille et douce.

— Rantaine, les hommes du canot qui va arriver,
sachant ce que vous venez de faire ici tout à l'heure,
prêteraient main-forte et aideraient à vous arrêter. Vous
payez dix mille francs votre passage au capitaine Zuela.

Par parenthèse, vous auriez eu meilleur marché avec les
contrebandiers de Plainmont; mais ils ne vous auraient
mené qu'en Angleterre, et d'ailleurs vous ne pouvez
risquer d'aller à Guernesey où l'on a l'honneur de vous
connaître. Je reviens à la situation. Si je fais feu, on vous
arrête. Vous payez à Zuela votre fugue dix mille francs.
Vous lui avez donné cinq mille francs d'avance. Zuela
garderait les cinq mille francs, et s'en irait. Voilà. Rantaine, vous êtes bien affublé. Ce chapeau, ce drôle d'habit et ces guêtres vous changent. Vous avez oublié les
lunettes. Vous avez bien fait de laisser pousser vos favoris.

Rantaine fit un sourire assez semblable à un grincement. Clubin continua :

— Rantaine, vous avez une culotte américaine à gousset double. Dans l'un il y a votre montre. Gardez-la.

— Merci, sieur Clubin.

— Dans l'autre il y a une petite boîte de fer battu qui
ouvre et ferme à ressort. C'est une ancienne tabatière à
matelot. Tirez-la de votre gousset, et jetez-la moi.

— Mais c'est un vol !

— Vous êtes libre de crier à la garde.

Et Clubin regarda fixement Rantaine.

— Tenez, mess Clubin..., dit Rantaine faisant un pas,
et tendant sa main ouverte.

Mess était une flatterie.

— Restez où vous êtes, Rantaine.

— Mess Clubin, arrangeons-nous. Je vous offre
moitié.

Clubin exécuta un croisement de bras d'où sortait le
bout de son revolver.

— Rantaine, pour qui me prenez-vous ? Je suis un
honnête homme.

Et il ajouta après un silence :

— Il me faut tout.

Rantaine grommela entre ses dents : — Celui-ci est
d'un fort gabarit.

Cependant l'œil de Clubin venait de s'allumer. Sa voix
devint nette et coupante comme l'acier. Il s'écria :

— Je vois que vous vous méprenez. C'est vous qui

vous appelez Vol, moi je m'appelle Restitution. Rantaine, écoutez. Il y a dix ans, vous avez quitté de nuit
Guernesey en prenant dans la caisse d'une association
cinquante mille francs qui étaient à vous, et en oubliant
d'y laisser cinquante mille francs qui étaient à un autre.
Ces cinquante mille francs volés par vous à votre associé,
l'excellent et digne mess Lethierry, font aujourd'hui avec
les intérêts composés pendant dix ans quatre-vingt mille
six cent soixante-six francs soixante-six centimes. Hier
vous êtes entré chez un changeur. Je vais vous le nommer. Rébuchet, rue Saint-Vincent. Vous lui avez compté
soixante-seize mille francs en billets de banque français,
contre lesquels il vous a donné trois bank-notes d'Angleterre de mille livres sterling chaque, plus l'appoint. Vous
avez mis ces bank-notes dans la tabatière de fer, et la
tabatière de fer dans votre gousset de droite. Ces trois
mille livres sterling font soixante-quinze mille francs. Au
nom de mess Lethierry, je m'en contenterai. Je pars
demain pour Guernesey, et j'entends les lui porter. Rantaine, le trois-mâts qui est là en panne est le *Tamaulipas*.
Vous y avez fait embarquer cette nuit vos malles mêlées
aux sacs et aux valises de l'équipage. Vous voulez quitter
la France. Vous avez vos raisons. Vous allez à Arequipa.
L'embarcation vient vous chercher. Vous l'attendez ici.
Elle arrive. On l'entend qui nage. Il dépend de moi de
vous laisser partir ou de vous faire rester. Assez de
paroles. Jetez-moi la tabatière de fer.

Rantaine ouvrit son gousset, en tira une petite boîte et
la jeta à Clubin. C'était la tabatière de fer. Elle alla rouler
aux pieds de Clubin.

Clubin se pencha sans baisser la tête et ramassa la
tabatière de la main gauche, tenant dirigés sur Rantaine
ses deux yeux et les six canons du revolver.

Puis il cria :

— Mon ami, tournez le dos.

Rantaine tourna le dos.

Sieur Clubin mit le revolver sous son aisselle, et fit
jouer le ressort de la tabatière. La boîte s'ouvrit.

Elle contenait quatre bank-notes, trois de mille livres et
une de dix livres.

Il replia les trois bank-notes de mille livres, les replaça dans la tabatière de fer, referma la boîte et la mit dans sa poche.

Puis il prit à terre un caillou. Il enveloppa ce caillou du billet de dix livres, et dit :

— Retournez-vous.

Rantaine se retourna.

Sieur Clubin reprit :

— Je vous ai dit que je me contenterais des trois mille livres. Voilà dix livres que je vous rends.

Et il jeta à Rantaine le billet lesté du caillou.

Rantaine, d'un coup de pied, lança le bank-note et le caillou dans la mer.

— Comme il vous plaira, fit Clubin. Allons, vous devez être riche. Je suis tranquille.

Le bruit de rames, qui s'était continuellement rapproché pendant ce dialogue, cessa. Cela indiquait que l'embarcation était au pied de la falaise.

— Votre fiacre est en bas. Vous pouvez partir, Rantaine.

Rantaine se dirigea vers l'escalier et s'y enfonça.

Clubin vint avec précaution au bord de l'escarpement, et, avançant la tête, le regarda descendre.

Le canot s'était arrêté près de la dernière marche de rochers, à l'endroit même où était tombé le garde-côte.

Tout en regardant dégringoler Rantaine, Clubin grommela :

— Bon numéro six cent dix-neuf ! Il se croyait seul. Rantaine croyait n'être que deux. Moi seul savais que nous étions trois.

Il aperçut à ses pieds sur l'herbe la longue vue qu'avait laissée tomber le garde-côte ; il la ramassa.

Le bruit de rames recommença. Rantaine venait de sauter dans l'embarcation, et le canot prenait le large.

Quand Rantaine fut dans le canot, après les premiers coups d'aviron, la falaise commençant à s'éloigner derrière lui, il se dressa brusquement debout, sa face devint monstrueuse, il montra le poing en bas, et cria :

— Ha ! le diable lui-même est une canaille !

Quelques secondes après, Clubin, au haut de la falaise

et braquant la longue-vue sur l'embarcation, entendait distinctement ces paroles articulées par une voix haute dans le bruit de la mer:

— Sieur Clubin, vous êtes un honnête homme; mais vous trouverez bon que j'écrive à Lethierry pour lui faire part de la chose, et voici dans le canot un matelot de Guernesey qui est de l'équipage du *Tamaulipas*, qui s'appelle Ahier-Toste-vin, qui reviendra à Saint-Malo au prochain voyage de Zuela, et qui témoignera que je vous ai remis pour mess Lethierry la somme de trois mille livres sterling.

C'était la voix de Rantaine.

Clubin était l'homme des choses bien faites. Immobile comme l'avait été le garde-côte, et à cette même place, l'œil dans la longue-vue, il ne quitta pas un instant le canot du regard. Il le vit décroître dans les lames, disparaître et reparaître, approcher le navire en panne, et l'accoster, et il put reconnaître la haute taille de Rantaine sur le pont du *Tamaulipas*.

Quand le canot fut remonté à bord et replacé dans les pistolets, le *Tamaulipas* fit servir. La brise montait de terre, il éventa toutes ses voiles, la lunette de Clubin demeura braquée sur cette silhouette de plus en plus simplifiée, et, une demi-heure après, le *Tamaulipas* n'était plus qu'une corne noire s'amoindrissant à l'horizon sur le ciel blême du crépuscule.

IX

Renseignement utile aux personnes qui attendent, ou craignent, des lettres d'outre-mer

Ce soir-là encore, sieur Clubin rentra tard.

Une des causes de son retard, c'est qu'avant de rentrer il était allé jusqu'à la porte Dinan où il y avait des cabarets. Il avait acheté, dans un de ces cabarets où il n'était pas connu, une bouteille d'eau-de-vie qu'il avait mise dans la large poche de sa vareuse comme s'il voulait l'y cacher; puis, la Durande devant partir le lendemain matin, il avait fait un tour à bord pour s'assurer que tout était en ordre.

Quand sieur Clubin rentra à l'Auberge Jean, il n'y avait plus dans la salle basse que le vieux capitaine au long cours, M. Gertrais-Gaboureau, qui buvait sa chope et fumait sa pipe.

M. Gertrais-Gaboureau salua sieur Clubin entre une bouffée et une gorgée.

— Good bye, capitaine Clubin.

— Bonsoir, capitaine Gertrais.

— Eh bien, voilà le *Tamaulipas* parti.

— Ah! dit Clubin, je n'y ai pas fait attention.

Le capitaine Gertrais-Gaboureau cracha et dit :

— Filé, Zuela.

— Quand ça donc?

— Ce soir.

— Où va-t-il?

— Au diable.

— Sans doute; mais où?

— A Arequipa.

— Je n'en savais rien, dit Clubin.

Il ajouta :

— Je vais me coucher.

Il alluma sa chandelle, marcha vers la porte, et revint.

— Êtes-vous allé à Arequipa, capitaine Gertrais?

— Oui. Il y a des ans.

— Où relâche-t-on?

— Un peu partout. Mais ce *Tamaulipas* ne relâchera point.

M. Gertrais-Gaboureau vida sur le bord d'une assiette la cendre de sa pipe, et continua:

— Vous savez, le chasse-marée *Cheval-de-Troie* et ce beau trois-mâts, le *Trentemouzin*, qui sont allés à Cardiff. Je n'étais pas d'avis du départ à cause du temps. Ils sont revenus dans un bel état. Le chasse-marée était chargé de térébenthine, il a fait eau, et en faisant jouer les pompes il a pompé avec l'eau tout son chargement. Quant au trois-mâts, il a surtout souffert dans les hauts; la guibre, la poulaine, les minots, le jas de l'ancre à bâbord, tout ça cassé. Le bout-dehors du grand foc cassé au ras du chouque. Les haubans de focs et les sous-barbes, va-t-en voir s'ils viennent. Le mât de misaine n'a rien; il a eu cependant une secousse sévère. Tout le fer du beaupré a manqué, et, chose incroyable, le beaupré n'est que mâché, mais il est complètement dépouillé. Le masque du navire à bâbord est à jour trois bons pieds carrés. Voilà ce que c'est que de ne pas écouter le monde.

Clubin avait posé sa chandelle sur la table et s'était mis à repiquer un rang d'épingles qu'il avait dans le collet de sa vareuse. Il reprit:

— Ne disiez-vous pas, capitaine Gertrais, que le *Tamaulipas* ne relâchera point?

— Non. Il va droit au Chili.

— En ce cas il ne pourra pas donner de ses nouvelles en route.

— Pardon, capitaine Clubin. D'abord il peut remettre des dépêches à tous les bâtiments qu'il rencontre faisant voile pour Europe.

— C'est juste.

— Ensuite il a la boîte aux lettres de la mer.

— Qu'appelez-vous la boîte aux lettres de la mer?

— Vous ne connaissez pas ça, capitaine Clubin?

— Non.

— Quand on passe le détroit de Magellan.

— Eh bien?

Partout de la neige, toujours gros temps, de vilains mauvais vents, une mer de quatre sous.

— Après?

— Quand vous avez doublé le cap Monmouth.

— Bien. Ensuite?

— Ensuite vous doublez le cap Valentin.

— Et ensuite?

— Ensuite vous doublez le cap Isidore.

— Et puis?

— Vous doublez la pointe Anna.

— Bon. Mais qu'est-ce que vous appelez la boîte aux lettres de la mer?

— Nous y sommes. Montagnes à droite, montagnes à gauche. Des pingouins partout, des pétrels-tempêtes. Un endroit terrible. Ah! mille saints mille singes! quel bataclan, et comme ça tape! La bourrasque n'a pas besoin qu'on aille à son secours. C'est là qu'on surveille la lisse de hourdi! C'est là qu'on diminue la toile! C'est là qu'on te vous remplace la grande voile par le foc, et le foc par le tourmentin! Coups de vent sur coups de vent. Et puis quelquefois quatre, cinq, six jours de cape sèche. Souvent d'un jeu de voiles tout neuf il vous reste de la charpie. Quelle danse! des rafales à vous faire sauter un trois-mâts comme une puce. J'ai vu sur un brick anglais, le *True blue*, un petit mousse occupé à la gibboom [223] emporté à tous les cinq cent mille millions de tonnerres de Dieu, et la gibboom avec. On va en l'air comme des papillons, quoi! J'ai vu le contre-maître de la *Revenue*, une jolie goélette, arraché de dessus le *fore-crostree* [224], et tué roide. J'ai eu ma lisse cassée, et mon serre-gouttière en capilotade. On sort de là avec toutes ses voiles mangées. Des frégates de cinquante font eau comme des paniers. Et la mauvaise diablesse de côte! Rien de plus bourru. Des rochers déchiquetés comme par enfantillage. On approche du Port-Famine. Là, c'est pire que pire. Les plus rudes lames que j'aie vues de ma vie. Des parages d'enfer. Tout à coup on aperçoit ces deux mots écrits en rouge : *Post-Office*.

— Que voulez-vous dire, capitaine Gertrais ?

— Je veux dire, capitaine Clubin, que tout de suite après qu'on a doublé la pointe Anna on voit sur un caillou de cent pieds de haut un grand bâton. C'est un poteau qui a une barrique au cou. Cette barrique, c'est la boîte aux lettres. Il a fallu que les Anglais écrivent dessus : *Post-Office*. De quoi se mêlent-ils ? C'est la poste de l'océan ; elle n'appartient pas à cet honorable gentleman, le roi d'Angleterre. Cette boîte aux lettres est commune. Elle appartient à tous les pavillons. *Post-Office*, est-ce assez chinois ! ça vous fait l'effet d'une tasse de thé que le diable vous offrirait tout à coup. Voici maintenant comment se fait le service. Tout bâtiment qui passe expédie au poteau un canot avec ses dépêches. Le navire qui vient de l'Atlantique envoie ses lettres pour l'Europe, et le navire qui vient du Pacifique envoie ses lettres pour l'Amérique. L'officier commandant votre canot met dans le baril votre paquet et y prend le paquet qu'il y trouve. Vous vous chargez de ces lettres-là ; le navire qui viendra après vous se chargera des vôtres. Comme on navigue en sens contraire, le continent d'où vous venez, c'est celui où je vais. Je porte vos lettres, vous portez les miennes. Le baril est bitté au poteau avec une chaîne. Et il pleut ! Et il neige ! Et il grêle ! Une fichue mer ! Les satanicles [225] volent de tous côtés. Le *Tamaulipas* ira par là. Le baril a un bon couvercle à charnière, mais pas de serrure ni de cadenas. Vous voyez qu'on peut écrire à ses amis. Les lettres parviennent.

— C'est très drôle, murmura Clubin rêveur.

Le capitaine Gertrais-Gaboureau se retourna vers sa chope.

— Une supposition que ce garnement de Zuela m'écrit, ce gueux flanque son barbouillage dans la barrique à Magellan et dans quatre mois j'ai le griffonnage de ce gredin. — Ah çà ! capitaine Clubin, est-ce que vous partez demain ?

Clubin, absorbé dans une sorte de somnambulisme, n'entendit pas. Le capitaine Gertrais répéta sa question.

Clubin se réveilla.

— Sans doute, capitaine Gertrais. C'est mon jour. Il faut que je parte demain matin.

— Si c'était moi, je ne partirais pas. Capitaine Clubin, la peau des chiens sent le poil mouillé. Les oiseaux de mer viennent depuis deux nuits tourner autour de la lanterne du phare. Mauvais signe. J'ai un *storm-glass* [226] qui fait des siennes. Nous sommes au deuxième octant de la lune; c'est le maximum d'humidité. J'ai vu tantôt des pimprenelles qui fermaient leurs feuilles et un champ de trèfles dont les tiges étaient toutes droites. Les vers de terre sortent, les mouches piquent, les abeilles ne s'éloignent pas de leur ruche, les moineaux se consultent. On entend le son des cloches de loin. J'ai entendu ce soir l'angelus de Saint-Lunaire. Et puis le soleil s'est couché sale. Il y aura demain un fort brouillard. Je ne vous conseille pas de partir. Je crains plus le brouillard que l'ouragan. C'est un sournois, le brouillard.

LIVRE SIXIÈME

LE TIMONIER IVRE
ET LE CAPITAINE SOBRE

LES ROCHERS DOUVRES [227]

A cinq lieues environ en pleine mer, au sud de Guernesey, vis-à-vis la pointe de Plainmont, entre les îles de la
Manche et Saint-Malo, il y a un groupe d'écueils appelé
les rochers Douvres. Ce lieu est funeste.

Cette dénomination, Douvre, *Dover,* appartient à
beaucoup d'écueils et de falaises. Il y a notamment près
des Côtes-du-Nord une roche Douvre sur laquelle on
construit un phare en ce moment, écueil dangereux, mais
qu'il ne faut point confondre avec celui-ci.

Le point de France le plus proche du rocher Douvres
est le cap Bréhant. Le rocher Douvres est un peu plus loin
de la côte de France que de la première île de l'archipel
normand. La distance de cet écueil à Jersey se mesure à
peu près par la grande diagonale de Jersey. Si l'île de
Jersey tournait sur la Corbière comme sur un gond, la
porte Sainte-Catherine irait presque frapper les Douvres.
C'est encore là un éloignement de plus de quatre lieues.

Dans ces mers de la civilisation les roches les plus
sauvages sont rarement désertes. On rencontre des
contrebandiers à Hagot, des douaniers à Binic, des celtes
à Bréhat, des cultivateurs d'huîtres à Cancale, des chasseurs de lapins à Césambre, l'île de César, des ramas-
seurs de crabes à Brecq-Hou, des pêcheurs au chalut aux
Minquiers, des pêcheurs à la trouble à Écré-Hou. Aux
rochers Douvres, personne.

Les oiseaux de mer sont là chez eux.

Pas de rencontre plus redoutée. Les Casquets où s'est,
dit-on, perdue la *Blanche Nef,* le banc du Calvados, les
Aiguilles de l'île de Wight, la Ronesse qui fait la côte de

Beaulieu si dangereuse, le bas-fond de Préel qui étrangle
l'entrée du Merquel et qui force de ranger à vingt brasses
la balise peinte en rouge, les approches traîtres d'Étables
et de Plouha, les deux druides de granit du sud de Guernesey, le vieux Anderlo et le petit Anderlo, la Corbière,
les Hanois, l'île des Ras, recommandée à la frayeur par
ce proverbe : — *Si jamais tu passes le Ras, si tu ne
meurs, tu trembleras ;* — les Mortes-Femmes, le passage
de la Boue et de la Frouquie, la Déroute entre Guernesey
et Jersey, la Hardent entre les Minquiers et Chousey, le
Mauvais Cheval entre Boulay-Bay et Barneville, sont
moins mal famés. Il vaudrait mieux affronter tous ces
écueils l'un après l'autre que le rocher Douvres une seule
fois.

Sur toute cette périlleuse mer de la Manche, qui est la
mer Égée de l'Occident, le rocher Douvres n'a d'égal en
terreur que l'écueil Pater-Noster entre Guernesey et Serk.

Et encore, de Pater-Noster on peut faire un signal ; une
détresse là peut être secourue. On voit au nord la pointe
Dicard, ou D'Icare, et au sud Gros-Nez. Du rocher Douvres, on ne voit rien.

La rafale, l'eau, la nuée, l'illimité, l'inhabité. Nul ne
passe aux rochers Douvres qu'égaré. Les granits sont
d'une stature brutale et hideuse. Partout l'escarpement.
L'inhospitalité sévère de l'abîme.

C'est la haute mer. L'eau y est très profonde. Un écueil
absolument isolé comme le rocher Douvres attire et abrite
les bêtes qui ont besoin de l'éloignement des hommes.
C'est une sorte de vaste madrépore sous-marin. C'est un
labyrinthe noyé. Il y a là, à une profondeur où les plon-
geurs atteignent difficilement, des antres, des caves, des
repaires, des entre croisements de rues ténébreuses. Les
espèces monstrueuses y pullulent. On s'entre-dévore. Les
crabes mangent les poissons, et sont eux-mêmes mangés.
Des formes épouvantables, faites pour n'être pas vues par
l'œil humain, errent dans cette obscurité, vivantes. De
vagues linéaments de gueules, d'antennes, de tentacules,
de nageoires, d'ailerons, de mâchoires ouvertes, d'écailles, de griffes, de pinces, y flottent, y tremblent, y grossi-
sent, s'y décomposent et s'y effacent dans la transparence

sinistre. D'effroyables essaims nageants rôdent, faisant ce qu'ils ont à faire. C'est une ruche d'hydres.

L'horrible est là, idéal.

Figurez-vous, si vous pouvez, un fourmillement d'holothuries.

Voir le dedans de la mer, c'est voir l'imagination de l'Inconnu. C'est la voir du côté terrible. Le gouffre est analogue à la nuit. Là aussi il y a sommeil, sommeil apparent du moins, de la conscience de la création. Là s'accomplissent en pleine sécurité les crimes de l'irresponsable. Là, dans une paix affreuse, les ébauches de la vie, presque fantômes, tout à fait démons, vaquent aux farouches occupations de l'ombre.

Il y a quarante ans, deux roches d'une forme extraordinaire signalaient de loin l'écueil Douvres aux passants de l'Océan. C'étaient deux pointes verticales, aiguës et recourbées, se touchant presque par le sommet. On croyait voir sortir de la mer les deux défenses d'un éléphant englouti. Seulement c'étaient les défenses, hautes comme des tours, d'un éléphant grand comme une montagne. Ces deux tours naturelles de l'obscure ville des monstres ne laissaient entre elles qu'un étroit passage où se ruait la lame. Ce passage, tortueux et ayant dans sa longueur plusieurs coudes, ressemblait à un tronçon de rue entre deux murs. On nommait ces roches jumelles les deux Douvres. Il y avait la grande Douvre et la petite Douvre ; l'une avait soixante pieds de haut, l'autre quarante. Le va-et-vient de la vague a fini par donner un trait de scie dans la base de ces tours, et le violent coup d'équinoxe du 26 octobre 1859 en a renversé une. Celle qui reste, la petite, est tronquée et fruste.

Un des plus étrangers rochers du groupe Douvres s'appelle l'Homme. Celui-là subsiste encore aujourd'hui. Au siècle dernier, des pêcheurs, fourvoyés sur ces brisants, trouvèrent au haut de ce rocher un cadavre. A côté de ce cadavre, il y avait quantité de coquillages vidés. Un homme avait naufragé à ce roc, s'y était réfugié, y avait vécu quelque temps de coquillages et y était mort. De là ce nom, l'Homme.

Les solitudes d'eau sont lugubres. C'est le tumulte et le

silence. Ce qui se fait là ne regarde plus le genre humain.
C'est de l'utilité inconnue. Tel est l'isolement du rocher
Douvres. Tout autour, à perte de vue, l'immense tour-
ment des flots...

II

DU COGNAC INESPÉRÉ

Le vendredi matin, lendemain du départ du *Tamaulipas,* la Durande partit pour Guernesey.

Elle quitta Saint-Malo à neuf heures.

Le temps était clair, pas de brume ; le vieux capitaine Gertrais-Gaboureau parut avoir radoté.

Les préoccupations de sieur Clubin lui avaient décidément fait à peu près manquer son chargement. Il n'avait embarqué que quelques colis d'articles de Paris pour les boutiques de *fancy* [228] de Saint-Pierre-Port, trois caisses pour l'hôpital de Guernesey, l'une de savon jaune, l'autre de chandelle à la baguette et la troisième de cuir de semelle français et de cordouan choisi. Il rapportait de son précédent chargement une caisse de sucre *crushed* et trois caisses de thé conjou [229] que la douane française n'avait pas voulu admettre. Sieur Clubin avait embarqué peu de bétail ; quelques bœufs seulement. Ces bœufs étaient dans la cale assez négligemment arrimés.

Il y avait à bord six passagers : un Guernesiais, deux Malouins marchands de bestiaux, un « touriste », comme on disait déjà à cette époque, un Parisien demi-bourgeois, probablement touriste du commerce, et un Américain voyageant pour distribuer des bibles.

La Durande, sans compter Clubin, le capitaine, portait sept hommes d'équipage : un timonier, un matelot charbonnier, un matelot charpentier, un cuisinier, manœuvrier au besoin, deux chauffeurs et un mousse. L'un des deux chauffeurs était en même temps mécanicien. Ce chauffeur-mécanicien, très brave et très intelligent nègre hollandais, évadé des sucreries de Surinam [230], s'appelait

Imbrancam. Le nègre Imbrancam comprenait et servait
admirablement la machine. Dans les premiers temps, il
n'avait pas peu contribué, apparaissant tout noir dans sa
fournaise, à donner un air diabolique à la Durande.

Le timonier, jersiais de naissance et cotentin d'origine,
se nommait Tangrouille. Tangrouille était d'une haute
noblesse.

Ceci était vrai à la lettre. Les îles de la Manche sont,
comme l'Angleterre, un pays hiérarchique. Il y existe
encore des castes. Les castes ont leurs idées, qui sont
leurs défenses. Ces idées des castes sont partout les mêmes, dans l'Inde comme en Allemagne. La noblesse se
conquiert par l'épée et se perd par le travail. Elle se
conserve par l'oisiveté. Ne rien faire, c'est vivre noble-
ment; quiconque ne travaille pas est honoré. Un métier
fait déchoir. En France autrefois, il n'y avait d'exception
que pour les verriers. Vider des bouteilles étant un peu la
gloire des gentilshommes, faire des bouteilles ne leur
était point déshonneur. Dans l'archipel de la Manche,
ainsi que dans la Grande-Bretagne, qui veut rester noble
doit rester riche. Un workman ne peut être un gentleman.
L'eût-il été, il ne l'est plus. Tel matelot descend des
chevaliers bannerets et n'est qu'un matelot. Il y a trente
ans, à Aurigny, un Gorges authentique, qui aurait eu des
droits à la seigneurie de Gorges confisquée par Philippe-
Auguste, ramassait du varech pieds nus dans la mer. Un
Carteret est charretier à Serk. Il existe à Jersey un drapier
et à Guernesey un cordonnier nommés Gruchy qui se
déclarent Grouchy et cousins du maréchal de Waterloo.
Les anciens pouillés[231] de l'évêché de Coutances font
mention d'une seigneurie de Tangroville, parente évi-
dente de Tancarville sur la Basse-Seine, qui est Montmorency. Au quinzième siècle Johan de Héroudeville,
archer et étoffe du sire de Tangroville, portait derrière lui
« son corset et ses autres harnois ». En mai 1371, à Pon-
torson, à la montre de Bertrand du Guesclin, « monsieur de
Tangroville a fait son devoir comme chevalier bachelor ».
Dans les îles normandes, si la misère survient, on est vite
éliminé de la noblesse. Un changement de prononciation
suffit. *Tangroville* devient *Tangrouille*, et tout est dit.

C'est ce qui était arrivé au timonier de la Durande.

Il y a à Saint-Pierre-Port, au Bordage, un marchand de ferraille appelé Ingrouille qui est probablement un Ingroville. Sous Louis le Gros, les Ingroville possédaient trois paroisses dans l'élection de Valognes. Un abbé Trigan a fait l'*Histoire ecclésiastique de Normandie*. Ce chroniqueur Trigan était curé de la seigneurie de Digoville. Le sire de Digoville, s'il était tombé en roture, se nommerait *Digouille*.

Tangrouille, ce Tancarville probable et ce Montmorency possible, avait cette antique qualité de gentilhomme, défaut grave pour un timonier : il s'enivrait.

Sieur Clubin s'était obstiné à le garder. Il en avait répondu à mess Lethierry.

Le timonier Tangrouille ne quittait jamais le navire et couchait à bord.

La veille du départ, quand sieur Clubin était venu, à une heure assez avancée de la soirée, faire la visite du bâtiment, Tangrouille était dans son branle et dormait.

Dans la nuit Tangrouille s'était réveillé. C'était son habitude nocturne. Tout ivrogne qui n'est pas son maître, a sa cachette. Tangrouille avait la sienne, qu'il nommait sa cambuse. La cambuse secrète de Tangrouille était dans la cale-à-l'eau. Il l'avait mise là pour la rendre invraisemblable. Il croyait être sûr que cette cachette n'était connue que de lui seul. Le capitaine Clubin, étant sobre, était sévère. Le peu de rhum et de gin que le timonier pouvait dérober au guet vigilant du capitaine, il le tenait en réserve dans ce coin mystérieux de la cale-à-l'eau, au fond d'une baille de sonde, et presque toutes les nuits il avait un rendez-vous amoureux avec cette cambuse. La surveillance était rigoureuse, l'orgie était pauvre, et d'ordinaire les excès nocturnes de Tangrouille se bornaient à deux ou trois gorgées, avalées furtivement. Parfois même la cambuse était vide. Cette nuit-là Tangrouille y avait trouvé une bouteille d'eau-de-vie inattendue. Sa joie avait été grande, et sa stupeur plus grande encore. De quel ciel lui tombait cette bouteille ? Il n'avait pu se rappeler quand ni comment il l'avait apportée dans le navire. Il l'avait bue immédiatement. Un peu par prudence ; de peur que

cette eau-de-vie ne fût découverte et saisie. Il avait jeté la
bouteille à la mer. Le lendemain, quand il prit la barre,
Tangrouille avait une certaine oscillation.

Il gouverna pourtant à peu près comme d'ordinaire.

Quant à Clubin, il était, on le sait, revenu coucher à
l'Auberge Jean.

Clubin portait toujours sous sa chemise une ceinture de
voyage en cuir où il gardait un en-cas d'une vingtaine de
guinées et qu'il ne quittait que la nuit. Dans l'intérieur de
cette ceinture, il y avait son nom, *sieur Clubin*, écrit par
lui-même sur le cuir brut à l'encre grasse lithographique,
qui est indélébile.

En se levant, avant de partir, il avait mis dans cette
ceinture la boîte de fer contenant les soixante-quinze
mille francs en bank-notes, puis il s'était comme d'habitude bouclé la ceinture autour du corps.

III

PROPOS INTERROMPUS

Le départ se fit allégrement. Les voyageurs, sitôt leurs
valises et leurs portemanteaux installés sur et sous les
bancs, passèrent cette revue du bateau à laquelle on ne
manque jamais, et qui semble obligatoire tant elle est
habituelle. Deux des passagers, le touriste et le Parisien,
n'avaient jamais vu de bateau à vapeur, et, dès les premiers tours de roue, ils admirèrent l'écume. Puis ils
admirèrent la fumée. Ils examinèrent pièce à pièce, et
presque brin à brin, sur le pont et dans l'entre-pont, tous
ces appareils maritimes d'anneaux, de crampons, de crochets, de boulons, qui à force de précision et d'ajustement sont une sorte de colossale bijouterie ; bijouterie de
fer dorée avec de la rouille par la tempête. Ils firent le
tour du petit canon d'alarme amarré sur le pont, «à la
chaîne comme un chien de garde», observa le touriste, et
«couvert d'une blouse de toile goudronnée pour l'empêcher de s'enrhumer», ajouta le Parisien. En s'éloignant
de terre, on échangea les observations d'usage sur la
perspective de Saint-Malo ; un passager émit l'axiome
que les approches de mer trompent, et qu'à une lieue de la
côte, rien ne ressemble à Ostende comme Dunkerque. On
compléta ce qu'il y avait à dire sur Dunkerque par cette
observation que ses deux navires-vigies peints en rouge
s'appellent l'un *Ruytingen* et l'autre *Mardyck*.

Saint-Malo s'amincit au loin, puis s'effaça.

L'aspect de la mer était le vaste calme. Le sillage
faisait dans l'océan derrière le navire une longue rue
frangée d'écume qui se prolongeait presque sans torsion à
perte de vue.

Guernesey est au milieu d'une ligne droite qu'on tire-
rait de Saint-Malo en France à Exeter en Angleterre. La
ligne droite en mer n'est pas toujours la ligne logique.
Pourtant les bateaux à vapeur ont, jusqu'à un certain
point, le pouvoir de suivre la ligne droite refusée aux
bateaux à voiles.

La mer, compliquée du vent, est un composé de forces.
Un navire est un composé de machines. Les forces sont
des machines infinies, les machines sont des forces limi-
tées. C'est entre ces deux organismes, l'un inépuisable,
l'autre intelligent, que s'engage ce combat qu'on appelle
la navigation.

Une volonté dans un mécanisme fait contrepoids à
l'infini. L'infini, lui aussi, contient un mécanisme. Les
éléments savent ce qu'ils font et où ils vont. Aucune force
n'est aveugle. L'homme doit épier les forces, et tâcher de
découvrir leur itinéraire.

En attendant que la loi soit trouvée, la lutte continue, et
dans cette lutte la navigation à la vapeur est une sorte de
victoire perpétuelle que le génie humain remporte à toute
heure du jour sur tous les points de la mer. La navigation
à la vapeur a cela d'admirable qu'elle discipline le navire.
Elle diminue l'obéissance au vent et augmente l'obéissance à l'homme.

Jamais la Durande n'avait mieux travaillé en mer que
ce jour-là. Elle se comportait merveilleusement.

Vers onze heures, par une fraîche brise de nord-nord-
ouest, la Durande se trouvait au large des Minquiers,
donnant peu de vapeur, naviguant à l'ouest, tribord
amures et au plus près du vent. Le temps était toujours
clair et beau. Cependant les chalutiers rentraient.

Peu à peu, comme si chacun songeait à regagner le
port, la mer se nettoyait de navires.

On ne pouvait dire que la Durande tînt tout à fait sa
route accoutumée. L'équipage n'avait aucune préoccupation, la confiance dans le capitaine était absolue ; toutefois, peut-être par la faute du timonier, il y avait quelque déviation. La Durande paraissait plutôt aller vers
Jersey que vers Guernesey. Un peu après onze heures, le
capitaine rectifia la direction et l'on mit franchement le

cap sur Guernesey. Ce ne fut qu'un peu de temps perdu. Dans les jours courts le temps perdu a ses inconvénients. Il faisait un beau soleil de février.

Tangrouille, dans l'état où il était, n'avait plus le pied très sûr ni le bras très ferme. Il en résultait que le brave timonier embardait souvent, ce qui ralentissait la marche.

Le vent était à peu près tombé.

Le passager guernesiais, qui tenait à la main une longue-vue, la braquait de temps en temps sur un petit flocon de brume grisâtre lentement charrié par le vent à l'extrême horizon à l'ouest, et qui ressemblait à une ouate où il y aurait de la poussière.

Le capitaine Clubin avait son austère mine puritaine ordinaire. Il paraissait redoubler d'attention.

Tout était paisible et presque riant à bord de la Durande, les passagers causaient. En fermant les yeux dans une traversée, on peut juger de l'état de la mer par le trémolo des conversations. La pleine liberté d'esprit des passagers répond à la parfaite tranquillité de l'eau.

Il est impossible, par exemple, qu'une conversation telle que celle-ci ait lieu autrement que par une mer très calme :

— Monsieur, voyez donc cette jolie mouche verte et rouge.

— Elle s'est égarée en mer et se repose sur le navire.

— Une mouche se fatigue peu.

— Au fait, c'est si léger. Le vent la porte.

— Monsieur, on a pesé une once de mouches, puis on les a comptées, et l'on en a trouvé six mille deux cent soixante-huit.

Le Guernesiais à la longue-vue avait abordé les Malouins marchands de bœufs, et leur parlage était quelque chose en ce genre :

— Le bœuf d'Aubrac a le torse rond et trapu, les jambes courtes, le pelage fauve. Il est lent au travail, à cause de la brièveté des jambes.

— Sous ce rapport, le salers vaut mieux que l'aubrac.

— Monsieur, j'ai vu deux beaux bœufs dans ma vie. Le premier avait les jambes basses, l'avant épais, la culotte pleine, les hanches larges, une bonne longueur de la nuque à la croupe, une bonne hauteur au garrot, les maniements riches, la peau facile à détacher. Le second offrait tous les signes d'un engraissement judicieux. Torse ramassé, encolure forte, jambes légères, robe blanche et rouge, culotte retombante.

— Ça, c'est la race cotentine.

— Oui, mais ayant eu quelque rapport avec le taureau angus ou le taureau suffolk.

— Monsieur, vous me croirez si vous voulez, dans le midi il y a des concours d'ânes.

— D'ânes?

— D'ânes. Comme j'ai l'honneur. Et ce sont les laids qui sont les beaux.

— Alors c'est comme les mulassières. Ce sont les laides qui sont les bonnes.

— Justement. La jument poitevine. Gros ventre, grosses jambes.

— La meilleure mulassière connue, c'est une barrique sur quatre poteaux.

— La beauté des bêtes n'est pas la même que la beauté des hommes.

— Et surtout des femmes.

— C'est juste.

— Moi, je tiens à ce qu'une femme soit jolie.

— Moi, je tiens à ce qu'elle soit bien mise.

— Oui, nette, propre, tirée à quatre épingles, astiquée.

— L'air tout neuf. Une jeune fille, ça doit toujours sortir de chez le bijoutier.

— Je reviens à mes bœufs. J'ai vu vendre ces deux bœufs au marché de Thouars.

— Le marché de Thouars, je le connais. Les Bonneau de la Rochelle et les Babu, les marchands de blé de Marans, je ne sais pas si vous en avez entendu parler, devaient venir à ce marché-là.

Le touriste et le Parisien causaient avec l'Américain des bibles. La conversation, là aussi, était au beau fixe.

— Monsieur, disait le touriste, voici quel est le tonnage flottant du monde civilisé: France, sept cent seize mille tonneaux; Allemagne, un million; États-Unis, cinq

millions; Angleterre, cinq millions cinq cent mille.
Ajoutez le contingent des petits pavillons. Total : douze
millions neuf cent quatre mille tonneaux distribués dans
cent quarante-cinq mille navires épars sur l'eau du globe.

L'Américain interrompit :

— Monsieur, ce sont les États-Unis qui ont cinq millions cinq cent mille.

— J'y consens, dit le touriste. Vous êtes américain ?

— Oui, monsieur.

— J'y consens encore.

Il y eut un silence, l'Américain missionnaire se demanda si c'était le cas d'offrir une bible.

— Monsieur, repartit le touriste, est-il vrai que vous
ayez le goût des sobriquets en Amérique au point d'en
affubler tous vos gens célèbres, et que vous appeliez
votre fameux banquier missourien, Thomas Benton, *le
vieux Lingot* ?

— De même que nous nommons Zacharie Taylor *le
vieux Zach*.

— Et le général Harrison *le vieux Tip* ? n'est-ce pas ?
et le général Jackson *le vieil Hickory* [232] ?

— Parce que Jackson est dur comme le bois hickory,
et parce que Harrison a battu les Peaux-Rouges à Tippe-
canoe.

— C'est une mode byzantine que vous avez là.

— C'est notre mode. Nous appelons Van Buren *le
Petit-Sorcier*, Seward, qui a fait faire les petites coupures
des billets de banque, *Billy-le-Petit*, et Douglas, le sénateur démocrate de l'Illinois, qui a quatre pieds de haut et
une grande éloquence, *le Petit-Géant* [233]. Vous pouvez
aller du Texas au Maine, vous ne rencontrerez personne
qui dise ce nom : Cass, on dit : *le grand Michigantier* ; ni
ce nom : Clay, on dit : *le garçon de moulin à la balafre* [234]. Clay est fils d'un meunier.

— J'aimerais mieux dire Clay ou Cass, observa le
Parisien, c'est plus court.

— Vous manqueriez d'usage du monde. Nous nommons Corwin, qui est secrétaire de la trésorerie, *le garçon
de charrette*. Daniel Webster est *Dan-le-noir* [235]. Quant à
Winfield Scott, comme sa première pensée, après avoir

battu les Anglais à Chippeway [236], a été de se mettre à table, nous l'appelons *Vite-une-assiette-de-soupe*.

Le flocon de brume aperçu dans le lointain avait grandi. Il occupait maintenant sur l'horizon un segment d'environ quinze degrés. On eût dit un nuage se traînant sur l'eau faute de vent. Il n'y avait presque plus de brise. La mer était plate. Quoiqu'il ne fût pas midi, le soleil pâlissait. Il éclairait, mais ne chauffait plus.

— Je crois, dit le touriste, que le temps va changer.

— Nous aurons peut-être de la pluie, dit le Parisien.

— Ou du brouillard, reprit l'Américain.

— Monsieur, repartit le touriste, en Italie, c'est à Molfetta qu'il tombe le moins de pluie, et à Tolmezzo qu'il en tombe le plus.

A midi, selon l'usage de l'archipel, on sonna la cloche pour dîner. Dîna qui voulut. Quelques passagers portaient avec eux leur en-cas, et mangèrent gaiement sur le pont. Clubin ne dîna point.

Tout en mangeant, les conversations allaient leur train.

Le Guernesiais, ayant le flair des bibles, s'était rapproché de l'Américain. L'Américain lui dit :

— Vous connaissez cette mer-ci ?

— Sans doute, j'en suis.

— Et moi aussi, dit l'un des Malouins.

Le Guernesiais adhéra d'un salut, et reprit :

— A présent nous sommes au large, mais je n'aurais pas aimé avoir du brouillard quand nous étions devers les Minquiers.

L'Américain dit au Malouin :

— Les insulaires sont plus de la mer que les côtiers.

— C'est vrai, nous autres gens de la côte, nous n'avons que le demi-bain.

— Qu'est-ce que c'est que ça, les Minquiers ? continua l'Américain.

Le Malouin répondit :

— C'est des cailloux très mauvais.

— Il y a aussi les Grelets, fit le Guernesiais.

— Parbleu, répliqua le Malouin.

— Et les Chouas, ajouta le Guernesiais.

Le Malouin éclata de rire.

— A ce compte-là, dit-il, il y a aussi les Sauvages.

— Et les Moines, observa le Guernesiais.

— Et le Canard, s'écria le Malouin.

— Monsieur, repartit le Guernesiais poliment, vous avez réponse à tout.

— Malouin, malin.

Cette réponse faite, le Malouin cligna de l'œil.

Le touriste interposa une question.

— Est-ce que nous avons à traverser toute cette rocaille?

— Point. Nous l'avons laissée au sud-sud-est. Elle est derrière nous.

Et le Guernesiais poursuivit:

— Tant gros rochers que menus, les Grelets ont cinquante-sept pointes.

— Et les Minquiers quarante-huit, dit le Malouin.

Ici le dialogue se concentra entre le Malouin et le Guernesiais.

— Il me semble, monsieur de Saint-Malo, qu'il y a trois rochers que vous ne comptez pas.

— Je compte tout.

— De la Dérée au Maître-Ile?

— Oui.

— Et les Maisons?

— Qui sont sept rochers au milieu des Minquiers. Oui.

— Je vois que vous connaissez les pierres.

— Si on ne connaissait pas les pierres, on ne serait pas de Saint-Malo.

— Ça fait plaisir d'entendre les raisonnements des Français.

Le Malouin salua à son tour, et dit:

— Les Sauvages sont trois rochers.

— Et les Moines deux.

— Et le Canard un.

— Le Canard, ça dit un seul.

— Non, car la Suarde, c'est quatre rochers.

— Qu'appelez-vous la Suarde? demanda le Guernesiais.

— Nous appelons la Suarde ce que vous appelez les Chouas.

— Il ne fait pas bon passer entre les Chouas et le Canard.

— Ça n'est possible qu'aux oiseaux.

— Et aux poissons.

— Pas trop. Dans les gros temps, ils se cognent aux murs.

— Il y a du sable dans les Minquiers.

— Autour des Maisons.

— C'est huit rochers qu'on voit de Jersey.

— De la grève d'Azette, c'est juste. Pas huit, sept.

— A mer retirée, on peut se promener dans les Minquiers.

— Sans doute, il y a de la découverte.

— Et les Dirouilles?

— Les Dirouilles n'ont rien de commun avec les Minquiers.

— Je veux dire que c'est dangereux.

— C'est du côté de Granville.

— On voit que, comme nous, vous gens de Saint-Malo, vous avez amour de naviguer dans ces mers.

— Oui, répondit le Malouin, avec cette différence que nous disons : nous avons habitude, et que vous dites : nous avons amour.

— Vous êtes de bons marins.

— Je suis marchand de bœufs.

— Qui donc était de Saint-Malo, déjà?

— Surcouf.

— Un autre?

— Duguay-Trouin.

Ici le voyageur du commerce parisien intervint.

— Duguay-Trouin? il fut pris par les Anglais. Il était aussi aimable que brave. Il sut plaire à une jeune Anglaise. Ce fut elle qui brisa ses fers.

En ce moment une voix tonnante cria :

— Tu es ivre!

IV

OÙ SE DÉROULENT TOUTES LES QUALITÉS
DU CAPITAINE CLUBIN

Tous se retournèrent.

C'était le capitaine qui interpellait le timonier.

Sieur Clubin ne tutoyait personne. Pour qu'il jetât au timonier Tangrouille une telle apostrophe, il fallait que Clubin fût fort en colère, ou voulût fort le paraître.

Un éclat de colère à propos dégage la responsabilité, et quelquefois la transpose.

Le capitaine, debout sur le pont de commandement entre les deux tambours, regardait fixement le timonier. Il répéta entre ses dents : Ivrogne ! L'honnête Tangrouille baissa la tête.

Le brouillard s'était développé. Il occupait maintenant près de la moitié de l'horizon. Il avançait dans tous les sens à la fois ; il y a dans le brouillard quelque chose de la goutte d'huile. Cette brume s'élargissait insensiblement. Le vent la poussait sans hâte et sans bruit. Elle prenait peu à peu possession de l'océan. Elle venait du nord-ouest et le navire l'avait devant sa proue. C'était comme une vaste falaise mouvante et vague. Elle se coupait sur la mer comme une muraille. Il y avait un point précis où l'eau immense entrait sous le brouillard et disparaissait.

Ce point d'entrée dans le brouillard était encore à une demi-lieue environ. Si le vent changeait, on pouvait éviter l'immersion dans la brume ; mais il fallait qu'il changeât tout de suite. La demi-lieue d'intervalle se comblait et décroissait à vue d'œil ; la Durande marchait, le brouillard marchait aussi. Il venait au navire et le navire allait à lui.

Clubin commanda d'augmenter la vapeur et d'obliquer à l'est.

On côtoya ainsi quelque temps le brouillard, mais il avançait toujours. Le navire pourtant était encore en plein soleil.

Le temps se perdait dans ces manœuvres qui pouvaient difficilement réussir. La nuit vient vite en février.

Le Guernesiais considérait cette brume. Il dit aux Malouins :

— Que c'est un hardi brouillard.

— Une vraie malpropreté sur la mer, observa l'un des Malouins.

L'autre Malouin ajouta :

— Voilà qui gâte une traversée.

Le Guernesiais s'approcha de Clubin.

— Capitaine Clubin, j'ai peur que nous ne soyons gagnés par le brouillard.

Clubin répondit :

— Je voulais rester à Saint-Malo, mais on m'a conseillé de partir.

— Qui ça ?

— Des anciens.

— Au fait, reprit le Guernesiais, vous avez eu raison de partir. Qui sait s'il n'y aura pas tempête demain ? Dans cette saison, on peut attendre pour du pire.

Quelques minutes après, la Durande entrait dans le banc de brume.

Ce fut un instant singulier. Tout à coup ceux qui étaient à l'arrière ne virent plus ceux qui étaient à l'avant. Une molle cloison grise coupa en deux le bateau.

Puis le navire entier plongea sous la brume. Le soleil ne fut plus qu'une espèce de grosse lune. Brusquement, tout le monde grelotta. Les passagers endossèrent leurs pardessus et les matelots leurs suroîts. La mer, presque sans un pli, avait la froide menace de la tranquillité. Il semble qu'il y ait un sous-entendu dans cet excès de calme. Tout était blafard et blême. La cheminée noire et la fumée noire luttaient contre cette lividité qui enveloppait le navire.

La dérivation à l'est était sans but désormais. Le capitaine remit le cap sur Guernesey et augmenta la vapeur.

Le passager guernesiais, rôdant autour de la chambre à feu, entendit le nègre Imbrancam qui parlait au chauffeur son camarade. Le passager prêta l'oreille. Le nègre disait :

— Ce matin dans le soleil nous allions lentement ; à présent dans le brouillard nous allons vite.

Le Guernesiais revint vers sieur Clubin.

— Capitaine Clubin, il n'y a pas de soin ; pourtant ne donnons-nous pas trop de vapeur ?

— Que voulez-vous, monsieur ? Il faut bien regagner le temps perdu par la faute de cet ivrogne de timonier.

— C'est vrai, capitaine Clubin.

Et Clubin ajouta :

— Je me dépêche d'arriver. C'est assez du brouillard, ce serait trop de la nuit.

Le Guernesiais rejoignit les Malouins, et leur dit :

— Nous avons un excellent capitaine.

Par intervalles, de grandes lames de brume, qu'on eût dit cardées, survenaient pesamment et cachaient le soleil. Ensuite, il reparaissait, plus pâle et comme malade. Le peu qu'on entrevoyait du ciel ressemblait aux bandes d'air sales et tachées d'huile d'un vieux décor de théâtre.

La Durande passa à proximité d'un coutre qui avait jeté l'ancre par prudence. C'était le *Shealtiel* de Guernesey. Le patron du coutre remarqua la vitesse de la Durande. Il lui sembla aussi qu'elle n'était pas dans la route exacte. Elle lui parut trop appuyer à l'ouest. Ce navire à toute vapeur dans le brouillard l'étonna.

Vers deux heures, la brume était si épaisse que le capitaine dut quitter la passerelle et se rapprocher du timonier. Le soleil s'était évanoui, tout était brouillard. Il y avait sur la Durande une sorte d'obscurité blanche. On naviguait dans de la pâleur diffuse. On ne voyait plus le ciel et on ne voyait plus la mer.

Il n'y avait plus de vent.

Le bidon à térébenthine suspendu à un anneau sous la passerelle des tambours n'avait pas même une oscillation.

Les passagers étaient devenus silencieux.

Toutefois le Parisien, entre ses dents, fredonnait la

chanson de Béranger *Un jour le bon Dieu s'éveillant* [237].

Un des Malouins lui adressa la parole.

— Monsieur vient de Paris?

— Oui, monsieur. *Il mit la tête à la fenêtre.*

— Qu'est-ce qu'on fait à Paris?

— *Leur planète a péri peut-être.* — Monsieur, à Paris tout marche de travers.

— Alors c'est sur terre comme sur mer.

— C'est vrai que nous avons là un fichu brouillard.

— Et qui peut faire des malheurs.

Le Parisien s'écria:

— Mais pourquoi ça, des malheurs! à propos de quoi, des malheurs! à quoi ça sert-il, des malheurs! C'est comme l'incendie de l'Odéon. Voilà des familles sur la paille. Est-ce que c'est juste? Tenez, monsieur, je ne connais pas votre religion, mais moi je ne suis pas content.

— Ni moi, fit le Malouin.

— Tout ce qui se passe ici-bas, reprit le Parisien, fait l'effet d'une chose qui se détraque. J'ai dans l'idée que le bon Dieu n'y est pas.

Le Malouin se gratta le haut de la tête comme quelqu'un qui cherche à comprendre. Le Parisien continua:

— Le bon Dieu est absent. On devrait rendre un décret pour forcer Dieu à résidence. Il est à sa maison de campagne et ne s'occupe pas de nous. Aussi tout va de guingois. Il est évident, mon cher monsieur, que le bon Dieu n'est plus dans le gouvernement, qu'il est en vacances, et que c'est le vicaire, quelque ange séminariste, quelque crétin avec des ailes de moineau, qui mène les affaires.

Moineau fut articulé *moigneau,* prononciation de gamin faubourien.

Le capitaine Clubin, qui s'était approché des deux causeurs, posa sa main sur l'épaule du Parisien.

— Chut! dit-il. Monsieur, prenez garde à vos paroles. Nous sommes en mer.

Personne ne dit plus mot.

Au bout de cinq minutes, le Guernesiais, qui avait tout entendu, murmura à l'oreille du malouin:

— Et un capitaine religieux !

Il ne pleuvait pas, et l'on se sentait mouillé. On ne se rendait compte du chemin qu'on faisait que par une augmentation de malaise. Il semblait qu'on entrât dans de la tristesse. Le brouillard fait le silence sur l'océan ; il assoupit la vague et étouffe le vent. Dans ce silence, le râle de la Durande avait on ne sait quoi d'inquiet et de plaintif.

On ne rencontrait plus de navires. Si, au loin, soit du côté de Guernesey, soit du côté de Saint-Malo, quelques bâtiments étaient en mer hors du brouillard, pour eux la Durande, submergée dans la brume, n'était pas visible, et sa longue fumée, rattachée à rien, leur faisait l'effet d'une comète noire dans un ciel blanc.

Tout à coup Clubin cria :

— Faichien ! tu viens de donner un faux coup. Tu vas nous faire des avaries. Tu mériterais d'être mis aux fers. Va-t'en, ivrogne !

Et il prit la barre.

Le timonier humilié se réfugia dans les manœuvres de l'avant.

Le Guernesiais dit :

— Nous voilà sauvés.

La marche continua, rapide.

Vers trois heures le dessous de la brume commença à se soulever, et l'on revit de la mer.

— Je n'aime pas ça, dit le Guernesiais.

La brume en effet ne peut être soulevée que par le soleil ou par le vent. Par le soleil, c'est bon ; par le vent, c'est moins bon. Or il était trop tard pour le soleil. A trois heures, en février, le soleil faiblit. Une reprise de vent, à ce point critique de la journée, est peu désirable. C'est souvent une annonce d'ouragan.

Du reste, s'il y avait de la brise, on la sentait à peine.

Clubin, l'œil sur l'habitacle, tenant la barre et gouvernant, mâchait entre ses dents des paroles comme celles-ci qui arrivaient jusqu'aux passagers :

— Pas de temps à perdre. Cet ivrogne nous a retardés.

Son visage était d'ailleurs absolument sans expression.

La mer était moins dormante sous la brume. On y

entrevoyait quelques lames. Des lumières glacées flottaient à plat sur l'eau. Ces plaques de lueur sur la vague
préoccupent les marins. Elles indiquent des trouées faites
par le vent supérieur dans le plafond de brume. La brume
se soulevait, et retombait plus dense. Parfois l'opacité
était complète. Le navire était pris dans une vraie banquise de brouillard. Par intervalles ce cercle redoutable
s'entrouvrait comme une tenaille, laissait voir un peu
d'horizon, puis se refermait.

Le Guernesiais, armé de sa longue-vue, se tenait
comme une vedette à l'avant du bâtiment.

Une éclaircie se fit, puis s'effaça.

Le Guernesiais se retourna effaré :

— Capitaine Clubin !

— Qu'y a-t-il ?

— Nous gouvernons droit sur les Hanois.

— Vous vous trompez, dit Clubin froidement.

Le Guernesiais insista :

— J'en suis sûr.

— Impossible.

— Je viens d'apercevoir du caillou à l'horizon.

— Où ?

— Là.

— C'est le large. Impossible.

Et Clubin maintint le cap sur le point indiqué par le
passager.

Le Guernesiais ressaisit sa longue-vue.

Un moment après il accourut à l'arrière.

— Capitaine !

— Eh bien ?

— Virez de bord.

— Pourquoi ?

— Je suis sûr d'avoir vu de la roche très haute et tout
près. C'est le grand Hanois.

— Vous aurez vu du brouillard plus épais.

— C'est le grand Hanois. Virez de bord, au nom du
ciel !

Clubin donna un coup de barre.

V

CLUBIN MET LE COMBLE A L'ADMIRATION

On entendit un craquement. Le déchirement d'un flanc de navire sur un bas-fond en pleine mer est un des bruits les plus lugubres qu'on puisse rêver. La Durande s'arrêta court.

Du choc plusieurs passagers tombèrent et roulèrent sur le pont.

Le Guernesiais leva les mains au ciel.

— Sur les Hanois! quand je le disais!

Un long cri éclata sur le navire.

— Nous sommes perdus.

La voix de Clubin, sèche et brève, domina le cri.

— Personne n'est perdu! Et silence!

Le torse noir d'Imbrancam nu jusqu'à la ceinture sortit du carré de la chambre à feu.

Le nègre dit avec calme:

— Capitaine, l'eau entre. La machine va s'éteindre.

Le moment fut épouvantable.

Le choc avait ressemblé à un suicide. On l'eût fait exprès qu'il n'eût pas été plus terrible. La Durande s'était ruée comme si elle attaquait le rocher. Une pointe de roche était entrée dans le navire comme un clou. Plus d'une toise carrée de vaigres avait éclaté, l'étrave était rompue, l'élancement fracassé, l'avant effondré, la coque, ouverte, buvait la mer avec un bouillonnement horrible. C'était une plaie par où entrait le naufrage. Le contrecoup avait été si violent qu'il avait brisé à l'arrière les sauvegardes du gouvernail, descellé et battant. On était défoncé par l'écueil, et autour du navire on ne voyait rien que le brouillard épais et compacte, et maintenant presque noir. La nuit arrivait.

La Durande plongeait de l'avant. C'était le cheval qui a dans les entrailles le coup de corne du taureau. Elle était morte.

L'heure de la demi-remontée se faisait sentir sur la mer.

Tangrouille était dégrisé; personne n'est ivre dans un naufrage; il descendit dans l'entre-pont, remonta et dit:

— Capitaine, l'eau barrotte la cale. Dans dix minutes, l'eau sera au ras des dalots.

Les passagers couraient sur le pont éperdus, se tordant les bras, se penchant par-dessus le bord, regardant la machine, faisant tous les mouvements inutiles de la terreur. Le touriste s'était évanoui.

Clubin fit signe de la main, on se tut. Il interrogea Imbrancam:

— Combien de temps la machine peut-elle travailler encore?

— Cinq ou six minutes.

Puis il interrogea le passager guernesiais:

— J'étais à la barre. Vous avez observé le rocher. Sur quel banc des Hanois sommes-nous?

— Sur la Mauve. Tout à l'heure dans l'éclaircie, j'ai très bien reconnu la Mauve.

— Étant sur la Mauve, reprit Clubin, nous avons le grand Hanois à bâbord et le petit Hanois à tribord. Nous sommes à un mille de terre.

L'équipage et les passagers écoutaient, frémissants d'anxiété et d'attention, l'œil fixé sur le capitaine.

Alléger le navire était sans but, et d'ailleurs impossible. Pour vider la cargaison à la mer, il eût fallu ouvrir les sabords et augmenter les chances d'entrée de l'eau. Jeter l'ancre était inutile; on était cloué. D'ailleurs, sur ce fond à faire basculer l'ancre, la chaîne eût probablement surjouaillé. La machine n'étant pas endommagée et restant à la disposition du navire tant que le feu ne serait pas éteint, c'est-à-dire pour quelques minutes encore, on pouvait faire force de roues et de vapeur, reculer et s'arracher de l'écueil. En ce cas, on sombrait immédiatement. Le rocher, jusqu'à un certain point, bouchait l'avarie et gênait le passage de l'eau. Il faisait obstacle. L'ouverture désobstruée, il serait impossible d'aveugler la voie d'eau et de franchir les pompes. Qui retire le poignard d'une plaie au cœur, tue sur-le-champ le blessé. Se dégager du rocher, c'était couler à fond.

Les bœufs, atteints par l'eau dans la cale, commençaient à mugir.

Clubin commanda :

— La chaloupe à la mer.

Imbrancam et Tangrouille se précipitèrent et défirent les amarres. Le reste de l'équipage regardait, pétrifié.

— Tous à la manœuvre, cria Clubin.

Cette fois, tous obéirent.

Clubin, impassible, continua, dans cette vieille langue de commandement que ne comprendraient pas les marins d'à présent :

— Abraquez. — Faites une marguerite si le cabestan est entravé. — Assez de virage. — Amenez. — Ne laissez pas se joindre les poulies des francs-funains. — Affalez. — Amenez vivement des deux bouts. — Ensemble. — Garez qu'elle ne pique. — Il y a trop de frottement. — Touchez les garants de la caliorne. — Attention.

La chaloupe était en mer.

Au même instant, les roues de la Durande s'arrêtèrent, la fumée cessa, le fourneau était noyé.

Les passagers, glissant le long de l'échelle ou s'accrochant aux manœuvres courantes, se laissèrent tomber dans la chaloupe plus qu'ils n'y descendirent. Imbrancam enleva le touriste évanoui, le porta dans la chaloupe, puis remonta sur le navire.

Les matelots se ruaient à la suite des passagers. Le mousse avait roulé sous les pieds ; on marchait sur l'enfant.

Imbrancam barra le passage.

— Personne avant le moço, dit-il.

Il écarta de ses deux bras noirs les matelots, saisit le mousse, et le tendit au passager guernesiais qui, debout dans la chaloupe, reçut l'enfant.

Le mousse sauvé, Imbrancam se rangea et dit aux autres :

— Passez.

Cependant Clubin était allé à sa cabine et avait fait un paquet des papiers du bord et des instruments. Il ôta la boussole de l'habitacle. Il remit les papiers et les instruments à Imbrancam et la boussole à Tangrouille, et leur dit : Descendez dans la chaloupe.

Ils descendirent. L'équipage les avait précédés. La chaloupe était pleine. Le flot rasait le bord.

— Maintenant, cria Clubin, partez.

Un cri s'éleva de la chaloupe.

— Et vous, capitaine ?

— Je reste.

Des gens qui naufragent ont peu le temps de délibérer et encore moins le temps de s'attendrir. Cependant ceux qui étaient dans la chaloupe et relativement en sûreté, eurent une émotion qui n'était pas pour eux-mêmes. Toutes les voix insistèrent en même temps.

— Venez avec nous, capitaine.

— Je reste.

Le Guernesiais, qui était au fait de la mer, répliqua :

— Capitaine, écoutez. Vous êtes échoué sur les Hanois. A la nage on n'a qu'un mille à faire pour gagner Plainmont. Mais en barque on ne peut aborder qu'à la Rocquaine, et c'est deux milles. Il y a des brisants et du brouillard. Cette chaloupe n'arrivera pas à la Rocquaine avant deux heures d'ici. Il fera nuit noire. La marée monte, le vent fraîchit. Une bourrasque est proche. Nous ne demandons pas mieux que de revenir vous chercher, mais si le gros temps éclate, nous ne pourrons pas. Vous êtes perdu si vous demeurez. Venez avec nous.

Le Parisien intervint :

— La chaloupe est pleine et trop pleine, c'est vrai, et un homme de plus ce sera un homme de trop. Mais nous sommes treize, c'est mauvais pour la barque, et il vaut encore mieux la surcharger d'un homme que d'un chiffre. Venez, capitaine.

Tangrouille ajouta :

— Tout est de ma faute, et pas de la vôtre. Ce n'est pas juste que vous demeuriez.

— Je reste, dit Clubin. Le navire sera dépecé par la

tempête cette nuit. Je ne le quitterai pas. Quand le navire
est perdu, le capitaine est mort. On dira de moi : il a fait
son devoir jusqu'au bout. Tangrouille, je vous pardonne.

Et croisant les bras, il cria :

— Attention au commandement. Largue en bande
l'amarre. Partez.

La chaloupe s'ébranla. Imbrancam avait saisi le gouvernail. Toutes les mains qui ne ramaient pas s'élevèrent
vers le capitaine. Toutes les bouches crièrent : Hurrah
pour le capitaine Clubin !

— Voilà un admirable homme, dit l'Américain.

— Monsieur, répondit le Guernesiais, c'est le plus
honnête homme de toute la mer.

Tangrouille pleurait.

— Si j'avais eu du cœur, murmura-t-il à demi-voix, je
serais demeuré avec lui.

La chaloupe s'enfonça dans le brouillard et s'effaça.

On ne vit plus rien.

Le frappement des rames décrut et s'évanouit.

Clubin resta seul.

VI

UN INTÉRIEUR D'ABIME, ÉCLAIRÉ

Quand cet homme se vit sur ce rocher, sous ce nuage, au milieu de cette eau, loin de tout contact vivant, loin de tout bruit humain, laissé pour mort, seul entre la mer qui montait et la nuit qui venait, il eut une joie profonde.

Il avait réussi.

Il tenait son rêve. La lettre de change à longue échéance qu'il avait tirée sur la destinée, lui était payée.

Pour lui, être abandonné, c'était être délivré. Il était sur les Hanois, à un mille de la terre; il avait soixante-quinze mille francs. Jamais plus savant naufrage n'avait été accompli. Rien n'avait manqué; il est vrai que tout était prévu. Clubin, dès sa jeunesse, avait eu une idée : mettre l'honnêteté comme enjeu dans la roulette de la vie, passer pour homme probe et partir de là, attendre sa belle, laisser la martingale s'enfler, trouver le joint, deviner le moment; ne pas tâtonner, saisir; faire un coup et n'en faire qu'un, finir par une rafle, laisser derrière lui les imbéciles. Il entendait réussir en une fois ce que les escrocs bêtes manquent vingt fois de suite, et, tandis qu'ils aboutissent à la potence, aboutir, lui, à la fortune. Rantaine rencontré avait été son trait de lumière. Il avait immédiatement construit son plan. Faire rendre gorge à Rantaine; quant à ses révélations possibles, les frapper de nullité en disparaissant; passer pour mort, la meilleure des disparitions; pour cela perdre la Durande. Ce naufrage était nécessaire. Par-dessus le marché, s'en aller en laissant une bonne renommée, ce qui faisait de toute son existence un chef-d'œuvre. Qui eût vu Clubin dans ce naufrage eût cru voir un démon, heureux.

Il avait vécu toute sa vie pour cette minute-là.

Toute sa personne exprima ce mot : Enfin ! Une sérénité épouvantable blémit sur ce front obscur. Son œil terne et au fond duquel on croyait voir une cloison devint profond et terrible. L'embrasement intérieur de cette âme s'y réverbéra.

Le for intérieur a, comme la nature externe, sa tension électrique. Une idée est un météore ; à l'instant du succès, les méditations amoncelées qui l'ont préparé s'entrouvrent, et il en jaillit une étincelle ; avoir en soi la serre du mal et sentir une proie dedans, c'est un bonheur qui a son rayonnement ; une mauvaise pensée qui triomphe illumine un visage ; de certaines combinaisons réussies, de certains buts atteints, de certaines félicités féroces, font apparaître et disparaître dans les yeux des hommes de lugubres épanouissements lumineux. C'est de l'orage joyeux, c'est de l'aurore menaçante. Cela sort de la conscience, devenue ombre et nuée.

Il éclaira dans cette prunelle.

Cet éclair ne ressemblait à rien de ce qu'on peut voir luire là-haut ni ici-bas.

Le coquin comprimé qui était en Clubin fit explosion.

Clubin regarda l'obscurité immense, et ne put retenir un éclat de rire bas et sinistre.

Il était donc libre ! il était donc riche !

Son inconnue se dégageait enfin. Il résolvait son problème.

Clubin avait du temps devant lui. La marée montait, et par conséquent soutenait la Durande, qu'elle finirait même par soulever. Le navire adhérait solidement à l'écueil ; nul danger de sombrer. En outre, il fallait laisser à la chaloupe le temps de s'éloigner, de se perdre peut-être ; Clubin l'espérait.

Debout sur la Durande naufragée, il croisa les bras, savourant cet abandon dans les ténèbres.

L'hypocrisie avait pesé trente ans sur cet homme. Il était le mal et s'était accouplé à la probité. Il haïssait la vertu d'une haine de mal marié. Il avait toujours eu une préméditation scélérate ; depuis qu'il avait l'âge d'homme, il portait cette armure rigide, l'apparence. Il était monstre en dessous; il vivait dans une peau d'homme de bien avec un cœur de bandit. Il était le pirate doucereux. Il était le prisonnier de l'honnêteté; il était enfermé dans cette boîte de momie, l'innocence; il avait sur le dos des ailes d'ange, écrasantes pour un gredin. Il était surchargé d'estime publique. Passer pour honnête homme, c'est dur. Maintenir toujours cela en équilibre, penser mal et parler bien, quel labeur! Il avait été le fantôme de la droiture, étant le spectre du crime. Ce contresens avait été sa destinée. Il lui avait fallu faire bonne contenance, rester présentable, écumer au-dessous du niveau, sourire ses grincements de dents. La vertu pour lui, c'était la chose qui étouffe. Il avait passé sa vie à avoir envie de mordre cette main sur sa bouche.

Et, voulant la mordre, il avait dû la baiser.

Avoir menti, c'est avoir souffert. Un hypocrite est un patient dans la double acception du mot; il calcule un triomphe et endure un supplice. La préméditation indéfinie d'un mauvais coup accompagnée et dosée d'austérité, l'infamie intérieure assaisonnée d'excellente renommée, donner continuellement le change, n'être jamais soi, faire illusion, c'est une fatigue. Avec tout ce noir qu'on broie en son cerveau composer de la candeur, vouloir dévorer ceux qui vous vénèrent, être caressant, se retenir, se réprimer, toujours être sur le qui-vive, se guetter sans cesse, donner bonne mine à son crime latent, faire sortir sa difformité en beauté, se fabriquer une perfection avec sa méchanceté, chatouiller du poignard, sucrer le poison, veiller sur la rondeur de son geste et sur la musique de sa voix, ne pas avoir son regard, rien n'est plus difficile, rien n'est plus douloureux. L'odieux de l'hypocrisie commence obscurément dans l'hypocrite. Boire perpétuellement son imposture est une nausée. La douceur que la ruse donne à la scélératesse répugne au scélérat, continuellement forcé d'avoir ce mélange dans la bouche, et il y a des instants de haut-le-cœur où l'hypocrite est sur le point de vomir sa pensée. Ravaler cette salive est horrible. Ajoutez à cela le profond orgueil. Il existe des minutes bizarres où l'hypocrite s'estime. Il y a un moi démesuré dans le fourbe. Le ver a le même glissement que le dragon et le même redressement. Le traître n'est autre chose qu'un despote gêné qui ne peut faire sa volonté qu'en se résignant au deuxième rôle. C'est de la petitesse capable d'énormité. L'hypocrite est un titan, nain.

Clubin se figurait de bonne foi qu'il avait été opprimé. De quel droit n'était-il pas né riche? Il n'aurait pas mieux demandé que d'avoir de ses père et mère cent mille livres de rente. Pourquoi ne les avait-il pas? Ce n'était pas sa faute, à lui. Pourquoi, en ne lui donnant pas toutes les jouissances de la vie, le forçait-on à travailler, c'est-à-dire à tromper, à trahir, à détruire? Pourquoi, de cette façon, l'avait-on condamné à cette torture de flatter, de ramper, de complaire, de se faire aimer et respecter, et d'avoir jour et nuit sur la face un autre visage que le sien? Dissimuler est une violence subie. On hait devant qui l'on ment. Enfin l'heure avait sonné. Clubin se vengeait.

De qui? De tous, et de tout.

Lethierry ne lui avait fait que du bien; grief de plus; il se vengeait de Lethierry.

Il se vengeait de tous ceux devant lesquels il s'était contraint. Il prenait sa revanche. Quiconque avait pensé du bien de lui était son ennemi. Il avait été le captif de cet homme-là.

Clubin était en liberté. Sa sortie était faite. Il était hors des hommes. Ce qu'on prendrait pour sa mort, était sa vie; il allait commencer. Le vrai Clubin dépouillait le faux. D'un coup il avait tout dissous. Il avait poussé du pied Rantaine dans l'espace, Lethierry dans la ruine, la justice humaine dans la nuit, l'opinion dans l'erreur, l'humanité entière hors de lui, Clubin. Il venait d'éliminer le monde.

Quant à Dieu, ce mot de quatre lettres l'occupait peu.

Il avait passé pour religieux. Eh bien, après?

Il y a des cavernes dans l'hypocrite, ou pour mieux dire, l'hypocrite entier est une caverne.

Quand Clubin se trouva seul, son antre s'ouvrit. Il eut un instant de délices; il aéra son âme.

Il respira son crime à pleine poitrine.

Le fond du mal devint visible sur ce visage. Clubin

s'épanouit. En ce moment, le regard de Rantaine à côté du sien eût semblé le regard d'un enfant nouveau-né.

L'arrachement du masque, quelle délivrance ! Sa conscience jouit de se voir hideusement nue et de prendre librement un bain ignoble dans le mal. La contrainte d'un long respect humain finit par inspirer un goût forcené pour l'impudeur. On en arrive à une certaine lasciveté dans la scélératesse. Il existe dans ces effrayantes profondeurs morales si peu sondées on ne sait quel étalage atroce et agréable qui est l'obscénité du crime. La fadeur de la fausse bonne renommée met en appétit de honte. On dédaigne tant les hommes qu'on voudrait en être méprisé. Il y a de l'ennui à être estimé. On admire les coudées franches de la dégradation. On regarde avec convoitise la turpitude, si à l'aise dans l'ignominie. Les yeux baissés de force ont souvent de ces échappées obliques. Rien n'est plus près de Messaline que Marie Alacoque [238]. Voyez la Cadière et la religieuse de Louviers [239]. Clubin, lui aussi, avait vécu sous le voile. L'effronterie avait toujours été son ambition. Il enviait la fille publique et le front de bronze de l'opprobre accepté ; il se sentait plus fille publique qu'elle, et avait le dégoût de passer pour vierge. Il avait été le Tantale du cynisme. Enfin, sur ce rocher, dans cette solitude, il pouvait être franc ; il l'était. Se sentir sincèrement abominable, quelle volupté ! Toutes les extases possibles à l'enfer, Clubin les eut dans cette minute ; les arrérages de la dissimulation lui furent soldés ; l'hypocrisie est une avance ; Satan le remboursa. Clubin se donna l'ivresse d'être effronté, les hommes ayant disparu, et n'ayant plus là que le ciel. Il se dit : Je suis un gueux ! et fut content.

Jamais rien de pareil ne s'était passé dans une conscience humaine.

L'éruption d'un hypocrite, nulle ouverture de cratère n'est comparable à cela.

Il était charmé qu'il n'y eût là personne, et il n'eût pas été fâché qu'il y eût quelqu'un. Il eût aimé être effroyable devant témoin.

Il eût été heureux de dire en face au genre humain : Tu es idiot !

L'absence des hommes assurait son triomphe, mais le diminuait.

Il n'avait que lui pour spectateur de sa gloire.

Être au carcan a son charme. Tout le monde voit que vous êtes infâme.

Forcer la foule à vous examiner, c'est faire acte de puissance. Un galérien debout sur un tréteau dans le carrefour avec le collier de fer au cou est le despote de tous les regards qu'il contraint de se tourner vers lui. Dans cet échafaud il y a du piédestal. Être un centre de convergence pour l'attention universelle, quel plus beau triomphe ? Obliger au regard la prunelle publique, c'est une des formes de la suprématie. Pour ceux dont le mal est l'idéal, l'opprobre est une auréole. On domine de là. On est en haut de quelque chose. On s'y étale souverainement. Un poteau que l'univers voit n'est pas sans quelque analogie avec un trône.

Être exposé, c'est être contemplé.

Un mauvais règne a évidemment des joies de pilori. Néron incendiant Rome, Louis XIV prenant en traître le Palatinat, le régent George tuant lentement Napoléon, Nicolas assassinant la Pologne à la face de la civilisation [240], devaient éprouver quelque chose de la volupté que rêvait Clubin. L'immensité du mépris fait au méprisé l'effet d'une grandeur.

Être démasqué est un échec, mais se démasquer est une victoire. C'est de l'ivresse, c'est de l'imprudence insolente et satisfaite, c'est une nudité éperdue qui insulte tout devant elle. Suprême bonheur.

Ces idées dans un hypocrite semblent une contradiction, et n'en sont pas une. Toute l'infamie est conséquente. Le miel est fiel. Escobar confine au marquis de Sade. Preuve : Léotade [241]. L'hypocrite, étant le méchant complet, a en lui les deux pôles de la perversité. Il est d'un côté prêtre, et de l'autre courtisane. Son sexe de démon est double. L'hypocrite est l'épouvantable hermaphrodite du mal. Il se féconde seul. Il s'engendre et se transforme lui-même. Le voulez-vous charmant, regardez-le ; le voulez-vous horrible, retournez-le.

Clubin avait en lui toute cette ombre d'idées confuses. Il les percevait peu, mais il en jouissait beaucoup.

Un passage de flammèches de l'enfer qu'on verrait dans la nuit, c'était la succession des pensées de cette âme.

Clubin resta ainsi quelque temps rêveur; il regardait son honnêteté de l'air dont le serpent regarde sa vieille peau.

Tout le monde avait cru à cette honnêteté, même un peu lui.

Il eut un second éclat de rire.

On l'allait croire mort, et il était riche. On l'allait croire perdu, et il était sauvé. Quel bon tour joué à la bêtise universelle!

Et dans cette bêtise universelle il y avait Rantaine. Clubin songeait à Rantaine avec un dédain sans bornes. Dédain de la fouine pour le tigre. Cette fugue, manquée par Rantaine, il la réussissait, lui Clubin. Rantaine s'en allait penaud, et Clubin disparaissait triomphant. Il s'était substitué à Rantaine dans le lit de sa mauvaise action, et c'était lui Clubin qui avait la bonne fortune.

Quant à l'avenir, il n'avait pas de plan bien arrêté. Il avait dans la boîte de fer enfermée dans sa ceinture ses trois bank-notes; cette certitude lui suffisait. Il changerait de nom. Il y a des pays où soixante mille francs en valent six cent mille. Ce ne serait pas une mauvaise solution que d'aller dans un de ces coins-là vivre honnêtement avec l'argent repris à ce voleur de Rantaine. Spéculer, entrer dans le grand négoce, grossir son capital, devenir sérieusement millionnaire, cela non plus ne serait point mal.

Par exemple, à Costa-Rica, comme c'était le commencement du grand commerce du café, il y avait des tonnes d'or à gagner. On verrait.

Peu importait d'ailleurs. Il avait le temps d'y songer. Pour le moment, le difficile était fait. Dépouiller Rantaine, disparaître avec la Durande, c'était la grosse affaire. Elle était accomplie. Le reste était simple. Nul obstacle possible désormais. Rien à craindre. Rien ne pouvait survenir. Il allait atteindre la côte à la nage, à la nuit il aborderait à Plainmont, il escaladerait la falaise, il irait droit à la maison visionnée, il y entrerait sans peine

au moyen de sa corde à nœuds cachée d'avance dans un
trou de rocher, il trouverait dans la maison visionnée son
sac-valise contenant des vêtements secs et des vivres, là il
pourrait attendre, il était renseigné, huit jours ne se pas-
seraient pas sans que des contrebandiers d'Espagne,
Blasquito probablement, touchassent à Plainmont, pour
quelques guinées il se ferait transporter, non à Tor-Bay,
comme il l'avait dit à Blasco pour dérouter les conjectures et donner le change, mais à Pasages ou à Bilbao. De là
il gagnerait la Vera-Cruz ou La Nouvelle-Orléans. Du
reste, le moment était venu de se jeter à la mer, la
chaloupe était loin, une heure de nage n'était rien pour
Clubin, un mille seulement le séparait de la terre,
puisqu'il était sur les Hanois.

   A ce point de la rêverie de Clubin, une déchirure se fit
dans le brouillard. Le formidable rocher Douvres apparut.

VII

L'INATTENDU INTERVIENT

Clubin, hagard, regarda.

C'était bien l'épouvantable écueil isolé.

Impossible de se méprendre sur cette silhouette difforme. Les deux Douvres jumelles se dressaient, hideusement, laissant voir entre elles, comme un piège, leur défilé. On eût dit le coupe-gorge de l'océan.

Elles étaient tout près. Le brouillard les avait cachées, comme un complice.

Clubin, dans le brouillard, avait fait fausse route. Malgré toute son attention, il lui était arrivé ce qui arriva à deux grands navigateurs, à Gonzalez qui découvrit le cap Blanc, et à Fernandez qui découvrir le cap Vert [242]. La brume l'avait égaré. Elle lui avait paru excellente pour l'exécution de son projet, mais elle avait ses périls. Clubin avait dévié à l'ouest et s'était trompé. Le passager guernesiais, en croyant reconnaître les Hanois, avait déterminé le coup de barre final. Clubin avait cru se jeter sur les Hanois.

La Durande, crevée par un des bas-fonds de l'écueil, n'était séparée des deux Douvres que de quelques encâblures.

A deux cents brasses plus loin, on apercevait un massif cube de granit. On distinguait sur les pans escarpés de cette roche quelques stries et quelques reliefs pour l'escalade. Les coins rectilignes de ces rudes murailles à angle droit faisaient pressentir au sommet un plateau.

C'était l'Homme.

La roche l'Homme s'élevait plus haut encore que les roches Douvres. Sa plate-forme dominait leur double pointe inaccessible. Cette plate-forme, croulant par les bords, avait un entablement, et on ne sait quelle régularité sculpturale. On ne pouvait rien imaginer de plus désolé et de plus funeste. Les lames du large venaient plisser leurs nappes tranquilles aux faces carrées de cet énorme tronçon noir, sorte de piédestal pour les spectres immenses de la mer et de la nuit.

Tout cet ensemble était stagnant. A peine un souffle dans l'air, à peine une ride sur la vague. On devinait sous cette surface muette de l'eau la vaste vie noyée des profondeurs.

Clubin avait souvent vu l'écueil Douvres de loin.

Il se convainquit que c'était bien là qu'il était.

Il ne pouvait douter.

Changement brusque et hideux. Les Douvres au lieu des Hanois. Au lieu d'un mille, cinq lieues de mer. Cinq lieues de mer! l'impossible. La roche Douvres, pour le naufragé solitaire, c'est la présence, visible et palpable, du dernier moment. Défense d'atteindre la terre.

Clubin frissonna. Il s'était mis lui-même dans la gueule de l'ombre. Pas d'autre refuge que le rocher l'Homme. Il était probable que la tempête surviendrait dans la nuit, et que la chaloupe de la Durande, surchargée, chavirerait. Aucun avis du naufrage n'arriverait à terre. On ne saurait même pas que Clubin avait été laissé sur l'écueil Douvres. Pas d'autre perspective que la mort de froid et de faim. Ses soixante-quinze mille francs ne lui donneraient pas une bouchée de pain. Tout ce qu'il avait échafaudé aboutissait à cette embûche. Il était l'architecte laborieux de sa catastrophe. Nulle ressource. Nul salut possible. Le triomphe se faisait précipice. Au lieu de la délivrance, la capture. Au lieu du long avenir prospère, l'agonie. En un clin d'œil, le temps qu'un éclair passe, toute sa construction avait croulé. Le paradis rêvé par ce démon avait repris sa vraie figure, le sépulcre.

Cependant le vent s'était élevé. Le brouillard, secoué, troué, arraché, s'en allait pêle-mêle sur l'horizon en grands morceaux informes. Toute la mer reparut.

Les bœufs, de plus en plus envahis par l'eau, continuaient de beugler dans la cale.

La nuit approchait; probablement la tempête.

La Durande, peu à peu renflouée par la mer montante, oscillait de droite à gauche, puis de gauche à droite, et commençait à tourner sur l'écueil comme sur un pivot.

On pouvait pressentir le moment où une lame l'arracherait et la roulerait à vau-l'eau.

Il y avait moins d'obscurité qu'au moment du naufrage. Quoique l'heure fût plus avancée, on voyait plus clair. Le brouillard, en s'en allant, avait emporté une partie de l'ombre. L'ouest était dégagé de toute nuée. Le crépuscule a un grand ciel blanc. Cette vaste lueur éclairait la mer.

La Durande était échouée en plan incliné de la poupe à la proue. Clubin monta sur l'arrière du navire qui était presque hors de l'eau. Il attacha sur l'horizon son œil fixe.

Le propre de l'hypocrisie, c'est d'être âpre à l'espérance. L'hypocrite est celui qui attend. L'hypocrisie n'est autre chose qu'une espérance horrible; et le fond de ce mensonge-là est fait avec cette vertu, devenue vice.

Chose étrange à dire, il y a de la confiance dans l'hypocrisie. L'hypocrite se confie à on ne sait quoi d'indifférent dans l'inconnu, qui permet le mal.

Clubin regardait l'étendue.

La situation était désespérée, cette âme sinistre ne l'était point.

Il se disait qu'après ce long brouillard les navires restés sous la brume en panne ou à l'ancre allaient reprendre leur course, et que peut-être il en passerait quelqu'un à l'horizon.

Et, en effet, une voile surgit.

Elle venait de l'est et allait à l'ouest.

En approchant, la complication du navire se dessina. Il n'avait qu'un mât, et il était gréé en goélette. Le beaupré était presque horizontal. C'était un coutre.

Avant une demi-heure, il côtoierait d'assez près l'écueil Douvres.

Clubin se dit : Je suis sauvé.

Dans une minute comme celle où il était, on ne pense d'abord qu'à la vie.

Ce coutre était peut-être étranger. Qui sait si ce n'était pas un des navires contrebandiers allant à Plainmont? Qui sait si ce n'était pas Blasquito lui-même? En ce cas, non seulement la vie serait sauve, mais la fortune; et la rencontre de l'écueil Douvres, en hâtant la conclusion, en supprimant l'attente dans la maison visionnée, en dénouant en pleine mer l'aventure, aurait été un incident heureux.

Toute la certitude de la réussite rentra frénétiquement dans ce sombre esprit.

C'est une chose étrange que la facilité avec laquelle les coquins croient que le succès leur est dû.

Il n'y avait qu'une chose à faire.

La Durande, engagée dans les rochers, mêlait sa silhouette à la leur, se confondait avec leur dentelure où elle n'était qu'un linéament de plus, y était indistincte et perdue, et ne suffirait pas, dans le peu de jour qui restait, pour attirer l'attention du navire qui allait passer.

Mais une figure humaine se dessinant en noir sur la blancheur crépusculaire, debout sur le plateau du rocher l'Homme et faisant des signaux de détresse, serait sans nul doute aperçue. On enverrait une embarcation pour recueillir le naufragé.

Le rocher l'Homme n'était qu'à deux cents brasses. L'atteindre à la nage était simple, l'escalader était facile.

Il n'y avait pas une minute à perdre.

L'avant de la Durande étant dans la roche, c'était du haut de l'arrière, et du point même où était Clubin, qu'il fallait se jeter à la nage.

Il commença par mouiller une sonde et reconnut qu'il y avait sous l'arrière beaucoup de fond. Les coquillages microscopiques de foraminifères et de polycystinées [243] que le suif rapporta étaient intacts, ce qui indiquait qu'il y avait là de très creuses caves de roche où l'eau, quelle que fût l'agitation de la surface, était toujours tranquille.

Il se déshabilla, laissant ses vêtements sur le pont. Des vêtements, il en trouverait sur le coutre.

Il ne garda que la ceinture de cuir.

Quand il fut nu, il porta la main à cette ceinture, la reboucla, y palpa la boîte de fer, étudia rapidement du regard la direction qu'il aurait à suivre à travers les brisants et les vagues pour gagner le rocher l'Homme, puis, se précipitant la tête la première, il plongea.

Comme il tombait de haut, il plongea profondément.

Il entra très avant sous l'eau, atteignit le fond, le toucha, côtoya un moment les roches sous-marines, puis donna une secousse pour remonter à la surface.

En ce moment, il se sentit saisir par le pied.

LIVRE SEPTIÈME

IMPRUDENCE DE FAIRE DES QUESTIONS
A UN LIVRE

I

LA PERLE AU FOND DU PRÉCIPICE

Quelques minutes après son court colloque avec sieur Landoys, Gilliatt était à Saint-Sampson.

Gilliatt était inquiet jusqu'à l'anxiété. Qu'était-il donc arrivé ?

Saint-Sampson avait une rumeur de ruche effarouchée. Tout le monde était sur les portes. Les femmes s'exclamaient. Il y avait des gens qui semblaient raconter quelque chose et qui gesticulaient : on faisait groupe autour d'eux. On entendait ce mot : quel malheur ! Plusieurs visages souriaient.

Gilliatt n'interrogea personne. Il n'était pas dans sa nature de faire des questions. D'ailleurs, il était trop ému pour parler à des indifférents. Il se défiait des récits, il aimait mieux tout savoir d'un coup ; il alla droit aux Bravées.

Son inquiétude était telle qu'il n'eut même pas peur d'entrer dans cette maison.

D'ailleurs la porte de la salle basse sur le quai était toute grande ouverte. Il y avait sur le seuil un fourmillement d'hommes et de femmes. Tout le monde entrait, il entra.

En entrant, il trouva contre le chambranle de la porte sieur Landoys qui lui dit à demi-voix :

— Vous savez sans doute à présent l'événement ?

— Non.

— Je n'ai pas voulu vous crier ça dans la route. On a l'air d'un oiseau de malheur.

— Qu'est-ce ?

— La Durande est perdue.

Il y avait foule dans la salle.

Les groupes parlaient bas, comme dans la chambre d'un malade.

Les assistants, qui étaient les voisins, les passants, les curieux, les premiers venus, se tenaient entassés près de la porte avec une sorte de crainte, et laissaient vide le fond de la salle où l'on voyait, à côté de Déruchette en larmes, assise, mess Lethierry, debout.

Il était adossé à la cloison du fond. Son bonnet de matelot tombait sur ses sourcils. Une mèche de cheveux gris pendait sur sa joue. Il ne disait rien. Ses bras n'avaient pas de mouvement, sa bouche semblait n'avoir plus de souffle. Il avait l'air d'une chose posée contre le mur.

On sentait, en le voyant, l'homme au-dedans duquel la vie vient de s'écrouler. Durande n'étant plus, Lethierry n'avait plus de raison d'être. Il avait une âme en mer, cette âme venait de sombrer. Que devenir maintenant? Se lever tous les matins, se coucher tous les soirs. Ne plus attendre Durande, ne plus la voir partir, ne plus la voir revenir. Qu'est-ce qu'un reste d'existence sans but? Boire, manger, et puis? Cet homme avait couronné tous ses travaux par un chef-d'œuvre, et tous ses dévouements par un progrès. Le progrès était aboli, le chef-d'œuvre était mort. Vivre encore quelques années vides, à quoi bon? Rien à faire désormais. A cet âge on ne recommence pas; en outre, il était ruiné. Pauvre vieux bonhomme!

Déruchette, pleurante près de lui sur une chaise, tenait dans ses deux mains un des poings de mess Lethierry. Les mains étaient jointes, le poing était crispé. La nuance des deux accablements était là. Dans les mains jointes, quelque chose espère encore; dans le poing crispé, rien.

Mess Lethierry lui abandonnait son bras et la laissait faire. Il était passif. Il n'avait plus que la quantité de vie qu'on peut avoir après le coup de foudre.

Il y a certaines arrivées au fond de l'abîme qui vous retirent du milieu des vivants. Les gens qui vont et viennent dans votre chambre sont confus et indistincts; ils vous coudoient sans parvenir jusqu'à vous. Vous leur êtes inabordable et ils vous sont inaccessibles. Le bonheur et le désespoir ne sont pas les mêmes milieux respirables; désespéré, on assiste à la vie des autres de très loin; on ignore presque leur présence; on perd le sentiment de sa propre existence; on a beau être en chair et en os, on ne se sent plus réel; on n'est plus pour soi-même qu'un songe.

Mess Lethierry avait le regard de cette situation-là.

Les groupes chuchotaient. On échangeait ce qu'on savait. Voici quelles étaient les nouvelles:

La Durande s'était perdue la veille sur le rocher Douvres, par le brouillard, une heure environ avant le coucher du soleil. A l'exception du capitaine, qui n'avait pas voulu quitter son navire, les gens s'étaient sauvés dans la chaloupe. Une bourrasque de sud-ouest, survenue après le brouillard, avait failli les faire naufrager une seconde fois, et les avait poussés au large au-delà de Guernesey. Dans la nuit ils avaient eu ce bon hasard de rencontrer le *Cashmere*, qui les avait recueillis et amenés à Saint-Pierre-Port. Tout était de la faute du timonier Tangrouille, qui était en prison. Clubin avait été magnanime.

Les pilotes, qui abondaient dans les groupes, prononçaient ce mot, *l'écueil Douvres*, d'une façon particulière. — Mauvaise auberge! disait l'un d'eux.

On remarquait sur la table une boussole et une liasse de registres et de carnets; c'étaient sans doute la boussole de la Durande et les papiers de bord remis par Clubin à Imbrancam et à Tangrouille au moment du départ de la chaloupe; magnifique abnégation de cet homme sauvant jusqu'à des paperasses à l'instant où il se laisse mourir; petit détail plein de grandeur; oubli sublime de soi-même.

On était unanime pour admirer Clubin, et, du reste, unanime aussi pour le croire, après tout, sauvé. Le coutre *Shealtiel* était arrivé quelques heures après le *Cashmere*; c'était ce coutre qui apportait les derniers renseignements. Il venait de passer vingt-quatre heures dans les mêmes eaux que la Durande. Il y avait patienté pendant le brouillard et louvoyé pendant la tempête. Le patron du *Shealtiel* était présent parmi les assistants.

A l'instant où Gilliatt était entré, ce patron venait de

faire son récit à mess Lethierry. Ce récit était un vrai rapport. Vers le matin, la bourrasque étant finie et le vent devenant maniable, le patron du *Shealtiel* avait entendu des beuglements en pleine mer. Ce bruit de prairies au milieu des vagues l'avait surpris ; il s'était dirigé de ce côté. Il avait aperçu la Durande dans les rochers Douvres. L'accalmie était suffisante pour qu'il pût approcher. Il avait hélé l'épave. Le mugissement des bœufs qui se noyaient dans la cale avait seul répondu. Le patron du *Shealtiel* était certain qu'il n'y avait personne à bord de la Durande. L'épave était parfaitement tenable ; et, si violente qu'eût été la bourrasque, Clubin eût pu y passer la nuit. Il n'était pas homme à lâcher prise aisément. Il n'y était point, donc il était sauvé. Plusieurs sloops et plusieurs lougres, de Granville et de Saint-Malo, se dégageant du brouillard, avaient dû, la veille au soir, ceci était hors de doute, côtoyer d'assez près l'écueil Douvres. Un d'eux avait évidemment recueilli le capitaine Clubin. Il faut se souvenir que la chaloupe de la Durande était pleine en quittant le navire échoué, qu'elle allait courir beaucoup de risques, qu'un homme de plus était une surcharge et pouvait la faire sombrer, et que c'était là surtout ce qui avait dû déterminer Clubin à rester sur l'épave ; mais une fois son devoir rempli, un navire sauveteur se présentant, Clubin n'avait, à coup sûr, fait nulle difficulté d'en profiter. On est un héros, mais on n'est pas un niais. Un suicide eût été d'autant plus absurde, que Clubin était irréprochable. Le coupable c'était Tangrouille, et non Clubin. Tout ceci était concluant ; le patron du *Shealtiel* avait visiblement raison, et tout le monde s'attendait à voir Clubin reparaître d'un moment à l'autre. On préméditait de le porter en triomphe.

Deux certitudes ressortaient du récit du patron, Clubin sauvé et la Durande perdue.

Quant à la Durande, il fallait en prendre son parti, la catastrophe était irrémédiable. Le patron du *Shealtiel* avait assisté à la dernière phase du naufrage. Le rocher fort aigu où la Durande était en quelque sorte clouée avait tenu bon toute la nuit, et avait résisté au choc de la tempête comme s'il voulait garder l'épave pour lui ; mais au matin, à l'instant où le *Shealtiel*, constatant qu'il n'y avait personne à sauver, allait s'éloigner de la Durande, il était survenu un de ces paquets de mer qui sont comme les derniers coups de colère des tempêtes. Ce flot avait furieusement soulevé la Durande, l'avait arrachée du brisant, et, avec la vitesse et la rectitude d'une flèche lancée, l'avait jetée entre les deux roches Douvres. On avait entendu un craquement «diabolique», disait le patron. La Durande, portée par la lame à une certaine hauteur, s'était engagée dans l'entre-deux des roches jusqu'au maître-couple. Elle était de nouveau clouée, mais plus solidement que sur le brisant sous-marin. Elle allait rester là déplorablement suspendue, livrée à tout le vent et à toute la mer.

La Durande, au dire de l'équipage du *Shealtiel*, était déjà aux trois quarts fracassée. Elle eût évidemment coulé dans la nuit si l'écueil ne l'eût retenue et soutenue. Le patron du *Shealtiel* avec sa lunette avait étudié l'épave. Il donnait avec la précision marine le détail du désastre; la hanche de tribord était défoncée, les mâts tronqués, la voilure déralinguée, les chaînes des haubans presque toutes coupées, la claire-voie du capot-de-chambre écrasée par la chute d'une vergue, les jambettes brisées au ras du plat bord depuis le travers du grand mât jusqu'au couronnement, le dôme de la cambuse effondré, les chantiers de la chaloupe culbutés, le rouffle démonté, l'arbre du gouvernail rompu, les drosses déclouées, les pavois rasés, les bittes emportées, le traversin détruit, la lisse enlevée, l'étambot cassé. C'était toute la dévastation frénétique de la tempête. Quant à la grue de chargement scellée au mât sur l'avant, plus rien, aucune nouvelle, nettoyage complet, partie à tous les diables, avec sa guinderesse, ses moufles, sa poulie de fer et ses chaînes. La Durande était disloquée; l'eau allait maintenant se mettre à la déchiqueter. Dans quelques jours il n'en resterait plus rien.

Pourtant la machine, chose remarquable et qui prouvait son excellence, était à peine atteinte dans ce ravage. Le patron du *Shealtiel* croyait pouvoir affirmer que « la manivelle » n'avait point d'avarie grave. Les mâts du navire

avaient cédé, mais la cheminée de la machine avait résisté. Les gardes de fer de la passerelle de commandement étaient seulement tordues; les tambours avaient
souffert, les cages étaient froissées; mais les roues ne
paraissaient pas avoir une palette de moins. La machine
était intacte. C'était la conviction du patron du *Shealtiel*.
Le chauffeur Imbrancam, qui était mêlé aux groupes,
partageait cette conviction. Ce nègre, plus intelligent que
beaucoup de Blancs, était l'admirateur de la machine. Il
levait les bras en ouvrant les dix doigts de ses mains
noires et disait à Lethierry muet : Mon maître, la mécanique est en vie.

Le salut de Clubin semblant assuré, et la coque de la
Durande étant sacrifiée, la machine, dans les conversations des groupes, était la question. On s'y intéressait
comme à une personne. On s'émerveillait de sa bonne
conduite. — Voilà une solide commère, disait un matelot
français. — C'est de quoi bon! s'écriait un pêcheur
guernesiais. — Il faut qu'elle ait eu de la malice, reprenait le patron du *Shealtiel*, pour se tirer de là avec deux ou
trois écorchures.

Peu à peu cette machine fut la préoccupation unique.
Elle échauffa les opinions pour et contre. Elle avait des
amis et des ennemis. Plus d'un, qui avait un bon vieux
coutre à voiles, et qui espérait ressaisir la clientèle de la
Durande, n'était pas fâché de voir l'écueil Douvres faire
justice de la nouvelle invention. Le chuchotement devint
brouhaha. On discuta presque avec bruit. Pourtant c'était
une rumeur toujours un peu discrète, et il se faisait par
intervalles de subits abaissements de voix, sous la pression du silence sépulcral de Lethierry.

Du colloque engagé sur tous les points, il résultait
ceci :

La machine était l'essentiel. Refaire le navire était
possible, refaire la machine non. Cette machine était
unique. Pour en fabriquer une pareille, l'argent manquerait, l'ouvrier manquerait encore plus. On rappelait que le
constructeur de la machine était mort. Elle avait coûté
quarante mille francs. Personne ne risquerait désormais
sur une telle éventualité un tel capital; d'autant plus que

voilà qui était jugé, les navires à vapeur se perdaient comme les autres; l'accident actuel de la Durande coulait à fond tout son succès passé. Pourtant il était déplorable de penser qu'à l'heure qu'il était, cette mécanique était encore entière et en bon état, et qu'avant cinq ou six jours elle serait probablement mise en pièces comme le navire. Tant qu'elle existait, il n'y avait, pour ainsi dire, pas de naufrage. La perte seule de la machine serait irrémédiable. Sauver la machine, ce serait réparer le désastre.

Sauver la machine, c'était facile à dire. Mais qui s'en chargerait? est-ce que c'était possible? Faire et exécuter c'est deux, et la preuve, c'est qu'il est aisé de faire un rêve et difficile de l'exécuter. Or si jamais un rêve avait été impraticable et insensé, c'était celui-ci : sauver la machine échouée sur les Douvres. Envoyer travailler sur ces roches un navire et un équipage serait absurde; il n'y fallait pas songer. C'était la saison des coups de mer; à la première bourrasque les chaînes des ancres seraient sciées par les crêtes sous-marines des brisants, et le navire se fracasserait à l'écueil. Ce serait envoyer un deuxième naufrage au secours du premier. Dans l'espèce de trou du plateau supérieur où s'était abrité le naufragé légendaire mort de faim, il y avait à peine place pour un homme. Il faudrait donc que, pour sauver cette machine, un homme allât aux rochers Douvres, et qu'il y allât seul, seul dans cette mer, seul dans ce désert, seul à cinq lieues de la côte, seul dans cette épouvante, seul des semaines entières, seul devant le prévu et l'imprévu, sans ravitaillement dans les angoisses du dénuement, sans secours dans les incidents de la détresse, sans autre trace humaine que celle de l'ancien naufragé expiré de misère là, sans autre compagnon que ce mort. Et comment s'y prendrait-il d'ailleurs pour sauver cette machine? Il faudrait qu'il fût non seulement matelot, mais forgeron. Et à travers quelles épreuves! L'homme qui tenterait cela serait plus qu'un héros. Ce serait un fou. Car dans de certaines entreprises disproportionnées où le surhumain semble nécessaire, la bravoure a au-dessus d'elle la démence. Et en effet, après tout, se dévouer pour de la ferraille, ne serait-ce pas extravagant? Non, personne n'irait aux ro-

chers Douvres. On devait renoncer à la machine comme
au reste. Le sauveteur qu'il fallait ne se présenterait
point. Où trouver un tel homme ?

Ceci, dit un peu autrement, était le fond de tous les
propos murmurés dans cette foule.

Le patron du *Shealtiel*, qui était un ancien pilote,
résuma la pensée de tous par cette exclamation à voix
haute :

— Non ! c'est fini. L'homme qui ira là et qui rappor-
tera la machine n'existe pas.

— Puisque je n'y vais pas, ajouta Imbrancam, c'est
qu'on ne peut pas y aller.

Le patron du *Shealtiel* secoua sa main gauche avec
cette brusquerie qui exprime la conviction de l'impossible, et reprit :

— S'il existait...

Déruchette tourna la tête.

— Je l'épouserais, dit-elle.

Il y eut un silence.

Un homme très pâle sortit du milieu des groupes et dit :

— Vous l'épouseriez, miss Déruchette ?

C'était Gilliatt.

Cependant tous les yeux s'étaient levés. Mess
Lethierry venait de se dresser tout droit. Il avait sous le
sourcil une lumière étrange.

Il prit du poing son bonnet de matelot et le jeta à terre,
puis il regarda solennellement devant lui sans voir aucune
des personnes présentes, et dit :

— Déruchette l'épouserait. J'en donne ma parole
d'honneur au bon Dieu.

II

BEAUCOUP D'ÉTONNEMENT SUR LA COTE OUEST

La nuit qui suivit ce jour-là devait être, à partir de dix heures du soir, une nuit de lune. Cependant, quelle que fût la bonne apparence de la nuit, du vent et de la mer, aucun pêcheur ne comptait sortir ni de la Hougue la Perre, ni du Bourdeaux, ni de Houmet-Benet, ni du Platon, ni de Port-Grat, ni de la baie Vason, ni de Perrelle-Bay, ni de Pezeris, ni du Tielles, ni de la baie des Saints, ni de Petit-Bô, ni d'aucun port ou portelet de Guernesey. Et cela était tout simple, le coq avait chanté à midi.

Quand le coq chante à une heure extraordinaire, la pêche manque.

Ce soir-là, pourtant, à la tombée de la nuit, un pêcheur qui rentrait à Omptolle eut une surprise. A la hauteur du Houmet-Paradis, au-delà des deux Brayes et des deux Grunes, ayant à gauche la balise des Plattes-Fougères qui représente un entonnoir renversé, et à droite la balise de Saint-Sampson qui représente une figure d'homme, il crut apercevoir une troisième balise. Qu'était-ce que cette balise? quand l'avait-on plantée sur ce point? quel bas-fond indiquait-elle? La balise répondit tout de suite à ces interrogations; elle remuait; c'était un mât. L'étonnement du pêcheur ne décrut point. Une balise faisait question; un mât bien plus encore. Il n'y avait point de pêche possible. Quand tout le monde rentrait, quelqu'un sortait. Qui? pourquoi?

Dix minutes après, le mât, cheminant lentement, arriva à quelque distance du pêcheur d'Omptolle. Il ne put reconnaître la barque. Il entendit ramer. Il n'y avait que le bruit de deux avirons. C'était donc vraisemblablement un homme seul. Le vent était nord; cet homme évidemment nageait pour aller prendre le vent au-delà de la pointe Fontenelle. Là, probablement, il mettrait à la voile. Il comptait donc doubler l'Ancresse et le mont Crevel. Qu'est-ce que cela voulait dire?

Le mât passa, le pêcheur rentra.

Cette même nuit, sur la côte ouest de Guernesey, des observateurs d'occasion, disséminés et isolés firent, à des heures diverses et sur divers points, des remarques.

Comme le pêcheur d'Omptolle venait d'amarrer sa barque, un charretier de varech, à un demi-mille plus loin, fouettant ses chevaux dans la route déserte des Clôtures, près du cromlech, aux environs des martellos 6 et 7, vit en mer, assez loin à l'horizon, dans un endroit peu fréquenté parce qu'il faut le bien connaître, devers la Roque-Nord et la Sablonneuse, une voile qu'on hissait. Il y fit d'ailleurs peu d'attention, étant pour chariot et non pour bateau.

Une demi-heure s'était peut-être écoulée depuis que le charretier avait aperçu cette voile, quand un plâtreur revenant de son ouvrage de la ville et contournant la mare Pelée se trouva tout à coup presque en face d'une barque très hardiment engagée parmi les roches du Quenon, de la Rousse de Mer et de la Cripe de Rousse. La nuit était noire, mais la mer était claire, effet qui se produit souvent, et l'on pouvait distinguer au large les allées et venues. Il n'y avait en mer que cette barque.

Un peu plus bas, et un peu plus tard, un ramasseur de langoustes, disposant ses boutiques sur l'ensablement qui sépare le Port-Soif du Port-Enfer, ne comprit pas ce que faisait une barque glissant entre la Boue-Corneille et la Moulrette. Il fallait être bon pilote et bien pressé d'arriver quelque part pour se risquer là.

Comme huit heures sonnaient au Catel, le tavernier de Coco-Bay observa, avec quelque ébahissement, une voile au-delà de la Boue du Jardin et des Grunettes, très près de la Suzanne et des Grunes de l'Ouest.

Non loin de Cobo-Bay, sur la pointe solitaire du Houmet de la baie Vason, deux amoureux étaient en train de se séparer et de se retenir ; au moment où la fille disait au garçon : « Si je m'en vas, ce n'est pas pour l'amour de ne pas être avec toi, c'est que j'ai mon fait à choser [244] », ils furent distraits de leur baiser d'adieu par une assez grosse barque qui passa très près d'eux et qui se dirigeait vers les Messellettes.

Monsieur Le Peyre des Norgiots, habitant le Cotillon-Pipet, était occupé vers neuf heures du soir à examiner un trou fait par des maraudeurs dans la haie de son courtil, la Jennerotte, et de son « friquet planté à arbres [245] » ; tout en constatant le dommage, il ne put s'empêcher de remarquer une barque doublant témérairement le Crocq-Point à cette heure de nuit.

Un lendemain de tempête, avec ce qui reste d'agitation à la mer, cet itinéraire était peu sûr. On était imprudent de le choisir, à moins de savoir par cœur les passes.

A neuf heures et demie, à l'Équerrier, un chalutier remportant son filet s'arrêta quelque temps pour considérer entre Colombelle et la Souffleresse quelque chose qui devait être un bateau. Ce bateau s'exposait beaucoup. Il y a là des coups de vent subits très dangereux. La roche Souffleresse est ainsi nommée parce qu'elle souffle brusquement sur les barques.

A l'instant où la lune se levait, la marée étant pleine et la mer étant étale dans le petit détroit de Li-Hou, le gardien solitaire de l'île de Li-Hou fut très effrayé ; il vit passer entre la lune et lui une longue forme noire. Cette forme noire, haute et étroite, ressemblait à un linceul debout qui marcherait. Elle glissait lentement au-dessus des espèces de murs que font les bancs de rochers. Le gardien du Li-Hou crut reconnaître la Dame Noire.

La Dame Blanche habite le Tau de Pez d'Amont, la Dame Grise habite le Tau de Pez d'Aval, la Dame Rouge habite la Silleuse au nord du Banc-Marquis, et la Dame Noire habite le Grand-Étacré, à l'ouest de Li-Houmet. La nuit, au clair de lune, ces dames sortent, et quelquefois se rencontrent.

A la rigueur cette forme noire pouvait être une voile. Les longs barrages de roches sur lesquels elle semblait

marcher pouvaient en effet cacher la coque d'une barque
voguant derrière eux, et laisser voir la voile seulement.
Mais le gardien se demanda quelle barque oserait à cette
heure se hasarder entre Li-Hou et la Pécheresse et les
Angullières et Lérée-Point. Et dans quel but? Il lui parut
plus probable que c'était la Dame Noire.

Comme la lune venait de dépasser le clocher de Saint-
Pierre du Bois, le sergent du Château Rocquaine, en
relevant la moitié de l'échelle pont-levis, distingua, à
l'embouchure de la baie, plus loin que la Haute-Canée,
plus près que la Sambule, une barque à la voile qui
semblait descendre du nord au sud.

Il existe sur la côte sud de Guernesey, en arrière de
Plainmont, au fond d'une baie toute de précipices et de
murailles, coupée à pic dans le flot, un port singulier
qu'un Français, séjournant dans l'île depuis 1855, le
même peut-être que celui qui écrit ces lignes, a baptisé
« le Port au quatrième étage », nom généralement adopté
aujourd'hui. Ce port, qui s'appelait alors la Moie, est un
plateau de roche, à demi naturel, à demi taillé, élevé
d'une quarantaine de pieds au-dessus du niveau de l'eau,
et communiquant avec les vagues par deux gros madriers
parrallèles en plan incliné. Les barques, hissées à force de
bras par des chaînes et des poulies, montent de la mer et y
redescendent le long de ces madriers qui sont comme
deux rails. Pour les hommes il y a un escalier. Ce port
était alors très fréquenté par les contrebandiers. Étant peu
praticable, il leur était commode.

Vers onze heures, des fraudeurs, peut-être ceux-là
mêmes sur lesquels avait compté Clubin, étaient avec
leurs ballots au sommet de cette plate-forme de la Moie.
Qui fraude guette; ils épiaient. Ils furent étonnés d'une
voile qui déboucha brusquement au-delà de la silhouette
noire du cap Plainmont. Il faisait clair de lune. Ces
contrebandiers surveillèrent cette voile, craignant que ce
ne fût quelque garde-côte allant s'embusquer en observation derrière le grand Hanois. Mais la voile dépassa les
Hanois, laissa derrière elle au nord-ouest la Boue-Blon-
del, et s'enfonça au large dans l'estompe livide des brumes de l'horizon.

— Où diable peut aller cette barque? se dirent les contrebandiers.

Le même soir, un peu après le coucher du soleil, on avait entendu quelqu'un frapper à la porte de la masure du Bû de la Rue. C'était un jeune garçon vêtu de brun avec des bas jaunes, ce qui indiquait un petit clerc de la paroisse. Le Bû de la Rue était fermé, porte et volets. Une vieille pêcheuse de fruits de mer, rôdant dans la banque une lanterne à la main, avait hélé le garçon, et ces paroles s'étaient échangées devant le Bû de la Rue entre la pêcheuse et le petit clerc.

— Qu'est-ce que vous voulez, gas?
— L'homme d'ici.
— Il n'y est point.
— Où est-il?
— Je ne sais point.
— Y sera-t-il demain?
— Je ne sais point.
— Est-ce qu'il est parti?
— Je ne sais point.
— C'est que, voyez-vous, la femme, le nouveau recteur de la paroisse, le révérend Ebenezer Caudray, voudrait lui faire une visite.
— Je ne sais point.
— Le révérend m'envoie demander si l'homme du Bû de la Rue sera chez lui demain matin.
— Je ne sais point.

III

NE TENTEZ PAS LA BIBLE

Dans les vingt-quatre heures qui suivirent, mess Lethierry ne dormit pas, ne mangea pas, ne but pas, baisa au front Déruchette, s'informa de Clubin dont on n'avait pas encore de nouvelles, signa une déclaration comme quoi il n'entendait former aucune plainte, et fit mettre Tangrouille en liberté.

Il resta toute la journée du lendemain, à demi appuyé à la table de l'office de la Durande, ni debout, ni assis, répondant avec douceur quand on lui parlait. Du reste, la curiosité étant satisfaite, la solitude s'était faite aux Bravées. Il y a beaucoup de désir d'observer dans l'empressement à s'apitoyer. La porte s'était refermée ; on laissait Lethierry avec Déruchette. L'éclair qui avait passé dans les yeux de Lethierry s'était éteint ; le regard lugubre du commencement de la catastrophe lui était revenu.

Déruchette, inquiète, avait, sur le conseil de Grâce et de Douce, mis, sans rien dire, à côté de lui sur la table une paire de bas qu'il était en train de tricoter quand la mauvaise nouvelle était arrivée.

Il sourit amèrement et dit :

— On me croit donc bête.

Après un quart d'heure de silence, il ajouta :

— C'est bon quand on est heureux ces manies-là.

Déruchette avait fait disparaître la paire de bas, et avait profité de l'occasion pour faire disparaître aussi la boussole et les papiers de bord, que mess Lethierry regardait trop.

Dans l'après-midi, un peu avant l'heure du thé, la porte s'ouvrit et deux hommes entrèrent, vêtus de noir, l'un vieux, l'autre jeune.

Le jeune, on l'a peut-être aperçu déjà dans le cours de ce récit.

Ces hommes avaient tous deux l'air grave, mais d'une gravité différente; le vieillard avait ce qu'on pourrait nommer la gravité d'état; le jeune homme avait la gravité de nature. L'habit donne l'une, la pensée donne l'autre.

C'étaient, le vêtement l'indiquait, deux hommes d'église, appartenant tous deux à la religion établie.

Ce qui, dans le jeune homme, eût, au premier abord, frappé l'observateur, c'est que cette gravité, qui était profonde dans son regard, et qui résultait évidemment de son esprit, ne résultait pas de sa personne. La gravité admet la passion, et l'exalte en l'épurant, mais ce jeune homme était, avant tout, joli. Étant prêtre, il avait au moins vingt-cinq ans; il en paraissait dix-huit. Il offrait cette harmonie, et aussi ce contraste, qu'en lui l'âme semblait faite pour la passion et le corps pour l'amour. Il était blond, rose, frais, très fin et très souple dans son costume sévère, avec des joues de jeune fille et des mains délicates; il avait l'allure vive et naturelle, quoique réprimée. Tout en lui était charme, élégance, et presque volupté. La beauté de son regard corrigeait cet excès de grâce. Son sourire sincère, qui montrait des dents d'enfant, était pensif et religieux. C'était la gentillesse d'un page et la dignité d'un évêque.

Sous ses épais cheveux blonds, si dorés qu'ils paraissaient coquets, son crâne était élevé, candide et bien fait. Une ride légère à double inflexion entre les deux sourcils éveillait confusément l'idée de l'oiseau de la pensée planant, ailes déployées, au milieu de ce front.

On sentait, en le voyant, un de ces êtres bienveillants, innocents et purs, qui progressent en sens inverse de l'humanité vulgaire, que l'illusion fait sages et que l'expérience fait enthousiastes.

Sa jeunesse transparente laissait voir sa maturité intérieure. Comparé à l'ecclésiastique en cheveux gris qui l'accompagnait, au premier coup d'œil il semblait le fils, au second coup d'œil il semblait le père.

Celui-ci n'était autre que le docteur Jaquemin Hérode.

Le docteur Jaquemin Hérode appartenait à la haute église,
laquelle est à peu près un papisme sans pape. L'anglica-
nisme était travaillé dès cette époque par les tendances
qui se sont depuis affirmées et condensées dans le pu-
séysme [246]. Le docteur Jaquemin Hérode était de cette
nuance anglicane qui est presque une variété romaine. Il
était haut, correct, étroit et supérieur. Son rayon visuel
intérieur sortait à peine au-dehors. Il avait pour esprit la
lettre. Du reste, altier. Son personnage tenait de la place.
Il avait moins l'air d'un révérend que d'un monsignor. Sa
redingote était un peu coupée en soutane. Son vrai milieu
eût été Rome. Il était prélat-de-chambre, né. Il semblait
avoir été créé exprès pour orner un pape, et pour marcher
derrière la chaise gestatoire, avec toute la cour pontifi-
cale, *in abitto paonazzo* [247]. L'accident d'être né anglais,
et une éducation théologique plus tournée vers l'Ancien
Testament que vers le Nouveau, lui avaient fait manquer
cette grande destinée. Toutes ses splendeurs se résu-
maient en ceci : être recteur de Saint-Pierre-Port, doyen
de l'île de Guernesey et subrogé de l'évêque de Winchester. C'était, sans nul doute, de la gloire.

Cette gloire n'empêchait pas M. Jaquemin Hérode
d'être, à tout prendre, un assez bon homme.

Comme théologien, il était bien situé dans l'estime des
connaisseurs, et il faisait presque autorité à la cour des
Arches [248], cette Sorbonne de l'Angleterre.

Il avait la mine docte, un clignement d'yeux capable et
exagéré, les narines velues, les dents visibles, la lèvre
supérieure mince et la lèvre inférieure épaisse, plusieurs
diplômes, une grosse prébende, des amis baronets, la
confiance de l'évêque, et toujours une bible dans sa
poche.

Mess Lethierry était si complètement absorbé que tout
ce que put produire l'entrée des deux prêtres fut un
imperceptible froncement de sourcil.

M. Jaquemin Hérode s'avança, salua, rappela, en
quelques mots sobrement hautains, sa promotion récente,
et dit qu'il venait, selon l'usage, « introduire » près des
notables, — et près de mess Lethierry en particulier, —
son successeur dans la paroisse, le nouveau recteur de

Saint-Sampson, le révérend Joë Ebenezer Caudray, désormais pasteur de mess Lethierry.

Déruchette se leva.

Le jeune prêtre, qui était le révérend Ebenezer, s'inclina.

Mess Lethierry regarda M. Ebenezer Caudray, et grommela entre ses dents : « Mauvais matelot. »

Grâce avança des chaises. Les deux révérends s'assirent près de la table.

Le docteur Hérode entama un speech. Il lui était revenu qu'il était arrivé un événement. La Durande avait fait naufrage. Il venait, comme pasteur, apporter des consolations et des conseils. Ce naufrage était malheureux, mais heureux aussi. Sondons-nous ; n'étions-nous pas enflés par la prospérité ? Les eaux de la félicité sont dangereuses. Il ne faut pas prendre en mauvaise part les malheurs. Les voies du Seigneur sont inconnues. Mess Lethierry était ruiné. Eh bien ? être riche, c'est être en danger. On a de faux amis. La pauvreté les éloigne. On reste seul. *Solus eris* [249]. La Durande rapportait, disait-on, mille livres sterling par an. C'est trop pour le sage. Fuyons les tentations, dédaignons l'or. Acceptons avec reconnaissance la ruine et l'abandon. L'isolement est plein de fruits. On y obtient les grâces du Seigneur. C'est dans la solitude qu'Aia trouva les eaux chaudes, en conduisant les ânes de Sébéon son père [250]. Ne nous révoltons pas contre les impénétrables décrets de la Providence. Le saint homme Job, après sa misère, avait crû en richesse. Qui sait si la perte de la Durande n'aurait pas des compensations, même temporelles ? Ainsi, lui docteur Jaquemin Hérode, il avait engagé des capitaux dans une très belle opération en cours d'exécution à Sheffield ; si mess Lethierry, avec les fonds qui pouvaient lui rester, voulait entrer dans cette affaire, il y referait sa fortune ; c'était une grosse fourniture d'armes au tzar en train de réprimer la Pologne. On y gagnerait trois cents pour cent.

Le mot tzar parut réveiller Lethierry. Il interrompit le docteur Hérode.

— Je ne veux pas du tzar.

Le révérend Hérode répondit :

— Mess Lethierry, les princes sont voulus de Dieu. Il
est écrit : Rendez à César ce qui est à César. Le tzar, c'est
César.

Lethierry, à demi retombé dans son rêve, murmura :

— Qui ça, César ? Je ne connais pas.

Le révérend Jaquemin Hérode reprit son exhortation. Il
n'insistait pas sur Sheffield. Ne pas vouloir de César,
c'est être républicain. Le révérend comprenait qu'on fût
républicain. En ce cas, que mess Lethierry se tournât vers
une république. Mess Lethierry pouvait rétablir sa fortune
aux États-Unis mieux encore qu'en Angleterre. S'il voulait décupler ce qui lui restait, il n'avait qu'à prendre des
actions dans la grande compagnie d'exploitation des
plantations du Texas, laquelle employait plus de vingt
mille nègres.

— Je ne veux pas de l'esclavage, dit Lethierry.

— L'esclavage, répliqua le révérend Hérode, est
d'institution sacrée. Il est écrit : « Si le maître a frappé son
esclave, il ne lui sera rien fait, car c'est son argent. »

Grâce et Douce, sur le seuil de la porte, recueillaient
avec une sorte d'extase les paroles du révérend recteur.

Le révérend continua. C'était, somme toute, nous venons de le dire, un bon homme ; et, quels que pussent être
ses dissentiments de caste ou de personne avec mess
Lethierry, il venait très sincèrement lui apporter toute
l'aide spirituelle, et même temporelle, dont lui, docteur
Jaquemin Hérode, disposait.

Si mess Lethierry était ruiné à ce point de ne pouvoir
coopérer fructueusement à une spéculation quelconque,
russe ou américaine, que n'entrait-il dans le gouvernement et dans les fonctions salariées ? Ce sont de nobles
places, et le révérend était prêt à y introduire mess
Lethierry. L'office de député-vicomte [251] était précisément vacant à Jersey. Mess Lethierry était aimé et estimé,
et le révérend Hérode, doyen de Guernesey et subrogé de
l'évêque, se faisait fort d'obtenir pour mess Lethierry
l'emploi de député-vicomte de Jersey. Le député-vicomte
est un officier considérable ; il assiste, comme représentant de sa majesté, à la tenue des chefs-plaids, aux débats
de la cohue, et aux exécutions des arrêts de justice.

Lethierry fixa sa prunelle sur le docteur Hérode.

— Je n'aime pas la pendaison, dit-il.

Le docteur Hérode, qui jusqu'alors avait prononcé tous les mots avec la même intonation, eut un accès de sévérité et une inflexion nouvelle :

— Mess Lethierry, la peine de mort est ordonnée divinement. Dieu a remis le glaive à l'homme. Il est écrit : « Œil pour œil, dent pour dent. »

Le révérend Ebenezer rapprocha imperceptiblement sa chaise de la chaise du révérend Jaquemin, et lui dit, de façon à n'être entendu que de lui :

— Ce que dit cet homme lui est dicté.

— Par qui ? par quoi ? demanda du même ton le révérend Jaquemin Hérode.

Ebenezer répondit très bas :

— Par sa conscience.

Le révérend Hérode fouilla dans sa poche, en tira un gros in-dix-huit relié avec fermoirs, le posa sur la table et dit à voix haute :

— La conscience, la voici.

Le livre était une bible.

Puis le docteur Hérode s'adoucit. Son désir était d'être utile à mess Lethierry, qu'il considérait fort. Il avait, lui pasteur, droit et devoir de conseil ; pourtant mess Lethierry était libre.

Mess Lethierry, ressaisi par son absorption et par son accablement, n'écoutait plus. Déruchette, assise près de lui, et pensive de son côté, ne levait pas les yeux et mêlait à cette conversation peu animée la quantité de gêne qu'apporte une présence silencieuse. Un témoin qui ne dit rien est une espèce de poids indéfinissable. Au surplus, le docteur Hérode ne semblait pas le sentir.

Lethierry ne répondant plus, le docteur Hérode se donna carrière. Le conseil vient de l'homme et l'inspiration vient de Dieu. Dans le conseil du prêtre il y a de l'inspiration. Il est bon d'accepter les conseils et dangereux de les rejeter. Sochoth fut saisi par onze diables pour avoir dédaigné les exhortations de Nathanaël[252]. Tiburien fut frappé de la lèpre pour avoir mis hors de chez lui l'apôtre André. Barjésus[253], tout magicien qu'il était,

devint aveugle pour avoir ri des paroles de saint Paul.
Elxaï [254], et ses sœurs Marthe et Marthène, sont en enfer
à l'heure qu'il est pour avoir méprisé les avertissements
de Valencianus qui leur prouvait clair comme le jour que
leur Jésus-Christ de trente-huit lieues de haut était un
démon. Oolibama [255], qui s'appelle aussi Judith, obéis-
sait aux conseils. Ruben et Pheniel [256] écoutaient les avis
d'en haut; leurs noms seuls suffisent pour l'indiquer;
Ruben signifie *fils de la vision*, et Pheniel signifie *la face
de Dieu*.

Mess Lethierry frappa du poing sur la table.

— Parbleu! s'écria-t-il, c'est ma faute.

— Que voulez-vous dire? demanda M. Jaquemin
Hérode.

— Je dis que c'est ma faute.

— Votre faute, quoi?

— Puisque je faisais revenir Durande le vendredi.

M. Jaquemin Hérode murmura à l'oreille de M. Ebenezer Caudray : — Cet homme est superstitieux.

Il reprit en élevant la voix, et du ton de l'enseignement :

— Mess Lethierry, il est puéril de croire au vendredi.
Il ne faut pas ajouter foi aux fables. Le vendredi est un
jour comme un autre. C'est très souvent une date heureuse. Melendez a fondé la ville de Saint-Augustin un
vendredi; c'est un vendredi que Henri VII a donné sa
commission à John Cabot; les pèlerins du *Mayflower* sont
arrivés à Province-Town un vendredi [257]. Washington est
né le vendredi 22 février 1732; Christophe Colomb a
découvert l'Amérique le vendredi 12 octobre 1492.

Cela dit, il se leva.

Ebenezer, qu'il avait amené, se leva également.

Grâce et Douce, devinant que les révérends allaient
prendre congé, ouvrirent la porte à deux battants.

Mess Lethierry ne voyait rien et n'entendait rien.

M. Jaquemin Hérode dit en aparté à M. Ebenezer
Caudray : — Il ne nous salue même pas. Ce n'est pas du
chagrin, c'est de l'abrutissement. Il faut croire qu'il est
fou.

Cependant il prit sa petite bible sur la table et la tint

entre ses deux mains allongées comme on tiendrait un oiseau qu'on craint de voir envoler. Cette attitude créa parmi les personnes présentes une certaine attente. Grâce et Douce avancèrent la tête.

Sa voix fit tout ce qu'elle put pour être majestueuse.

— Mess Lethierry, ne nous séparons pas sans lire une page du saint livre. Les situations de la vie sont éclairées par les livres; les profanes ont les sorts virgiliens, les croyants ont les avertissements bibliques. Le premier livre venu, ouvert au hasard, donne un conseil; la Bible, ouverte au hasard, fait une révélation. Elle est surtout bonne pour les affligés. Ce qui se dégage immanquablement de la sainte Écriture, c'est l'adoucissement à leur peine. En présence des affligés, il faut consulter le saint livre sans choisir l'endroit, et lire avec candeur le passage sur lequel on tombe. Ce que l'homme ne choisit pas, Dieu le choisit. Dieu sait ce qu'il nous faut. Son doigt invisible est sur le passage inattendu que nous lisons. Quelle que soit cette page, il en sort infailliblement de la lumière. N'en cherchons pas d'autre, et tenons-nous-en là. C'est la parole d'en haut. Notre destinée nous est dite mystérieusement dans le texte évoqué avec confiance et respect. Écoutons, et obéissons. Mess Lethierry, vous êtes dans la douleur, ceci est le livre de consolation; vous êtes dans la maladie, ceci est le livre de santé.

Le révérend Jaquemin Hérode fit jouer le ressort du fermoir, glissa son ongle à l'aventure entre deux pages, posa sa main un instant sur le livre ouvert, et se recueillit, puis, abaissant les yeux avec autorité, il se mit à lire à haute voix.

Ce qu'il lut, le voici:

« Isaac se promenait dans le chemin qui mène au puits appelé le Puits de celui qui vit et qui voit.

« Rebecca, ayant aperçu Isaac, dit: Qui est cet homme qui vient au-devant de moi?

« Alors Isaac la fit entrer dans sa tente, et la prit pour femme, et l'amour qu'il eut pour elle fut grand [258]. »

Ebenezer et Déruchette se regardèrent.

DEUXIÈME PARTIE

GILLIATT LE MALIN

LIVRE PREMIER

L'ÉCUEIL

I

L'ENDROIT OÙ IL EST MALAISÉ D'ARRIVER
ET DIFFICILE DE REPARTIR

La barque aperçue sur plusieurs points de la côte de
Guernesey dans la soirée précédente à des heures diverses, était, on l'a deviné, la panse. Gilliatt avait choisi le
long de la côte le chenal à travers les rochers; c'était la
route périlleuse, mais c'était le chemin direct. Prendre le
plus court avait été son seul souci. Les naufrages n'attendent pas, la mer est une chose pressante, une heure de
retard pouvait être irréparable. Il voulait arriver vite au
secours de la machine en danger.

Une des préoccupations de Gilliatt en quittant Guernesey parut être de ne point éveiller l'attention. Il partit de
la façon dont on s'évade. Il eut un peu l'allure de se
cacher. Il évita la côte est comme quelqu'un qui trouverait inutile de passer en vue de Saint-Sampson et de
Saint-Pierre-Port; il glissa, on pourrait presque dire il se
glissa, silencieusement le long de la côte opposée qui est
relativement inhabitée. Dans les brisants, il dut ramer;
mais Gilliatt maniait l'aviron selon la loi hydraulique:
prendre l'eau sans choc et la rendre sans vitesse, et de
cette manière il put nager dans l'obscurité avec le plus de
force et le moins de bruit possible. On eût pu croire qu'il
allait faire une mauvaise action.

La vérité est que, se jetant tête baissée dans une entreprise fort ressemblante à l'impossible, et risquant sa vie
avec toutes les chances à peu près contre lui, il craignait
la concurrence.

Comme le jour commençait à poindre, les yeux inconnus qui sont peut-être ouverts dans les espaces purent voir
au milieu de la mer, sur un des points où il y a le plus de

solitude et de menace, deux choses entre lesquelles l'intervalle décroissait, l'une se rapprochant de l'autre. L'une, presque imperceptible dans le large mouvement des lames, était une barque à la voile ; dans cette barque il y avait un homme ; c'était la panse portant Gilliatt. L'autre, immobile, colossale, noire, avait au-dessus des vagues une surprenante figure. Deux hauts piliers soutenaient hors des flots dans le vide une sorte de traverse horizontale qui était comme un pont entre leurs sommets. La traverse, si informe de loin qu'il était impossible de deviner ce que c'était, faisait corps avec les deux jambages. Cela ressemblait à une porte. A quoi bon une porte dans cette ouverture de toutes parts qui est la mer ? On eût dit un dolmen titanique planté là, en plein océan, par une fantaisie magistrale, et bâti par des mains qui ont l'habitude de proportionner leurs constructions à l'abîme. Cette silhouette farouche se dressait sur le clair du ciel.

La lueur du matin grandissait à l'est ; la blancheur de l'horizon augmentait la noirceur de la mer. En face, de l'autre côté, la lune se couchait.

Ces deux piliers, c'étaient les Douvres. L'espèce de masse emboîtée entre eux comme une architrave entre deux chambranles, c'était la Durande.

Cet écueil, tenant sa proie et la faisant voir, était terrible ; les choses ont parfois vis-à-vis de l'homme une ostentation sombre et hostile. Il y avait du défi dans l'attitude de ces rochers. Cela semblait attendre.

Rien d'altier et d'arrogant comme cet ensemble : le vaisseau vaincu, l'abîme maître. Les deux rochers, tout ruisselants encore de la tempête de la veille, semblaient des combattants en sueur. Le vent avait molli, la mer se plissait paisiblement, on devinait à fleur d'eau quelques brisants où les panaches d'écume retombaient avec grâce ; il venait du large un murmure semblable à un bruit d'abeilles. Tout était de niveau, hors les deux Douvres, debout et droites comme deux colonnes noires. Elles étaient jusqu'à une certaine hauteur toutes velues de varech. Leurs hanches escarpées avaient des reflets d'armures. Elles semblaient prêtes à recommencer. On comprenait qu'elles étaient enracinées sous l'eau à des montagnes. Une sorte de toute-puissance tragique s'en dégageait.

D'ordinaire la mer cache ses coups. Elle reste volontiers obscure. Cette ombre incommensurable garde tout pour elle. Il est très rare que le mystère renonce au secret. Certes, il y a du monstre dans la catastrophe, mais en quantité inconnue. La mer est patente et secrète ; elle se dérobe, elle ne tient pas à divulguer ses actions. Elle fait un naufrage, et le recouvre ; l'engloutissement est sa pudeur. La vague est hypocrite ; elle tue, vole, recèle, ignore et sourit. Elle rugit, puis moutonne.

Ici rien de pareil. Les Douvres, élevant au-dessus des flots la Durande morte, avaient un air de triomphe. On eût dit deux bras monstrueux sortant du gouffre et montrant aux tempêtes ce cadavre de navire. C'était quelque chose comme l'assassin qui se vante.

L'horreur sacrée de l'heure s'y ajoutait. Le point du jour a une grandeur mystérieuse qui se compose d'un reste de rêve et d'un commencement de pensée. A ce moment trouble, un peu de spectre flotte encore. L'espèce d'immense H majuscule [259] formée par les deux Douvres ayant la Durande pour trait d'union, apparaissait à l'horizon dans on ne sait quelle majesté crépusculaire.

Gilliatt était vêtu de ses habits de mer, chemise de laine, bas de laine, souliers cloutés, vareuse de tricot, pantalon à poches de grosse étoffe bourrue, et sur la tête une de ces coiffes de laine rouge usitées alors dans la marine, qu'on appelait au siècle dernier *galériennes*.

Il reconnut l'écueil et avança.

La Durande était tout le contraire d'un navire coulé à fond ; c'était un navire accroché en l'air.

Pas de sauvetage plus difficile à entreprendre.

Il faisait plein jour quand Gilliatt arriva dans les eaux de l'écueil.

Il y avait, nous venons de le dire, peu de mer. L'eau avait seulement la quantité d'agitation que lui donne le resserrement entre les rochers. Toute manche, petite ou grande, clapote. L'intérieur d'un détroit écume toujours.

Gilliatt n'aborda point les Douvres sans précaution.

Il jeta la sonde plusieurs fois.

Gilliatt avait un petit débarquement à faire.

Habitué aux absences, il avait chez lui son en-cas de départ toujours prêt. C'était un sac de biscuit, un sac de farine de seigle, un panier de stockfisch et de bœuf fumé, un grand bidon d'eau douce, une caisse norvégienne à fleurs peintes contenant quelques grosses chemises de laine, son suroît et ses jambières goudronnées, et une peau de mouton qu'il jetait la nuit par-dessus sa vareuse. Il avait, en quittant le Bû de la Rue, mis tout cela en hâte dans la panse, plus un pain frais. Pressé de partir, il n'avait emporté d'autre engin de travail que son marteau de forgeron, sa hache et son hacherot, une scie, et une corde à nœuds armée de son grappin. Avec une échelle de cette sorte et la manière de s'en servir, les pentes revêches deviennent maniables et un bon marin trouve des praticables dans les plus rudes escarpements. On peut voir, dans l'île de Serk, le parti que tirent d'une corde à nœuds les pêcheurs du havre Gosselin.

Ses filets et ses lignes et tout son attirail de pêche étaient dans la barque. Il les y avait mis par habitude, et machinalement, car il allait, s'il donnait suite à son entreprise, séjourner quelque temps dans un archipel de brisants, et les engins de pêche n'y ont que faire.

Au moment où Gilliatt accosta l'écueil, la mer baissait, circonstance favorable. Les lames décroissantes laissaient à découvert au pied de la petite Douvre quelques assises plates ou peu inclinées, figurant assez bien des corbeaux à porter un plancher. Ces surfaces, tantôt étroites, tantôt larges, échelonnées avec des espacements inégaux le long du monolithe vertical, se prolongeaient en corniche mince jusque sous la Durande, laquelle faisait ventre entre les deux rochers. Elle était serrée là comme dans un étau.

Ces plates-formes étaient commodes pour débarquer et aviser. On pouvait décharger là, provisoirement, l'en-cas apporté dans la panse. Mais il fallait se hâter, elles n'étaient hors de l'eau que pour peu d'heures. A la mer montante, elles rentreraient sous l'écume.

Ce fut devant ces roches, les unes plates, les autres déclives, que Gilliatt poussa et arrêta la panse.

Une épaisseur mouillée et glissante de goëmon les

couvrait, l'obliquité augmentait çà et là le glissement.

Gilliatt se déchaussa, sauta pieds nus sur le goémon, et amarra la panse à une pointe de rocher.

Puis il s'avança le plus loin qu'il put sur l'étroite corniche de granit, parvint sous la Durande, leva les yeux et la considéra.

La Durande était saisie, suspendue et comme ajustée entre les deux roches à vingt pieds environ au-dessus du flot. Il avait fallu pour la jeter là une furieuse violence de la mer.

Ces coups forcenés n'ont rien qui étonne les gens de mer. Pour ne citer qu'un exemple, le 25 janvier 1840, dans le golfe de Stora [260], une tempête finissante fit, du choc de sa dernière lame, sauter un brick, tout d'une pièce, par-dessus la carcasse échouée de la corvette *La Marne*, et l'incrusta, beaupré en avant, entre deux falaises.

Du reste, il n'y avait dans les Douvres qu'une moitié de la Durande.

Le navire, arraché aux vagues, avait été en quelque sorte déraciné de l'eau par l'ouragan. Le tourbillon de vent l'avait tordu, le tourbillon de mer l'avait retenu, et le bâtiment, ainsi pris en sens inverse par les deux mains de la tempête, s'était cassé comme une latte. L'arrière, avec la machine et les roues, enlevé hors de l'écume et chassé par toute la furie du cyclone dans le défilé des Douvres, y était entré jusqu'au maître-bau, et était demeuré là. Le coup de vent avait été bien asséné ; pour enfoncer ce coin entre ces deux rochers, l'ouragan s'était fait massue. L'avant, emporté et roulé par la rafale, s'était disloqué sur les brisants.

La cale défoncée avait vidé dans la mer les bœufs noyés.

Un large morceau de la muraille de l'avant tenait encore à l'arrière et pendait aux porques du tambour de gauche par quelques attaches délabrées, faciles à briser d'un coup de hache.

On voyait çà et là dans les anfractuosités lointaines de l'écueil des poutres, des planches, des haillons de voiles, des tronçons de chaînes, toutes sortes de débris, tranquilles sur les rochers.

Gilliatt regardait avec attention la Durande. La quille faisait plafond au-dessus de sa tête.

L'horizon, où l'eau illimitée remuait à peine, était serein. Le soleil sortait superbement de cette vaste rondeur bleue.

De temps en temps une goutte d'eau se détachait de l'épave et tombait dans la mer.

LES PERFECTIONS DU DÉSASTRE

Les Douvres étaient différentes de forme comme de hauteur.

Sur la petite Douvre, recourbée et aiguë, on voyait se ramifier, de la base à la cime, de longues veines d'une roche couleur brique, relativement tendre, qui cloisonnait de ses lames l'intérieur du granit. Aux affleurements de ces lames rougeâtres il y avait des cassures utiles à l'escalade. Une de ces cassures, située un peu au-dessus de l'épave, avait été si bien élargie et travaillée par les éclaboussures de la vague qu'elle était devenue une espèce de niche où l'on eût pu loger une statue. Le granit de la petite Douvre était arrondi à la surface et mousse comme de la pierre de touche, douceur qui ne lui ôtait rien de sa dureté. La petite Douvre se terminait en pointe comme une corne. La grande Douvre, polie, unie, lisse, perpendiculaire, et comme taillée sur épure, était d'un seul morceau et semblait faite d'ivoire noir. Pas un trou, pas un relief. L'escarpement était inhospitalier; un forçat n'eût pu s'en servir pour sa fuite ni un oiseau pour son nid. Au sommet il y avait, comme sur le rocher l'Homme, une plate-forme; seulement cette plate-forme était inaccessible.

On pouvait monter sur la petite Douvre, mais non s'y maintenir; on pouvait séjourner sur la grande, mais non y monter.

Gilliatt, le premier coup d'œil jeté, revint à la panse, la déchargea sur la plus large des corniches à fleur d'eau, fit de tout ce chargement, fort succinct, une sorte de ballot qu'il noua dans un prélart, y ajusta une élingue avec sa boucle de hissement, poussa ce ballot dans un recoin de roche où le flot ne pouvait l'atteindre, puis, des pieds et des mains, de saillie en saillie, étreignant la petite Douvre, se cramponnant aux moindres stries, il monta jusqu'à la Durande échouée en l'air.

Parvenu à la hauteur des tambours, il sauta sur le pont.

Le dedans de l'épave était lugubre.

La Durande offrait toutes les traces d'une voie de fait épouvantable. C'était le viol effrayant de l'orage. La tempête se comporte comme une bande de pirates. Rien ne ressemble à un attentat comme un naufrage. La nuée, le tonnerre, la pluie, les souffles, les flots, les rochers, ce tas de complices est horrible.

On rêvait sur le pont désemparé quelque chose comme le trépignement furieux des esprits de la mer. Il y avait partout des marques de rage. Les torsions étranges de certaines ferrures indiquaient les saisissements forcenés du vent. L'entre-pont était comme le cabanon d'un fou où tout était cassé.

Pas de bête comme la mer pour dépecer une proie. L'eau est pleine de griffes. Le vent mord, le flot dévore ; la vague est une mâchoire. C'est à la fois de l'arrachement et de l'écrasement. L'océan a le même coup de patte que le lion.

Le délabrement de la Durande offrait ceci de particulier qu'il était détaillé et minutieux. C'était une sorte d'épluchement terrible. Beaucoup de choses semblaient faites exprès. On pouvait dire : quelle méchanceté ! Les fractures des bordages étaient feuilletées avec art. Ce genre de ravage est propre au cyclone. Déchiqueter et amenuiser, tel est le caprice de ce dévastateur énorme. Le cyclone a des recherches de bourreau. Les désastres qu'il fait ont un air de supplices. On dirait qu'il a de la rancune ; il raffine comme un sauvage. Il dissèque en exterminant. Il torture le naufrage, il se venge, il s'amuse ; il y met de la petitesse.

Les cyclones sont rares dans nos climats, et d'autant plus redoutables qu'ils sont inattendus. Un rocher rencontré peut faire pivoter un orage. Il est probable que la bourrasque avait fait spirale sur les Douvres, et s'était brusquement tournée en trombe au choc de l'écueil, ce qui expliquait le jet du navire à une telle hauteur dans ces roches. Quand le cyclone souffle, un vaisseau ne pèse pas plus au vent qu'une pierre à une fronde.

La Durande avait la plaie qu'aurait un homme coupé en deux ; c'était un tronc ouvert laissant échapper un fouillis de débris semblable à des entrailles. Des cordages flottaient et frissonnaient ; des chaînes se balançaient en grelottant ; les fibres et les nerfs du navire étaient à nu et pendaient. Ce qui n'était pas fracassé était désarticulé ; des fragments du mailletage du doublage étaient pareils à des étrilles hérissées de clous ; tout avait la forme de la ruine ; une barre d'anspect n'était plus qu'un morceau de fer, une sonde n'était plus qu'un morceau de plomb, un cap-de-mouton n'était plus qu'un morceau de bois, une drisse n'était plus qu'un bout de chanvre, un touron n'était plus qu'un écheveau brouillé, une ralingue n'était plus qu'un fil dans un ourlet ; partout l'inutilité lamentable de la démolition ; rien qui ne fût décroché, décloué, lézardé, rongé, déjeté, sabordé, anéanti ; aucune adhésion dans ce monceau hideux, partout la déchirure, la dislocation, et la rupture, et ce je ne sais quoi d'inconsistant et de liquide qui caractérise tous les pêle-mêle, depuis les mêlées d'hommes qu'on nomme batailles jusqu'aux mêlées d'éléments qu'on nomme chaos. Tout croulait, tout coulait, et un ruissellement de planches, de panneaux, de ferrailles, de câbles et de poutres s'était arrêté au bord de la grande fracture de la quille, d'où le moindre choc pouvait tout précipiter dans la mer. Ce qui restait de cette puissante carène si triomphante autrefois, tout cet arrière suspendu entre les deux Douvres et peut-être prêt à tomber, était écrasé çà et là et laissait voir par de larges trous l'intérieur sombre du navire.

L'écume crachait d'en bas sur cette chose misérable.

III

SAINE, MAIS NON SAUVE

Gilliatt ne s'attendait pas à ne trouver qu'une moitié du bâtiment. Rien dans les indications, pourtant si précises, du patron du *Shealtiel*, ne faisait pressentir cette coupure du navire par le milieu. C'était probablement à l'instant où s'était faite cette coupure sous les épaisseurs aveuglantes de l'écume qu'avait eu lieu ce «craquement diabolique» entendu par le patron du *Shealtiel*. Ce patron s'était sans doute éloigné au moment du dernier coup de vent, et ce qu'il avait pris pour un paquet de mer était une trombe. Plus tard, en se rapprochant pour observer l'échouement, il n'avait pu voir que la partie antérieure de l'épave, le reste, c'est-à-dire la large cassure qui avait séparé l'avant de l'arrière, lui étant caché par l'étranglement de l'écueil.

A cela près, le patron du *Shealtiel* n'avait rien dit que d'exact. La coque était perdue, la machine était intacte.

Ces hasards sont fréquents dans les naufrages comme dans les incendies. La logique du désastre nous échappe.

Les mâts cassés étaient tombés, la cheminée n'était pas même ployée; la grande plaque de fer qui supportait la mécanique l'avait maintenue ensemble et tout d'une pièce. Les revêtements en planches des tambours étaient disjoints à peu près comme les lames d'une persienne; mais à travers leurs claires-voies on distinguait les deux roues en bon état. Quelques pales manquaient.

Outre la machine, le grand cabestan de l'arrière avait résisté. Il avait sa chaîne, et, grâce à son robuste emboîtement dans un cadre de madriers, il pouvait rendre encore des services, pourvu toutefois que l'effort du tournevire ne fît pas fendre le plancher. Le tablier du pont fléchissait presque sur tous les points. Tout ce diaphragme était branlant.

En revanche le tronçon de la coque engagé entre les Douvres tenait ferme, nous l'avons dit, et semblait solide.

Cette conservation de la machine avait on ne sait quoi de dérisoire et ajoutait l'ironie à la catastrophe. La sombre malice de l'inconnu éclate quelquefois dans ces espèces de moqueries amères. La machine était sauvée, ce qui ne l'empêchait point d'être perdue. L'Océan la gardait pour la démolir à loisir. Jeu de chat.

Elle allait agoniser là et se défaire pièce à pièce. Elle allait servir de jouet aux sauvageries de l'écume. Elle allait décroître jour par jour et fondre pour ainsi dire. Qu'y faire? Que ce lourd bloc de mécanismes et d'engrenages, à la fois massif et délicat, condamné à l'immobilité par sa pesanteur, livré dans cette solitude aux forces démolissantes, mis par l'écueil à la discrétion du vent et du flot, pût, sous la pression de ce milieu implacable, échapper à la destruction lente, il semblait qu'il y eût folie rien qu'à l'imaginer.

La Durande était prisonnière des Douvres.

Comment la tirer de là?

Comment la délivrer?

L'évasion d'un homme est difficile; mais quel problème que celui-ci: l'évasion d'une machine!

IV

Examen local préalable

Gilliatt n'était entouré que d'urgences. Le plus pressé pourtant était de trouver d'abord un mouillage pour la panse, puis un gîte pour lui-même.

La Durande s'étant plus tassée à bâbord qu'à tribord, le tambour de droite était plus élevé que le tambour de gauche.

Gilliatt monta sur le tambour de droite. De là il dominait la partie basse des brisants et, quoique le boyau des rochers, aligné à angles brisés derrière les Douvres, fît plusieurs coudes, Gilliatt put étudier le plan géométral de l'écueil.

Ce fut par cette reconnaissance qu'il commença.

Les Douvres, ainsi que nous l'avons indiqué déjà, étaient comme deux hauts pignons marquant l'entrée étroite d'une ruelle de petites falaises granitiques à devantures perpendiculaires. Il n'est point rare de trouver, dans les formations sous-marines primitives, de ces corridors singuliers qui semblent coupés à la hache.

Ce défilé, fort tortueux, n'était jamais à sec, même dans les basses mers. Un courant très secoué le traversait toujours de part en part. La brusquerie des tournants était, selon le rumb de vent régnant, bonne ou mauvaise ; tantôt elle déconcertait la houle et la faisait tomber ; tantôt elle l'exaspérait. Ce dernier cas était plus fréquent ; l'obstacle met le flot en colère et le pousse aux excès ; l'écume est l'exagération de la vague.

Le vent d'orage, dans ces étranglements entre deux roches, subit la même compression et acquiert la même malignité. C'est la tempête à l'état de strangurie [261].

L'immense souffle reste immense, et se fait aigu. Il est massue et dard. Il perce en même temps qu'il écrase. Qu'on se figure l'ouragan devenu vent coulis.

Les deux chaînes de rochers, laissant entre elles cette espèce de rue de la mer, s'étageaient plus bas que les Douvres en hauteurs graduellement décroissantes et s'enfonçaient ensemble dans le flot à une certaine distance. Il y avait là un autre goulet, moins élevé que le goulet des Douvres mais plus étroit encore, et qui était l'entrée est du défilé. On devinait que le double prolongement des deux arêtes de roches continuait la rue sous l'eau jusqu'au rocher l'Homme placé comme une citadelle carrée à l'autre extrémité de l'écueil.

Du reste, à mer basse, et c'était l'instant où Gilliatt observait, ces deux rangées de bas-fonds montraient leurs affleurements, quelques-uns à sec, tous visibles, et se coordonnant sans interruption.

L'Homme bornait et arc-boutait au levant la masse entière de l'écueil contre-butée au couchant par les deux Douvres.

Tout l'écueil, vu à vol d'oiseau, offrait un chapelet serpentant de brisants ayant à un bout les Douvres et à l'autre bout l'Homme.

L'écueil Douvres, pris dans son ensemble, n'était autre chose que l'émergence de deux gigantesques lames de granit se touchant presque et sortant verticalement, comme une crête, des cimes qui sont au fond de l'océan. Il y a hors de l'abîme de ces exfoliations immenses. La rafale et la houle avaient déchiqueté cette crête en scie. On n'en voyait que le haut; c'était l'écueil. Ce que le flot cachait devait être énorme. La ruelle, où l'orage avait jeté la Durande, était l'entre-deux de ces lames colossales.

Cette ruelle, en zigzag comme l'éclair, avait à peu près sur tous les points la même largeur. L'océan l'avait ainsi faite. L'éternel tumulte dégage de ces régularités bizarres. Une géométrie sort de la vague.

D'un bout à l'autre du défilé, les deux murailles de roche se faisaient face parallèlement à une distance que le maître couple de la Durande mesurait presque exactement. Entre les deux Douvres, l'évasement de la petite

Douvre, recourbée et renversée, avait donné place aux
tambours. Partout ailleurs les tambours eussent été
broyés.

La double façade intérieure de l'écueil était hideuse.
Quand dans l'exploration du désert d'eau nommé Océan
on arrive aux choses inconnues de la mer, tout devient
surprenant et difforme. Ce que Gilliatt, du haut de
l'épave, pouvait apercevoir du défilé, faisait horreur. Il y
a souvent dans les gorges granitiques de l'océan une
étrange figuration permanente du naufrage. Le défilé des
Douvres avait la sienne, effroyable. Les oxydes de la
roche mettaient sur l'escarpement, çà et là, des rougeurs
imitant des plaques de sang caillé. C'était quelque chose
comme l'exsudation saignante d'un caveau de boucherie.
Il y avait du charnier dans cet écueil. La rude pierre
marine, diversement colorée, ici par la décomposition des
amalgames métalliques mêlés à la roche, là par la moisis-
sure, étalait par places des pourpres affreuses, des verdissements suspects, des éclaboussures vermeilles, éveillant
une idée de meurtre et d'extermination. On croyait voir le
mur pas essuyé d'une chambre d'assassinat. On eût dit
que des écrasements d'hommes avaient laissé là leur
trace ; la roche à pic avait on ne sait quelle empreinte
d'agonies accumulées. En de certains endroits ce carnage
paraissait ruisseler encore, la muraille était mouillée et il
semblait impossible d'y appuyer le doigt sans le retirer
sanglant. Une rouille de massacre apparaissait partout.
Au pied du double escarpement parallèle, épars à fleur
d'eau ou sous la lame, ou à sec dans les affouillements,
de monstrueux galets ronds, les uns écarlates, les autres
noirs ou violets, avaient des ressemblances de viscères ;
on croyait voir des poumons frais, ou des foies pourris-
sant. On eût dit que des ventres de géants avaient été
vidés là. De longs fils rouges, qu'on eût pu prendre pour
des suintements funèbres, rayaient du haut en bas le
granit.

Ces aspects sont fréquents dans les cavernes de la mer.

V

UN MOT SUR LES COLLABORATIONS SECRÈTES
DES ÉLÉMENTS

Pour ceux qui, par les hasards des voyages, peuvent
être condamnés à l'habitation temporaire d'un écueil dans
l'océan, la forme de l'écueil n'est point chose indiffé-
rente. Il y a l'écueil pyramide, une cime unique hors de
l'eau ; il y a l'écueil cercle, quelque chose comme un rond
de grosses pierres ; il y a l'écueil corridor. L'écueil corridor est le plus inquiétant. Ce n'est pas seulement à cause
de l'angoisse du flot entre ses parois et des tumultes de la
vague resserrée, c'est aussi à cause des obscures proprié-
tés météorologiques qui semblent se dégager du parallélisme de deux roches en pleine mer. Ces deux lames
droites sont un véritable appareil voltaïque.
    Un écueil corridor est orienté. Cette orientation im-
porte. Il en résulte une première action sur l'air et sur
l'eau. L'écueil corridor agit sur le flot et sur le vent,
mécaniquement par sa forme, galvaniquement par l'ai-
mantation différente possible de ses plans verticaux, masses juxtaposées et contrariées l'une par l'autre.
    Cette nature d'écueils tire à elle toutes les forces fu-
rieuses éparses dans l'ouragan, et a sur la tourmente une
singulière puissance de concentration.
    De là, dans les parages de ces brisants, une certaine
accentuation de la tempête.
    Il faut savoir que le vent est composite. On croit le vent
simple ; il ne l'est point. Cette force n'est pas seulement
dynamique, elle est chimique ; elle n'est pas seulement
chimique, elle est magnétique. Il y a en elle de l'inexplicable. Le vent est électrique autant qu'aérien. De certains
vents coïncident avec les aurores boréales. Le vent du

banc des Aiguilles roule des vagues de cent pieds de haut,
stupeur de Dumont-d'Urville [262]. — *La corvette,* dit-il,
ne savait à qui entendre. — Sous les rafales australes, de
vraies tumeurs maladives boursouflent l'océan, et la mer
devient si horrible que les sauvages s'enfuient pour ne
point la voir. Les rafales boréales sont autres ; elles sont
toutes mêlées d'épingles de glace, et ces bises irrespira-
bles refoulent en arrière sur la neige les traîneaux des
esquimaux. D'autres vents brûlent. C'est le simoun
d'Afrique qui est le typhon de Chine et le samiel de
l'Inde [263]. Simoun, Typhon, Samiel ; on croit nommer
des démons. Ils fondent le haut des montagnes ; un orage
a vitrifié le volcan de Tolucca [264]. Ce vent chaud, tourbillon couleur d'encre se ruant sur les nuées écarlates, a
fait dire aux Védas : *Voici le dieu noir qui vient voler les
vaches rouges.* On sent dans tous ces faits la pression du
mystère électrique.

Le vent est plein de ce mystère. De même la mer. Elle
aussi est compliquée ; sous ses vagues d'eau, qu'on voit,
elle a ses vagues de forces, qu'on ne voit pas. Elle se
compose de tout. De tous les pêle-mêle, l'océan est le
plus indivisible et le plus profond.

Essayez de vous rendre compte de ce chaos, si énorme
qu'il aboutit au niveau. Il est le récipient universel, réservoir pour les fécondations, creuset pour les transformations. Il amasse, puis disperse ; il accumule, puis ense-
mence ; il dévore, puis crée. Il reçoit tous les égouts de la
terre, et il les thésaurise. Il est solide dans la banquise,
liquide dans le flot, fluide dans l'effluve. Comme matière
il est masse, et comme force il est abstraction. Il égalise
et marie les phénomènes. Il se simplifie par l'infini dans
la combinaison. C'est à force de mélange et de trouble
qu'il arrive à la transparence. La diversité soluble se fond
dans son unité. Il a tant d'éléments qu'il est l'identité.
Une de ses gouttes, c'est tout lui. Parce qu'il est plein de
tempêtes, il devient l'équilibre. Platon voyait danser les
sphères [265] ; chose étrange à dire, mais réelle, dans la
colossale évolution terrestre autour du soleil, l'océan,
avec son flux et reflux, est le balancier du globe.

Dans un phénomène de la mer, tous les phénomènes

sont présents. La mer est aspirée par le tourbillon comme par un siphon ; un orage est un corps de pompe ; la foudre vient de l'eau comme de l'air ; dans les navires on sent de sourdes secousses, puis une odeur de soufre sort du puits des chaînes. L'océan bout. *Le diable a mis la mer dans sa chaudière*, disait Ruyter [266]. En de certaines tempêtes qui caractérisent le remous des saisons et les entrées en équilibre des forces génésiaques, les navires battus de l'écume semblent exsuder une lueur, et des flammèches de phosphore courent sur les cordages, si mêlées à la manœuvre que les matelots tendent la main et tâchent de prendre au vol ces oiseaux de feu. Après le tremblement de terre de Lisbonne, une haleine de fournaise poussa vers la ville une lame de soixante pieds de hauteur. L'oscillation océanique se lie à la trépidation terrestre.

Ces énergies incommensurables rendent possibles tous les cataclysmes. A la fin de 1864, à cent lieues des côtes de Malabar, une des îles Maldives [267] a sombré. Elle a coulé à fond comme un navire. Les pêcheurs partis le matin n'ont rien retrouvé le soir ; à peine ont-ils pu distinguer vaguement leurs villages sous la mer, et cette fois ce sont les barques qui ont assisté au naufrage des maisons.

En Europe où il semble que la nature se sente contrainte au respect de la civilisation, de tels événements sont rares jusqu'à l'impossibilité présumable. Pourtant Jersey et Guernesey ont fait partie de la Gaule ; et, au moment où nous écrivons ces lignes, un coup d'équinoxe vient de démolir sur la frontière d'Angleterre et d'Écosse la falaise Première des Quatre, *First of the Fourth*.

Nulle part ces forces paniques n'apparaissent plus formidablement amalgamées que dans le surprenant détroit boréal nommé Lyse-Fiord [268]. Le Lyse-Fiord est le plus redoutable des écueils-boyaux de l'océan. La démonstration est là complète. C'est la mer de Norvège, le voisinage du rude golfe Stavanger, le cinquante-neuvième degré de latitude. L'eau est lourde et noire, avec une fièvre d'orages intermittents. Dans cette eau, au milieu de cette solitude, il y a une grande rue sombre. Rue pour personne. Nul n'y passe ; aucun navire ne s'y hasarde. Un corridor de dix lieues de long entre deux murailles de

trois mille pieds de haut; voilà l'entrée qui s'offre. Ce
détroit a des coudes et des angles comme toutes les rues
de la mer, jamais droites, étant faites par la torsion du
flot. Dans le Lyse-Fiord, presque toujours la lame est
tranquille; le ciel est serein; lieu terrible. Où est le vent?
pas en haut. Où est le tonnerre? pas dans le ciel. Le vent
est sous la mer, la foudre est dans la roche. De temps en
temps il y a un tremblement d'eau. A de certains moments, sans qu'il y ait un nuage en l'air, vers le milieu de
la hauteur de la falaise verticale, à mille ou quinze cents
pieds au-dessus des vagues, plutôt du côté sud que du
côté nord, brusquement le rocher tonne, un éclair en sort,
cet éclair s'élance, puis se retire, comme ces jouets qui
s'allongent et se replient dans la main des enfants; il a des
contractions et des élargissements; il se darde à la falaise
opposée, rentre dans le rocher, puis en ressort, recommence, multiplie ses têtes et ses langues, se hérisse de
pointes, frappe où il peut, recommence encore, puis
s'éteint sinistre. Les volées d'oiseaux s'enfuient. Rien de
mystérieux comme cette artillerie sortant de l'invisible.
Un rocher attaque l'autre. Les écueils s'entre-foudroient.
Cette guerre ne regarde pas les hommes. Haine de deux
murailles dans le gouffre.

Dans le Lyse-Fiord le vent tourne en effluve, la roche
fait fonction de nuage et le tonnerre a des sorties de
volcan. Ce détroit étrange est une pile; il a pour éléments
ses deux falaises.

VI

UNE ÉCURIE POUR LE CHEVAL

Gilliatt se connaissait assez en écueils pour prendre les Douvres fort au sérieux. Avant tout, nous venons de le dire, il s'agissait de mettre en sûreté la panse.

La double arête de récifs qui se prolongeait en tranchée sinueuse derrière les Douvres faisait elle-même groupe çà et là avec d'autres roches, et l'on y devinait des culs-de-sac et des caves se dégorgeant dans la ruelle et se rattachant au défilé principal comme des branches à un tronc.

La partie inférieure des brisants était tapissée de varech et la partie supérieure de lichen. Le niveau uniforme du varech sur toutes les roches marquait la ligne de flottaison de la marée pleine et de la mer étale. Les pointes que l'eau n'atteignait pas avaient cette argenture et cette dorure que donne aux granits marins le bariolage du lichen blanc et du lichen jaune.

Une lèpre de coquillages conoïdes couvrait la roche à de certains endroits. Carie sèche du granit.

Sur d'autres points, dans des angles rentrants où s'était accumulé un sable fin ondé à la surface plutôt par le vent que par le flot, il y avait des touffes de chardon bleu.

Dans les redans peu battus de l'écume, on reconnaissait les petites tanières forées par l'oursin. Ce hérisson coquillage, qui marche, boule vivante, en roulant sur ses pointes, et dont la cuirasse se compose de plus de dix mille pièces artistement ajustées et soudées, l'oursin, dont la bouche s'appelle, on ne sait pourquoi, *lanterne d'Aristote*, creuse le granit avec ses cinq dents qui mordent la pierre, et se loge dans le trou. C'est en ces alvéoles que les chercheurs de fruits de mer le trouvent.

Ils le coupent en quatre et le mangent cru, comme l'huître. Quelques-uns trempent leur pain dans cette chair molle. De là son nom, *œuf de mer*.

Les sommets lointains des bas-fonds, mis hors de l'eau par la marée descendante, aboutissaient sous l'escarpement même de l'Homme à une sorte de crique murée presque de tous côtés par l'écueil. Il y avait là évidemment un mouillage possible. Gilliatt observa cette crique. Elle avait la forme d'un fer à cheval, et s'ouvrait d'un seul côté, au vent d'est, qui est le moins mauvais vent de ces parages. Le flot y était enfermé et presque dormant. Cette baie était tenable. Gilliatt d'ailleurs n'avait pas beaucoup de choix.

Si Gilliatt voulait profiter de la marée basse, il importait qu'il se hâtât.

Le temps, du reste, continuait d'être beau et doux. L'insolente mer était maintenant de bonne humeur.

Gilliatt redescendit, se rechaussa, dénoua l'amarre, rentra dans sa barque et poussa en mer. Il côtoya à la rame le dehors de l'écueil.

Arrivé près de l'Homme, il examina l'entrée de la crique.

Une moire fixe dans la mobilité du flot, ride imperceptible à tout autre qu'un marin, dessinait la passe.

Gilliatt étudia un instant cette courbe, linéament presque indistinct dans la lame, puis il prit un peu de large afin de virer à l'aise et de faire bon chenal, et vivement, d'un seul coup d'aviron, il entra dans la petite anse.

Il sonda.

Le mouillage était excellent en effet.

La panse serait protégée là contre à peu près toutes les éventualités de la saison.

Les plus redoutables récifs ont de ces recoins paisibles. Les ports qu'on trouve dans l'écueil ressemblent à l'hospitalité du bédouin; ils sont honnêtes et sûrs.

Gilliatt rangea la panse le plus près qu'il put de l'Homme, toutefois hors de la distance de talonnement, et mouilla ses deux ancres.

Cela fait, il croisa les bras et tint conseil avec lui-même.

La panse était abritée ; c'était un problème résolu ; mais le deuxième se présentait. Où s'abriter lui-même maintenant ?

Deux gîtes s'offraient : la panse elle-même, avec son coin de cabine à peu près habitable, et le plateau de l'Homme, aisé à escalader.

De l'un ou de l'autre de ces gîtes, on pourrait, à eau basse, et en sautant de roche en roche, gagner presque à pied sec l'entre-deux des Douvres où était la Durande.

Mais la marée basse ne dure qu'un moment, et tout le reste du temps on serait séparé, soit du gîte, soit de l'épave, par plus de deux cents brasses. Nager dans le flot d'un écueil est difficile ; pour peu qu'il y ait de la mer, c'est impossible.

Il fallait renoncer à la panse et à l'Homme.

Aucune station possible dans les rochers voisins.

Les sommets inférieurs s'effaçaient deux fois par jour sous la marée haute.

Les sommets supérieurs étaient sans cesse atteints par des bonds d'écume. Lavage inhospitalier.

Restait l'épave elle-même.

Pouvait-on s'y loger ?

Gilliatt l'espéra.

VII

Une chambre pour le voyageur

Une demi-heure après, Gilliatt, de retour sur l'épave, montait et descendait du pont à l'entrepont et de l'entrepont à la cale, approfondissant l'examen sommaire de sa première visite.

Il avait, à l'aide du cabestan, hissé sur le pont de la Durande le ballot qu'il avait fait du chargement de la panse. Le cabestan s'était bien comporté. Les barres ne manquaient pas pour le virer. Gilliatt, dans ce tas de décombres, n'avait qu'à choisir.

Il trouva dans les débris un ciseau à froid, tombé sans doute de la baille du charpentier, et dont il augmenta sa petite caisse d'outils.

En outre, car dans le dénuement tout compte, il avait son couteau dans sa poche.

Gilliatt travailla toute la journée à l'épave, déblayant, consolidant, simplifiant.

Le soir venu, il reconnut ceci :

Toute l'épave était frissonnante au vent. Cette carcasse tremblait à chaque pas que Gilliatt faisait. Il n'y avait de stable et de ferme que la partie de coque, emboîtée entre les rochers, qui contenait la machine. Là, les baux s'arc-boutaient puissamment au granit.

S'installer dans la Durande était imprudent. C'était une surcharge ; et, loin de peser sur le navire, il importait de l'alléger.

Appuyer sur l'épave était le contraire de ce qu'il fallait faire.

Cette ruine voulait les plus grands ménagements. C'était comme un malade, qui expire. Il y aurait bien assez du vent pour la brutaliser.

C'était déjà fâcheux d'être contraint d'y travailler. La quantité de travail que l'épave aurait nécessairement à porter la fatiguerait certainement, peut-être au-delà de ses forces.

En outre, si quelque accident de nuit survenait pendant le sommeil de Gilliatt, être dans l'épave, c'était sombrer avec elle. Nulle aide possible; tout était perdu. Pour secourir l'épave, il fallait être dehors.

Être hors d'elle et près d'elle; tel était le problème.

La difficulté se compliquait.

Où trouver un abri dans de telles conditions?

Gilliatt songea.

Il ne restait plus que les deux Douvres. Elles semblaient peu logeables.

On distinguait d'en bas sur le plateau supérieur de la grande Douvre une espèce d'excroissance.

Les roches debout à cime plate, comme la grande Douvre et l'Homme, sont des pics décapités. Ils abondent dans les montagnes et dans l'océan. Certains rochers, surtout parmi ceux qu'on rencontre au large, ont des entailles comme des arbres attaqués. Ils ont l'air d'avoir reçu un coup de cognée. Ils sont soumis en effet au vaste va-et-vient de l'ouragan, ce bûcheron de la mer.

Il existe d'autres causes de cataclysmes, plus profondes encore. De là sur tous ces vieux granits tant de blessures. Quelques-uns de ces colosses ont la tête coupée.

Quelquefois, cette tête, sans qu'on puisse s'expliquer comment, ne tombe pas, et demeure, mutilée, sur le sommet tronqué. Cette singularité n'est point très rare. La Roque-au-Diable, à Guernesey, et la Table, dans la vallée d'Anweiler [269]; offrent, dans les plus surprenantes conditions, cette bizarre énigme géologique.

Il était probablement arrivé à la grande Douvre quelque chose de pareil.

Si le renflement qu'on apercevait sur le plateau n'était pas une gibbosité naturelle de la pierre, c'était nécessairement quelque fragment restant du faîte ruiné.

Peut-être y avait-il dans ce morceau de roche une excavation.

Un trou où se fourrer; Gilliatt n'en demandait pas davantage.

Mais comment atteindre au plateau? comment gravir cette paroi verticale, dense et polie comme un caillou, à demi couverte d'une nappe de conferves [270] visqueuses, et ayant l'aspect glissant d'une surface savonnée?

Il y avait trente pieds au moins du pont de la Durande à l'arête du plateau.

Gilliatt tira de sa caisse d'outils la corde à nœuds, se l'agrafa à la ceinture par le grappin, et se mit à escalader la petite Douvre. A mesure qu'il montait, l'ascension était plus rude. Il avait négligé d'ôter ses souliers, ce qui augmentait le malaise de la montée. Il ne parvint pas sans peine à la pointe. Arrivé à cette pointe, il se dressa debout. Il n'y avait guère de place que pour ses deux pieds. En faire son logis était difficile. Un stylite se fût contenté de cela. Gilliatt, plus exigeant, voulait mieux.

La petite Douvre se recourbait vers la grande, ce qui faisait que de loin elle semblait la saluer; et l'intervalle des deux Douvres, qui était d'une vingtaine de pieds en bas, n'était plus que de huit ou dix pieds en haut.

De la pointe où il avait gravi, Gilliatt vit plus distinctement l'ampoule rocheuse qui couvrait en partie la plate-forme de la grande Douvre.

Cette plate-forme s'élevait à trois toises au moins au-dessus de sa tête.

Un précipice l'en séparait.

L'escarpement de la petite Douvre en surplomb se dérobait sous lui.

Gilliatt détacha de sa ceinture la corde à nœuds, prit rapidement du regard les dimensions, et lança le grappin sur la plate-forme.

Le grappin égratigna la roche, puis dérapa. La corde à nœuds, ayant le grappin à son extrémité, retomba sous les pieds de Gilliatt le long de la petite Douvre.

Gilliatt recommença, lançant la corde plus avant, et visant la protubérance granitique où il apercevait des crevasses et des stries.

Le jet fut si adroit et si net que le crampon se fixa.

Gilliatt tira dessus.

La roche cassa, et la corde à nœuds revint battre l'escarpement au-dessous de Gilliatt.

Gilliatt lança le grappin une troisième fois.

Le grappin ne retomba point.

Gilliatt fit effort sur la corde. Elle résista. Le grappin était ancré.

Il était arrêté dans quelque anfractuosité du plateau que Gilliatt ne pouvait voir.

Il s'agissait de confier sa vie à ce support inconnu.

Gilliatt n'hésita point.

Tout pressait. Il fallait aller au plus court.

D'ailleurs, redescendre sur le pont de la Durande pour aviser à quelque autre mesure était presque impossible. Le glissement était probable, et la chute à peu près certaine. On monte, on ne redescend pas.

Gilliatt avait, comme tous les bons matelots, des mouvements de précision. Il ne perdait jamais de force. Il ne faisait que des efforts proportionnés. De là les prodiges de vigueur qu'il exécutait avec des muscles ordinaires ; il avait les biceps du premier venu, mais un autre cœur. Il ajoutait à la force, qui est physique, l'énergie, qui est morale.

La chose à faire était redoutable.

Franchir, pendu à ce fil, l'intervalle des deux Douvres ; telle était la question.

On rencontre souvent, dans les actes de dévouement ou de devoir, de ces points d'interrogation qui semblent posés par la mort.

Feras-tu cela ? dit l'ombre.

Gilliatt exécuta une seconde traction d'essai sur le crampon ; le crampon tint bon.

Gilliatt enveloppa sa main gauche de son mouchoir, étreignit la corde à nœuds du poing droit qu'il recouvrit de son poing gauche, puis, tendant un pied en avant, et repoussant vivement de l'autre pied la roche afin que la vigueur de l'impulsion empêchât la rotation de la corde, il se précipita du haut de la petite Douvre sur l'escarpement de la grande.

Le choc fut dur.

Malgré la précaution prise par Gilliatt, la corde tourna, et ce fut son épaule qui frappa le rocher.

Il y eut rebondissement.

A leur tour ses poings heurtèrent la roche. Le mouchoir s'était dérangé. Ils furent écorchés; c'était beaucoup qu'ils ne fussent pas brisés.

Gilliatt demeura un moment étourdi et suspendu.

Il fut assez maître de son étourdissement pour ne point lâcher la corde.

Un certain temps s'écoula en oscillations et en soubresauts avant qu'il pût saisir la corde avec ses pieds; et il y parvint pourtant.

Revenu à lui, et tenant la corde entre ses pieds comme dans ses mains, il regarda en bas.

Il n'était pas inquiet sur la longueur de sa corde, qui lui avait plus d'une fois servi pour de plus grandes hauteurs. La corde, en effet, traînait sur le pont de la Durande.

Gilliatt, sûr de pouvoir redescendre, se mit à grimper.

En quelques instants il atteignit le plateau.

Jamais rien que d'ailé n'avait posé le pied là. Ce plateau était couvert de fientes d'oiseaux. C'était un trapèze irrégulier, cassure de ce colossal prisme granitique nommé la grande Douvre. Ce trapèze était creusé au centre comme une cuvette. Travail des pluies.

Gilliatt, du reste, avait conjecturé juste. On voyait à l'angle méridional du trapèze une superposition de rochers, décombres probables de l'écroulement du sommet. Ces rochers, espèce de tas de pavés démesurés, laissaient à une bête fauve qui eût été fourvoyée sur cette cime de quoi se glisser entre eux. Ils s'équilibraient pêle-mêle; ils avaient les interstices d'un monceau de gravats. Il n'y avait là ni grotte, ni antre, mais des trous comme dans une éponge. Une de ces tanières pouvait admettre Gilliatt.

Cette tanière avait un fond d'herbe et de mousse. Gilliatt serait là comme dans une gaine.

L'alcôve, à l'entrée, avait deux pieds de haut. Elle allait se rétrécissant vers le fond. Il y a des cercueils de pierre qui ont cette forme. L'amas de rochers étant adossé au sud-ouest, la tanière était garantie des ondées, mais ouverte au vent du nord.

Gilliatt trouva que c'était bon.

Les deux problèmes étaient résolus; la panse avait un port et il avait un logis.

L'excellence de ce logis était d'être à portée de l'épave.

Le grappin de la corde à nœuds, tombé entre deux quartiers de roche, s'y était solidement accroché. Gilliatt l'immobilisa en mettant dessus une grosse pierre.

Puis il entra immédiatement en libre pratique avec la Durande.

Il était chez lui désormais.

La grande Douvre était sa maison; la Durande était son chantier.

Aller et venir, monter et descendre, rien de plus simple.

Il dégringola vivement de la corde à nœuds sur le pont.

La journée était bonne, cela commençait bien, il était content, il s'aperçut qu'il avait faim.

Il déficela son panier de provisions, ouvrit son couteau, coupa une tranche de bœuf fumé, mordit sa miche de pain bis, but un coup au bidon d'eau douce, et soupa admirablement.

Bien faire et bien manger, ce sont là deux joies. L'estomac plein ressemble à une conscience satisfaite.

Son souper fini, il y avait encore un peu de jour. Il en profita pour commencer l'allègement, très urgent, de l'épave.

Il avait passé une partie de la journée à trier les décombres. Il mit de côté, dans le compartiment solide où était la machine, tout ce qui pouvait servir, bois, fer, cordage, toile. Il jeta à la mer l'inutile.

Le chargement de la panse, hissé par le cabestan sur le pont, était, quelque sommaire qu'il fût, un encombrement. Gilliatt avisa l'espèce de niche creusée, à une hauteur que sa main pouvait atteindre, dans la muraille de la petite Douvre. On voit souvent dans les rochers de ces armoires naturelles, point fermées, il est vrai. Il pensa qu'il était possible de confier à cette niche un dépôt. Il mit au fond ses deux caisses, celle des outils et celle des vêtements, ses deux sacs, le seigle et le biscuit, et sur le devant, un peu trop près du bord peut-être, mais il n'avait pas d'autre place, le panier de provisions.

Il avait eu le soin de retirer de la caisse aux vêtements sa peau de mouton, son suroît à capuchon et ses jambières goudronnées.

Pour ôter prise au vent sur la corde à nœuds, il en attacha l'extrémité inférieure à une porque de la Durande.

La Durande ayant beaucoup de rentrée, cette porque avait beaucoup de courbure, et tenait le bout de la corde aussi bien que l'eût fait une main fermée.

Restait le haut de la corde. Assujettir le bas était bien, mais au sommet de l'escarpement, à l'endroit où la corde à nœuds rencontrait l'arête de la plate-forme, il était à craindre qu'elle ne fût peu à peu sciée par l'angle vif du rocher.

Gilliatt fouilla le monceau de décombres en réserve, et y prit quelques loques de toile à voile, et, dans un tronçon de vieux câbles, quelques longs brins de fil de carret, dont il bourra ses poches.

Un marin eût deviné qu'il allait capitonner avec ces morceaux de toile et ces bouts de fil le pli de la corde à nœuds sur le coupant du rocher, de façon à la préserver de toute avarie; opération qui s'appelle fourrure.

Sa provision de chiffons faite, il se passa les jambières aux jambes, endossa le suroît par-dessus sa vareuse, rabattit le capuchon sur sa galérienne [271], se noua au cou par les deux pattes la peau de mouton, et ainsi vêtu de cette panoplie complète, il empoigna la corde, robustement fixée désormais au flanc de la grande Douvre, et il monta à l'assaut de cette sombre tour de la mer.

Gilliatt, en dépit de ses mains écorchées, arriva lestement au plateau.

Les dernières pâleurs du couchant s'éteignaient. Il faisait nuit sur la mer. Le haut de la Douvre gardait un peu de lueur.

Gilliatt profita de ce reste de clarté pour fourrer la corde à nœuds. Il lui appliqua, au coude qu'elle faisait sur le rocher, un bandage de plusieurs épaisseurs de toile, fortement ficelé à chaque épaisseur. C'était quelque chose comme la garniture que se mettent aux genoux les actrices pour les agonies et les supplications du cinquième acte.

La fourrure terminée, Gilliatt accroupi se redressa.

Depuis quelques instants, pendant qu'il ajustait ces loques sur la corde à nœuds, il percevait confusément en l'air un frémissement singulier.

Cela ressemblait, dans le silence du soir, au bruit que ferait le battement d'ailes d'une immense chauve-souris.

Gilliatt leva les yeux.

Un grand cercle noir tournait au-dessus de sa tête dans le ciel profond et blanc du crépuscule.

On voit, dans les vieux tableaux, de ces cercles sur la tête des saints. Seulement ils sont d'or sur un fond sombre ; celui-ci était ténébreux sur un fond clair. Rien de plus étrange. On eût dit l'auréole de nuit de la grande Douvre.

Ce cercle s'approchait de Gilliatt et ensuite s'éloignait ; se rétrécissant, puis s'élargissant.

C'étaient des mouettes, des goélands, des frégates, des cormorans, des mauves, une nuée d'oiseaux de mer, étonnés.

Il est probable que la grande Douvre était leur auberge et qu'ils venaient se coucher. Gilliatt y avait pris une chambre. Ce locataire inattendu les inquiétait.

Un homme là, c'est ce qu'ils n'avaient jamais vu.

Ce vol effaré dura quelque temps.

Ils paraissaient attendre que Gilliatt s'en allât.

Gilliatt, vaguement pensif, les suivait du regard.

Ce tourbillon volant finit par prendre son parti, le cercle tout à coup se défit en spirale, et ce nuage de cormorans alla s'abattre, à l'autre bout de l'écueil, sur l'Homme.

Là ils parurent se consulter et délibérer. Gilliatt, tout en s'allongeant dans son fourreau de granit, et tout en se mettant sous la joue une pierre pour oreiller, entendit longtemps les oiseaux parler l'un après l'autre, chacun à son tour de croassement.

Puis ils se turent, et tout s'endormit, les oiseaux sur leur rocher, Gilliatt sur le sien.

VIII

IMPORTUNAEQUE VOLUCRES [272]

Gilliatt dormit bien. Pourtant il eut froid, ce qui le réveilla de temps en temps. Il avait naturellement placé ses pieds au fond et sa tête au seuil. Il n'avait pas pris le soin d'ôter de son lit une multitude de cailloux assez tranchants qui n'amélioraient pas son sommeil.

Par moments, il entrouvrait les yeux.

Il entendait à de certains instants des détonations profondes. C'était la mer montante qui entrait dans les caves de l'écueil avec un bruit de coup de canon.

Tout ce milieu où il était offrait l'extraordinaire de la vision ; Gilliatt avait de la chimère autour de lui. Le demi-étonnement de la nuit s'y ajoutant, il se voyait plongé dans l'impossible. Il se disait : Je rêve.

Puis il se rendormait, et, en rêve alors, il se retrouvait au Bû de la Rue, aux Bravées, à Saint-Sampson ; il entendait chanter Déruchette ; il était dans le réel. Tant qu'il dormait, il croyait veiller et vivre ; quand il se réveillait, il croyait dormir.

En effet, il était désormais dans un songe.

Vers le milieu de la nuit, une vaste rumeur s'était faite dans le ciel. Gilliatt en avait confusément conscience à travers son sommeil. Il est probable que la brise s'élevait.

Une fois, qu'un frisson de froid le réveilla, il écarta les paupières un peu plus qu'il n'avait fait encore. Il y avait de larges nuées au zénith ; la lune s'enfuyait et une grosse étoile courait après elle.

Gilliatt avait l'esprit plein de la diffusion des songes, et ce grossissement du rêve compliquait les farouches paysages de la nuit.

Au point du jour, il était glacé et dormait profondément.

La brusquerie de l'aurore le tira de ce sommeil, dangereux peut-être. Son alcôve faisait face au soleil levant.

Gilliatt bâilla, s'étira, et se jeta hors de son trou.

Il dormait si bien qu'il ne comprit pas d'abord.

Peu à peu le sentiment de la réalité lui revint, et à tel point qu'il s'écria : Déjeunons !

Le temps était calme, le ciel était froid et serein, il n'y avait plus de nuages, le balayage de la nuit avait nettoyé l'horizon, le soleil se levait bien. C'était une seconde belle journée qui commençait. Gilliatt se sentit joyeux.

Il quitta son suroît et ses jambières, les roula dans la peau de mouton, la laine en dedans, noua le rouleau d'un bout de funin, et le poussa au fond de la tanière, à l'abri d'une pluie éventuelle.

Puis il fit son lit, c'est-à-dire retira les cailloux.

Son lit fait, il se laissa glisser le long de la corde sur le pont de la Durande, et courut à la niche où il avait déposé le panier de provisions.

Le panier n'y était plus. Comme il était fort près du bord, le vent de la nuit l'avait emporté et jeté dans la mer.

Ceci annonçait l'intention de se défendre.

Il avait fallu au vent une certaine volonté et une certaine malice pour aller chercher là ce panier.

C'était un commencement d'hostilités. Gilliatt le comprit.

Il est très difficile, quand on vit dans la familiarité bourrue de la mer, de ne point regarder le vent comme quelqu'un et les rochers comme des personnages.

Il ne restait plus à Gilliatt, avec le biscuit et la farine de seigle, que la ressource des coquillages dont s'était nourri le naufragé mort de faim sur le rocher l'Homme.

Quant à la pêche, il n'y fallait point songer. Le poisson, ennemi des chocs, évite les brisants ; les nasses et les chaluts perdent leur peine dans les récifs, et ces pointes ne sont bonnes qu'à déchirer les filets.

Gilliatt déjeuna de quelques poux de roque, qu'il détacha fort malaisément du rocher. Il faillit y casser son couteau.

Tandis qu'il faisait ce luncheon maigre, il entendit un
bizarre tumulte sur la mer. Il regarda.

C'était l'essaim de goélands et de mouettes qui venait
de se ruer sur une des roches basses, battant de l'aile,
s'entre-culbutant, criant, appelant. Tous fourmillaient
bruyamment sur le même point. Cette horde à bec et
ongles pillait quelque chose.

Ce quelque chose était le panier de Gilliatt.

Le panier, lancé sur une pointe par le vent, s'y était
crevé. Les oiseaux étaient accourus. Ils emportaient dans
leurs becs toutes sortes de lambeaux déchiquetés. Gilliatt
reconnut de loin son bœuf fumé et son stockfisch.

Les oiseaux entraient en lutte à leur tour. Ils avaient,
eux aussi, leurs représailles. Gilliatt leur avait pris leur
logis ; ils lui prenaient son souper.

IX

L'ÉCUEIL, ET LA MANIÈRE DE S'EN SERVIR

Une semaine se passa.

Quoiqu'on fût dans une saison de pluie, il ne pleuvait pas, ce qui réjouissait fort Gilliatt.

Du reste, ce qu'il entreprenait dépassait, en apparence du moins, la force humaine. Le succès était tellement invraisemblable que la tentative paraissait folle.

Les opérations serrées de près manifestent leurs empêchements et leurs périls. Rien n'est tel que de commencer pour voir combien il sera malaisé de finir. Tout début résiste. Le premier pas qu'on fait est un révélateur inexorable. La difficulté qu'on touche pique comme une épine.

Gilliatt eut tout de suite à compter avec l'obstacle.

Pour tirer du naufrage, où elle était aux trois quarts enfoncée, la machine de la Durande, pour tenter, avec quelque chance de réussite, un tel sauvetage en un tel lieu dans une telle saison, il semblait qu'il fallût être une troupe d'hommes, Gilliatt était seul; il fallait tout un outillage de charpenterie et de machinerie, Gilliatt avait une scie, une hache, un ciseau et un marteau; il fallait un bon atelier et un bon baraquement, Gilliatt n'avait pas de toit; il fallait des provisions et des vivres, Gilliatt n'avait pas de pain.

Quelqu'un qui, pendant toute cette première semaine, eût vu Gilliatt travailler dans l'écueil, ne se fût pas rendu compte de ce qu'il voulait faire. Il semblait ne plus songer à la Durande ni aux deux Douvres. Il n'était occupé que de ce qu'il y avait dans les brisants; il paraissait absorbé dans le sauvetage des petites épaves. Il pro-

fitait des marées basses pour dépouiller les récifs de tout
ce que le naufrage leur avait partagé. Il allait de roche en
roche ramasser ce que la mer y avait jeté, les haillons de
voilure, les bouts de corde, les morceaux de fer, les éclats
de panneaux, les bordages défoncés, les vergues cassées,
là une poutre, là une chaîne, là une poulie.

En même temps il étudiait toutes les anfractuosités de
l'écueil. Aucune n'était habitable, au grand désappoin-
tement de Gilliatt qui avait froid la nuit dans l'entre-deux
de pavés où il logeait sur le comble de la grande Douvre,
et qui eût souhaité trouver une meilleure mansarde.

Deux de ces anfractuosités étaient assez spacieuses ;
quoique le dallage de roche naturel en fût presque partout
oblique et inégal, on pouvait s'y tenir debout et y marcher. La pluie et le vent y avaient leurs aises, mais les
plus hautes marées ne les atteignaient point. Elles étaient
voisines de la petite Douvre, et d'un abord possible à
toute heure. Gilliatt décida que l'une serait un magasin, et
l'autre une forge.

Avec tous les rabans de têtière et tous les rabans de
pointure qu'il put recueillir, il fit des ballots des menues
épaves, liant les débris en faisceaux et les toiles en paquets. Il aiguilleta soigneusement le tout. A mesure que
la marée en montant venait renflouer ces ballots, il les
traînait à travers les récifs jusqu'à son magasin. Il avait
trouvé dans un creux de roche une guinderesse au moyen
de laquelle il pouvait haler même les grosses pièces de
charpente. Il tira de la mer de la même façon les nombreux tronçons de chaînes, épars dans les brisants.

Gilliatt était tenace et étonnant dans ce labeur. Il faisait
tout ce qu'il voulait. Rien ne résiste à un acharnement de
fourmi.

A la fin de la semaine, Gilliatt avait dans ce hangar de
granit tout l'informe bric-à-brac de la tempête mis en
ordre. Il y avait le coin des écouets et le coin des écoutes ;
les boulines n'étaient point mêlées avec les drisses ; les
bigots étaient rangés selon la quantité de trous qu'ils
avaient ; les emboudinures, soigneusement détachées des
organeaux des ancres brisées, étaient roulées en écheveaux ; les moques, qui n'ont point de rouet, étaient

séparées des moufles; les cabillots, les margouillets, les
pataras, les gabarons, les joutereaux, les calebas, les
galoches, les pantoires, les oreilles d'âne, les racageᵉ, les
bosses, les boutehors, occupaient, pourvu qu'ils ne fussent pas complètement défigurés par l'avarie, des compartiments différents; toute la charpente, traversins, piliers, épontilles, chouquets, mantelets, jumelles, hiloires,
était entassée à part; chaque fois que cela avait été possible, les planches des fragments de franc-bord embouffeté [273] avaient été rentrées les unes dans les autres; il n'y
avait nulle confusion des garcettes de ris avec les garcettes de tournevire, ni des araignées avec les touées, ni des
poulies de galauban avec les poulies de franc-funin, ni
des morceaux de virure avec les morceaux de vibord; un
recoin avait été réservé à une partie du trelingage de la
Durande, qui appuyait les haubans de hune et les gambes
de hune. Chaque débris avait sa place. Tout le naufrage
était là, classé et étiqueté. C'était quelque chose comme
le chaos en magasin.

Une voile d'étai, fixée par de grosses pierres, recou-
vrait, fort trouée, il est vrai, ce que la pluie pouvait
endommager.

Si fracassé qu'eût été l'avant de la Durande, Gilliatt
était parvenu à sauver les deux bossoirs avec leurs trois
roues de poulies.

Il retrouva le beaupré, et il eut beaucoup de peine à en
dérouler les liures; elles étaient fort adhérentes, ayant été,
comme toujours, faites au cabestan, et par un temps sec.
Gilliatt pourtant les détacha, ce gros funin pouvant lui
être fort utile.

Il avait également recueilli la petite ancre qui était
demeurée accrochée dans un creux de bas-fond où la mer
descendante la découvrait.

Il trouva dans ce qui avait été la cabine de Tangrouille
un morceau de craie, et le serra soigneusement. On peut
avoir des marques à faire.

Un seau de cuir à incendie et plusieurs bailles en assez
bon état complétaient cet en-cas de travail.

Tout ce qui restait du chargement de charbon de terre
de la Durande fut porté dans le magasin.

En huit jours ce sauvetage des débris fut achevé; l'écueil fut nettoyé, et la Durande fut allégée. Il ne resta plus sur l'épave que la machine.

Le morceau de la muraille de l'avant qui adhérait à l'arrière ne fatiguait point la carcasse. Il y pendait sans tiraillement, étant soutenu par une saillie de roche. Il était d'ailleurs large et vaste, et lourd à traîner, et il eût encombré le magasin. Ce panneau de muraille avait l'aspect d'un radeau. Gilliatt le laissa où il était.

Gilliatt, profondément pensif dans ce labeur, chercha en vain la «poupée» de la Durande. C'était une des choses que le flot avait à jamais emportées. Gilliatt, pour la retrouver, eût donné ses deux bras, s'il n'en eût pas eu tant besoin.

A l'entrée du magasin et en dehors, on voyait deux tas de rebut, le tas de fer, bon à reforger, et le tas de bois, bon à brûler.

Gilliatt était à la besogne au point du jour. Hors des heures de sommeil, il ne prenait pas un moment de repos.

Les cormorans, volant çà et là, le regardaient travailler.

X

LA FORGE

Le magasin fait, Gilliatt fit la forge.

La deuxième anfractuosité choisie par Gilliatt offrait un réduit, espèce de boyau, assez profond. Il avait eu d'abord l'idée de s'y installer; mais la bise, se renouvelant sans cesse, était si continue et si opiniâtre dans ce couloir qu'il avait dû renoncer à habiter là. Ce soufflet lui donna l'idée d'une forge. Puisque cette caverne ne pouvait être sa chambre, elle serait son atelier. Se faire servir par l'obstacle est un grand pas vers le triomphe. Le vent était l'ennemi de Gilliatt; Gilliatt entreprit d'en faire son valet.

Ce qu'on dit de certains hommes : — propres à tout, bons à rien, — on peut le dire des creux de rocher. Ce qu'ils offrent, ils ne le donnent point. Tel creux de rocher est une baignoire, mais qui laisse fuir l'eau par une fissure; tel autre est une chambre, mais sans plafond; tel autre est un lit de mousse, mais mouillée; tel autre est un fauteuil, mais de pierre.

La forge que Gilliatt voulait établir était ébauchée par la nature; mais dompter cette ébauche jusqu'à la rendre maniable, et transformer cette caverne en laboratoire, rien n'était plus âpre et plus malaisé. Avec trois ou quatre larges roches évidées en entonnoir et aboutissant à une fêlure étroite, le hasard avait fait là une espèce de vaste soufflante informe, bien autrement puissante que ces anciens grands soufflets de forge de quatorze pieds de long, lesquels donnaient en bas, par chaque coup d'haleine, quatre-vingt-dix-huit mille pouces d'air. C'était ici tout autre chose. Les proportions de l'ouragan ne se calculent pas.

Cet excès de force était une gêne; il était difficile de
régler ce souffle.

La caverne avait deux inconvénients; l'air la traversait
de part en part, l'eau aussi.

Ce n'était point la lame marine, c'était un petit ruissellement perpétuel, plus semblable à un suintement qu'à
un torrent.

L'écume, sans cesse lancée par le ressac sur l'écueil,
quelquefois à plus de cent pieds en l'air, avait fini par
emplir d'eau de mer une cuve naturelle située dans les
hautes roches qui dominaient l'excavation. Le trop-plein
de ce réservoir faisait, un peu en arrière, dans l'escarpement, une mince chute d'eau, d'un pouce environ, tombant de quatre ou cinq toises. Un contingent de pluie s'y
ajoutait. De temps en temps un nuage versait en passant
une ondée dans ce réservoir inépuisable et toujours débordant. L'eau en était saumâtre, non potable, mais limpide, quoique salée. Cette chute s'égouttait gracieusement aux extrémités des conferves comme aux pointes
d'une chevelure.

Gilliatt songea à se servir de cette eau pour discipliner
ce vent. Au moyen d'un entonnoir, de deux ou trois
tuyaux en planches menuisés et ajustés à la hâte, dont un
à robinet, et d'une baille très large disposée en réservoir
inférieur, sans flasque et sans contrepoids, en complétant
seulement l'engin par un étranguillon [274] en haut et des
trous aspirateurs en bas, Gilliatt, qui était, nous l'avons
dit, un peu forgeron et un peu mécanicien, parvint à
composer, pour remplacer le soufflet de forge qu'il
n'avait pas, un appareil moins parfait que ce qu'on
nomme aujourd'hui une cagniardelle [275], mais moins rudimentaire que ce qu'on appelait jadis dans les Pyrénées
une trompe.

Il avait de la farine de seigle, il en fit de la colle; il
avait du funin blanc, il en fit de l'étoupe. Avec cette
étoupe et cette colle et quelques coins de bois, il boucha
toutes les fissures du rocher, ne laissant qu'un bec d'air,
fait d'un petit tronçon d'espoulette [276] qu'il trouva dans la
Durande et qui avait servi de boute-feu au pierrier de
signal. Ce bec d'air était horizontalement dirigé sur une

large dalle où Gilliatt mit le foyer de la forge. Un bouchon, fait d'un bout de touron, le fermait au besoin.

Après quoi, Gilliatt empila du charbon et du bois dans ce foyer, battit le briquet sur le rocher même, fit tomber l'étincelle sur une poignée d'étoupe, et avec l'étoupe allumée alluma le bois et le charbon.

Il essaya la soufflante. Elle fit admirablement.

Gilliatt sentit une fierté de cyclope, maître de l'air, de l'eau et du feu.

Maître de l'air; il avait donné au vent une espèce de poumon, créé dans le granit un appareil respiratoire, et changé la soufflante en soufflet. Maître de l'eau; de la petite cascade, il avait fait une trompe. Maître du feu; de ce rocher inondé, il avait fait jaillir la flamme.

L'excavation étant presque partout à ciel ouvert, la fumée s'en allait librement, noircissant l'escarpement en surplomb. Ces rochers, qui semblaient à jamais faits pour l'écume, connurent la suie.

Gilliatt prit pour enclume un gros galet roulé d'un grain très dense, offrant à peu près la forme et la dimension voulues. C'était là une base de frappement fort dangereuse, et pouvant éclater. Une des extrémités de ce bloc, arrondie et finissant en pointe, pouvait à la rigueur tenir lieu de bicorne conoïde, mais l'autre bicorne, la bicorne pyramidale, manquait. C'était l'antique enclume de pierre des Troglodytes. La surface, polie par le flot, avait presque la fermeté de l'acier.

Gilliatt regretta de ne point avoir apporté son enclume. Comme il ignorait que la Durande avait été coupée en deux par la tempête, il avait espéré trouver la baille du charpentier et tout son outillage ordinairement logé dans la cale à l'avant. Or, c'était précisément l'avant qui avait été emporté.

Les deux excavations conquises sur l'écueil par Gilliatt étaient voisines. Le magasin et la forge communiquaient.

Tous les soirs, sa journée finie, Gilliatt soupait d'un morceau de biscuit amolli dans l'eau, d'un oursin ou d'un poingclos [277], ou de quelques châtaignes de mer, la seule chasse possible dans ces rochers, et, grelottant comme la

corde à nœuds, remontait se coucher dans son trou sur la
grande Douvre.

L'espèce d'abstraction où vivait Gilliatt s'augmentait
de la matérialité même de ses occupations. La réalité à
haute dose effare. Le labeur corporel avec ses détails sans
nombre n'ôtait rien à la stupeur de se trouver là et de faire
ce qu'il faisait. Ordinairement la lassitude matérielle est
un fil qui tire à terre; mais la singularité même de la
besogne entreprise par Gilliatt le maintenait dans une
sorte de région idéale et crépusculaire. Il lui semblait par
moment donner des coups de marteau dans les nuages.
Dans d'autres instants, il lui semblait que ses outils
étaient des armes. Il avait le sentiment singulier d'une
attaque latente qu'il réprimait ou qu'il prévenait. Tresser
du funin, tirer d'une voile un fil de carret, arc-bouter
deux madriers, c'était façonner des machines de guerre.
Les mille soins minutieux de ce sauvetage finissaient par
ressembler à des précautions contre des agressions intelligentes, fort peu dissimulées et très transparentes. Gilliatt ne savait pas les mots qui rendent les idées, mais il
percevait les idées. Il se sentait de moins en moins ouvrier et de plus en plus belluaire.

Il était là comme dompteur. Il le comprenait presque.
Élargissement étrange pour son esprit.

En outre, il avait autour de lui, à perte de vue, l'immense songe du travail perdu. Voir manœuvrer dans
l'insondable et dans l'illimité la diffusion des forces, rien
n'est plus troublant. On cherche des buts. L'espace toujours en mouvement, l'eau infatigable, les nuages qu'on
dirait affairés, le vaste effort obscur, toute cette convulsion est un problème. Qu'est-ce que ce tremblement perpétuel fait? que construisent ces rafales? que bâtissent
ces secousses? Ces chocs, ces sanglots, ces hurlements,
qu'est-ce qu'ils créent? à quoi est occupé ce tumulte? Le
flux et le reflux de ces questions est éternel comme la
marée. Gilliatt, lui, savait ce qu'il faisait; mais l'agitation
de l'étendue l'obsédait confusément de son énigme. A
son insu, mécaniquement, impérieusement, par pression
et pénétration, sans autre résultat qu'un éblouissement
inconscient et presque farouche, Gilliatt rêveur amalga-

mait à son propre travail le prodigieux travail inutile de la mer. Comment, en effet, ne pas subir et sonder, quand on est là, le mystère de l'effrayante onde laborieuse ? Comment ne pas méditer, dans la mesure de ce qu'on a de méditation possible, la vacillation du flot, l'acharnement de l'écume, l'usure imperceptible du rocher, l'époumonement insensé des quatre vents ? Quelle terreur pour la pensée, le recommencement perpétuel, l'océan puits, les nuées Danaïdes, toute cette peine pour rien !

Pour rien, non. Mais, ô Inconnu, toi seul sais pourquoi.

XI

DÉCOUVERTE

Un écueil voisin de la côte est quelquefois visité par les hommes; un écueil en pleine mer, jamais. Qu'irait-on y chercher? ce n'est pas une île. Point de ravitaillement à espérer, ni arbres à fruits, ni pâturages, ni bestiaux, ni sources d'eau potable. C'est une nudité dans une solitude. C'est une roche, avec des escarpements hors de l'eau et des pointes sous l'eau. Rien à trouver là que le naufrage.

Ces espèces d'écueils, que la vieille langue marine appelle les Isolés, sont, nous l'avons dit, des lieux étranges. La mer y est seule. Elle fait ce qu'elle veut. Nulle apparition terrestre ne l'inquiète. L'homme épouvante la mer; elle se défie de lui; elle lui cache ce qu'elle est et ce qu'elle fait. Dans l'écueil, elle est rassurée; l'homme n'y viendra pas. Le monologue des flots ne sera point troublé. Elle travaille à l'écueil, répare ses avaries, aiguise ses pointes, le hérisse, le remet à neuf, le maintient en état. Elle entreprend le percement du rocher, désagrège la pierre tendre, dénude la pierre dure, ôte la chair, laisse l'ossement, fouille, dissèque, fore, troue, canalise, met les cœcums en communication, emplit l'écueil de cellules, imite l'éponge en grand, creuse le dedans, sculpte le dehors. Elle se fait, dans cette montagne secrète, qui est à elle, des antres, des sanctuaires, des palais; elle a on ne sait quelle végétation hideuse et splendide composée d'herbes flottantes qui mordent et de monstres qui prennent racine; elle enfouit sous l'ombre de l'eau cette magnificence affreuse. Dans l'écueil isolé, rien ne la surveille, ne l'espionne et ne la dérange; elle y développe à

l'aise son côté mystérieux inaccessible à l'homme. Elle y
dépose ses sécrétions vivantes et horribles. Tout l'ignoré
de la mer est là.

Les promontoires, les caps, les finistères, les nases [278],
les brisants, les récifs, sont, insistons-y, de vraies
constructions. La formation géologique est peu de chose,
comparée à la formation océanique. Les écueils, ces
maisons de la vague, ces pyramides et ces syringes [279] de
l'écume, appartiennent à un art mystérieux que l'auteur
de ce livre a nommé quelque part l'Art de la Nature, et
ont une sorte de style énorme. Le fortuit y semble voulu.
Ces constructions sont multiformes. Elles ont l'enchevêtrement du polypier, la sublimité de la cathédrale, l'ex-
travagance de la pagode, l'amplitude du mont, la délicatesse du bijou, l'horreur du sépulcre. Elles ont des alvéoles comme un guêpier, des tanières comme une ménage-
rie, des tunnels comme une taupinière, des cachots
comme une bastille, des embuscades comme un camp.
Elles ont des portes, mais barricadées, des colonnes, mais
tronquées, des tours, mais penchées, des ponts, mais
rompus. Leurs compartiments sont inexorables; ceci
n'est que pour les oiseaux; ceci n'est que pour les poissons. On ne passe pas. Leur figure architecturale se
transforme, se déconcerte, affirme la statique, la nie, se
brise, s'arrête court, commence en archivolte, finit en
architrave; bloc sur bloc; Encelade [280] est le maçon. Une
dynamique extraordinaire étale là ses problèmes, résolus.
D'effrayants pendentifs menacent, mais ne tombent pas.
On ne sait pas comment tiennent ces bâtisses vertigineuses. Partout des surplombs, des porte-à-faux, des lacu-
nes, des suspensions insensées; la loi de ce babélisme
échappe; l'Inconnu, immense architecte, ne calcule rien,
et réussit tout; les rochers, bâtis pêle-mêle, composent un
monument monstre; nulle logique, un vaste équilibre.
C'est plus que de la solidité, c'est de l'éternité. En même
temps, c'est le désordre. Le tumulte de la vague semble
avoir passé dans le granit. Un écueil, c'est de la tempête
pétrifiée. Rien de plus émouvant pour l'esprit que cette
farouche architecture, toujours croulante, toujours debout. Tout s'y entraide et s'y contrarie. C'est un combat

de lignes d'où résulte un édifice. On y reconnaît la collaboration de ces deux querelles, l'océan et l'ouragan.

Cette architecture a ses chefs-d'œuvre, terribles.
L'écueil Douvres en était un.

Celui-là, la mer l'avait construit et perfectionné avec
un amour formidable. L'eau hargneuse le léchait. Il était
hideux, traître, obscur; plein de caves.

Il avait tout un système veineux de trous sous-marins se
ramifiant dans des profondeurs insondables. Plusieurs des
orifices de ce percement inextricable étaient à sec aux marées
basses. On y pouvait entrer. A ses risques et périls.

Gilliatt, pour les besoins de son sauvetage, dut explo-
rer toutes ces grottes. Pas une qui ne fût effroyable.
Partout, dans ces caves, se reproduisait, avec les dimensions exagérées de l'océan, cet aspect d'abattoir et de
boucherie étrangement empreint dans l'entre-deux des
Douvres. Qui n'a point vu, dans des excavations de ce
genre, sur la muraille du granit éternel, ces affreuses
fresques de la nature, ne peut s'en faire l'idée.

Ces grottes féroces étaient sournoises; il ne fallait point
s'y attarder. La marée haute les emplissait jusqu'au plafond.

Les poux de roque et les fruits de mer y abondaient.

Elles étaient encombrées de galets roulés, amoncelés
en tas au fond des voûtes. Beaucoup de ces galets pe-
saient plus d'une tonne. Ils étaient de toutes proportions
et de toutes couleurs; la plupart paraissaient sanglants;
quelques-uns, couverts de conferves poilues et gluantes,
semblaient de grosses taupes vertes fouillant le rocher.

Plusieurs de ces caves se terminaient brusquement en
cul-de-four. D'autres, artères d'une circulation mystérieuse, se prolongeaient dans le rocher en fissures tor-
tueuses et noires. C'étaient les rues du gouffre. Ces
fissures se rétrécissant sans cesse, un homme n'y pouvait
passer. Un brandon allumé y laissait voir des obscurités
suintantes.

Une fois, Gilliatt, furetant, s'aventura dans une de ces
fissures. L'heure de la marée s'y prêtait. C'était une belle
journée de calme et de soleil. Aucun incident de mer,
pouvant compliquer le risque, n'était à redouter.

Deux nécessités, nous venons de l'indiquer, poussaient Gilliatt à ces explorations : chercher, pour le sauvetage, des débris utiles, et trouver des crabes et des langoustes pour sa nourriture. Les coquillages commençaient à lui manquer dans les Douvres.

La fissure était resserrée et le passage presque impossible. Gilliatt voyait de la clarté au-delà. Il fit effort, s'effaça, se tordit de son mieux, et s'engagea le plus avant qu'il put.

Il se trouvait, sans s'en douter, précisément dans l'intérieur du rocher sur la pointe duquel Clubin avait lancé la Durande. Gilliatt était sous cette pointe. Le rocher, abrupt extérieurement, et inabordable, était évidé en dedans. Il avait des galeries, des puits et des chambres comme le tombeau d'un roi d'Égypte. Cet affouillement était un des plus compliqués parmi ces dédales, travail de l'eau, sape de la mer infatigable. Les embranchements de ce souterrain sous mer communiquaient probablement avec l'eau immense du dehors par plus d'une issue, les unes béantes au niveau du flot, les autres profonds entonnoirs invisibles. C'était tout près de là, mais Gilliatt l'ignorait, que Clubin s'était jeté à la mer.

Gilliatt, dans cette lézarde à crocodiles, où les crocodiles, il est vrai, n'étaient pas à craindre, serpentait, rampait, se heurtait le front, se courbait, se redressait, perdait pied, retrouvait le sol, avançait péniblement. Peu à peu le boyau s'élargit, un demi-jour parut, et tout à coup Gilliatt fit son entrée dans une caverne extraordinaire.

XII

LE DEDANS D'UN ÉDIFICE SOUS MER

Ce demi-jour vint à propos.

Un pas de plus, Gilliatt tombait dans une eau peut-être sans fond. Ces eaux de caves ont un tel refroidissement et une paralysie si subite, que souvent les plus forts nageurs y restent.

Nul moyen d'ailleurs de remonter et de s'accrocher aux escarpements entre lesquels on est muré.

Gilliatt s'arrêta court. La crevasse d'où il sortait aboutissait à une saillie étroite et visqueuse, espèce d'encorbellement dans la muraille à pic. Gilliatt s'adossa à la muraille et regarda.

Il était dans une grande cave. Il avait au-dessus de lui quelque chose comme le dessous d'un crâne démesuré. Ce crâne avait l'air fraîchement disséqué. Les nervures ruisselantes des stries du rocher imitaient sur la voûte les embranchements des fibres et les sutures dentelées d'une boîte osseuse. Pour plafond, la pierre ; pour plancher, l'eau ; les lames de la marée, resserrées entre les quatre parois de la grotte, semblaient de larges dalles tremblantes. La grotte était fermée de toutes parts. Pas une lucarne, pas un soupirail ; aucune brèche à la muraille, aucune fêlure à la voûte. Tout cela était éclairé d'en bas à travers l'eau. C'était on ne sait quel resplendissement ténébreux.

Gilliatt, dont les pupilles s'étaient dilatées pendant le trajet obscur du corridor, distinguait tout dans ce crépuscule.

Il connaissait, pour y être allé plus d'une fois, les caves de Plémont à Jersey, le Creux-Maillé à Guernesey, les

Boutiques à Serk, ainsi nommées à cause des contrebandiers qui y déposaient leurs marchandises; aucun de ces
merveilleux antres n'était comparable à la chambre souterraine et sous-marine où il venait de pénétrer.

Gilliatt voyait en face de lui sous la vague une sorte
d'arche noyée. Cette arche, ogive naturelle façonnée par
le flot, était éclatante entre ses deux jambages profonds et
noirs. C'est par ce porche submergé qu'entrait dans la
caverne la clarté de la haute mer. Jour étrange donné par
un engloutissement.

Cette clarté s'évasait sous la lame comme un large
éventail et se répercutait sur le rocher. Ses rayonnements
rectilignes, découpés en longues bandes droites, sur
l'opacité du fond, s'éclaircissant ou s'assombrissant
d'une anfractuosité à l'autre, imitaient des interpositions
de lames de verre. Il y avait du jour dans cette cave, mais
du jour inconnu. Il n'y avait plus dans cette clarté rien de
notre lumière. On pouvait croire qu'on venait d'enjamber
dans une autre planète. La lumière était une énigme; on
eût dit la lueur glauque de la prunelle d'un sphinx. Cette
cave figurait le dedans d'une tête de mort énorme et
splendide; la voûte était le crâne, et l'arche était la bouche; les trous des yeux manquaient. Cette bouche, ava-
lant et rendant le flux et le reflux, béante au plein midi
extérieur, buvait de la lumière et vomissait de l'amertume. De certains êtres, intelligents et mauvais, ressemblent à cela. Le rayon du soleil, en traversant ce porche
obstrué d'une épaisseur vitreuse d'eau de mer, devenait
vert comme un rayon d'Aldébaran. L'eau, toute pleine de
cette lumière mouillée, paraissait de l'émeraude en fu-
sion. Une nuance d'aigue-marine d'une délicatesse inouïe
teignait mollement toute la caverne. La voûte, avec ses
lobes presque cérébraux et ses ramifications rampantes
pareilles à des épanouissements de nerfs, avait un tendre
reflet de chrysoprase. Les moires du flot, réverbérées au
plafond, s'y décomposaient et s'y recomposaient sans
fin, élargissant et rétrécissant leurs mailles d'or avec un
mouvement de danse mystérieuse. Une impression spectrale s'en dégageait; l'esprit pouvait se demander quelle
proie ou quelle attente faisait si joyeux ce magnifique filet

de feu vivant. Aux reliefs de la voûte et aux aspérités du
roc pendaient de longues et fines végétations baignant
probablement leurs racines à travers le granit dans quelque nappe d'eau supérieure, et égrenant, l'une après
l'autre, à leur extrémité, une goutte d'eau, une perle. Ces
perles tombaient dans le gouffre avec un petit bruit doux.
Le saisissement de cet ensemble était indicible. On ne
pouvait rien imaginer de plus charmant ni rien rencontrer
de plus lugubre.

C'était on ne sait que! palais de la Mort, contente.

XIII

CE QU'ON Y VOIT ET CE QU'ON Y ENTREVOIT

De l'ombre qui éblouit; tel était ce lieu surprenant.

La palpitation de la mer se faisait sentir dans cette cave. L'oscillation extérieure gonflait, puis déprimait la nappe d'eau intérieure avec la régularité d'une respiration. On croyait deviner une âme mystérieuse dans ce grand diaphragme vert s'élevant et s'abaissant en silence.

L'eau était magiquement limpide, et Gilliatt y distinguait, à des profondeurs diverses, des stations immergées, surfaces de roches en saillie d'un vert de plus en plus foncé. Certains creux obscurs étaient probablement insondables.

Des deux côtés du porche sous-marin, des ébauches de cintres surbaissés, pleins de ténèbres, indiquaient de petites caves latérales, bas-côtés de la caverne centrale, accessibles peut-être à l'époque des très basses marées.

Ces anfractuosités avaient des plafonds en plan incliné, à angles plus ou moins ouverts. De petites plages, larges de quelques pieds, mises à nu par les fouilles de la mer, s'enfonçaient et se perdaient sous ces obliquités.

Çà et là des herbes longues de plus d'une toise ondulaient sous l'eau avec un balancement de cheveux au vent. On entrevoyait des forêts de goémons.

Hors du flot et dans le flot, toute la muraille de la cave, du haut en bas, depuis la voûte jusqu'à son effacement dans l'invisible, était tapissée de ces prodigieuses floraisons de l'océan, si rarement aperçues par l'œil humain, que les vieux navigateurs espagnols nommaient *praderias del mar* [281]. Une mousse robuste, qui avait toutes les nuances de l'olive, cachait et amplifiait les exostoses [282] du granit. De tous les surplombs jaillissaient les minces lanières gaufrées du varech dont les pêcheurs se font des baromètres. Le souffle obscur de la caverne agitait ces courroies luisantes.

Sous ces végétations se dérobaient et se montraient en même temps les plus rares bijoux de l'écrin de l'océan, des éburnes, des strombes, des mitres, des casques, des pourpres, des buccins, des struthiolaires, des cérites turriculées [283]. Les cloches des patelles, pareilles à des huttes microscopiques, adhéraient partout au rocher et se groupaient en villages, dans les rues desquels rôdaient les oscabrions [284], ces scarabées de la vague. Les galets ne pouvant que difficilement entrer dans cette grotte, les coquillages s'y réfugiaient. Les coquillages sont des grands seigneurs, qui, tout brodés et tout passementés, évitent le rude et incivil contact de la populace des cailloux. L'amoncellement étincelant des coquillages faisait sous la lame, à de certains endroits, d'ineffables irradiations à travers lesquelles on entrevoyait un fouillis d'azurs et de nacres, et des ors de toutes les nuances de l'eau.

Sur la paroi de la cave, un peu au-dessus de la ligne de flottaison de la marée, une plante magnifique et singulière se rattachait comme une bordure à la tenture de varech, la continuait et l'achevait. Cette plante, fibreuse, touffue, inextricablement coudée et presque noire, offrait aux regards de larges nappes brouillées et obscures, partout piquées d'innombrables petites fleurs couleur lapis-lazuli. Dans l'eau ces fleurs semblaient s'allumer, et l'on croyait voir des braises bleues. Hors de l'eau c'étaient des fleurs, sous l'eau c'étaient des saphirs ; de sorte que la lame, en montant et en inondant le soubassement de la grotte revêtu de ces plantes, couvrait le rocher d'escarboucles.

A chaque gonflement de la vague enflée comme un poumon, ces fleurs, baignées, resplendissaient, à chaque abaissement elles s'éteignaient ; mélancolique ressemblance avec la destinée. C'était l'aspiration, qui est la vie ; puis l'expiration, qui est la mort.

Une des merveilles de cette caverne, c'était le roc. Ce

roc, tantôt muraille, tantôt cintre, tantôt étrave ou pilas-
tre, était par places brut et nu, puis, tout à côté, travaillé
des plus délicates ciselures naturelles. On ne sait quoi,
qui avait beaucoup d'esprit, se mêlait à la stupidité massive du granit. Quel artiste que l'abîme ! Tel pan de mur,
coupé carrément et couvert de rondes bosses ayant des
attitudes, figurait un vague bas-relief ; on pouvait, devant
cette sculpture où il y avait du nuage, rêver de Prométhée
ébauchant pour Michel-Ange. Il semblait qu'avec quelques coups de marteau le génie eût pu achever ce qu'avait
commencé le géant. En d'autres endroits, la roche était
damasquinée comme un bouclier sarrasin ou niellée
comme une vasque florentine. Elle avait des panneaux
qui paraissaient de bronze de Corinthe, puis des arabesques comme une porte de mosquée, puis, comme une
pierre runique, des empreintes d'ongles obscures et improbables. Des plantes à ramuscules torses et à vrilles,
s'entrecroisant sur les dorures du lichen, la couvraient de
filigranes. Cet antre se compliquait d'un alhambra.
C'était la rencontre de la sauvagerie et de l'orfèvrerie
dans l'auguste et difforme architecture du hasard.

Les magnifiques moisissures de la mer mettaient du
velours sur les angles du granit. Les escarpements étaient
festonnés de lianes grandiflores, adroites à ne point tomber, et qui semblaient intelligentes, tant elles ornaient
bien. Des pariétaires à bouquets bizarres montraient leurs
touffes à propos et avec goût. Toute la coquetterie possible à une caverne était là. La surprenante lumière édéni-
que qui venait de dessous l'eau, à la fois pénombre
marine et rayonnement paradisiaque, estompait tous les
linéaments dans une sorte de diffusion visionnaire. Chaque vague était un prisme. Les contours des choses, sous
ces ondoiements irisés, avaient le chromatisme des len-
tilles d'optique trop convexes ; des spectres solaires flottaient sous l'eau. On croyait voir se tordre dans cette
diaphanéité aurorale des tronçons d'arcs-en-ciel noyés.
Ailleurs, en d'autres coins, il y avait dans l'eau un certain
clair de lune. Toutes les splendeurs semblaient amalgamées là pour faire on ne sait quoi d'aveugle et de nocturne. Rien de plus troublant et de plus énigmatique que

ce faste dans cette cave. Ce qui dominait, c'était l'enchantement. La végétation fantasque et la stratification informe s'accordaient et dégageaient une harmonie. Ce mariage de choses farouches était heureux. Les ramifications se cramponnaient en ayant l'air d'effleurer. La caresse du roc sauvage et de la fleur fauve était profonde. Des piliers massifs avaient pour chapiteaux et pour ligatures de frêles guirlandes toutes pénétrées de frémissement, on songeait à des doigts de fées chatouillant des pieds de béhémoths [285], et le rocher soutenait la plante et la plante étreignait le rocher avec une grâce monstrueuse.

La résultante de ces difformités mystérieusement ajustées était on ne sait quelle beauté souveraine. Les œuvres de la nature, non moins suprêmes que les œuvres du génie, contiennent de l'absolu, et s'imposent. Leur inattendu se fait obéir impérieusement par l'esprit; on y sent une préméditation qui est en dehors de l'homme, et elles ne sont jamais plus saisissantes que lorsqu'elles font subitement sortir l'exquis du terrible.

Cette grotte inconnue était, pour ainsi dire, et si une telle expression était admissible, sidéralisée. On y subissait ce que la stupeur a de plus imprévu. Ce qui emplissait cette crypte, c'était de la lumière d'apocalypse. On n'était pas bien sûr que cette chose fût. On avait devant les yeux une réalité empreinte d'impossible. On regardait cela, on y touchait, on y était; seulement il était difficile d'y croire.

Était-ce du jour qui venait par cette fenêtre sous la mer? Était-ce de l'eau qui tremblait dans cette cuve obscure? Ces cintres et ces porches n'étaient-ils point de la nuée céleste imitant une caverne? Quelle pierre avait-on sous les pieds? Ce support n'allait-il point se désagréger et devenir fumée? Qu'était-ce que cette joaillerie de coquillages qu'on entrevoyait? A quelle distance était-on de la vie, de la terre, des hommes? Qu'était-ce que ce ravissement mêlé à ces ténèbres? Émotion inouïe, presque sacrée, à laquelle s'ajoutait la douce inquiétude des herbes au fond de l'eau.

A l'extrémité de la cave, qui était oblongue, sous une archivolte cyclopéenne d'une coupe singulièrement correcte, dans un creux presque indistinct, espèce d'antre dans l'antre et de tabernacle dans le sanctuaire, derrière une nappe de clarté verte interposée comme un voile de temple, on apercevait hors du flot une pierre à pans carrés ayant une ressemblance d'autel. L'eau entourait cette pierre de toutes parts. Il semblait qu'une déesse vînt d'en descendre. On ne pouvait s'empêcher de rêver sous cette crypte, sur cet autel, quelque nudité céleste éternellement pensive, et que l'entrée d'un homme faisait éclipser. Il était difficile de concevoir cette cellule auguste sans une vision dedans; l'apparition, évoquée par la rêverie, se recomposait d'elle-même; un ruissellement de lumière chaste sur des épaules à peine entrevues, un front baigné d'aube, un ovale de visage olympien, des rondeurs de seins mystérieux, des bras pudiques, une chevelure dénouée dans de l'aurore, des hanches ineffables modelées en pâleur dans une brume sacrée, des formes de nymphe, un regard de vierge, une Vénus sortant de la mer, une Ève sortant du chaos; tel était le songe qu'il était impossible de ne pas faire. Il était invraisemblable qu'il n'y eût point là un fantôme. Une femme toute nue, ayant en elle un astre, était probablement sur cet autel tout à l'heure. Sur ce piédestal d'où émanait une indicible extase, on imaginait une blancheur, vivante et debout. L'esprit se représentait, au milieu de l'adoration muette de cette caverne, une Amphitrite, un Téthys, quelque Diane pouvant aimer, statue de l'idéal formée d'un rayonnement et regardant l'ombre avec douceur. C'était elle qui, en s'en allant, avait laissé dans la caverne cette clarté, espèce de parfum lumière sorti de ce corps étoile. L'éblouissement de ce fantôme n'était plus là; on n'apercevait pas cette figure, faite pour être vue seulement par l'invisible, mais on la sentait; on avait ce tremblement, qui est une volupté. La déesse était absente, mais la divinité était présente.

La beauté de l'antre semblait faite pour cette présence. C'était à cause de cette déité, de cette fée des nacres, de cette reine des souffles, de cette grâce née des flots, c'était à cause d'elle, on se le figurait du moins, que le souterrain était religieusement muré, afin que rien ne pût

jamais troubler, autour de ce divin fantôme, l'obscurité
qui est un respect, et le silence qui est une majesté.

Gilliatt, qui était une espèce de voyant de la nature,
songeait, confusément ému.

Tout à coup, à quelques pieds au-dessous de lui, dans
la transparence charmante de cette eau qui était comme de
la pierrerie dissoute, il aperçut quelque chose d'inexprimable. Une espèce de long haillon se mouvait dans l'oscillation des lames. Ce haillon ne flottait pas, il voguait;
il avait un but, il allait quelque part, il était rapide. Cette
guenille avait la forme d'une marotte de bouffon avec des
pointes; ces pointes, flasques, ondoyaient; elle semblait
couverte d'une poussière impossible à mouiller. C'était
plus qu'horrible, c'était sale. Il y avait de la chimère dans
cette chose: c'était un être, à moins que ce ne fût une
apparence. Elle semblait se diriger vers le côté obscur de
la cave, et s'y enfonçait. Les épaisseurs d'eau devinrent
sombres sur elle. Cette silhouette glissa et disparut, sinistre [286].

LIVRE DEUXIÈME

LE LABEUR

I

LES RESSOURCES DE CELUI A QUI TOUT MANQUE

Cette cave ne lâchait pas aisément les gens. L'entrée avait été peu commode, la sortie fut plus obstruée encore. Gilliatt néanmoins s'en tira, mais il n'y retourna plus. Il n'y avait rien trouvé de ce qu'il cherchait, et il n'avait pas le temps d'être curieux.

Il mit immédiatement la forge en activité. Il manquait d'outils, il s'en fabriqua.

Il avait pour combustible l'épave, l'eau pour moteur, le vent pour souffleur, une pierre pour enclume, pour art son instinct, pour puissance sa volonté.

Gilliatt entra ardemment dans ce sombre travail.

Le temps paraissait y mettre de la complaisance. Il continuait d'être sec et aussi peu équinoxial que possible. Le mois de mars était venu, mais tranquillement. Les jours s'allongeaient. Le bleu du ciel, la vaste douceur des mouvements de l'étendue, la sérénité du plein midi, semblaient exclure toute mauvaise intention. La mer était gaie au soleil. Une caresse préalable assaisonne les trahisons. De ces caresses-là, la mer n'en est point avare. Quand on a affaire à cette femme, il faut se défier du sourire.

Il y avait peu de vent ; la soufflante hydraulique n'en travaillait que mieux. L'excès de vent eût plutôt gêné qu'aidé.

Gilliatt avait une scie ; il se fabriqua une lime ; avec la scie il attaqua le bois, avec la lime il attaqua le métal ; puis il s'ajouta les deux mains de fer du forgeron, une tenaille et une pince ; la tenaille étreint, la pince manie ; l'une agit comme le poignet, l'autre comme le doigt.

L'outillage est un organisme. Peu à peu Gilliatt se donnait des auxiliaires, et construisait son armure. D'un morceau de feuillard il fit un auvent au foyer de sa forge.

Un de ses principaux soins fut le triage et la réparation des poulies. Il remit en état les caisses et les rouets des moufles. Il coupa l'exfoliation de toutes les solives brisées, et en refaçonna les extrémités ; il avait, nous l'avons dit, pour les nécessités de sa charpenterie, quantité de membrures emmagasinées et appareillées selon les formes, les dimensions et les essences, le chêne d'un côté, le sapin de l'autre, les pièces courbes, comme les porques, séparées des pièces droites, comme les hiloires. C'était sa réserve de points d'appui et de leviers, dont il pouvait avoir grand besoin à un moment donné.

Quiconque médite un palan doit se pourvoir de poutres et de moufles ; mais cela ne suffit pas, il faut de la corde. Gilliatt restaura les câbles et les grelins. Il étira les voiles déchirées, et réussit à en extraire d'excellent fil de carret dont il composa du filin ; avec ce filin, il rabouta les cordages. Seulement ces sutures étaient sujettes à pourrir, il fallait se hâter d'employer ces cordes et ces câbles, Gilliatt n'avait pu faire que du funin blanc, il manquait de goudron.

Les cordages raccommodés, il raccommoda les chaînes.

Il put, grâce à la pointe latérale du galet enclume, laquelle tenait lieu de bicorne conique, forger des anneaux grossiers, mais solides. Avec ces anneaux il rattacha les uns aux autres les bouts de chaîne cassés, et fit des longueurs.

Forger seul et sans aide est plus que malaisé. Il en vint à bout pourtant. Il est vrai qu'il n'eut à façonner sur la forge que des pièces de peu de masse ; il pouvait les manier d'une main avec la pince pendant qu'il les martelait de l'autre main.

Il coupa en tronçons les barres de fer rondes de la passerelle de commandement, forgea aux deux extrémités de chaque tronçon, d'un côté une pointe, de l'autre une large tête plate, et cela fit de grands clous d'environ un pied de long. Ces clous, très usités en pontonnerie, sont utiles aux fixations dans les rochers.

Pourquoi Gilliatt se donnait-il toute cette peine ? On verra.

Il dut refaire plusieurs fois le tranchant de sa hache et les dents de sa scie. Il s'était, pour la scie, fabriqué un tiers-point.

Il se servait dans l'occasion du cabestan de la Durande. Le crochet de la chaîne cassa. Gilliatt en reforgea un autre.

A l'aide de sa pince et de sa tenaille, et en se servant de son ciseau comme d'un tournevis, il entreprit de démonter les deux roues du navire ; il y parvint. On n'a pas oublié que ce démontage était exécutable ; c'était une particularité de la construction de ces roues. Les tambours qui les avaient couvertes, les emballèrent ; avec les planches des tambours, Gilliatt charpenta et menuisa deux caisses où il déposa, pièce à pièce, les deux roues soigneusement numérotées.

Son morceau de craie lui fut précieux pour ce numérotage.

Il rangea ces deux caisses sur la partie la plus solide du pont de la Durande.

Ces préliminaires terminés, Gilliatt se trouva face à face avec la difficulté suprême. La question de la machine se posa.

Démonter les roues avait été possible ; démonter la machine, non.

D'abord Gilliatt connaissait mal ce mécanisme. Il pouvait, en allant au hasard, lui faire quelque blessure irréparable. Ensuite, même pour essayer de le défaire morceau à morceau, s'il eût eu cette imprudence, il fallait d'autres outils que ceux qu'on peut fabriquer avec une caverne pour forge, un vent coulis pour soufflet, et un caillou pour enclume. En tentant de démonter la machine, on risquait de la dépecer.

Ici on pouvait se croire tout à fait en présence de l'impraticable.

Il semblait que Gilliatt fût au pied de ce mur : l'impossible.

Que faire ?

COMME QUOI SHAKESPEARE PEUT SE RENCONTRER
AVEC ESCHYLE

Gilliatt avait son idée.

Depuis ce maçon charpentier de Salbris qui, au XVIᵉ siècle, dans le bas âge de la science, bien avant qu'Amontons eût trouvé la première loi du frottement, Lahire la seconde et Coulomb la troisième [287], sans conseil, sans guide, sans autre aide qu'un enfant, son fils, avec un outillage informe, résolut en bloc, dans la descente du « gros horloge » de l'église de la Charité-sur-Loire, cinq ou six problèmes de statique et de dynamique mêlés ensemble ainsi que des roues dans un embarras de charrettes et faisant obstacle à la fois, depuis ce manœuvre extravagant et superbe qui trouva moyen, sans casser un fil de laiton et sans décliqueter un engrenage, de faire glisser tout d'une pièce, par une simplification prodigieuse, du second étage du clocher au premier étage, cette massive cage des heures, toute en fer et en cuivre, « grande comme la chambre du guetteur de nuit », avec son mouvement, ses cylindres, ses barillets, ses tambours, ses crochets et ses pesons, son orbe de canon et son orbe de chaussée, son balancier horizontal, ses ancres d'échappement, ses écheveaux de chaînes et de chaînettes, ses poids de pierre dont un pesait cinq cents livres, ses sonneries, ses carillons, ses jacquemarts ; depuis cet homme qui fit ce miracle, et dont on ne sait plus le nom, jamais rien de pareil à ce que méditait Gilliatt n'avait été entrepris.

L'opération que rêvait Gilliatt était pire peut-être, c'est-à-dire plus belle encore.

Le poids, la délicatesse, l'enchevêtrement des difficultés, n'étaient pas moindres de la machine de la Durande que de l'horloge de la Charité-sur-Loire.

Le charpentier gothique avait un aide, son fils ; Gilliatt était seul.

Une population était là, venue de Meung-sur-Loire, de Nevers, et même d'Orléans, pouvant, au besoin, assister le maçon de Salbris, et l'encourageant de son brouhaha bienveillant ; Gilliatt n'avait autour de lui d'autre rumeur que le vent et d'autre foule que les flots.

Rien n'égale la timidité de l'ignorance, si ce n'est sa témérité. Quand l'ignorance se met à oser, c'est qu'elle a en elle une boussole. Cette boussole, c'est l'intuition du vrai, plus claire parfois dans un esprit simple que dans un esprit compliqué.

Ignorer invite à essayer. L'ignorance est une rêverie, et la rêverie curieuse est une force. Savoir déconcerte parfois et déconseille souvent. Gama, savant, eût reculé devant le cap des Tempêtes. Si Christophe Colomb eût été bon cosmographe, il n'eût point découvert l'Amérique.

Le second qui monta sur le mont Blanc fut un savant, Saussure ; le premier fut un pâtre, Balmat [288].

Ces cas, disons-le en passant, sont l'exception, et tout ceci n'ôte rien à la science, qui reste la règle. L'ignorant peut trouver, le savant seul invente.

La panse était toujours à l'ancre dans la crique de l'Homme, où la mer la laissait tranquille. Gilliatt, on s'en souvient, avait tout arrangé de façon à se maintenir en libre pratique avec sa barque. Il y alla, et en mesura soigneusement le bau à plusieurs endroits, particulièrement le maître couple. Puis il revint à la Durande, et mesura le grand diamètre du parquet de la machine. Ce grand diamètre, sans les roues, bien entendu, était de deux pieds moindre que le maître bau de la panse. Donc la machine pouvait entrer dans la barque.

Mais comment l'y faire entrer ?

III

LE CHEF-D'ŒUVRE DE GILLIATT VIENT AU SECOURS
DU CHEF-D'ŒUVRE DE LETHIERRY

A quelque temps de là, un pêcheur qui eût été assez fou pour flâner en cette saison dans ces parages eût été payé de sa hardiesse par la vision entre les Douvres de quelque chose de singulier.

Voici ce qu'il eût aperçu : quatre madriers robustes, espacés également, allant d'une Douvre à l'autre, et comme forcés entre les rochers, ce qui est la meilleure des solidités. Du côté de la petite Douvre, leurs extrémités posaient et se contre-butaient sur les reliefs du roc ; du côté de la grande Douvre, ces extrémités avaient dû être violemment enfoncées dans l'escarpement à coups de marteau par quelque puissant ouvrier debout sur la poutre même qu'il enfonçait. Ces madriers étaient un peu plus longs que l'entre-deux n'était large ; de là, la ténacité de leur emboîtement ; de là aussi, leur ajustement en plan incliné. Ils touchaient la grande Douvre à angle aigu et la petite Douvre à angle obtus. Ils étaient faiblement déclives, mais inégalement, ce qui était un défaut. A ce défaut près, on les eût dit disposés pour recevoir le tablier d'un pont. A ces quatre madriers étaient attachés quatre palans garnis chacun de leur itague et de leur garant, et ayant cela de hardi et d'étrange que la moufle à deux rouets était à une extrémité du madrier et la poulie simple à l'extrémité opposée. Cet écart, trop grand pour n'être pas périlleux, était probablement exigé par les nécessités de l'opération à accomplir. Les moufles étaient fortes et les poulies solides. A ces palans se rattachaient des câbles qui de loin paraissaient des fils, et, au-dessous de cet appareil aérien de moufles et de charpentes, la massive épave, la Durande, semblait suspendue à ces fils.

Suspendue, elle ne l'était pas encore. Perpendiculairement sous les madriers, huit ouvertures étaient pratiquées dans le pont, quatre à bâbord et quatre à tribord de la machine, et huit autres sous celles-là, dans la carène. Les câbles descendant verticalement des quatre moufles entraient dans le pont, puis sortaient de la carène, par les ouvertures de tribord, passaient sous la quille et sous la machine, rentraient dans le navire par les ouvertures de bâbord, et, remontant, traversant de nouveau le pont, revenaient s'enrouler aux quatre poulies des madriers, où une sorte de palanguin les saisissait et en faisait un trousseau relié à un câble unique et pouvant être dirigé par un seul bras. Un crochet et une moque, par le trou de laquelle passait et se dévidait le câble unique, complétaient l'appareil et, au besoin, l'enrayaient. Cette combinaison contraignait les quatre palans à travailler ensemble, et, véritable frein des forces pendantes, gouvernail de dynamique sous la main du pilote de l'opération, maintenait la manœuvre en équilibre. L'ajustement très ingénieux de ce palanguin avait quelques-unes des qualités simplifiantes de la poulie-Weston d'aujourd'hui, et de l'antique polyspaston [289] de Vitruve. Gilliatt avait trouvé cela, bien qu'il ne connût ni Vitruve, qui n'existait plus, ni Weston, qui n'existait pas encore. La longueur des câbles variait selon l'inégale déclivité des madriers, et corrigeait un peu cette inégalité. Les cordes étaient dangereuses, le funin blanc pouvait casser, il eût mieux valu des chaînes, mais des chaînes eussent roulé sur les palans.

Tout cela, plein de fautes, mais fait par un seul homme, était surprenant.

Du reste, nous abrégeons l'explication. On comprendra que nous omettions beaucoup de détails qui rendraient la chose claire aux gens du métier et obscure aux autres.

Le haut de la cheminée de la machine passait entre les deux madriers du milieu.

Gilliatt, sans s'en douter, plagiaire inconscient de l'inconnu, avait refait, à trois siècles de distance, le mécanisme du charpentier de Salbris, mécanisme rudimentaire et incorrect, redoutable à qui oserait le manœuvrer.

Disons ici que les fautes même les plus grossières n'empêchent point un mécanisme de fonctionner tant bien que mal. Cela boite, mais cela marche. L'obélisque de la place de Saint-Pierre de Rome a été dressé contre toutes les règles de la statique. Le carrosse du tzar Pierre était construit de telle sorte qu'il semblait devoir verser à chaque pas ; il roulait pourtant. Que de difformités dans la machine de Marly [290] ! Tout y était en porte-à-faux. Elle n'en donnait pas moins à boire à Louis XIV.

Quoi qu'il en fût, Gilliatt avait confiance. Il avait même empiété sur le succès au point de fixer dans le bord de la panse, le jour où il y était allé, deux paires d'anneaux de fer en regard, des deux côtés de la barque, aux mêmes espacements que les quatre anneaux de la Durande auxquels se rattachaient les quatre chaînes de la cheminée.

Gilliatt avait évidemment un plan très complet et très arrêté. Ayant contre lui toutes les chances, il voulait mettre toutes les précautions de son côté.

Il faisait des choses qui semblaient inutiles, signe d'une préméditation attentive.

Sa manière de procéder eût dérouté, nous avons déjà fait cette remarque, un observateur, même connaisseur.

Un témoin de ses travaux qui l'eût vu, par exemple, avec des efforts inouïs et au péril de se rompre le cou, enfoncer à coups de marteau huit ou dix des grands clous qu'il avait forgés, dans le soubassement des deux Douvres à l'entrée du défilé de l'écueil, eût compris difficilement le pourquoi de ces clous, et se fût probablement demandé à quoi bon toute cette peine.

S'il eût vu ensuite Gilliatt mesurer le morceau de la muraille de l'avant qui était, on s'en souvient, resté adhérent à l'épave, puis attacher un fort grelin au rebord supérieur de cette pièce, couper à coups de hache les charpentes disloquées qui la retenaient, la traîner hors du défilé, à l'aide de la marée descendante poussant le bas pendant que Gilliatt tirait le haut, enfin rattacher à grand-peine avec le grelin cette pesante plaque de planches et de poutres, plus large que l'entrée même du défilé, aux clous enfoncés dans la base de la petite Douvre, l'observateur eût peut-être moins compris encore, et se fût dit que, si Gilliatt voulait, pour l'aisance de ses manœuvres, dégager la ruelle des Douvres de cet encombrement, il n'avait qu'à le laisser tomber dans la marée qui l'eût emporté à vau-l'eau.

Gilliatt probablement avait ses raisons.

Gilliatt, pour fixer les clous dans le soubassement des Douvres, tirait parti de toutes les fentes du granit, les élargissait au besoin, et y enfonçait d'abord des coins de bois dans lesquels il enracinait ensuite les clous de fer. Il ébaucha la même préparation dans les deux roches qui se dressaient à l'autre extrémité du détroit de l'écueil, du côté de l'est; il en garnit de chevilles de bois toutes les lézardes, comme s'il voulait tenir ces lézardes prêtes à recevoir, elles aussi, des crampons; mais cela parut être un simple en-cas, car il n'y enfonça point de clous. On comprend que, par prudence dans sa pénurie, il ne pouvait dépenser ses matériaux qu'au fur et à mesure des besoins, et au moment où la nécessité se déclarait. C'était une complication ajoutée à tant d'autres difficultés.

Un premier travail achevé, un deuxième surgissait. Gilliatt passait sans hésiter de l'un à l'autre et faisait résolument cette enjambée de géant.

IV

SUB RE [291]

L'homme qui faisait ces choses était devenu effrayant.

Gilliatt, dans ce labeur multiple, dépensait toutes ses forces à la fois; il les renouvelait difficilement.

Privations d'un côté, lassitude de l'autre, il avait maigri. Ses cheveux et sa barbe avaient poussé. Il n'avait plus qu'une chemise qui ne fût pas en loques. Il était pieds nus, le vent ayant emporté un de ses souliers, et la mer l'autre. Des éclats de l'enclume rudimentaire, et fort dangereuse, dont il se servait, lui avaient fait aux mains et aux bras de petites plaies, éclaboussures du travail. Ces plaies, écorchures plutôt que blessures, étaient superficielles, mais irritées par l'air vif et par l'eau salée.

Il avait faim, il avait soif, il avait froid.

Son bidon d'eau douce était vide. Sa farine de seigle était employée ou mangée. Il n'avait plus qu'un peu de biscuit.

Il le cassait avec les dents, manquant d'eau pour le détremper.

Peu à peu et jour à jour ses forces décroissaient.

Ce rocher redoutable lui soutirait la vie.

Boire était une question; manger était une question; dormir était une question.

Il mangeait quand il parvenait à prendre un cloporte de mer ou un crabe; il buvait quand il voyait un oiseau de mer s'abattre sur une pointe de rocher. Il y grimpait et y trouvait un creux avec un peu d'eau douce. Il buvait après l'oiseau, quelquefois avec l'oiseau; car les mauves et les mouettes s'étaient accoutumées à lui, et ne s'envolaient pas à son approche. Gilliatt, même dans ses plus grandes faims, ne leur faisait point de mal. Il avait, on s'en souvient, la superstition des oiseaux. Les oiseaux, de leur côté, ses cheveux étant hérissés et horribles et sa barbe longue, n'en avaient plus peur ; ce changement de figure les rassurait ; ils ne le trouvaient plus un homme et le croyaient une bête.

Les oiseaux et Gilliatt étaient maintenant bons amis. Ces pauvres s'entraidaient. Tant que Gilliatt avait eu du seigle, il leur avait émietté de petits morceaux des galettes qu'il faisait ; à cette heure, à leur tour, ils lui indiquaient les endroits où il y avait de l'eau.

Il mangeait les coquillages crus ; les coquillages sont, dans une certaine mesure, désaltérants. Quant aux crabes, il les faisait cuire ; n'ayant pas de marmite, il les rôtissait entre deux pierres rougies au feu, à la manière des gens sauvages des îles Féroé [292].

Cependant un peu d'équinoxe s'était déclaré ; la pluie était venue ; mais une pluie hostile. Point d'ondées, point d'averses, mais de longues aiguilles, fines, glacées, pénétrantes, aiguës, qui perçaient les vêtements de Gilliatt jusqu'à la peau et la peau jusqu'aux os. Cette pluie donnait peu à boire et mouillait beaucoup.

Avare d'assistance, prodigue de misère, telle était cette pluie, indigne du ciel. Gilliatt l'eut sur lui pendant plus d'une semaine tout le jour et toute la nuit. Cette pluie était une mauvaise action d'en haut.

La nuit, dans son trou de rocher, il ne dormait que par l'accablement du travail. Les grands cousins de mer venaient le piquer. Il se réveillait couvert de pustules.

Il avait la fièvre, ce qui le soutenait ; la fièvre est un secours, qui tue. D'instinct, il mâchait du lichen ou suçait des feuilles de cochléaria sauvage, maigres pousses des fentes sèches de l'écueil. Du reste, il s'occupait peu de sa souffrance. Il n'avait pas le temps de se distraire de sa besogne à cause de lui, Gilliatt. La machine de la Durande se portait bien. Cela lui suffisait.

A chaque instant, pour les nécessités de son travail, il se jetait à la nage, puis reprenait pied. Il entrait dans l'eau et en sortait, comme on passe d'une chambre de son appartement dans l'autre.

Ses vêtements ne séchaient plus. Ils étaient pénétrés d'eau de pluie qui ne tarissait pas et d'eau de mer qui ne sèche jamais. Gilliatt vivait mouillé.

Vivre mouillé est une habitude qu'on prend. Les pauvres groupes irlandais, vieillards, mères, jeunes filles presque nues, enfants, qui passent l'hiver en plein air sous l'averse et la neige blottis les uns contre les autres aux angles des maisons dans les rues de Londres, vivent et meurent mouillés.

Être mouillé et avoir soif ; Gilliatt endurait cette torture bizarre. Il mordait par moments la manche de sa vareuse.

Le feu qu'il faisait ne le réchauffait guère ; le feu en plein air n'est qu'un demi-secours ; on brûle d'un côté et l'on gèle de l'autre.

Gilliatt, en sueur, grelottait.

Tout résistait autour de Gilliatt dans une sorte de silence terrible. Il se sentait l'ennemi.

Les choses ont un sombre *Non possumus* [293].

Leur inertie est un avertissement lugubre.

Une immense mauvaise volonté entourait Gilliatt. Il avait des brûlures et des frissons. Le feu le mordait, l'eau le glaçait, la soif l'enfiévrait, le vent lui déchirait ses habits, la faim lui minait l'estomac. Il subissait l'oppression d'un ensemble épuisant. L'obstacle, tranquille, vaste, ayant l'irresponsabilité apparente du fait fatal, mais plein d'on ne sait quelle unanimité farouche, convergeait de toutes parts sur Gilliatt. Gilliatt le sentait appuyé inexorablement sur lui. Nul moyen de s'y soustraire. C'était presque quelqu'un. Gilliatt avait conscience d'un rejet sombre et d'une haine faisant effort pour le diminuer. Il ne tenait qu'à lui de fuir, mais, puisqu'il restait, il avait affaire à l'hostilité impénétrable. Ne pouvant le mettre dehors, on le mettait dessous. On ? l'Inconnu. Cela l'étreignait, le comprimait, lui ôtait la place, lui ôtait l'haleine. Il était meurtri par l'invisible. Chaque jour, la vis mystérieuse se serrait d'un cran.

La situation de Gilliatt en ce milieu inquiétant ressemblait à un duel louche dans lequel il y a un traître.

La coalition des forces obscures l'environnait. Il sen-

tait une résolution de se débarrasser de lui. C'est ainsi que
le glacier chasse le bloc erratique.

Presque sans avoir l'air d'y toucher, cette coalition
latente le mettait en haillons, en sang, aux abois, et, pour
ainsi dire, hors de combat avant le combat. Il n'en travaillait pas moins, et sans relâche, mais à mesure que
l'ouvrage se faisait, l'ouvrier se défaisait. On eût dit que
cette fauve nature, redoutant l'âme, prenait le parti d'ex-
ténuer l'homme. Gilliatt tenait tête, et attendait. L'abîme
commençait par l'user. Que ferait l'abîme ensuite?

La double Douvre, ce dragon fait de granit et embus-
qué en pleine mer, avait admis Gilliatt. Elle l'avait laissé
entrer et laissé faire. Cette acceptation ressemblait à
l'hospitalité d'une gueule ouverte.

Le désert, l'étendue, l'espace où il y a pour l'homme
tant de refus, l'inclémence muette des phénomènes suivant leur cours, la grande loi générale implacable et
passive, les flux et reflux, l'écueil, pléiade noire dont
chaque pointe est une étoile à tourbillons, centre d'une
irradiation de courants, on ne sait quel complot de l'in-
différence des choses contre la témérité d'un être, l'hiver,
les nuées, la mer assiégeante, enveloppaient Gilliatt, le
cernaient lentement, se fermaient en quelque sorte sur lui,
et le séparaient des vivants comme un cachot qui monte-
rait autour d'un homme. Tout contre lui, rien pour lui; il
était isolé, abandonné, affaibli, miné, oublié. Gilliatt
avait sa cambuse vide, son outillage ébréché ou défail-
lant, la soif et la faim le jour, le froid la nuit, des plaies et
des loques, des guenilles sur des suppurations, des trous
aux habits et à la chair, les mains déchirées, les pieds
saignants, les membres maigres, le visage livide, une
flamme dans les yeux.

Flamme superbe. la volonté visible. L'œil de l'homme
est ainsi fait qu'on y aperçoit sa vertu. Notre prunelle dit
quelle quantité d'homme il y a en nous. Nous nous
affirmons par la lumière qui est sous notre sourcil. Les
petites consciences clignent de l'œil, les grandes jettent
des éclairs. Si rien ne brille sous la paupière, c'est que
rien ne pense dans le cerveau, c'est que rien n'aime dans
le cœur. Celui qui aime veut, et celui qui veut éclaire et

éclate. La résolution met le feu au regard; feu admirable
qui se compose de la combustion des pensées timides.

Les opiniâtres sont les sublimes. Qui n'est que brave
n'a qu'un accès, qui n'est que vaillant n'a qu'un tempérament, qui n'est que courageux n'a qu'une vertu; l'obstiné dans le vrai a la grandeur. Presque tout le secret des
grands cœurs est dans ce mot: *Perseverando*. La persé-
vérance est au courage ce que la roue est au levier; c'est
le renouvellement perpétuel du point d'appui. Que le but
soit sur la terre ou au ciel, aller au but, tout est là; dans le
premier cas, on est Colomb, dans le second cas, on est
Jésus. La croix est folle; de là sa gloire. Ne pas laisser
discuter sa conscience ni désarmer sa volonté, c'est ainsi
qu'on obtient la souffrance et le triomphe. Dans l'ordre
des faits moraux, tomber n'exclut point planer. De la
chute sort l'ascension. Les médiocres se laissent décon-
seiller par l'obstacle spécieux; les forts, non. Périr est
leur peut-être, conquérir est leur certitude. Vous pouvez
donner à Étienne toutes sortes de bonnes raisons pour
qu'il ne se fasse pas lapider. Le dédain des objections
raisonnables enfante cette sublime victoire vaincue qu'on
nomme le martyre.

Tous les efforts de Gilliatt semblaient cramponnés
à l'impossible, la réussite était chétive ou lente, et il fallait dépenser beaucoup pour obtenir peu; c'est là ce
qui le faisait magnanime, c'est là ce qui le faisait pathétique.

Que, pour échafauder quatre poutres au-dessus d'un
navire échoué, pour découper et isoler dans ce navire la
partie sauvetable, pour ajuster à cette épave dans l'épave
quatre palans avec leurs câbles, il eût fallu tant de prépa-
ratifs, tant de travaux, tant de tâtonnements, tant de nuits
sur la dure, tant de jours dans la peine, c'était là la misère
du travail solitaire. Fatalité dans la cause, nécessité dans
l'effet. Cette misère, Gilliatt l'avait plus qu'acceptée; il
l'avait voulue. Redoutant un concurrent, parce qu'un
concurrent eût pu être un rival, il n'avait point cherché
d'auxiliaire. L'écrasante entreprise, le risque, le danger,
la besogne multipliée par elle-même, l'engloutissement
possible du sauveteur par le sauvetage, la famine, la

fièvre, le dénuement, la détresse, il avait tout pris pour lui seul. Il avait eu cet égoïsme.

Il était sous une sorte d'effrayante cloche pneumatique. La vitalité se retirait peu à peu de lui. Il s'en apercevait à peine.

L'épuisement des forces n'épuise pas la volonté. Croire n'est que la deuxième puissance; vouloir est la première. Les montagnes proverbiales que la foi transporte ne sont rien à côté de ce que fait la volonté. Tout le terrain que Gilliatt perdait en vigueur, il le regagnait en ténacité. L'amoindrissement de l'homme physique sous l'action refoulante de cette sauvage nature aboutissait au grandissement de l'homme moral.

Gilliatt ne sentait point la fatigue, ou, pour mieux dire, n'y consentait pas. Le consentement de l'âme refusé aux défaillances du corps est une force immense.

Gilliatt voyait les pas que faisait son travail, et ne voyait que cela. C'était le misérable sans le savoir. Son but, auquel il touchait presque, l'hallucinait. Il souffrait toutes ces souffrances sans qu'il lui vînt une autre pensée que celle-ci : En avant! Son œuvre lui montait à la tête. La volonté grise. On peut s'enivrer de son âme. Cette ivrognerie-là s'appelle l'héroïsme.

Gilliatt était une espèce de Job de l'océan.

Mais un Job luttant, un Job combattant et faisant front aux fléaux, un Job conquérant, et, si de tels mots n'étaient pas trop grands pour un pauvre matelot pêcheur de crabes et de langoustes, un Job Prométhée [294].

V

SUB UMBRA [295]

Parfois, la nuit, Gilliatt ouvrait les yeux et regardait l'ombre.

Il se sentait étrangement ému.

L'œil ouvert sur le noir. Situation lugubre ; anxiété.

La pression de l'ombre existe.

Un indicible plafond de ténèbres ; une haute obscurité sans plongeur possible ; de la lumière mêlée à cette obscurité, on ne sait quelle lumière vaincue et sombre ; de la clarté mise en poudre ; est-ce une semence ? est-ce une cendre ? des millions de flambeaux, nul éclairage ; une vaste ignition qui ne dit pas son secret, une diffusion de feu en poussière qui semble une volée d'étincelles arrêtée, le désordre du tourbillon et l'immobilité du sépulcre, le problème offrant une ouverture de précipice, l'énigme montrant et cachant sa face, l'infini masqué de noirceur, voilà la nuit. Cette superposition pèse à l'homme.

Cet amalgame de tous les mystères à la fois, du mystère cosmique comme du mystère fatal, accable la tête humaine.

La pression de l'ombre agit en sens inverse sur les différentes espèces d'âmes. L'homme devant la nuit se reconnaît incomplet. Il voit l'obscurité et sent l'infirmité. Le ciel noir, c'est l'homme aveugle. L'homme, face à face avec la nuit, s'abat, s'agenouille, se prosterne, se couche à plat ventre, rampe vers un trou, ou se cherche des ailes. Presque toujours il veut fuir cette présence informe de l'Inconnu. Il se demande ce que c'est ; il tremble, il se courbe, il ignore ; parfois aussi il veut y aller.

Aller où?

Là.

Là? Qu'est-ce? et qu'y a-t-il?

Cette curiosité est évidemment celle des choses défendues, car de ce côté tous les ponts autour de l'homme sont rompus. L'arche de l'infini manque. Mais le défendu attire, étant gouffre. Où le pied ne va pas, le regard peut atteindre; où le regard s'arrête, l'esprit peut continuer. Pas d'homme qui n'essaye, si faible et si insuffisant qu'il soit. L'homme, selon sa nature, est en quête ou en arrêt devant la nuit. Pour les uns, c'est un refoulement; pour les autres, c'est une dilatation. Le spectacle est sombre. L'indéfinissable y est mêlé.

La nuit est-elle sereine? C'est un fond d'ombre. Est-elle orageuse? C'est un fond de fumée. L'illimité se refuse et s'offre à la fois, fermé à l'expérimentation, ouvert à la conjecture. D'innombrables piqûres de lumière rendent plus noire l'obscurité sans fond. Escarboucles, scintillations, astres. Présences constatées dans l'Ignoré; défis effrayants d'aller toucher à ces clartés. Ce sont des jalons de création dans l'absolu; ce sont des marques de distance là où il n'y a plus de distance; c'est on ne sait quel numérotage impossible, et réel pourtant, de l'étiage des profondeurs. Un point microscopique qui brille, puis un autre, puis un autre, puis un autre; c'est l'imperceptible, c'est l'énorme. Cette lumière est un foyer, ce foyer est une étoile, cette étoile est un soleil, ce soleil est un univers, cet univers n'est rien. Tout nombre est zéro devant l'infini.

Ces univers, qui ne sont rien, existent. En les constatant, on sent la différence qui sépare n'être rien de n'être pas.

L'inaccessible ajouté à l'inexplicable, tel est le ciel.

De cette contemplation se dégage un phénomène sublime: le grandissement de l'âme par la stupeur.

L'effroi sacré est propre à l'homme; la bête ignore cette crainte. L'intelligence trouve dans cette terreur auguste son éclipse et sa preuve.

L'ombre est une; de là l'horreur. En même temps elle est complexe; de là l'épouvante. Son unité fait masse sur

notre esprit, et ôte l'envie de résister. Sa complexité fait
qu'on regarde de tous côtés autour de soi ; il semble qu'on
ait à craindre de brusques arrivées. On se rend, et on se
garde. On est en présence de Tout, d'où la soumission, et
de Plusieurs, d'où la défiance. L'unité de l'ombre
contient un multiple. Multiple mystérieux, visible dans la
matière, sensible dans la pensée. Cela fait silence, raison
de plus d'être au guet.

La nuit, — celui qui écrit ceci l'a dit ailleurs, — c'est
l'état propre et normal de la création spéciale dont nous
faisons partie. Le jour, bref dans la durée comme dans
l'espace, n'est qu'une proximité d'étoile.

Le prodige nocturne universel ne s'accomplit pas sans
frottements, et tous les frottements d'une telle machine
sont des contusions à la vie. Les frottements de la machine, c'est là ce que nous nommons le Mal. Nous sen-
tons dans cette obscurité le mal, démenti latent à l'ordre
divin, blasphème implicite du fait rebelle à l'idéal. Le
mal complique d'on ne sait quelle tératologie à mille têtes
le vaste ensemble cosmique. Le mal est présent à tout
pour protester. Il est ouragan, et il tourmente la marche
d'un navire, il est chaos, et il entrave l'éclosion d'un
monde. Le Bien a l'unité, le Mal a l'ubiquité. Le mal
déconcerte la vie, qui est une logique. Il fait dévorer la
mouche par l'oiseau et la planète par la comète. Le mal
est une rature à la création.

L'obscurité nocturne est pleine d'un vertige. Qui l'ap-
profondit s'y submerge et s'y débat. Pas de fatigue comparable à cet examen des ténèbres. C'est l'étude d'un
effacement.

Aucun lieu définitif où poser l'esprit. Des points de
départ sans point d'arrivée. L'entrecroisement des solutions contradictoires, tous les embranchements du doute
s'offrant en même temps, la ramification des phénomènes
s'exfoliant sans limite sous une poussée indéfinie, toutes
les lois se versant l'une dans l'autre, une promiscuité
insondable qui fait que la minéralisation végète, que la
végétation vit, que la pensée pèse, que l'amour rayonne
et que la gravitation aime ; l'immense front d'attaque de
toutes les questions se développant dans l'obscurité sans

bornes; l'entrevu ébauchant l'ignoré; la simultanéité cosmique en pleine apparition, non pour le regard mais pour l'intelligence, dans le grand espace indistinct; l'invisible devenu vision. C'est l'Ombre. L'homme est là-dessous.

Il ne connaît pas le détail, mais il porte, en quantité proportionnée à son esprit, le poids monstrueux de l'ensemble. Cette obsession poussait les pâtres chaldéens à l'astronomie. Des révélations involontaires sortent des pores de la création; une exsudation de science se fait en quelque sorte d'elle-même, et gagne l'ignorant. Tout solitaire, sous cette imprégnation mystérieuse, devient, souvent sans en avoir conscience, un philosophe naturel.

L'obscurité est indivisible. Elle est habitée. Habitée sans déplacement par l'absolu; habitée aussi avec déplacement. On s'y meut, chose inquiétante. Une formation sacrée y accomplit ses phases. Des préméditations, des puissances, des destinations voulues, y élaborent en commun une œuvre démesurée. Une vie terrible et horrible est là-dedans. Il y a de vastes évolutions d'astres, la famille stellaire, la famille planétaire, le pollen zodiacal, le *Quid divinum* des courants, des effluves, des polarisations et des attractions; il y a l'embrassement et l'antagonisme, un magnifique flux et reflux d'antithèse universelle, l'impondérable en liberté au milieu des centres; il y a la sève dans les globes, la lumière hors des globes, l'atome errant, le germe épars, des courbes de fécondation, des rencontres d'accouplement et de combat, des profusions inouïes, des distances qui ressemblent à des rêves, des circulations vertigineuses, des enfoncements de mondes dans l'incalculable, des prodiges s'entre-poursuivant dans les ténèbres, un mécanisme une fois pour toutes, des souffles de sphères en fuite, des roues qu'on sent tourner; le savant conjecture, l'ignorant consent et tremble; cela est et se dérobe; c'est inexpugnable, c'est hors de portée, c'est hors d'approche. On est convaincu jusqu'à l'oppression. On a sur soi on ne sait quelle évidence noire. On ne peut rien saisir. On est écrasé par l'impalpable.

Partout l'incompréhensible; nulle part l'inintelligible.

Et à tout cela ajoutez la question redoutable : cette Immanence [296] est-elle un Être ?

On est sous l'ombre. On regarde. On écoute.

Cependant la sombre terre marche et roule ; les fleurs ont conscience de ce mouvement énorme ; la silène s'ouvre à onze heures du soir et l'émérocale à cinq heures du matin. Régularités saisissantes.

Dans d'autres profondeurs la goutte d'eau se fait monde, l'infusoire pullule, la fécondité géante sort de l'animalcule, l'imperceptible étale sa grandeur, le sens inverse de l'immensité se manifeste ; une diatomée en une heure produit treize cents millions de diatomées.

Quelle proposition de toutes les énigmes à la fois !

L'irréductible est là.

On est contraint à la foi. Croire de force, tel est le résultat. Mais avoir foi ne suffit pas pour être tranquille. La foi a on ne sait quel bizarre besoin de forme. De là les religions. Rien n'est accablant comme une croyance sans contour.

Quoi qu'on pense et quoi qu'on veuille, quelque résistance qu'on ait en soi, regarder l'ombre, ce n'est pas regarder, c'est contempler.

Que faire de ces phénomènes ! Comment se mouvoir sous leur convergence ! Décomposer cette pression est impossible. Quelle rêverie ajuster à tous ces aboutissants mystérieux ? Que de révélations abstruses, simultanées, balbutiantes, s'obscurcissant par leur foule même, sortes de bégayements du verbe ! L'ombre est un silence ; mais ce silence dit tout. Une résultante s'en dégage majestueusement : Dieu. Dieu, c'est la notion incompressible. Elle est dans l'homme. Les syllogismes, les querelles, les négations, les systèmes, les religions, passent dessus sans la diminuer. Cette notion, l'ombre tout entière l'affirme. Mais le trouble est sur tout le reste. Immanence formidable. L'inexprimable entente des forces se manifeste par le maintien de toute cette obscurité en équilibre. L'univers pend ; rien ne tombe. Le déplacement incessant et démesuré s'opère sans accident et sans fracture. L'homme participe à ce mouvement de translation, et la quantité d'oscillation qu'il subit, il l'appelle la destinée. Où com-

mence la destinée ? Où finit la nature ? Quelle différence y
a-t-il entre un événement et une saison, entre un chagrin
et une pluie, entre une vertu et une étoile ? Une heure,
n'est-ce pas une onde ? Les engrenages en mouvement
continuent, sans répondre à l'homme, leur révolution
impassible. Le ciel étoilé est une vision de roues, de
balanciers et de contre-poids. C'est la contemplation suprême [297], doublée de la suprême méditation. C'est toute
la réalité, plus toute l'abstraction. Rien au-delà. On se
sent pris. On est à la discrétion de cette ombre. Pas
d'évasion possible. On se voit dans l'engrenage, on est
partie intégrante d'un Tout ignoré, on sent l'inconnu
qu'on a en soi fraterniser mystérieusement avec un inconnu qu'on a hors de soi. Ceci est l'annonce sublime de
la mort. Quelle angoisse, et en même temps quel ravissement ! Adhérer à l'infini, être amené par cette adhérence à s'attribuer à soi-même une immortalité nécessaire, qui sait ? une éternité possible, sentir dans le prodigieux flot de ce déluge de vie universelle l'opiniâtreté
insubmersible du moi ! regarder les astres et dire : je suis
une âme comme vous ! regarder l'obscurité et dire : je suis
un abîme comme toi !

Ces énormités, c'est la Nuit.

Tout cela, accru par la solitude, pesait sur Gilliatt.

Le comprenait-il ? Non.

Le sentait-il ? Oui.

Gilliatt était un grand esprit trouble et un grand cœur
sauvage.

VI

GILLIATT FAIT PRENDRE POSITION A LA PANSE

Ce sauvetage de la machine, médité par Gilliatt, était, nous l'avons dit déjà, une véritable évasion, et l'on connaît les patiences de l'évasion. On en connaît aussi les industries. L'industrie va jusqu'au miracle ; la patience va jusqu'à l'agonie. Tel prisonnier, Thomas [298], par exemple, au Mont-Saint-Michel, trouve moyen de mettre la moitié d'une muraille dans sa paillasse. Tel autre, à Tulle, en 1820, coupe du plomb sur la plate-forme promenoir de la prison, avec quel couteau ? on ne peut le deviner, fait fondre ce plomb, avec quel feu ? on l'ignore, coule ce plomb fondu, dans quel moule ? on le sait, dans un moule de mie de pain, avec ce plomb et ce moule fait une clef, et avec cette clef ouvre une serrure dont il n'avait jamais vu que le trou. Ces habiletés inouïes, Gilliatt les avait. Il eût monté et descendu la falaise de Boisrosé. Il était le Trenck d'une épave et le Latude d'une machine [299].

La mer, geôlière, le surveillait.

Du reste, disons-le, si ingrate et si mauvaise que fût la pluie, il en avait tiré parti. Il avait un peu refait sa provision d'eau douce ; mais sa soif était inextinguible, et il vidait son bidon presque aussi rapidement qu'il l'emplissait.

Un jour, le dernier jour d'avril, je crois, ou le premier de mai, tout se trouva prêt.

Le parquet de la machine était comme encadré entre les huit câbles des palans, quatre d'un côté, quatre de l'autre. Les seize ouvertures par où passaient ces câbles étaient reliées sur le pont et sous la carène par des traits de scie.

Le vaigrage avait été coupé avec la scie, la charpente avec la hache, la ferrure avec la lime, le doublage avec le ciseau. La partie de la quille à laquelle se superposait la machine était coupée carrément et prête à glisser avec la machine en la soutenant. Tout ce branle effrayant ne tenait plus qu'à une chaîne qui, elle-même, ne tenait plus qu'à un coup de lime. A ce point d'achèvement et si près de la fin, la hâte est prudence.

La marée était basse, c'était le bon moment.

Gilliatt était parvenu à démonter l'arbre des roues dont les extrémités pouvaient faire obstacle et arrêter le dérapement. Il avait réussi à amarrer verticalement cette lourde pièce dans la cage même de la machine.

Il était temps de finir. Gilliatt, nous venons de le dire, n'était point fatigué, ne voulant pas l'être, mais ses outils l'étaient. La forge devenait peu à peu impossible. La pierre enclume s'était fendue. La soufflante commençait à mal travailler. La petite chute hydraulique étant d'eau marine, des dépôts salins s'étaient formés dans les jointures de l'appareil, et en gênaient le jeu.

Gilliatt alla à la crique de l'Homme, passa la panse en revue, s'assura que tout y était en état, particulièrement les quatre anneaux plantés à bâbord et à tribord, puis leva l'ancre, et, ramant, revint avec la panse aux deux Douvres.

L'entre-deux des Douvres pouvait admettre la panse. Il y avait assez de fond et assez d'ouverture. Gilliatt avait reconnu dès le premier jour qu'on pouvait passer la panse jusque sous la Durande.

La manœuvre pourtant était excessive, elle exigeait une précision de bijoutier, et cette insertion de la barque dans l'écueil était d'autant plus délicate que, pour ce que Gilliatt voulait faire, il était nécessaire d'entrer par la poupe, le gouvernail en avant. Il importait que le mât et le gréement de la panse restassent en deçà de l'épave, du côté du goulet.

Ces aggravations dans la manœuvre rendaient l'opération malaisée pour Gilliatt lui-même. Ce n'était plus, comme pour la crique de l'Homme, l'affaire d'un coup de barre; il fallait tout ensemble pousser, tirer, ramer et

sonder. Gilliatt n'y employa pas moins d'un quart
d'heure. Il y parvint pourtant.

En quinze ou vingt minutes, la panse fut ajustée sous la
Durande. Elle y fut presque embossée. Gilliatt, au moyen
de ses deux ancres, affourcha la panse. La plus grosse des
deux se trouva placée de façon à travailler du plus fort
vent à craindre, qui était le vent d'ouest. Puis, à l'aide
d'un levier et du cabestan, Gilliatt descendit dans la panse
les deux caisses contenant les roues démontées, dont les
élingues étaient toutes prêtes. Ces deux caisses firent lest.

Débarrassé des deux caisses, Gilliatt rattacha au crochet de la chaîne du cabestan l'élingue du palanguin
régulateur, destiné à enrayer les palans.

Pour ce que méditait Gilliatt, les défauts de la panse
devenaient des qualités ; elle n'était pas pontée, le chargement aurait plus de profondeur, et pourrait poser sur la
cale. Elle était mâtée à l'avant, trop à l'avant peut-être, le
chargement aurait plus d'aisance, et, le mât se trouvant
ainsi en dehors de l'épave, rien ne gênerait la sortie ; elle
n'était qu'un sabot, rien n'est stable et solide en mer
comme un sabot.

Tout à coup Gilliatt s'aperçut que la mer montait. Il
regarda d'où venait le vent.

VII

TOUT DE SUITE UN DANGER

Il y avait peu de brise, mais ce qui soufflait, soufflait de l'ouest. C'est une mauvaise habitude que le vent a volontiers dans l'équinoxe.

La marée montante, selon le vent qui souffle, se comporte diversement dans l'écueil des Douvres. Suivant la rafale qui le pousse, le flot entre dans ce corridor soit par l'est, soit par l'ouest. Si la mer entre par l'est, elle est bonne et molle ; si elle entre par l'ouest, elle est furieuse. Cela tient à ce que le vent d'est, venant de terre, a peu d'haleine, tandis que le vent d'ouest, qui traverse l'Atlantique, apporte tout le souffle de l'immensité. Même très peu de brise apparente, si elle vient de l'ouest, est inquiétante. Elle roule les larges lames de l'étendue illimitée, et pousse trop de vague à la fois dans l'étranglement.

Une eau qui s'engouffre est toujours affreuse. Il en est d'une eau comme d'une foule ; une multitude est un liquide ; quand la quantité pouvant entrer est moindre que la quantité voulant entrer, il y a écrasement pour la foule et convulsion pour l'eau. Tant que le vent du couchant règne, fût-ce la plus faible brise, les Douvres ont deux fois par jour cet assaut. La marée s'élève, le flux presse, la roche résiste, le goulet ne s'ouvre qu'avarement, le flot enfoncé de force bondit et rugit, et une houle forcenée bat les deux façades intérieures de la ruelle. De sorte que les Douvres, par le moindre vent d'ouest, offrent ce spectacle singulier : dehors, sur la mer, le calme ; dans l'écueil, un orage. Ce tumulte local et circonscrit n'a rien d'une tempête ; ce n'est qu'une émeute de vagues, mais terrible.

Quant aux vents de nord et de sud, ils prennent l'écueil en
travers et ne font que peu de ressac dans le boyau.
L'entrée par l'est, détail qu'il faut rappeler, confine au
rocher l'Homme ; l'ouverture redoutable de l'ouest est à
l'extrémité opposée, précisément entre les deux Douvres.

C'est à cette ouverture de l'ouest que se trouvait Gilliatt avec la Durande échouée et la panse embossée.

Une catastrophe semblait inévitable. Cette catastrophe
imminente avait, en quantité faible, mais suffisante, le
vent qu'il lui fallait.

Avant peu d'heures, le gonflement de la marée ascen-
dante allait se ruer de haute lutte dans le détroit des
Douvres. Les premières lames bruissaient déjà. Ce gonflement, mascaret de toute l'Atlantique, aurait derrière lui
la totalité de la mer. Aucune bourrasque, aucune colère ;
mais une simple onde souveraine contenant en elle une
force d'impulsion qui, partie de l'Amérique pour aboutir
à l'Europe, a deux mille lieues de jet. Cette onde, barre
gigantesque de l'océan, rencontrerait l'hiatus de l'écueil
et, froncée aux deux Douvres, tours de l'entrée, piliers du
détroit, enflée par le flux, enflée par l'empêchement,
repoussée par le rocher, surmenée par la brise, ferait
violence à l'écueil, pénétrerait, avec toutes les torsions de
l'obstacle subi et toutes les frénésies de la vague entra-
vée, entre les deux murailles, y trouverait la panse et la
Durande et les briserait.

Contre cette éventualité, il fallait un bouclier, Gilliatt
l'avait.

Il fallait empêcher la marée de pénétrer d'emblée, lui
interdire de heurter tout en la laissant monter, lui barrer le
passage sans lui refuser l'entrée, lui résister et lui céder,
prévenir la compression du flot dans le goulet, qui était
tout le danger, remplacer l'irruption par l'introduction,
soutirer à la vague son emportement et sa brutalité,
contraindre cette furie à la douceur. Il fallait substituer à
l'obstacle qui irrite l'obstacle qui apaise.

Gilliatt, avec cette adresse qu'il avait, plus forte que la
force, exécutant une manœuvre de chamois dans la montagne ou de sapajou dans la forêt, utilisant pour des
enjambées oscillantes et vertigineuses la moindre pierre

en saillie, sautant à l'eau, sortant de l'eau, nageant dans
le remous, grimpant au rocher, une corde entre les dents,
un marteau à la main, détacha le grelin qui maintenait
suspendu et collé au soubassement de la petite Douvre le
pan de muraille de l'avant de la Durande, façonna avec
des bouts de haussière des espèces de gonds rattachant ce
panneau aux gros clous plantés dans le granit, fit tourner
sur ces gonds cette armature de planches pareille à une
trappe d'écluse, l'offrit en flanc, comme on fait d'une
joue de gouvernail, au flot qui en poussa et en appliqua
une extrémité sur la grande Douvre pendant que les gonds
de corde retenaient sur la petite Douvre l'autre extrémité,
opéra sur la grande Douvre, au moyen des clous d'attente
plantés d'avance, la même fixation que sur la petite,
amarra solidement cette vaste plaque de bois au double
pilier du goulet, croisa sur ce barrage une chaîne comme
un baudrier sur une cuirasse, et en moins d'une heure
cette clôture se dressa contre la marée, et la ruelle de
l'écueil fut fermée comme par une porte.

Cette puissante applique, lourde masse de poutres et de
planches, qui, à plat, eût été un radeau, et, debout, était
un mur, avait, le flot aidant, été maniée par Gilliatt avec
une dextérité de saltimbanque. On pourrait presque dire
que le tour était fait avant que la mer montante eût eu le
temps de s'en apercevoir.

C'était un de ces cas où Jean Bart eût dit le fameux mot
qu'il adressait au flot de la mer chaque fois qu'il esquivait
un naufrage : *attrapé, l'Anglais !* On sait que quand Jean
Bart voulait insulter l'Océan, il l'appelait l'*Anglais*.

Le détroit barré, Gilliatt songea à la panse. Il dévida
assez de câble sur les deux ancres pour qu'elle pût monter
avec la marée. Opération analogue à ce que les anciens
marins appelaient « mouiller avec des embossures ». Dans
tout ceci, Gilliatt n'était pas pris au dépourvu, le cas était
prévu ; un homme du métier l'eût reconnu à deux poulies
de guinderesse frappées en galoche à l'arrière de la panse,
dans lesquelles passaient deux grelins dont les bouts
étaient en ralingue aux organeaux des deux ancres.

Cependant le flux avait grossi ; la demi-montée s'était
faite ; c'est à ce moment que les chocs des lames de la

marée, même paisible, peuvent être rudes. Ce que Gilliatt
avait combiné se réalisa. Le flot roulait violemment vers
le barrage, le rencontrait, s'y enflait, et passait dessous.
Au-dehors, c'était la houle, au-dedans, l'infiltration.
Gilliatt avait imaginé quelque chose comme les fourches
caudines de la mer. La marée était vaincue.

VIII

PÉRIPÉTIE PLUTOT QUE DÉNOUEMENT

Le moment redoutable était venu.

Il s'agissait maintenant de mettre la machine dans la barque.

Gilliatt fut pensif quelques instants, tenant le coude de son bras gauche dans sa main droite et son front dans sa main gauche.

Puis il monta sur l'épave dont une partie, la machine, devait se détacher, et dont l'autre partie, la carcasse, devait demeurer.

Il coupa les quatre élingues qui fixaient à tribord et à bâbord à la muraille de la Durande les quatre chaînes de la cheminée. Les élingues n'étant que de la corde, son couteau en vint à bout.

Les quatre chaînes, libres et sans attache, vinrent pendre le long de la cheminée.

De l'épave il monta dans l'appareil construit par lui, frappa du pied sur les poutres, inspecta les moufles, regarda les poulies, toucha les câbles, examina les rallonges, s'assura que le funin blanc n'était pas mouillé profondément, constata que rien ne manquait, et que rien ne fléchissait, puis, sautant du haut des hiloires sur le pont, il prit position, près du cabestan, dans la partie de la Durande qui devait rester accrochée aux Douvres. C'était là son poste de travail.

Grave, ému seulement de l'émotion utile, il jeta un dernier coup d'œil sur les palans, puis saisit une lime et se mit à scier la chaîne qui tenait tout en suspens.

On entendait le grincement de la lime dans le grondement de la mer.

La chaîne du cabestan, rattachée au palanguin régulateur, était à la portée de Gilliatt, tout près de sa main.

Tout à coup il y eut un craquement. Le chaînon que
mordait la lime, plus qu'à moitié entamé, venait de se
rompre; tout l'appareil entrait en branle. Gilliatt n'eut
que le temps de se jeter sur le palanguin.

La chaîne cassée fouetta le rocher, les huit câbles se
tendirent, tout le bloc scié et coupé s'arracha de l'épave,
le ventre de la Durande s'ouvrit, le plancher de fer de la
machine pesant sur les câbles apparut sous la quille.

Si Gilliatt n'eût pas empoigné à temps le palanguin,
c'était une chute. Mais sa main terrible était là; ce fut une
descente.

Quand le frère de Jean Bart, Pieter Bart, ce puissant et
sagace ivrogne, ce pauvre pêcheur de Dunkerque qui
tutoyait le grand amiral de France, sauva la galère Langeron en perdition dans la baie d'Ambleteuse [300], quand,
pour tirer cette lourde masse flottante du milieu des brisants de la baie furieuse, il lia la grande voile en rouleau
avec des joncs marins, quand il voulut que ce fût ces
roseaux qui, en se cassant d'eux-mêmes, donnassent au
vent la voile à enfler, il se fia à la rupture des roseaux
comme Gilliatt à la fracture de la chaîne, et ce fut la
même hardiesse bizarre couronnée du même succès surprenant.

Le palanguin, saisi par Gilliatt, tint bon et opéra admirablement. Sa fonction, on s'en souvient, était l'amor-
tissement des forces, ramenées de plusieurs à une seule,
et réduites à un mouvement d'ensemble. Ce palanguin
avait quelque rapport avec une patte de bouline; seulement, au lieu d'orienter une voile, il équilibrait un mécanisme.

Gilliatt, debout et le poing au cabestan, avait, pour
ainsi dire, la main sur le pouls de l'appareil.

Ici l'invention de Gilliatt éclata.

Une remarquable coïncidence de forces se produisit.

Pendant que la machine de la Durande, détachée en
bloc, descendait vers la panse, la panse montait vers la
machine. L'épave et le bateau sauveteur, s'entraidant en
sens inverse, allaient au-devant l'un de l'autre. Ils ve-

naient se chercher et s'épargnaient la moitié du travail.

Le flux, se gonflant sans bruit entre les deux Douvres, soulevait l'embarcation et l'approchait de la Durande. La marée était plus que vaincue, elle était domestiquée. L'océan faisait partie du mécanisme.

Le flot montant haussait la panse sans choc, mollement, presque avec précaution et comme si elle eût été de porcelaine.

Gilliatt combinait et proportionnait les deux travaux, celui de l'eau et celui de l'appareil, et, immobile au cabestan, espèce de statue redoutable obéie par tous les mouvements à la fois, réglait la lenteur de la descente sur la lenteur de la montée.

Pas de secousse dans le flot, pas de saccade dans les palans. C'était une étrange collaboration de toutes les forces naturelles, soumises. D'un côté, la gravitation, apportant la machine ; de l'autre, la marée, apportant la barque. L'attraction des astres, qui est le flux, et l'attraction du globe, qui est la pesanteur, semblaient s'entendre pour servir Gilliatt. Leur subordination n'avait pas d'hésitation ni de temps d'arrêt, et, sous la pression d'une âme, ces puissances passives devenaient les auxiliaires actifs. De minute en minute l'œuvre avançait ; l'intervalle entre la panse et l'épave diminuait insensiblement. L'approche se faisait en silence et avec une sorte de terreur de l'homme qui était là. L'élément recevait un ordre et l'exécutait.

Presque au moment précis où le flux cessa de s'élever, les câbles cessèrent de se dévider. Subitement, mais sans commotion, les moufles s'arrêtèrent. La machine, comme posée par une main, avait pris assiette dans la panse. Elle y était droite, debout, immobile, solide. La plaque de soutènement s'appuyait de ses quatre angles et d'aplomb sur la cale.

C'était fait.

Gilliatt regarda, éperdu.

Le pauvre être n'était point gâté par la joie. Il eut le fléchissement d'un immense bonheur. Il sentit tous ses membres plier ; et, devant son triomphe, lui qui n'avait pas eu un trouble jusqu'alors, il se mit à trembler.

Il considéra la panse sous l'épave, et la machine dans la panse. Il semblait n'y pas croire. On eût dit qu'il ne s'attendait pas à ce qu'il avait fait. Un prodige lui était sorti des mains, et il le regardait avec stupeur.

Cet effarement dura peu.

Gilliatt eut le mouvement d'un homme qui se réveille, se jeta sur la scie, coupa les huit câbles, puis, séparé maintenant de la panse, grâce au soulèvement du flux, d'une dizaine de pieds seulement, il y sauta, prit un rouleau de filin, fabriqua quatre élingues, les passa dans les anneaux préparés d'avance, et fixa, des deux côtés, au bord de la panse, les quatre chaînes de la cheminée encore attachées une heure auparavant au bord de la Durande.

La cheminée amarrée, Gilliatt dégagea le haut de la machine. Un morceau carré du tablier du pont de la Durande y adhérait. Gilliatt le décloua, et débarrassa la panse de cet encombrement de planches et de solives qu'il jeta sur le rocher. Allégement utile.

Du reste, la panse, comme on devait le prévoir, s'était maintenue fermement sous la surcharge de la machine. La panse ne s'était enfoncée que jusqu'à un bon étiage de flottaison. La machine de la Durande, quoique pesante, était moins lourde que le monceau de pierres et le canon rapportés jadis de Herm par la panse.

Tout était donc fini. Il n'y avait plus qu'à s'en aller.

IX

LE SUCCÈS REPRIS AUSSITÔT QUE DONNÉ

Tout n'était pas fini.

Rouvrir le goulet fermé par le morceau de muraille de la Durande, et pousser tout de suite la panse hors de l'écueil, rien n'était plus clairement indiqué. En mer, toutes les minutes sont urgentes. Peu de vent, à peine une ride au large ; la soirée, très belle, promettait une belle nuit. La mer était étale, mais le reflux commençait à se faire sentir ; le moment était excellent pour partir. On aurait la marée descendante pour sortir des Douvres et la marée remontante pour rentrer à Guernesey. On pourrait être à Saint-Sampson au point du jour.

Mais un obstacle inattendu se présenta. Il y avait eu une lacune dans la prévoyance de Gilliatt.

La machine était libre ; la cheminée ne l'était pas.

La marée, en approchant la panse de l'épave suspendue en l'air, avait amoindri les périls de la descente et abrégé le sauvetage ; mais cette diminution d'intervalle avait laissé le haut de la cheminée engagé dans l'espèce de cadre béant qu'offrait la coque ouverte de la Durande. La cheminée était prise là comme entre quatre murs.

Le service rendu par le flot se compliquait de cette sournoiserie. Il semblait que la mer, contrainte d'obéir, eût eu une arrière-pensée.

Il est vrai que ce que le flux avait fait, le reflux allait le défaire.

La cheminée, haute d'un peu plus de trois toises, s'enfonçait de huit pieds dans la Durande ; le niveau de l'eau allait baisser de douze pieds ; la cheminée, descendant avec la panse sur le flot décroissant, aurait quatre pieds d'aisance et pourrait se dégager.

Mais combien de temps fallait-il pour cette mise en liberté? Six heures.

Dans six heures il serait près de minuit. Quel moyen d'essayer la sortie à pareille heure, quel chenal suivre à travers tous ces brisants déjà si inextricables le jour, et comment se risquer en pleine nuit noire dans cette embuscade de bas-fonds?

Force était d'attendre au lendemain. Ces six heures perdues en faisaient perdre au moins douze.

Il ne fallait pas même songer à avancer le travail en rouvrant le goulet de l'écueil. Le barrage serait nécessaire à la prochaine marée.

Gilliatt dut se reposer.

Se croiser les bras, c'était la seule chose qu'il n'eût pas encore faite depuis qu'il était dans l'écueil Douvres.

Ce repos forcé l'irrita et l'indigna presque, comme s'il était de sa faute. Il se dit: Qu'est-ce que Déruchette penserait de moi, si elle me voyait là à rien faire?

Pourtant cette reprise de forces n'était peut-être pas inutile.

La panse étant maintenant à sa disposition, il arrêta qu'il y passerait la nuit.

Il alla chercher sa peau de mouton sur la grande Douvre, redescendit, soupa de quelques patelles et de deux ou trois châtaignes de mer, but, ayant grand-soif, les dernières gorgées d'eau douce de son bidon presque vide, s'enveloppa de la peau dont la laine lui fit plaisir, se coucha comme un chien de garde près de la machine, rabattit sa galérienne sur ses yeux, et s'endormit.

Il dormit profondément. On a de ces sommeils après les choses faites.

X

LES AVERTISSEMENTS DE LA MER

Au milieu de la nuit, brusquement, et comme par la détente d'un ressort, il se réveilla.

Il ouvrit les yeux.

Les Douvres au-dessus de sa tête étaient éclairées ainsi que par la réverbération d'une grande braise blanche. Il y avait sur toute la façade noire de l'écueil comme le reflet d'un feu.

D'où venait ce feu?

De l'eau.

La mer était extraordinaire.

Il semblait que l'eau fût incendiée. Aussi loin que le regard pouvait s'étendre, dans l'écueil et hors de l'écueil, toute la mer flamboyait. Ce flamboiement n'était pas rouge; il n'avait rien de la grande flamme vivante des cratères et des fournaises. Aucun pétillement, aucune ardeur, aucune pourpre, aucun bruit. Des traînées bleuâtres imitaient sur la vague des plis de suaire. Une large lueur blême frissonnait sur l'eau. Ce n'était pas l'incendie; c'en était le spectre.

C'était quelque chose comme l'embrasement livide d'un dedans de sépulcre par une flamme de rêve.

Qu'on se figure des ténèbres allumées.

La nuit, la vaste nuit trouble et diffuse, semblait être le combustible de ce feu glacé. C'était on ne sait quelle clarté faite d'aveuglement. L'ombre entrait comme élément dans cette lumière fantôme.

Les marins de la Manche connaissent tous ces indescriptibles phosphorescences, pleines d'avertissements pour le navigateur. Elles ne sont nulle part plus surprenantes que dans le Grand V, près d'Isigny.

A cette lumière, les choses perdent leur réalité. Une pénétration spectrale les fait comme transparentes. Les roches ne sont plus que des linéaments. Les câbles des ancres paraissent des barres de fer chauffées à blanc. Les filets des pêcheurs semblent sous l'eau du feu tricoté. Une moitié de l'aviron est d'ébène, l'autre moitié, sous la lame, est d'argent. En retombant de la rame dans le flot, les gouttes d'eau étoilent la mer. Toute barque traîne derrière elle une comète. Les matelots mouillés et lumineux semblent des hommes qui brûlent. On plonge sa main dans le flot, on la retire gantée de flamme; cette flamme est morte, on ne la sent point. Votre bras est un tison allumé. Vous voyez les formes qui sont dans la mer rouler sous les vagues à vau-le-feu. L'écume étincelle. Les poissons sont des langues de feu et des tronçons d'éclair serpentant dans une profondeur pâle.

Cette clarté avait passé à travers les paupières fermées de Gilliatt. C'est grâce à elle qu'il s'était réveillé.

Ce réveil vint à point.

Le reflux avait descendu; un nouveau flux revenait. La cheminée de la machine, dégagée pendant le sommeil de Gilliatt, allait être ressaisie par l'épave béante au-dessus d'elle.

Elle y retournait lentement.

Il ne s'en fallait que d'un pied pour que la cheminée rentrât dans la Durande.

La remontée d'un pied, c'est pour le flux environ une demi-heure. Gilliatt, s'il voulait profiter de cette délivrance déjà remise en question, avait une demi-heure devant lui.

Il se dressa en sursaut.

Si urgente que fût la situation, il ne put faire autrement que de rester quelques minutes debout, considérant la phosphorescence, méditant.

Gilliatt savait à fond la mer. Malgré qu'elle en eût, et quoique souvent maltraité par elle, il était depuis longtemps son compagnon. Cet être mystérieux qu'on nomme l'Océan ne pouvait rien avoir dans l'idée que Gilliatt ne le devinât. Gilliatt, à force d'observation, de rêverie et de solitude, était devenu un voyant du temps, ce qu'on appelle en anglais un *weather-wise*.

Gilliatt courut aux guinderesses et fila du câble ; puis, n'étant plus retenu par l'affourche, il saisit le croc de la panse, et s'appuyant aux roches, la poussa vers le goulet à quelques brasses au-delà de la Durande, tout près du barrage. Il y avait *du rang,* comme disent les matelots de Guernesey. En moins de dix minutes, la panse fut retirée de dessous la carcasse échouée. Plus de crainte que la cheminée fût désormais reprise au piège. Le flux pouvait monter.

Pourtant Gilliatt n'avait point l'air d'un homme qui va partir.

Il considéra encore la phosphorescence, et leva les ancres ; mais ce ne fut point pour déplanter, ce fut pour affourcher de nouveau la panse, et très solidement ; près de la sortie, il est vrai.

Il n'avait employé jusque-là que les deux ancres de la panse, et il ne s'était pas encore servi de la petite ancre de la Durande, retrouvée, on s'en souvient, dans les brisants. Cette ancre avait été déposée par lui, toute prête aux urgences, dans un coin de la panse, avec un en-cas de haussières et de poulies de guinderesses, et son câble tout garni d'avance de bosses très cassantes, ce qui empêche la chasse. Gilliatt mouilla cette troisième ancre, en ayant soin de rattacher le câble à un grelin dont un bout était en ralingue à l'organeau de l'ancre, et dont l'autre bout se garnissait au guindoir de la panse. Il pratiqua de cette façon une sorte d'affourche en patte d'oie, bien plus forte que l'affourche à deux ancres. Ceci indiquait une vive préoccupation, et un redoublement de précautions. Un marin eût reconnu dans cette opération quelque chose de pareil au mouillage d'un temps forcé, quand on peut craindre un courant qui prendrait le navire par sous le vent.

La phosphorescence, que Gilliatt surveillait et sur laquelle il avait l'œil fixé, le menaçait peut-être, mais en même temps le servait. Sans elle il eût été prisonnier du sommeil et dupe de la nuit. Elle l'avait réveillé, et elle l'éclairait.

Elle faisait dans l'écueil un jour louche. Mais cette
clarté, si inquiétante qu'elle parût à Gilliatt, avait eu cela
d'utile qu'elle lui avait rendu le danger visible et la
manœuvre possible. Désormais, quand Gilliatt voudrait
mettre à la voile, la panse, emportant la machine, était
libre.

Seulement, Gilliatt semblait de moins en moins songer
au départ. La panse embossée, il alla chercher la plus
forte chaîne qu'il eût dans son magasin, et, la rattachant
aux clous plantés dans les deux Douvres, il fortifia en
dedans avec cette chaîne le rempart de vaigres et de
solives déjà protégé au-dehors par l'autre chaîne croisée.
Loin d'ouvrir l'issue, il achevait de la barrer.

La phosphorescence l'éclairait encore, mais décroissait. Il est vrai que le jour commençait à poindre.

Tout à coup Gilliatt prêta l'oreille.

A BON ENTENDEUR, SALUT

Il lui sembla entendre, dans un lointain immense, quelque chose de faible et d'indistinct.

Les profondeurs ont, à de certaines heures, un grondement.

Il écouta une seconde fois. Le bruit lointain recommença. Gilliatt secoua la tête comme quelqu'un qui sait ce que c'est.

Quelques minutes après, il était à l'autre extrémité de la ruelle de l'écueil, à l'entrée vers l'est, libre jusque-là, et, à grands coups de marteau, il enfonçait de gros clous dans le granit des deux musoirs de ce goulet voisin du rocher l'Homme, comme il avait fait pour le goulet des Douvres.

Les crevasses de ces rochers étaient toutes préparées et bien garnies de bois, presque tout cœur de chêne. L'écueil de ce côté étant très délabré, il y avait beaucoup de lézardes, et Gilliatt put y fixer plus de clous encore qu'au soubassement des deux Douvres.

A un moment donné, et comme si l'on eût soufflé dessus, la phosphorescence s'était éteinte ; le crépuscule, d'instant en instant plus lumineux, la remplaçait.

Les clous plantés, Gilliatt traîna des poutres, puis des cordes, puis des chaînes, et, sans détourner les yeux de son travail, sans se distraire un instant, il se mit à construire en travers du goulet de l'Homme, avec des madriers fixés horizontalement et rattachés par des câbles, un de ces barrages à claire-voie que la science aujourd'hui a adoptés et qu'elle qualifie brise-lames.

Ceux qui ont vu, par exemple, à la Rocquaine à Guernesey, ou au Bourg-d'Ault en France, l'effet que font quelques pieux plantés dans le rocher, comprennent la puissance de ces ajustages si simples. Le brise-lames est la combinaison de ce qu'on nomme en France épi avec ce qu'on nomme en Angleterre dick. Les brise-lames sont les chevaux de frise des fortifications contre les tempêtes. On ne peut lutter contre la mer qu'en tirant parti de la divisibilité de cette force.

Cependant le soleil s'était levé, parfaitement pur. Le ciel était clair, la mer était calme.

Gilliatt pressait son travail. Il était calme lui aussi, mais dans sa hâte il y avait de l'anxiété.

Il allait, à grandes enjambées de roche en roche, du barrage au magasin et du magasin au barrage. Il revenait tirant éperdument, tantôt une porque, tantôt une hiloire. L'utilité de cet en-cas de charpentes se manifesta. Il était évident que Gilliatt était en face d'une éventualité prévue.

Une forte barre de fer lui servait de levier pour remuer les poutres.

Le travail s'exécutait si vite que c'était plutôt une croissance qu'une construction. Qui n'a pas vu à l'œuvre un pontonnier militaire ne peut se faire une idée de cette rapidité.

Le goulet de l'est était plus étroit encore que le goulet de l'ouest. Il n'avait que cinq ou six pieds d'entrebâillement. Ce peu d'ouverture aidait Gilliatt. L'espace à fortifier et à fermer étant très restreint, l'armature serait plus solide et pourrait être plus simple. Ainsi des solives horizontales suffisaient; les pièces debout étaient inutiles.

Les premières traverses du brise-lames posées, Gilliatt monta dessus et écouta.

Le grondement devenait expressif.

Gilliatt continua sa construction. Il la contrebuta avec les deux bossoirs de la Durande reliés à l'enchevêtrement des solives par des drisses passées dans leurs trois roues de poulies. Il noua le tout avec des chaînes.

Cette construction n'était autre chose qu'une sorte de claie colossale, ayant des madriers pour baguettes et des chaînes pour osiers.

Cela semblait tressé autant que bâti.

Gilliatt multipliait les attaches, et ajoutait des clous où il le fallait.

Ayant eu beaucoup de fer rond dans l'épave, il avait pu faire de ces clous une grosse provision.

Tout en travaillant, il broyait du biscuit entre ses dents. Il avait soif, mais ne pouvait boire, n'ayant plus d'eau douce. Il avait vidé le bidon la veille à son souper.

Il échafauda encore quatre ou cinq charpentes, puis monta de nouveau sur le barrage. Il écouta.

Le bruit à l'horizon avait cessé. Tout se taisait.

La mer était douce et superbe; elle méritait tous les madrigaux que lui adressent les bourgeois quand ils sont contents d'elle, — « un miroir », — « un lac », — « de l'huile », — « une plaisanterie », — « un mouton ». — Le bleu profond du ciel répondait au vert profond de l'océan. Ce saphir et cette émeraude pouvaient s'admirer l'un l'autre. Ils n'avaient aucun reproche à se faire. Pas un nuage en haut, pas une écume en bas. Dans toute cette splendeur montait magnifiquement le soleil d'avril. Il était impossible de voir un plus beau temps.

A l'extrême horizon une longue file noire d'oiseaux de passage rayait le ciel. Ils allaient vite. Ils se dirigeaient vers la terre. Il semblait qu'il y eût de la fuite dans leur vol.

Gilliatt se remit à exhausser le brise-lames.

Il l'éleva le plus haut qu'il put, aussi haut que le lui permit la courbure des rochers.

Vers midi, le soleil lui sembla plus chaud qu'il ne devait l'être. Midi est l'heure critique du jour. Gilliatt, debout sur la robuste claire-voie qu'il achevait de bâtir, se remit à considérer l'étendue.

La mer était plus que tranquille, elle était stagnante. On n'y voyait pas une voile. Le ciel était partout limpide; seulement de bleu il était devenu blanc. Ce blanc était singulier. Il y avait à l'ouest sur l'horizon une petite tache d'apparence malsaine. Cette tache restait immobile à la même place, mais grandissait. Près des brisants, le flot frissonnait très doucement.

Gilliatt avait bien fait de bâtir son brise-lames.

Une tempête approchait.

L'abîme se décidait à livrer bataille.

LIVRE TROISIÈME

LA LUTTE

I

L'EXTRÊME TOUCHE L'EXTRÊME
ET LE CONTRAIRE ANNONCE LE CONTRAIRE [301]

Rien n'est menaçant comme l'équinoxe en retard.

Il y a sur la mer un phénomène farouche qu'on pourrait appeler l'arrivée des vents du large.

En toute saison, particulièrement à l'époque des syzygies [302], à l'instant où l'on doit le moins s'y attendre, la mer est prise soudain d'une tranquillité étrange. Ce prodigieux mouvement perpétuel s'apaise ; il a de l'assoupissement ; il entre en langueur ; il semble qu'il va se donner relâche ; on pourrait le croire fatigué. Tous les chiffons marins, depuis le guidon de pêche jusqu'aux enseignes de guerre, pendent le long des mâts. Les pavillons amiraux, royaux, impériaux, dorment.

Tout à coup ces loques se mettent à remuer discrètement.

C'est le moment, s'il y a des nuages, d'épier la formation des cirrus ; si le soleil se couche, d'examiner la rougeur du soir ; s'il fait nuit et s'il y a de la lune, d'étudier les halos.

Dans cette minute-là, le capitaine ou le chef d'escadre qui a la chance de posséder un de ces Verres-de-Tempête dont l'inventeur est inconnu, observe ce verre au microscope et prend ses précautions contre le vent du sud si la mixture a un aspect de sucre fondu, et contre le vent du nord si la mixture s'exfolie en cristallisations pareilles à des fourrés de fougères ou à des bois de sapins. Dans cette minute-là, après avoir consulté quelque gnomon mystérieux gravé par les Romains, ou par les démons, sur une de ces énigmatiques pierres droites qu'on appelle en Bretagne menhir et en Irlande cruach, le pauvre pêcheur irlandais ou breton retire sa barque de la mer.

Cependant la sérénité du ciel et de l'océan persiste. Le matin se lève radieux et l'aurore sourit ; ce qui remplissait d'horreur religieuse les vieux poètes et les vieux devins, épouvantés qu'on pût croire à la fausseté du soleil. *Solem quis dicere falsum audeat* [303] ?

La sombre vision du possible latent est interceptée à l'homme par l'opacité fatale des choses. Le plus redoutable et le plus perfide des aspects, c'est le masque de l'abîme.

On dit : anguille sous roche : on devrait dire : tempête sous calme.

Quelques heures, quelques jours parfois, se passent ainsi. Les pilotes braquent leurs longues-vues çà et là. Le visage des vieux marins a un air de sévérité qui tient à la colère secrète de l'attente.

Subitement on entend un grand murmure confus. Il y a une sorte de dialogue mystérieux dans l'air.

On ne voit rien.

L'étendue demeure impassible.

Cependant le bruit s'accroît, grossit, s'élève. Le dialogue s'accentue.

Il y a quelqu'un derrière l'horizon.

Quelqu'un de terrible, le vent.

Le vent, c'est-à-dire cette populace de titans que nous appelons les Souffles.

L'immense canaille de l'ombre.

L'Inde les nommait les Marouts, la Judée les Kéroubims [304], la Grèce les Aquilons. Ce sont les invincibles oiseaux fauves de l'infini. Ces borées accourent.

II

LES VENTS DU LARGE

D'où viennent-ils? De l'incommensurable. Il faut à
leurs envergures le diamètre du gouffre. Leurs ailes démesurées ont besoin du recul indéfini des solitudes.
L'Atlantique, le Pacifique, ces vastes ouvertures bleues,
voilà ce qui leur convient. Ils les font sombres. Ils y
volent en troupes. Le commandant Page [305] a vu une fois
sur la haute mer sept trombes à la fois. Ils sont là,
farouches. Ils préméditent les désastres. Ils ont pour labeur l'enflure éphémère et éternelle du flot. Ce qu'ils
peuvent est ignoré, ce qu'ils veulent est inconnu. Ils sont
les sphinx de l'abîme; et Gama est leur Œdipe. Dans cette
obscurité de l'étendue qui remue toujours, ils apparaissent, faces de nuées. Qui aperçoit leurs linéaments livides
dans cette dispersion qui est l'horizon de la mer se sent en
présence de la force irréductible. On dirait que l'intelligence humaine les inquiète, et ils se hérissent contre elle.
L'intelligence est invincible, mais l'élément est imprena-
ble. Que faire contre l'ubiquité insaisissable? Le souffle
se fait massue, puis redevient souffle. Les vents combat-
tent par l'écrasement et se défendent par l'évanouissement. Qui les rencontre est aux expédients. Leur assaut,
divers et plein de répercussions, déconcerte. Ils ont autant
de fuite que d'attaque. Ils sont les impalpables tenaces.
Comment en venir à bout? La proue du navire Argo,
sculptée dans un chêne de Dodone, à la fois proue et
pilote, leur parlait. Ils brutalisaient cette proue déesse.
Christophe Colomb, les voyant venir vers *la Pinta*, montait sur le pont et leur adressait les premiers versets de
l'Évangile selon saint Jean. Surcouf [306] les insultait.

Voici la clique, disait-il. Napier [307] leur tirait des coups
de canon. Ils ont la dictature du chaos.

Ils ont le chaos. Qu'en font-ils ? On ne sait quoi d'implacable. La fosse aux vents est plus monstrueuse que la
fosse aux lions. Que de cadavres sous ces plis sans fond !
Les vents poussent sans pitié la grande masse obscure et
amère. On les entend toujours, eux ils n'écoutent rien. Ils
commettent des choses qui ressemblent à des crimes. On
ne sait sur qui ils jettent les arrachements blancs de
l'écume. Que de férocité impie dans le naufrage ! quel
affront à la providence ! Ils ont l'air par moment de
cracher sur Dieu. Ils sont les tyrans des lieux inconnus.
Luoghi spaventosi [308], murmuraient les marins de
Venise.

Les espaces frémissants subissent leurs voies de fait.
Ce qui se passe dans ces grands abandons est inexprimable. Quelqu'un d'équestre est mêlé à l'ombre. L'air fait
un bruit de forêt. On n'aperçoit rien, et l'on entend des
cavaleries. Il est midi, tout à coup il fait nuit ; un tornado
passe ; il est minuit, tout à coup il fait jour ; l'effluve
polaire s'allume. Des tourbillons alternent en sens inverse, sorte de danse hideuse, trépignement des fléaux
sur l'élément. Un nuage trop lourd se casse par le milieu,
et tombe en morceaux dans la mer. D'autres nuages,
pleins de pourpre, éclairent et grondent, puis s'obscurcis-
sent lugubrement ; le nuage vidé de foudre noircit, c'est
un charbon éteint. Des sacs de pluie se crèvent en brume.
Là une fournaise où il pleut ; là une onde d'où se dégage
un flamboiement. Les blancheurs de la mer sous l'averse
éclairent des lointains surprenants ; on voit se déformer
des épaisseurs où errent des ressemblances. Des nombrils
monstrueux creusent les nuées. Les vapeurs tournoient,
les vagues pirouettent ; les naïades ivres roulent ; à perte
de vue, la mer massive et molle se meut sans de déplacer ;
tout est livide ; des cris désespérés sortent de cette pâleur.

Au fond de l'obscurité inaccessible, de grandes gerbes
d'ombre frissonnent. Par moments, il y a paroxysme. La
rumeur devient tumulte, de même que la vague devient
houle. L'horizon, superposition confuse de lames, oscillation sans fin, murmure en basse continue ; des jets de

fracas y éclatent bizarrement; on croit entendre éternuer des hydres. Des souffles froids surviennent, puis des souffles chauds. La trépidation de la mer annonce une épouvante qui s'attend à tout. Inquiétude. Angoisse. Terreur profonde des eaux. Subitement, l'ouragan, comme une bête, vient boire à l'océan; succion inouïe; l'eau monte vers la bouche invisible, une ventouse se forme, la tumeur enfle; c'est la trombe, le Prester des anciens [309], stalactite en haut, stalagmite en bas, double cône inverse tournant, une pointe en équilibre sur l'autre, baiser de deux montagnes, une montagne d'écume qui s'élève, une montagne de nuée qui descend; effrayant coït de l'onde et de l'ombre. La trombe, comme la colonne de la Bible, est ténébreuse le jour et lumineuse la nuit. Devant la trombe le tonnerre se tait. Il semble qu'il ait peur.

Le vaste trouble des solitudes a une gamme; crescendo redoutable: le grain, la rafale, la bourrasque, l'orage, la tourmente, la tempête, la trombe; les sept cordes de la lyre des vents, les sept notes de l'abîme. Le ciel est une largeur, la mer est une rondeur; une haleine passe, il n'y a plus rien de tout cela, tout est furie et pêle-mêle.

Tels sont ces lieux sévères.

Les vents courent, volent, s'abattent, finissent, recommencent, planent, sifflent, mugissent, rient; frénétiques, lascifs, effrénés, prenant leurs aises sur la vague irascible. Ces hurleurs ont une harmonie. Ils font tout le ciel sonore. Ils soufflent dans la nuée comme dans un cuivre, ils embouchent l'espace, et ils chantent dans l'infini, avec toutes les voix amalgamées des clairons, des buccins, des oliphants, des bugles et des trompettes, une sorte de fanfare prométhéenne. Qui les entend écoute Pan. Ce qu'il y a d'effroyable, c'est qu'ils jouent. Ils ont une colossale joie composée d'ombre. Ils font dans les solitudes la battue des navires. Sans trêve, jour et nuit, en toute saison, au tropique comme au pôle, en sonnant dans leur trompe éperdue, ils mènent, à travers les enchevêtrements de la nuée et de la vague, la grande chasse noire des naufrages. Ils sont des maîtres de meutes. Ils s'amusent. Ils font aboyer après les roches les flots, ces chiens.

Ils combinent les nuages, et les désagrègent. Ils pétris-
sent, comme avec des millions de mains, la souplesse de
l'eau immense.

L'eau est souple parce qu'elle est incompressible. Elle
glisse sous l'effort. Chargée d'un côté, elle échappe de
l'autre. C'est ainsi que l'eau se fait l'onde. La vague est
sa liberté.

Explication du bruit écouté par Gilliatt

La grande venue des vents vers la terre se fait aux équinoxes. A ces époques la balance du tropique et du pôle bascule, et la colossale marée atmosphérique verse son flux sur un hémisphère et son reflux sur l'autre. Il y a des constellations qui signifient ces phénomènes, la Balance, le Verseau.

C'est l'heure des tempêtes.

La mer attend, et garde le silence.

Quelquefois le ciel a mauvaise mine. Il est blafard, une grande panne obscure l'obstrue. Les marins regardent avec anxiété l'air fâché de l'ombre.

Mais c'est son air satisfait qu'ils redoutent le plus. Un ciel riant d'équinoxe, c'est l'orage faisant patte de velours. Par ces ciels-là, la Tour des Pleureuses d'Amsterdam s'emplissait de femmes examinant l'horizon.

Quand la tempête vernale ou automnale tarde, c'est qu'elle fait un plus gros amas. Elle thésaurise pour le ravage. Méfiez-vous des arrérages. Ango disait : *La mer est bonne payeuse.*

Quand l'attente est trop longue, la mer ne trahit son impatience que par plus de calme. Seulement la tension magnétique se manifeste par ce qu'on pourrait nommer l'inflammation de l'eau. Des lueurs sortent de la vague. Air électrique, eau phosphorique. Les matelots se sentent harassés. Cette minute est particulièrement périlleuse pour les iron-clads [310] ; leur coque de fer peut produire de fausses indications du compas, et les perdre. Le steamer transatlantique l'*Yowa* a péri ainsi.

Pour ceux qui sont en familiarité avec la mer, son

aspect, dans ces instants-là, est étrange; on dirait qu'elle désire et craint le cyclone. De certains hyménées, d'ailleurs fort voulus par la nature, sont accueillis de cette façon. La lionne en rut fuit devant le lion. La mer, elle aussi, est en chaleur. De là son tremblement.

L'immense mariage va se faire.

Ce mariage, comme les noces des anciens empereurs, se célèbre par des exterminations. C'est une fête avec assaisonnement de désastres.

Cependant, de là-bas, du large, des latitudes inexpugnables, du livide horizon des solitudes, du fond de la liberté sans bornes, les vents arrivent.

Faites attention, voilà le fait équinoxial.

Une tempête, cela se complote. La vieille mythologie entrevoyait ces personnalités indistinctes mêlées à la grande nature diffuse. Éole se concerte avec Borée. L'entente de l'élément avec l'élément est nécessaire. Ils se distribuent la tâche. On a des impulsions à donner à la vague, au nuage, à l'effluve; la nuit est un auxiliaire; il importe de l'employer. On a des boussoles à dérouter, des fanaux à éteindre, des phares à masquer, des étoiles à cacher. Il faut que la mer coopère. Tout orage est précédé d'un murmure. Il y a derrière l'horizon chuchotement préalable des ouragans.

C'est là ce que, dans l'obscurité, au loin, par-dessus le silence effrayé de la mer, on entend.

Ce chuchotement redoutable, Gilliatt l'avait entendu. La phosphorescence avait été le premier avertissement; ce murmure, le second.

Si le démon Légion existe, c'est lui, à coup sûr, qui est le Vent.

Le vent est multiple, mais l'air est un.

De là cette conséquence : tout orage est mixte. L'unité de l'air l'exige.

Tout l'abîme est impliqué dans une tempête. L'océan entier est dans une bourrasque. La totalité de ses forces y entre en ligne et y prend part. Une vague, c'est le gouffre d'en bas; un souffle, c'est le gouffre d'en haut. Avoir affaire à une tourmente, c'est avoir affaire à toute la mer et à tout le ciel.

Messier [311], l'homme de la marine, l'astronome pensif
de la logette de Cluny, disait: *le vent de partout est
partout*. Il ne croyait point aux vents emprisonnés, même
dans les mers closes. Il n'y avait point pour lui de vents
méditerranéens. Il disait les reconnaître au passage. Il
affirmait que tel jour, à telle heure, le Föhn du lac de
Constance, l'antique Favonius de Lucrèce, avait traversé
l'horizon de Paris; tel autre jour le Bora de l'Adriatique;
tel autre jour le Notus giratoire [312] qu'on prétend enfermé
dans le rond des Cyclades. Il en spécifiait les effluves. Il
ne pensait pas que l'autan qui tourne entre Malte et Tunis
et que l'autan qui tourne entre la Corse et les Baléares
fussent dans l'impossibilité de s'échapper. Il n'admettait
point qu'il y eût des vents ours dans des cages. Il disait:
«Toute pluie vient du tropique et tout éclair vient du
pôle.» Le vent en effet se sature d'électricité à l'intersection des colures [313], qui marque les extrémités de l'axe, et
d'eau à l'équateur; et il nous apporte de la Ligne le
liquide et des Pôles le fluide.

Ubiquité, c'est le vent.

Ceci ne veut pas dire, certes, que les zones venteuses
n'existent pas. Rien n'est plus démontré que ces affla-
tions à courants continus, et un jour la navigation aé-
rienne, servie par les air-navires que nous nommons, par
manie du grec, aéroscaphes, en utilisera les lignes principales. La canalisation de l'air par le vent est incontesta-
ble; il y a des fleuves de vent, des rivières de vent et des
ruisseaux de vent; seulement les embranchements de l'air
se font à l'inverse des embranchements de l'eau; ce sont
les ruisseaux qui sortent des rivières et les rivières qui
sortent des fleuves, au lieu d'y tomber: de là, au lieu de
la concentration, la dispersion.

C'est cette dispersion qui fait la solidarité des vents et
l'unité de l'atmosphère. Une molécule déplacée déplace
l'autre. Tout le vent remue ensemble. A ces profondes
causes d'amalgame ajoutez le relief du globe, trouant
l'atmosphère par toutes ses montagnes, faisant des nœuds
et des torsions dans les courses du vent, et déterminant
dans tous les sens des contre-courants. Irradiation illimitée.

Le phénomène du vent, c'est l'oscillation de deux océans l'un sur l'autre ; l'océan d'air, surperposé à l'océan d'eau, s'appuie sur cette fuite et chancelle sur ce tremblement.

L'indivisible ne se met pas dans des compartiments. Il n'y a pas de cloison entre un flot et l'autre. Les îles de la Manche sentent la poussée du cap de Bonne-Espérance. La navigation universelle tient tête à un monstre unique. Toute la mer est la même hydre. Les vagues couvrent la mer d'une sorte de peau de poisson. Océan, c'est Ceto [314].

Sur cette unité s'abat l'innombrable.

IV

TURBA, TURMA [315]

Pour le compas, il y a trente-deux vents, c'est-à-dire
trente-deux directions; mais ces directions peuvent se
subdiviser indéfiniment. Le vent, classé par directions,
c'est l'incalculable; classé par espèces, c'est l'infini.

Homère reculerait devant ce dénombrement.

Le courant polaire heurte le courant tropical. Voilà le
froid et le chaud combinés, l'équilibre commence par le
choc, l'onde des vents en sort, enflée, éparse, et déchi-
quetée dans tous les sens en ruissellements farouches. La
dispersion des souffles secoue aux quatre coins de l'horizon le prodigieux échevèlement de l'air.

Tous les rumbs sont là: le vent du Gulf-Stream qui
dégorge tant de brume sur Terre-Neuve, le vent du Pérou,
région à ciel muet où jamais l'homme n'a entendu tonner,
le vent de la Nouvelle-Écosse où vole le Grand-Auk, *Alca
impennis* [316], au bec rayé, les tourbillons de Fer des mers
de Chine, le vent de Mozambique qui malmène les pan-
gaies et les jonques, le vent électrique du Japon dénoncé
par le gong, le vent d'Afrique qui habite entre la montagne de la Table et la montagne du Diable et qui se
déchaîne de là, le vent de l'équateur qui passe par-dessus
les vents alizés et qui trace une parabole dont le sommet
est toujours à l'ouest, le vent plutonien qui sort des
cratères et qui est le redoutable souffle de la flamme,
l'étrange vent propre au volcan Awa [317] qui fait toujours
surgir un nuage olivâtre du nord, la mousson de Java
contre laquelle sont construites ces casemates qu'on
nomme *maisons d'ouragan*, la bise à embranchements
que les Anglais appellent *bush*, buisson, les grains arqués

du détroit de Malacca observés par Horsburgh, le puissant vent du sud-ouest, nommé Pampero au Chili et Rebojo à Buenos Aires, qui emporte le condor en pleine mer et le sauve de la fosse où l'attend, sous une peau de bœuf fraîchement écorché, le sauvage couché sur le dos et tendant son grand arc avec ses pieds, le vent chimique qui, selon Lemery [318], fait dans la nuée des pierres de tonnerre, l'harmattan des Cafres [319], le chasse-neige polaire qui s'attelle aux banquises et qui traîne les glaces éternelles, le vent du golfe de Bengale qui va jusqu'à Nijni-Novgorod saccager le triangle de baraques de bois où se tient la foire d'Asie, le vent des Cordillères, agitateur des grandes vagues et des grandes forêts, le vent des archipels d'Australie où les chasseurs de miel dénichent les ruches sauvages cachées sous les aisselles des branches de l'eucalyptus géant, le sirocco, le mistral, le hurricane [320], les vents de sécheresse, les vents d'inondation, les diluviens, les torrides, ceux qui jettent dans les rues de Gênes la poussière des plaines du Brésil, ceux qui obéissent à la rotation diurne, ceux qui la contrarient et qui font dire à Herrera : *Malo viento torna contra el sol* [321], ceux qui vont par couples, d'accord pour bouleverser, l'un défaisant ce que fait l'autre, et les vieux vents qui ont assailli Christophe Colomb sur la côte de Veraguas [322], et ceux qui pendant quarante jours, du 21 octobre au 28 novembre 1520, ont mis en question Magellan abordant le Pacifique, et ceux qui ont démâté l'Armada et soufflé sur Philippe II. D'autres encore, et comment trouver la fin ? Les vents porteurs de crapauds et de sauterelles qui poussent des nuées de bêtes par-dessus l'océan, ceux qui opèrent ce qu'on appelle « la saute de vent » et qui ont pour fonction d'achever les naufragés, ceux qui, d'un seul coup d'haleine, déplacent la cargaison dans le navire et le contraignent à continuer sa route penché ; les vents qui construisent les circum-cumuli, les vents qui construisent les circum-strati, les lourds vents aveugles tuméfiés de pluie, les vents de la grêle, les vents de la fièvre, ceux dont l'approche met en ébullition les salses [323] et les solfatares de Calabre, ceux qui font étinceler le poil des panthères d'Afrique rôdant dans les broussail-

les du cap de Fer [324], ceux qui viennent secouant hors de
leur nuage, comme une langue de trigonocéphale,
l'épouvantable éclair à fourche, ceux qui apportent des
neiges noires. Telle est l'armée.

L'écueil Douvres, au moment où Gilliatt construisait
son brise-lames, en entendait le galop lointain.

Nous venons de le dire, le vent, c'est tous les vents.

Toute cette horde arrivait.

D'un côté, cette légion.

De l'autre, Gilliatt.

V

GILLIATT A L'OPTION

Les mystérieuses forces avaient bien choisi le moment.
Le hasard, s'il existe, est habile.

Tant que la panse avait été remisée dans la crique de
l'Homme, tant que la machine avait été emboîtée dans
l'épave, Gilliatt était inexpugnable. La panse était en
sûreté, la machine était à l'abri ; les Douvres, qui tenaient
la machine, la condamnaient à une destruction lente, mais
la protégeaient contre une surprise. Dans tous les cas, il
restait à Gilliatt une ressource. La machine détruite ne
détruisait pas Gilliatt. Il avait la panse pour se sauver.

Mais attendre que la panse fût retirée du mouillage où
elle était inaccessible, la laisser s'engager dans le défilé des
Douvres, patienter jusqu'à ce qu'elle fût prise, elle aussi,
par l'écueil, permettre à Gilliatt d'opérer le sauvetage, le
glissement et le transbordement de la machine, ne point en-
traver ce merveilleux travail qui mettait tout dans la panse,
consentir à cette réussite, là était le piège. Là se laissait entrevoir, sorte de linéament sinistre, la sombre ruse de l'abîme.

A cette heure, la machine, la panse, Gilliatt, étaient
réunis dans la ruelle de rochers. Ils ne faisaient qu'un. La
panse broyée à l'écueil, la machine coulée à fond, Gilliatt
noyé, c'était l'affaire d'un effort unique sur un seul point.
Tout pouvait être fini à la fois, en même temps, et sans
dispersion ; tout pouvait être écrasé d'un coup.

Pas de situation plus critique que celle de Gilliatt.

Le sphinx possible, soupçonné par les rêveurs au fond
de l'ombre, semblait lui poser un dilemme.

Reste, ou pars.

Partir était insensé, rester était effrayant.

VI

LE COMBAT

Gilliatt monta sur la grande Douvre.

De là il voyait toute la mer.

L'ouest était surprenant. Il en sortait une muraille. Une grande muraille de nuée, barrant de part en part l'étendue, montait lentement de l'horizon vers le zénith. Cette muraille, rectiligne, verticale, sans une crevasse dans sa hauteur, sans une déchirure à son arête, paraissait bâtie à l'équerre et tirée au cordeau. C'était du nuage ressemblant à du granit. L'escarpement de ce nuage, tout à fait perpendiculaire à l'extrémité sud, fléchissait un peu vers le nord comme une tôle ployée, et offrait le vague glissement d'un plan incliné. Ce mur de brume s'élargissait et croissait sans que son entablement cessât un instant d'être parallèle à la ligne d'horizon, presque indistincte dans l'obscurité tombante. Cette muraille de l'air montait tout d'une pièce en silence. Pas une ondulation, pas un plissement, pas une saillie qui se déformât ou se déplaçât. Cette immobilité en mouvement était lugubre. Le soleil, blême derrière on ne sait quelle transparence malsaine, éclairait ce linéament d'apocalypse. La nuée envahissait déjà près de la moitié de l'espace. On eût dit l'effrayant talus de l'abîme. C'était quelque chose comme le lever d'une montagne d'ombre entre la terre et le ciel.

C'était en plein jour l'ascension de la nuit.

Il y avait dans l'air une chaleur de poêle. Une buée d'étuve se dégageait de cet amoncellement mystérieux. Le ciel, qui de bleu était devenu blanc, était de blanc devenu gris. On eût dit une grande ardoise. La mer, dessous, terne et plombée, était une autre ardoise énorme. Pas un souffle, pas un flot, pas un bruit. A perte de vue, la mer déserte. Aucune voile d'aucun côté. Les oiseaux s'étaient cachés. On sentait de la trahison dans l'infini.

Le grossissement de toute cette ombre s'amplifiait insensiblement.

La montagne mouvante de vapeurs qui se dirigeait vers les Douvres était un de ces nuages qu'on pourrait appeler les nuages de combat. Nuages louches. A travers ces entassements obscurs, on ne sait quel strabisme vous regarde.

Cette approche était terrible.

Gilliatt examina fixement la nuée et grommela entre ses dents : J'ai soif, tu vas me donner à boire.

Il demeura quelques moments immobile, l'œil attaché sur le nuage. On eût dit qu'il toisait la tempête.

Sa galérienne était dans la poche de sa vareuse, il l'en tira et s'en coiffa. Il prit, dans le trou où il avait si longtemps couché, sa réserve de hardes ; il chaussa les jambières et endossa le suroît, comme un chevalier qui revêt son armure au moment de l'action. On sait qu'il n'avait plus de souliers, mais ses pieds nus étaient endurcis aux rochers.

Cette toilette de guerre faite, il considéra son brise-lames, empoigna vivement la corde à nœuds, descendit du plateau de la Douvre, prit pied sur les roches d'en bas, et courut à son magasin. Quelques instants après, il était au travail. Le vaste nuage muet put entendre ses coups de marteau. Que faisait Gilliatt ? Avec ce qui lui restait de clous, de cordes et de poutres il construisait au goulet de l'est une seconde claire-voie à dix ou douze pieds en arrière de la première.

Le silence était toujours profond. Les brins d'herbe dans les fentes de l'écueil ne bougeaient pas.

Brusquement le soleil disparut. Gilliatt leva la tête.

La nuée montante venait d'atteindre le soleil. Ce fut comme une extinction du jour, remplacé par une réverbération mêlée et pâle.

La muraille de nuée avait changé d'aspect. Elle n'avait plus son unité. Elle s'était froncée horizontalement en

touchant au zénith d'où elle surplombait sur le reste du
ciel. Elle avait maintenant des étages. La formation de la
tempête s'y dessinait comme dans une section de tranchée. On distinguait les couches de la pluie et les gise-
ments de la grêle. Il n'y avait point d'éclair, mais une
horrible lueur éparse; car l'idée d'horreur peut s'attacher
à l'idée de lumière. On entendait la vague respiration de
l'orage. Ce silence palpitait obscurément. Gilliatt, silencieux lui aussi, regardait se grouper au-dessus de sa tête
tous ces blocs de brume et se composer la difformité des
nuages. Sur l'horizon pesait et s'étendait une bande de
brouillard couleur cendre, et au zénith une bande couleur
plomb; des guenilles livides pendaient des nuages d'en
haut sur les brouillards d'en bas. Tout le fond, qui était le
mur de nuages, était blafard, laiteux, terreux, morne,
indescriptible. Une mince nuée blanchâtre transversale,
arrivée on ne sait d'où, coupait obliquement, du nord au
sud, la haute muraille sombre. Une des extrémités de
cette nuée traînait dans la mer. Au point où elle touchait
la confusion des vagues, on apercevait dans l'obscurité
un étouffement de vapeur rouge. Au-dessous de la longue
nuée pâle, de petits nuages, très bas, tout noirs, volaient
en sens inverse les uns des autres comme s'ils ne savaient
que devenir. Le puissant nuage du fond croissait de toutes
parts à la fois, augmentait l'éclipse, et continuait son
interposition lugubre. Il n'y avait plus, à l'est, derrière
Gilliatt, qu'un porche de ciel clair qui allait se fermer.
Sans qu'on eût l'impression d'aucun vent, une étrange
diffusion de duvet grisâtre passa, éparpillée et émiettée,
comme si quelque gigantesque oiseau venait d'être plumé
derrière ce mur de ténèbres. Il s'était formé un plafond de
noirceur compacte qui, à l'extrême horizon, touchait la
mer et s'y mêlait dans de la nuit. On sentait quelque
chose qui avance. C'était vaste et lourd, et farouche.
L'obscurité s'épaississait. Tout à coup, un immense tonnerre éclata.

Gilliatt lui-même ressentit la secousse. Il y a du songe
dans le tonnerre. Cette réalité brutale dans la région
visionnaire a quelque chose de terrifiant. On croit entendre la chute d'un meuble dans la chambre des géants.

Aucun flamboiement électrique n'accompagna le coup. Ce fut comme un tonnerre noir. Le silence se refit. Il y eut une sorte d'intervalle comme lorsqu'on prend position. Puis, apparurent, l'un après l'autre et lentement, de grands éclairs informes. Ces éclairs étaient muets. Pas de grondement. A chaque éclair tout s'illuminait. Le mur de nuages était maintenant un antre. Il y avait des voûtes et des arches. On y distinguait des silhouettes. Des têtes monstrueuses s'ébauchaient; des cous semblaient se tendre; des éléphants portant leurs tours, entrevus, s'évanouissaient. Une colonne de brume, droite, ronde et noire, surmontée d'une vapeur blanche, simulait la cheminée d'un steamer colossal englouti, chauffant sous la vague et fumant. Des nappes de nuée ondulaient. On croyait voir des plis de drapeaux. Au centre, sous des épaisseurs vermeilles, s'enfonçait, immobile, un noyau de brouillard dense, inerte, impénétrable aux étincelles électriques, sorte de fœtus hideux dans le ventre de la tempête.

Gilliatt subitement sentit qu'un souffle l'échevelait. Trois ou quatre larges araignées de pluie s'écrasèrent autour de lui sur la roche. Puis il y eut un second coup de foudre. Le vent se leva.

L'attente de l'ombre était au comble; le premier coup de tonnerre avait remué la mer, le deuxième fêla la muraille de nuée du haut en bas, un trou se fit, toute l'ondée en suspens versa de ce côté, la crevasse devint comme une bouche ouverte pleine de pluie, et le vomissement de la tempête commença.

L'instant fut effroyable.

Averse, ouragan, fulgurations, fulminations, vagues jusqu'aux nuages, écume, détonations, torsions frénétiques, cris, rauquements, sifflements, tout à la fois. Déchaînement de monstres.

Le vent soufflait en foudre. La pluie ne tombait pas, elle croulait.

Pour un pauvre homme, engagé, comme Gilliatt, avec une barque chargée, dans un entre-deux de rochers en pleine mer, pas de crise plus menaçante. Le danger de la marée, dont Gilliatt avait triomphé, n'était rien près du danger de la tempête. Voici quelle était la situation :

Gilliatt, autour de qui tout était précipice, démasquait, à la dernière minute et devant le péril suprême, une stragédie savante. Il avait pris son point d'appui chez l'ennemi même ; il s'était associé l'écueil ; le rocher Douvres, autrefois son adversaire, était maintenant son second dans cet immense duel. Gilliatt l'avait mis sous lui. De ce sépulcre, Gilliatt avait fait sa forteresse. Il s'était crénelé dans cette masure formidable de la mer. Il y était bloqué, mais muré. Il était, pour ainsi dire, adossé à l'écueil, face à face avec l'ouragan. Il avait barricadé le détroit, cette rue des vagues. C'était du reste la seule chose à faire. Il semble que l'Océan, qui est un despote, puisse être, lui aussi, mis à la raison par des barricades. La panse pouvait être considérée comme en sûreté de trois côtés. Étroitement resserrée entre les deux façades intérieures de l'écueil, affourchée en patte d'oie, elle était abritée au nord par la petite Douvre, au sud par la grande, escarpements sauvages, plus habitués à faire des naufrages qu'à en empêcher. A l'ouest elle était protégée par le tablier de poutres amarré et cloué aux rochers, barrage éprouvé qui avait vaincu le rude flux de la haute mer, véritable porte de citadelle ayant pour chambranles les colonnes mêmes de l'écueil, les deux Douvres. Rien à craindre de ce côté-là. C'est à l'est qu'était le danger.

A l'est il n'y avait que le brise-lames. Un brise-lames est un appareil de pulvérisation. Il lui faut au moins deux claires-voies. Gilliatt n'avait eu le temps que d'en construire une. Il bâtissait la seconde sous la tempête même.

Heureusement le vent arrivait du nord-ouest. La mer fait des maladresses. Ce vent, qui est l'ancien vent de galerne [325], avait peu d'effet sur les roches Douvres. Il assaillait l'écueil en travers, et ne poussait le flot ni sur l'un, ni sur l'autre des deux goulets du défilé, de sorte qu'au lieu d'entrer dans une rue, il se heurtait à une muraille. L'orage avait mal attaqué.

Mais les attaques du vent sont courbes, et il fallait s'attendre à quelque virement subit. Si ce virement se faisait à l'est avant que la deuxième claire-voie du brise-lames fût construite, le péril serait grand. L'envahisse-

472	GILLIATT LE MALIN

ment de la ruelle de rochers par la tempête s'accomplirait, et tout était perdu.

L'étourdissement de l'orage allait croissant. Toute la tempête est coup sur coup. C'est là sa force; c'est aussi là son défaut. A force d'être une rage, elle donne prise à l'intelligence, et l'homme se défend; mais sous quel écrasement! Rien n'est plus monstrueux. Nul répit, pas d'interruption, pas de trêve, pas de reprise d'haleine. Il y a on ne sait quelle lâcheté dans cette prodigalité de l'inépuisable. On sent que c'est le poumon de l'infini qui souffle.

Toute l'immensité en tumulte se ruait sur l'écueil Douvres. On entendait des voix sans nombre. Qui donc crie ainsi? L'antique épouvante panique était là. Par moments, cela avait l'air de parler, comme si quelqu'un faisait un commandement. Puis des clameurs, des clairons, des trépidations étranges, et ce grand hurlement majestueux que les marins nomment *appel de l'Océan*. Les spirales indéfinies et fuyantes du vent sifflaient en tordant le flot; les vagues, devenues disques sous ces tournoiements, étaient lancées contre les brisants comme des palets gigantesques par des athlètes invisibles. L'énorme écume échevelait toutes les roches. Torrents en haut, baves en bas. Puis les mugissements redoublaient. Aucune rumeur humaine ou bestiale ne saurait donner l'idée des fracas mêlés à ces dislocations de la mer. La nuée canonnait, les grêlons mitraillaient, la houle escaladait. De certains points semblaient immobiles; sur d'autres le vent faisait vingt toises par seconde. La mer à perte de vue était blanche; dix lieues d'eau de savon emplissaient l'horizon. Des portes de feu s'ouvraient. Quelques nuages paraissaient brûlés par les autres, et, sur des tas de nuées rouges qui ressemblaient à des braises, il ressemblaient à des fumées. Des configurations flottantes se heurtaient et s'amalgamaient, se déformant les unes par les autres. Une eau incommensurable ruisselait. On entendait des feux de pelotons dans le firmament. Il y avait au milieu du plafond d'ombre une espèce de vaste hotte renversée d'où tombaient pêle-mêle la trombe, la grêle, les nuées, les pourpres, les phosphores, la nuit, la lumière, les foudres, tant ces penchements du gouffre sont formidables !

Gilliatt semblait n'y pas faire attention. Il avait la tête baissée sur son travail. La deuxième claire-voie commençait à s'exhausser. A chaque coup de tonnerre il répondait par un coup de marteau. On entendait cette cadence dans ce chaos. Il était nu-tête. Une rafale lui avait emporté sa galérienne.

Sa soif était ardente. Il avait probablement la fièvre. Des flaques de pluie s'étaient formées autour de lui dans des trous de rochers. De temps en temps il prenait de l'eau dans le creux de sa main et buvait. Puis, sans même examiner où en était l'orage, il se remettait à la besogne.

Tout pouvait dépendre d'un instant. Il savait ce qui l'attendait s'il ne terminait pas à temps son brise-lames. A quoi bon perdre une minute à regarder s'approcher la face de la mort ?

Le bouleversement autour de lui était comme une chaudière qui bout. Il y avait du fracas et du tapage. Par instants la foudre semblait descendre un escalier. Les percussions électriques revenaient sans cesse aux mêmes pointes de rocher, probablement veinées de diorite. Il y avait des grêlons gros comme le poing. Gilliatt était forcé de secouer les plis de sa vareuse. Jusqu'à ses poches étaient pleines de grêle.

La tourmente était maintenant ouest, et battait le barrage des deux Douvres ; mais Gilliatt avait confiance en ce barrage, et avec raison. Ce barrage, fait du grand morceau de l'avant de la Durande, recevait sans dureté le choc du flot ; l'élasticité est une résistance ; les calculs de Stevenson [326] établissent que, contre la vague, élastique elle-même, un assemblage de bois, d'une dimension voulue, rejointoyé et enchaîné d'une certaine façon, fait meilleur obstacle qu'un break-water [327] de maçonnerie. Le barrage des Douvres remplissait ces conditions ; il était d'ailleurs si ingénieusement amarré que la lame, en frappant dessus, était comme le marteau qui enfonce le clou, et l'appuyait au rocher et le consolidait ; pour le démolir, il eût fallu renverser les Douvres. La rafale, en effet, ne réussissait qu'à envoyer à la panse, par-dessus l'obstacle, quelques jets de bave. De ce côté, grâce au barrage, la tempête avortait en crachement. Gilliatt tournait le dos à cet effort-là. Il sentait tranquillement derrière lui cette rage inutile.

Les flocons d'écume, volant de toutes parts, ressemblaient à de la laine. L'eau vaste et irritée noyait les rochers, montait dessus, entrait dedans, pénétrait dans le réseau des fissures intérieures, et ressortait des masses granitiques par des fentes étroites, espèces de bouches intarissables qui faisaient dans ce déluge de petites fontaines paisibles. Çà et là des filets d'argent tombaient gracieusement de ces trous dans la mer.

La claire-voie de renfort du barrage de l'est s'achevait. Encore quelques nœuds de corde et de chaîne, et le moment approchait où cette clôture pourrait à son tour lutter.

Subitement, une grande clarté se fit, la pluie discontinua, les nuées se désagrégèrent, le vent venait de sauter, une sorte de haute fenêtre crépusculaire s'ouvrit au zénith, et les éclairs s'éteignirent; on put croire à la fin. C'était le commencement.

La saute de vent était du sud-ouest au nord-est.

La tempête allait reprendre, avec une nouvelle troupe d'ouragans. Le Nord allait donner assaut, assaut violent. Les marins nomment cette reprise redoutée *la rafale de la renverse*. Le vent du sud a plus d'eau, le vent du nord a plus de foudre.

L'agression maintenant, venant de l'est, allait s'adresser au point faible.

Cette fois Gilliatt se dérangea de son travail. Il regarda.

Il se plaça debout sur une saillie de rocher en surplomb derrière la deuxième claire-voie presque terminée. Si la première claie du brise-lames était emportée, elle défoncerait la seconde, pas consolidée encore, et sous cette démolition, elle écraserait Gilliatt. Gilliatt, à la place qu'il venait de choisir, serait broyé avant de voir la panse et la machine et toute son œuvre s'abîmer dans cet engouffrement. Telle était l'éventualité. Gilliatt l'acceptait, et, terrible, la voulait.

Dans ce naufrage de toutes ses espérances, mourir d'abord, c'est ce qu'il lui fallait; mourir le premier; car la machine lui faisait l'effet d'une personne. Il releva de sa main gauche ses cheveux collés sur ses yeux par la pluie, étreignit à pleine poignée son bon marteau, se pencha en arrière, menaçant lui-même, et attendit.

Il n'attendit pas longtemps.

Un éclat de foudre donna le signal, l'ouverture pâle du zénith se ferma, une bouffée d'averse se précipita, tout redevint obscur, et il n'y eut plus de flambeau que l'éclair. La sombre attaque arrivait.

Une puissante houle, visible dans les coups sur coups de l'éclair, se leva à l'est au-delà du rocher l'Homme. Elle ressemblait à un gros rouleau de verre. Elle était glauque et sans écume et barrait toute la mer. Elle avançait vers le brise-lames. En approchant, elle s'enflait; c'était on ne sait quel large cylindre de ténèbres roulant sur l'océan. Le tonnerre grondait sourdement.

Cette houle atteignit le rocher l'Homme, s'y cassa en deux, et passa outre. Les deux tronçons rejoints ne firent plus qu'une montagne d'eau, et de parallèle qu'elle était au brise-lames, elle y devint perpendiculaire. C'était une vague qui avait la forme d'une poutre.

Ce bélier se jeta sur le brise-lames. Le choc fut rugissant. Tout s'effaça dans l'écume.

On ne peut se figurer, si on ne les a vues, ces avalanches de neige que la mer s'ajoute, et sous lesquelles elle engloutit des rochers de plus de cent pieds de haut, tels, par exemple, que le Grand-Anderlo à Guernesey et le Pinacle à Jersey. A Sainte-Marie de Madagascar, elle saute par-dessus la pointe de Tintingue.

Pendant quelques instants, le paquet de mer aveugla tout. Il n'y eut plus rien de visible qu'un entassement furieux, une bave démesurée, la blancheur du linceul tournoyant au vent du sépulcre, un amas de bruit et d'orage sous lequel l'extermination travaillait.

L'écume se dissipa. Gilliatt était debout.

Le barrage avait tenu bon. Pas une chaîne rompue, pas un clou déplanté. Le barrage avait montré sous l'épreuve les deux qualités du brise-lames; il avait été souple comme une claie et solide comme un mur. La houle s'y était dissoute en pluie.

Un ruissellement d'écume, glissant le long des zigzags du détroit, alla mourir sous la panse.

L'homme qui avait fait cette muselière à l'Océan ne se reposa pas.

L'orage heureusement divagua pendant quelque temps. L'acharnement des vagues revint aux parties murées de l'écueil. Ce fut un répit. Gilliatt en profita pour compléter la claire-voie d'arrière.

La journée s'acheva dans ce labeur. La tourmente continuait ses violences sur le flanc de l'écueil avec une solennité lugubre. L'urne d'eau et l'urne de feu qui sont dans les nuées se versaient sans se vider. Les ondulations hautes et basses du vent ressemblaient aux mouvements d'un dragon.

Quand la nuit vint, elle y était déjà; on ne s'en aperçut pas.

Du reste, ce n'était point l'obscurité complète. Les tempêtes, illuminées et aveuglées par l'éclair, ont des intermittences de visible et d'invisible. Tout est blanc, puis tout est noir. On assiste à la sortie des visions et à la rentrée des ténèbres.

Une zone de phosphore, rouge de la rougeur boréale, flottait comme un haillon de flamme spectrale derrière les épaisseurs de nuages. Il en résultait un vaste blêmissement. Les largeurs de la pluie étaient lumineuses.

Ces clartés aidaient Gilliatt et le dirigeaient. Une fois il se tourna et dit à l'éclair : Tiens-moi la chandelle.

Il put, à cette lueur, exhausser la claire-voie d'arrière plus haut encore que la claire-voie d'avant. Le brise-lames se trouva presque complet. Comme Gilliatt amarrait à l'étrave culminante un câble de renfort, la bise lui souffla en plein dans le visage. Ceci lui fit dresser la tête. Le vent s'était brusquement replacé au nord-est. L'assaut du goulet de l'est recommençait. Gilliatt jeta les yeux au large. Le briselames allait être encore assailli. Un nouveau coup de mer venait.

Cette lame fut rudement assenée : une deuxième la suivit, puis une autre et une autre encore, cinq ou six en

tumulte, presque ensemble ; enfin une dernière, épouvantable.

Celle-ci, qui était comme un total de forces, avait on ne
sait quelle figure d'une chose vivante. Il n'aurait pas été
malaisé d'imaginer dans cette intumescence et dans cette
transparence des aspects d'ouïes et de nageoires. Elle
s'aplatit et se broya sur le brise-lames. Sa forme presque
animale s'y déchira dans un rejaillissement. Ce fut, sur ce
bloc de rochers et de charpentes, quelque chose comme le
vaste écrasement d'une hydre. La houle en mourant dé-
vastait. Le flot paraissait se cramponner et mordre. Un
profond tremblement remua l'écueil. Des grognements de
bête s'y mêlaient. L'écume ressemblait à la salive d'un
léviathan.

L'écume retombée laissa voir un ravage. Cette dernière
escalade avait fait de la besogne. Cette fois le brise-lames
avait souffert. Une longue et lourde poutre, arrachée de la
claire-voie d'avant, avait été lancée par-dessus le barrage
d'arrière, sur la roche en surplomb choisie un moment par
Gilliatt pour poste de combat. Par bonheur, il n'y était
point remonté. Il eût été tué roide.

Il y eut dans la chute de ce poteau une singularité, qui,
en empêchant le madrier de rebondir, sauva Gilliatt des
ricochets et des contrecoups. Elle lui fut même utile
encore, comme on va le voir, d'une autre façon.

Entre la roche en saillie et l'escarpement intérieur du
défilé, il y avait un intervalle, un grand hiatus assez
semblable à l'entaille d'une hache ou à l'alvéole d'un
coin. Une des extrémités du madrier jeté en l'air par le
flot s'était en tombant engagée dans cet hiatus. L'hiatus
s'en était élargi.

Une idée vint à Gilliatt.

Peser sur l'autre extrémité.

Le madrier, pris par un bout dans la fente du rocher
qu'il avait agrandie, en sortait droit comme un bras
tendu. Cette espèce de bras s'allongeait parallèlement à la
façade intérieure du défilé, et l'extrémité libre du madrier
s'éloignait de ce point d'appui d'environ dix-huit ou vingt
pouces. Bonne distance pour l'effort à faire.

Gilliatt s'arc-bouta des pieds, des genoux et des poings

à l'escarpement et s'adossa les deux épaules au levier
énorme. La poutre était longue; ce qui augmentait la
puissance de la pesée. La roche était déjà ébranlée.
Pourtant Gilliatt dut s'y reprendre à quatre fois. Il lui
ruisselait des cheveux autant de sueur que de pluie. Le
quatrième effort fut frénétique. Il y eut un rauquement
dans le rocher, l'hiatus prolongé en fissure s'ouvrit
comme une mâchoire, et la lourde masse tomba dans
l'étroit entre-deux du défilé avec un bruit terrible, réplique aux coups de foudre.

Elle tomba droite, si cette expression est possible,
c'est-à-dire sans se casser.

Qu'on se figure un menhir précipité tout d'une pièce.

La poutre-levier suivit le rocher, et Gilliatt, tout cédant
à la fois sous lui, faillit lui-même tomber.

Le fond était très comblé de galets en cet endroit et il y
avait peu d'eau. Le monolithe, dans un clapotement
d'écume qui éclaboussa Gilliatt, se coucha entre les deux
grandes roches parallèles du défilé et fit une muraille
transversale, sorte de trait d'union des deux escarpements. Ses deux bouts touchaient; il était un peu trop
long, et son sommet qui était de roche mousse s'écrasa en
s'emboîtant. Il résulta de cette chute un cul-de-sac singulier, qu'on peut voir encore aujourd'hui. L'eau, derrière
cette barre de pierre, est presque toujours tranquille.

C'était là un rempart plus invincible encore que le
panneau de l'avant de la Durande ajusté entre les deux
Douvres.

Ce barrage intervint à propos.

Les coups de mer avaient continué. La vague s'opiniâtre toujours sur l'obstacle. La première claire-voie enta-
mée commençait à se désarticuler. Une maille défaite à
un brise-lames est une grave avarie. L'élargissement du
trou est inévitable, et nul moyen d'y remédier sur place.
La houle emporterait le travailleur.

Une décharge électrique, qui illumina l'écueil, dévoila
à Gilliatt le dégât qui se faisait dans le brise-lames, les
poutres déjetées, les bouts de corde et les bouts de chaîne
commençant à jouer dans le vent, une déchirure au centre
de l'appareil. La deuxième claire-voie était intacte.

Le bloc de pierre, si puissamment jeté par Gilliatt dans l'entre-deux derrière le brise-lames, était la plus solide des barrières, mais avait un défaut; il était trop bas. Les coups de mer ne pouvaient le rompre, mais pouvaient le franchir.

Il ne fallait point songer à l'exhausser. Des masses rocheuses seules pouvaient être utilement superposées à ce barrage de pierre; mais comment les détacher, comment les traîner, comment les soulever, comment les étager, comment les fixer? On ajoute des charpentes, on n'ajoute pas des rochers.

Gilliatt n'était pas Encelade.

Le peu d'élévation de ce petit isthme de granit préoccupait Gilliatt.

Ce défaut ne tarda point à se faire sentir. Les rafales ne quittaient plus le brise-lames; elles faisaient plus que s'acharner, on eût dit qu'elles s'appliquaient. On entendait sur cette charpente cahotée une sorte de piétinement.

Tout à coup un tronçon d'hiloire, détaché de cette dislocation, sauta au-delà de la deuxième claire-voie, vola par-dessus la roche transversale, et alla s'abattre dans le défilé où l'eau le saisit et l'emporta dans les sinuosités de la ruelle. Gilliatt l'y perdit de vue. Il est probable que le morceau de poutre alla heurter la panse. Heureusement, dans l'intérieur de l'écueil, l'eau, enfermée de toutes parts, se ressentait à peine du bouleversement extérieur. Il y avait peu de flot, et le choc ne put être très rude. Gilliatt du reste n'avait pas le temps de s'occuper de cette avarie, s'il y avait avarie; tous les dangers se levaient à la fois, la tempête se concentrait sur le point vulnérable, l'imminence était devant lui.

L'obscurité fut un moment profonde, l'éclair s'interrompit, connivence sinistre; la nuée et la vague ne firent qu'un; il y eut un coup sourd.

Ce coup fut suivi d'un fracas.

Gilliatt avança la tête. La claire-voie, qui était le front du barrage, était défoncée. On voyait les pointes de poutres bondir dans la vague. La mer se servait du premier brise-lames pour battre en brèche le second.

Gilliatt éprouva ce qu'éprouverait un général qui verrait son avant-garde ramenée.

Le deuxième rang de poutres résista au choc. L'armature d'arrière était fortement liée et contrebutée. Mais la claire-voie rompue était pesante, elle était à la discrétion des flots qui la lançaient, puis la reprenaient, les ligatures qui lui restaient l'empêchait de s'émietter et lui maintenaient tout son volume, et les qualités que Gilliatt lui avait données comme appareil de défense aboutissaient à en faire un excellent engin de destruction. De bouclier elle était devenue massue. En outre les cassures la hérissaient, des bouts de solives lui sortaient de partout, et elle était comme couverte de dents et d'éperons. Pas d'arme contondante plus redoutable et plus propre à être maniée par la tempête.

Elle était le projectile et la mer était la catapulte.

Les coups se succédaient avec une sorte de régularité tragique. Gilliatt, pensif derrière cette porte barricadée par lui, écoutait ces frappements de la mort voulant entrer.

Il réfléchissait amèrement que, sans cette cheminée de la Durande si fatalement retenue par l'épave, il serait en cet instant-là même, et depuis le matin, rentré à Guernesey, et au port, avec la panse en sûreté et la machine sauvée.

La chose redoutée se réalisa. L'effraction eut lieu. Ce fut comme un râle. Toute la charpente du brise-lames à la fois, les deux armatures confondues et broyées ensemble, vint, dans une trombe de houle, se ruer sur le barrage de pierre comme un chaos sur une montagne, et s'y arrêta. Cela ne fut plus qu'un enchevêtrement, informe broussaille de poutres, pénétrable aux flots mais les pulvérisant encore. Ce rempart vaincu agonisait héroïquement. La mer l'avait fracassé, il brisait la mer. Renversé, il demeurait, dans une certaine mesure, efficace. La roche formant barrage, obstacle sans recul possible, le retenait par le pied. Le défilé était, nous l'avons dit, très étroit sur ce point; la rafale victorieuse avait refoulé, mêlé et pilé tout le brise-lames en bloc dans cet étranglement; la violence même de la poussée, en tassant la

masse et en enfonçant les fractures les unes dans les autres, avait fait de cette démolition un écrasement solide.
C'était détruit et inébranlable. Quelques pièces de bois
seulement s'arrachèrent. Le flot les dispersa. Une passa
en l'air très près de Gilliatt. Il en sentit le vent sur son
front.

Mais quelques lames, ces grosses lames qui dans les
tourmentes reviennent avec une périodicité imperturbable, sautaient par-dessus la ruine du brise-lames. Elles
retombaient dans le défilé, et, en dépit des coudes que
faisait la ruelle, elles y soulevaient l'eau. Le flot du
détroit commençait à remuer fâcheusement. Le baiser
obscur des vagues aux rochers s'accentuait.

Comment empêcher à présent cette agitation de se
propager jusqu'à la panse?

Il ne faudrait pas beaucoup de temps à ces rafales pour
mettre toute l'eau intérieure en tempête, et en quelques
coups de mer la panse serait éventrée, et la machine
coulée.

Gilliatt songeait, frémissant.

Mais il ne se déconcertait point. Pas de déroute possible pour cette âme.

L'ouragan maintenant avait trouvé le joint et s'en-
gouffrait frénétiquement entre les deux murailles du détroit.

Tout à coup retentit et se prolongea dans le défilé, à
quelque distance en arrière de Gilliatt, un craquement,
plus effrayant que tout ce que Gilliatt avait encore entendu.

C'était du côté de la panse.

Quelque chose de funeste se passait là.

Gilliatt y courut.

Du goulet de l'est, où il était, il ne pouvait voir la
panse à cause des zigzags de la ruelle. Au dernier tournant, il s'arrêta, et attendit un éclair.

L'éclair arriva et lui montra la situation.

Au coup de mer sur le goulet de l'est avait répondu un
coup de vent sur le goulet de l'ouest. Un désastre s'y
ébauchait.

La panse n'avait point d'avarie visible; affourchée

comme elle était, elle donnait peu de prise; mais la
carcasse de la Durande était en détresse.

Cette ruine, dans une telle tempête, présentait de la
surface. Elle était toute hors de l'eau, en l'air, offerte. Le
trou que lui avait pratiqué Gilliatt pour en extraire la
machine achevait d'affaiblir la coque. La poutre de quille
était coupée. Ce squelette avait la colonne vertébrale
rompue.

L'ouragan avait soufflé dessus.

Il n'en avait point fallu davantage. Le tablier du pont
s'était plié comme un livre qui s'ouvre. Le démembre-
ment s'était fait. C'était ce craquement qui, à travers la
tourmente, était parvenu aux oreilles de Gilliatt.

Ce qu'il vit en approchant paraissait presque irrémédiable.

L'incision carrée opérée par lui était devenue une
plaie. De cette coupure le vent avait fait une fracture.
Cette brisure transversale séparait l'épave en deux. La
partie postérieure, voisine de la panse, était demeurée
solide dans son étau de rochers. La partie antérieure, celle
qui faisait face à Gilliatt, pendait. Une fracture, tant
qu'elle tient, est un gond. Cette masse oscillait sur ses
cassures, comme sur des charnières, et le vent la balan-
çait avec un bruit redoutable.

Heureusement la panse n'était plus dessous.

Mais ce balancement ébranlait l'autre moitié de la
coque encore incrustée et immobile entre les deux Douvres. De l'ébranlement à l'arrachement il n'y a pas loin.
Sous l'opiniâtreté du vent, la partie disloquée pouvait
subitement entraîner l'autre, qui touchait presque à la
panse, et tout, la panse avec la machine, s'engloutirait
sous cet effondrement.

Gilliatt avait cela devant les yeux.

C'était la catastrophe.

Comment la détourner?

Gilliatt était de ceux qui du danger même font jaillir le
secours. Il se recueillit un moment.

Gilliatt alla à son arsenal et prit sa hache.

Le marteau avait bien travaillé, c'était le tour de la
cognée.

Puis Gilliatt monta sur l'épave. Il prit pied sur la partie du tablier qui n'avait pas fléchi, et, penché au-dessus du précipice de l'entre-deux des Douvres, il se mit à achever les poutres brisées et à couper ce qui restait d'attaches à la coque pendante.

Consommer la séparation des deux tronçons de l'épave, délivrer la moitié restée solide, jeter au flot ce que le vent avait saisi, faire la part à la tempête, telle était l'opération. Elle était plus périlleuse que malaisée. La moitié pendante de la coque, tirée par le vent et par son poids, n'adhérait que par quelques points. L'ensemble de l'épave ressemblait à un diptyque dont un volet à demi décloué battait l'autre. Cinq ou six pièces de la membrure seulement, pliées et éclatées, mais non rompues, tenaient encore. Leurs fractures criaient et s'élargissaient à chaque va-et-vient de la bise, et la hache n'avait pour ainsi dire qu'à aider le vent. Ce peu d'attaches, qui faisait la facilité de ce travail, en faisait aussi le danger. Tout pouvait crouler à la fois sous Gilliatt.

L'orage atteignait son paroxysme. La tempête n'avait été que terrible, elle devint horrible. La convulsion de la mer gagna le ciel. La nuée jusque-là avait été souveraine, elle semblait exécuter ce qu'elle voulait, elle donnait l'impulsion, elle versait la folie aux vagues, tout en gardant on ne sait quelle lucidité sinistre. En bas c'était de la démence, en haut c'était de la colère. Le ciel est le souffle, l'océan n'est que l'écume. De là l'autorité du vent. L'ouragan est génie. Cependant l'ivresse de sa propre horreur l'avait troublé. Il n'était plus que tourbillon. C'était l'aveuglement enfantant la nuit. Il y a dans les tourmentes un moment insensé ; c'est pour le ciel une espèce de montée au cerveau. L'abîme ne sait plus ce qu'il fait. Il foudroie à tâtons. Rien de plus affreux. C'est l'heure hideuse. La trépidation de l'écueil était à son comble. Tout orage a une mystérieuse orientation ; à cet instant-là, il la perd. C'est le mauvais endroit de la tempête. A cet instant-là, *le vent,* disait Thomas Fuller [328], *est un fou furieux.* C'est à cet instant-là que se fait dans les tempêtes cette dépense continue d'électricité que Piddington [329] appelle *la cascade d'éclairs.* C'est à cet instant-là qu'au plus noir de la nuée apparaît, on ne sait pourquoi, pour espionner l'effarement universel, ce cercle de lueur bleue que les vieux marins espagnols nommaient l'Œil de Tempête, *el ojo de tempestad*. Cet œil lugubre était sur Gilliatt.

Gilliatt de son côté regardait la nuée. Maintenant il levait la tête. Après chaque coup de cognée, il se dressait, hautain. Il était, ou il semblait être, trop perdu pour que l'orgueil ne lui vînt pas. Désespérait-il ? Non. Devant le suprême accès de rage de l'océan, il était aussi prudent que hardi. Il ne mettait les pieds dans l'épave que sur les points solides. Il se risquait et se préservait. Lui aussi était à son paroxysme. Sa vigueur avait décuplé. Il était éperdu d'intrépidité. Ses coups de cognée sonnaient comme des défis. Il paraissait avoir gagné en lucidité ce que la tempête avait perdu. Conflit pathétique. D'un côté l'intarissable, de l'autre l'infatigable. C'était à qui ferait lâcher prise à l'autre. Les nuées terribles modelaient dans l'immensité des masques de gorgones, tout le dégagement d'intimidation possible se produisait, la pluie venait des vagues, l'écume venait des nuages, les fantômes du vent se courbaient, des faces de météore s'empourpraient et s'éclipsaient, et l'obscurité était monstrueuse après ces évanouissements ; il n'y avait plus qu'un versement, arrivant de tous les côtés à la fois ; tout était ébullition ; l'ombre en masse débordait ; les cumulus chargés de grêle, déchiquetés, couleur cendre, paraissaient pris d'une espèce de frénésie giratoire, il y avait en l'air un bruit de pois secs secoués dans un crible, les électricités inverses observées par Volta faisaient de nuage à nuage leur jeu fulminant, les prolongements de la foudre étaient épouvantables, les éclairs s'approchaient tout près de Gilliatt. Il semblait étonner l'abîme. Il allait et venait sur la Durande branlante, faisant trembler le pont sous son pas, frappant, taillant, coupant, tranchant, la hache au poing, blême aux éclairs, échevelé, pieds nus, en haillons, la face couverte des crachats de la mer, grand dans ce cloaque de tonnerres.

Contre le délire des forces, l'adresse seule peut lutter. L'adresse était le triomphe de Gilliatt. Il voulait une chute

ensemble de tout le débris disloqué. Pour cela, il affai-
blissait les fractures charnières sans les rompre tout à fait,
laissant quelques fibres qui soutenaient le reste. Subitement il s'arrêta, tenant la cognée haute. L'opération était
à point. Le morceau entier se détacha.

Cette moitié de la carcasse de l'épave coula entre les
deux Douvres, au-dessous de Gilliatt debout sur l'autre
moitié, penché et regardant. Elle plongea perpendiculairement dans l'eau, éclaboussa les rochers, et s'arrêta dans
l'étranglement avant de toucher le fond. Il en resta assez
hors de l'eau pour dominer le flot de plus de douze pieds;
le tablier vertical faisait muraille entre les deux Douvres;
comme la roche jetée en travers un peu plus haut dans le
détroit, il laissait à peine filtrer un glissement d'écume à
ses deux extrémités; et ce fut la cinquième barricade
improvisée par Gilliatt contre la tempête dans cette rue de
la mer.

L'ouragan, aveugle, avait travaillé à cette barricade
dernière.

Il était heureux que le resserrement des parois eût
empêché ce barrage d'aller jusqu'au fond. Cela lui laissait plus de hauteur; en outre l'eau pouvait passer sous
l'obstacle, ce qui soutirait de la force aux lames. Ce qui
passe par-dessous ne saute point par-dessus. C'est là, en
partie, le secret du brise-lames flottant.

Désormais, quoi que fît la nuée, rien n'était à craindre
pour la panse et la machine. L'eau ne pouvait plus bouger
autour d'elles. Entre la clôture des Douvres qui les couvrait à l'ouest et le nouveau barrage qui les protégeait à
l'est, aucun coup de mer ni de vent ne pouvait les atteindre.

Gilliatt de la catastrophe avait tiré le salut. La nuée, en
somme, l'avait aidé.

Cette chose faite, il prit d'une flaque de pluie un peu
d'eau dans le creux de sa main, but, et dit à la nuée:
« Cruche! »

C'est une joie ironique pour l'intelligence combattante
de constater la vaste stupidité des forces furieuses aboutissant à des services rendus, et Gilliatt sentait cet immé-
morial besoin d'insulter son ennemi, qui remonte aux
héros d'Homère.

Gilliatt descendit dans la panse et profita des éclairs pour l'examiner. Il était temps que le secours arrivât à la pauvre barque, elle avait été fort secouée dans l'heure précédente et elle commençait à s'arquer. Gilliatt, dans ce coup d'œil sommaire, ne constata aucune avarie. Pourtant il était certain qu'elle avait enduré des chocs violents. Une fois l'eau calmée, la coque s'était redressée d'elle-même ; les ancres s'étaient bien comportées ; quant à la machine, ses quatre chaînes l'avaient admirablement maintenue.

Comme Gilliatt achevait cette revue, une blancheur passa près de lui et s'enfonça dans l'ombre. C'était une mouette.

Pas d'apparition meilleure dans les tourmentes. Quand les oiseaux arrivent, c'est que l'orage se retire.

Autre signe excellent, le tonnerre redoublait.

Les suprêmes violences de la tempête la désorganisent. Tous les marins le savent, la dernière épreuve est rude, mais courte. L'excès de foudre annonce la fin.

La pluie s'arrêta subitement. Puis il n'y eut plus qu'un roulement bourru dans la nuée. L'orage cessa comme une planche qui tombe à terre. Il se cassa, pour ainsi dire. L'immense machine des nuages se défit. Une lézarde de ciel clair disjoignit les ténèbres. Gilliatt fut stupéfait, il était grand jour.

La tempête avait duré près de vingt heures.

Le vent, qui avait apporté, remporta. Un écroulement d'obscurité diffuse encombra l'horizon. Les brumes rompues et fuyantes se massèrent pêle-mêle en tumulte, il y eut d'un bout à l'autre de la ligne des nuages un mouvement de retraite, on entendit une longue rumeur décroissante, quelques dernières gouttes de pluie tombèrent, et toute cette ombre pleine de tonnerres s'en alla comme une cohue de chars terribles.

Brusquement le ciel fut bleu.

Gilliatt s'aperçut qu'il était las. Le sommeil s'abat sur la fatigue comme un oiseau de proie. Gilliatt se laissa fléchir et tomber dans la barque sans choisir la place, et s'endormit. Il resta ainsi quelques heures inerte et allongé, peu distinct des poutres et des solives parmi lesquelles il gisait.

LIVRE QUATRIÈME

LES DOUBLES FONDS DE L'OBSTACLE

I

QUI A FAIM N'EST PAS LE SEUL

Quand il s'éveilla, il eut faim.

La mer s'apaisait. Mais il restait assez d'agitation au large pour que le départ immédiat fût impossible. La journée d'ailleurs était trop avancée. Avec le chargement que portait la panse, pour arriver à Guernesey avant minuit, il fallait partir le matin.

Quoique la faim le pressât, Gilliatt commença par se mettre nu, seul moyen de se réchauffer.

Ses vêtements étaient trempés par l'orage, mais l'eau de pluie avait lavé l'eau de mer, ce qui fait que maintenant ils pouvaient sécher.

Gilliatt ne garda que son pantalon, qu'il releva jusqu'aux jarrets.

Il étendit çà et là et fixa avec des galets sur les saillies de rocher autour de lui sa chemise, sa vareuse, son suroît, ses jambières et sa peau de mouton.

Puis il pensa à manger.

Gilliatt eut recours à son couteau qu'il avait grand soin d'aiguiser et de tenir toujours en état, et il détacha du granit quelques poux de roque, de la même espèce à peu près que les clovisses de la Méditerranée. On sait que cela se mange cru. Mais, après tant de labeurs si divers et si rudes, la pitance était maigre. Il n'avait plus de biscuit. Quant à l'eau, elle ne lui manquait plus. Il était mieux que désaltéré, il était inondé.

Il profita de ce que la mer baissait pour rôder dans les rochers à la recherche des langoustes. Il y avait assez de découverte pour espérer une bonne chasse.

Seulement il ne réfléchissait pas qu'il ne pouvait plus

rien faire cuire. S'il eût pris le temps d'aller jusqu'à son magasin, il l'eût trouvé effondré sous la pluie. Son bois et son charbon étaient noyés, et de sa provision d'étoupe, qui lui tenait lieu d'amadou, il n'y avait pas un brin qui ne fût mouillé. Nul moyen d'allumer du feu.

Du reste, la soufflante était désorganisée; l'auvent du foyer de la forge était descellé; l'orage avait fait le sac du laboratoire. Avec ce qui restait d'outils échappés à l'avarie, Gilliatt, à la rigueur, pouvait encore travailler comme charpentier, non comme forgeron. Mais Gilliatt, pour l'instant, ne songeait pas à son atelier.

Tiré d'un autre côté par l'estomac, il s'était mis, sans plus de réflexion, à la poursuite de son repas. Il errait, non dans la gorge de l'écueil, mais en dehors, sur le revers des brisants. C'était de ce côté-là que la Durande, dix semaines auparavant, était venue se heurter aux récifs.

Pour la chasse que faisait Gilliatt, l'extérieur du défilé valait mieux que l'intérieur. Les crabes, à mer basse, ont l'habitude de prendre l'air. Ils se chauffent volontiers au soleil. Ces êtres difformes aiment midi. C'est une chose bizarre que leur sortie de l'eau en pleine lumière. Leur fourmillement indigne presque. Quand on les voit, avec leur gauche allure oblique, monter lourdement, de pli en pli, les étages inférieurs des rochers comme les marches d'un escalier, on est forcé de s'avouer que l'océan a de la vermine.

Depuis deux mois Gilliatt vivait de cette vermine.

Ce jour-là pourtant les poing-clos et les langoustes se dérobaient. La tempête avait refoulé ces solitaires dans leurs cachettes et ils n'étaient pas encore rassurés. Gilliatt tenait à la main son couteau ouvert, et arrachait de temps en temps un coquillage sous le varech. Il mangeait, tout en marchant.

Il ne devait pas être loin de l'endroit où sieur Clubin s'était perdu.

Comme Gilliatt prenait le parti de se résigner aux oursins et aux châtaignes de mer, un clapotement se fit à ses pieds. Un gros crabe, effrayé de son approche, venait de sauter à l'eau. Le crabe ne s'enfonça point assez pour que Gilliatt le perdît de vue.

Gilliatt se mit à courir après le crabe sur le soubassement de l'écueil. Le crabe fuyait.

Subitement il n'y eut plus rien.

Le crabe venait de se fourrer dans quelque crevasse sous le rocher.

Gilliatt se cramponna du poing à des reliefs de roche et avança la tête pour voir sous les surplombs.

Il y avait là en effet une anfractuosité. Le crabe avait dû s'y réfugier.

C'était mieux qu'une crevasse. C'était une espèce de porche.

La mer entrait sous ce porche, mais n'y était pas profonde. On voyait le fond couvert de galets. Ces galets étaient glauques et revêtus de conferves, ce qui indiquait qu'ils n'étaient jamais à sec. Ils ressemblaient à des dessus de têtes d'enfants avec des cheveux verts.

Gilliatt prit son couteau dans ses dents, descendit des pieds et des mains du haut de l'escarpement et sauta dans cette eau. Il en eut presque jusqu'aux épaules.

Il s'engagea sous ce porche. Il se trouvait dans un couloir fruste avec une ébauche de voûte ogive sur sa tête. Les parois étaient polies et lisses. Il ne voyait plus le crabe. Il avait pied. Il avançait dans une décroissance de jour. Il commençait à ne plus rien distinguer.

Après une quinzaine de pas, la voûte cessa au-dessus de lui. Il était hors du couloir. Il y avait plus d'espace, et par conséquent plus de jour ; ses pupilles d'ailleurs s'étaient dilatées ; il voyait assez clair. Il eut une surprise.

Il venait de rentrer dans cette cave étrange visitée par lui le mois d'auparavant.

Seulement il y était rentré par la mer.

Cette arche qu'il avait vue noyée, c'est par là qu'il venait de passer. A de certaines marées basses, elle était praticable.

Ses yeux s'accoutumaient. Il voyait de mieux en mieux. Il était stupéfait. Il retrouvait cet extraordinaire palais de l'ombre, cette voûte, ces piliers, ces sangs ou ces pourpres, cette végétation à pierreries, et, au fond, cette crypte, presque sanctuaire, et cette pierre, presque autel.

Il se rendait peu compte de ces détails, mais il avait dans l'esprit l'ensemble, et il le revoyait.

Il revoyait en face de lui, à une certaine hauteur dans l'escarpement, la crevasse par laquelle il avait pénétré la première fois, et qui, du point où il était maintenant, semblait inaccessible.

Il revoyait près de l'arche ogive ces grottes basses et obscures, sortes de caveaux dans la cave, qu'il avait déjà observées de loin. A présent, il en était près. La plus voisine de lui était à sec et aisément abordable.

Plus près encore que cet enfoncement, il remarqua, au-dessus du niveau de l'eau, à portée de sa main, une fissure horizontale dans le granit. Le crabe était probablement là. Il y plongea le poing le plus avant qu'il put, et se mit à tâtonner dans ce trou de ténèbres.

Tout à coup il se sentit saisir le bras.

Ce qu'il éprouva en ce moment, c'est l'horreur indescriptible.

Quelque chose qui était mince, âpre, plat, glacé, gluant et vivant venait de se tordre dans l'ombre autour de son bras nu. Cela lui montait vers la poitrine. C'était la pression d'une courroie et la poussée d'une vrille. En moins d'une seconde, on ne sait quelle spirale lui avait envahi le poignet et le coude et touchait l'épaule. La pointe fouillait sous son aisselle.

Gilliatt se rejeta en arrière, mais put à peine remuer. Il était comme cloué. De sa main gauche restée libre il prit son couteau qu'il avait entre ses dents, et de cette main, tenant le couteau, s'arc-bouta au rocher, avec un effort désespéré pour retirer son bras. Il ne réussit qu'à inquiéter un peu la ligature, qui se resserra. Elle était souple comme le cuir, solide comme l'acier, froide comme la nuit.

Une deuxième· lanière, étroite et aiguë, sortit de la crevasse du·roc. C'était comme une langue hors d'une gueule. Elle lécha épouvantablement le torse nu de Gilliatt, et tout à coup s'allongeant, démesurée et fine, elle s'appliqua sur sa peau et lui entoura tout le corps. En même temps, une souffrance inouïe, comparable à rien, soulevait les muscles crispés de Gilliatt. Il sentait dans sa peau des enfoncements ronds, horribles. Il lui semblait que d'innombrables lèvres, collées à sa chair, cherchaient à lui boire le sang.

Une troisième lanière ondoya hors du rocher, tâta Gilliatt, et lui fouetta les côtes comme une corde. Elle s'y fixa.

L'angoisse, à son paroxysme, est muette. Gilliatt ne jetait pas un cri. Il y avait assez de jour pour qu'il pût voir les repoussantes formes appliquées sur lui. Une quatrième ligature, celle-ci rapide comme une flèche, lui sauta autour du ventre et s'y enroula.

Impossible de couper ni d'arracher ces courroies visqueuses qui adhéraient étroitement au corps de Gilliatt et par quantité de points. Chacun de ces points était un foyer d'affreuse et bizarre douleur. C'était ce qu'on éprouverait si l'on se sentait avalé à la fois par une foule de bouches trop petites.

Un cinquième allongement jaillit du trou. Il se superposa aux autres et vint se replier sur le diaphragme de Gilliatt. La compression s'ajoutait à l'anxiété ; Gilliatt pouvait à peine respirer.

Ces lanières, pointues à leur extrémité, allaient s'élargissant comme des lames d'épée vers la poignée. Toutes les cinq appartenaient évidemment au même centre. Elles marchaient et rampaient sur Gilliatt. Il sentait se déplacer ces pressions obscures qui lui semblaient être des bouches.

Brusquement une large viscosité ronde et plate sortit de dessous la crevasse. C'était le centre ; les cinq lanières s'y rattachaient comme des rayons à un moyeu ; on distinguait au côté opposé de ce disque immonde le commencement de trois autres tentacules, restés sous l'enfoncement du rocher. Au milieu de cette viscosité il y avait deux yeux qui regardaient.

Ces yeux voyaient Gilliatt.

Gilliatt reconnut la pieuvre [330].

II

LE MONSTRE

Pour croire à la pieuvre, il faut l'avoir vue.

Comparées à la pieuvre, les vieilles hydres font sourire.

A de certains moments, on serait tenté de le penser; l'insaisissable qui flotte en nos songes rencontre dans le possible des aimants auxquels ses linéaments se prennent, et de ces obscures fixations du rêve il sort des êtres. L'Inconnu dispose du prodige, et il s'en sert pour composer le monstre. Orphée, Homère et Hésiode n'ont pu faire que la Chimère; Dieu a fait la Pieuvre.

Quand Dieu veut, il excelle dans l'exécrable.

Le pourquoi de cette volonté est l'effroi du penseur religieux.

Tous les idéals étant admis, si l'épouvante est un but, la pieuvre est un chef-d'œuvre.

La baleine a l'énormité, la pieuvre est petite; l'hippopotame a une cuirasse, la pieuvre est nue; la jararaca a un sifflement, la pieuvre est muette; le rhinocéros a une corne, la pieuvre n'a pas de corne; le scorpion a un dard, la pieuvre n'a pas de dard; le buthus a des pinces, la pieuvre n'a pas de pinces; l'alouate a une queue prenante, la pieuvre n'a pas de queue; le requin a des nageoires tranchantes, la pieuvre n'a pas de nageoires; le vespertilio-vampire [331] a des ailes onglées, la pieuvre n'a pas d'ailes; le hérisson a des épines, la pieuvre n'a pas d'épines; l'espadon a un glaive, la pieuvre n'a pas de glaive; la torpille a une foudre, la pieuvre n'a pas d'effluve; le crapaud a un virus, la pieuvre n'a pas de virus; la vipère a un venin, la pieuvre n'a pas de venin; le lion a des griffes, la pieuvre n'a pas de griffes ; le gypaète a un bec, la pieuvre n'a pas de bec ; le crocodile a une gueule, la pieuvre n'a pas de dents.

La pieuvre n'a pas de masse musculaire, pas de cri menaçant, pas de cuirasse, pas de corne, pas de dard, pas de pince, pas de queue prenante ou contondante, pas d'ailerons tranchants, pas d'ailerons onglés, pas d'épines, pas d'épée, pas de décharge électrique, pas de virus, pas de venin, pas de griffes, pas de bec, pas de dents. La pieuvre est de toutes les bêtes la plus formidablement armée.

Qu'est-ce donc que la pieuvre ? C'est la ventouse.

Dans les écueils de pleine mer, là où l'eau étale et cache toutes ses splendeurs, dans les creux de rochers non visités, dans les caves inconnues où abondent les végétations, les crustacés et les coquillages, sous les profonds portails de l'océan, le nageur qui s'y hasarde, entraîné par la beauté du lieu, court le risque d'une rencontre. Si vous faites cette rencontre, ne soyez pas curieux, évadez-vous. On entre ébloui, on sort terrifié.

Voici ce que c'est que cette rencontre, toujours possible dans les roches du large.

Une forme grisâtre oscille dans l'eau, c'est gros comme le bras, et long d'une demi-aune environ ; c'est un chiffon ; cette forme ressemble à un parapluie fermé qui n'aurait pas de manche. Cette loque avance vers vous peu à peu. Soudain, elle s'ouvre, huit rayons s'écartent brusquement autour d'une face qui a deux yeux ; ces rayons vivent ; il y a du flamboiement dans leur ondoiement ; c'est une sorte de roue ; déployée, elle a quatre ou cinq pieds de diamètre. Épanouissement effroyable. Cela se jette sur vous.

L'hydre harponne l'homme.

Cette bête s'applique sur sa proie, la recouvre, et la noue de ses longues bandes. En dessous elle est jaunâtre, en dessus elle est terreuse ; rien ne saurait rendre cette inexplicable nuance poussière ; on dirait une bête faite de cendre qui habite l'eau. Elle est arachnide par la forme et caméléon par la coloration. Irritée, elle devient violette. Chose épouvantable, c'est mou.

Ses nœuds garrottent ; son contact paralyse.

Elle a un aspect de scorbut et de gangrène. C'est de la maladie arrangée en monstruosité.

Elle est inarrachable. Elle adhère étroitement à sa proie. Comment ? Par le vide. Les huit antennes, larges à l'origine, vont s'effilant et s'achèvent en aiguilles. Sous chacune d'elles s'allongent parallèlement deux rangées de pustules décroissantes, les grosses près de la tête, les petites à la pointe. Chaque rangée est de vingt-cinq ; il y a cinquante pustules par antenne, et toute la bête en a quatre cents. Ces pustules sont des ventouses.

Ces ventouses sont des cartilages cylindriques, cornés, livides. Sur la grande espèce, elles vont diminuant du diamètre d'une pièce de cinq francs à la grosseur d'une lentille. Ces tronçons de tubes sortent de l'animal et y rentrent. Ils peuvent s'enfoncer dans la proie de plus d'un pouce.

Cet appareil de succion a toute la délicatesse d'un clavier. Il se dresse, puis se dérobe. Il obéit à la moindre intention de l'animal. Les sensibilités les plus exquises n'égalent pas la contractilité de ces ventouses, toujours proportionnée aux mouvements intérieurs de la bête et aux incidents extérieurs. Ce dragon est une sensitive.

Ce monstre est celui que les marins appellent poulpe, que la science appelle céphalopode, et que la légende appelle kraken [332]. Les matelots anglais l'appellent *Devil-fish*, le Poisson-Diable. Ils l'appellent aussi *Blood-Sucker*, Suceur de sang. Dans les îles de la Manche on le nomme la pieuvre.

Il est très rare à Guernesey, très petit à Jersey, très gros et assez fréquent à Serk.

Une estampe de l'édition de Buffon par Sonnini [333] représente un céphalopode étreignant une frégate. Denis Montfort [334] pense qu'en effet le poulpe des hautes latitudes est de force à couler un navire. Bory Saint-Vincent [335] le nie, mais constate que dans nos régions il attaque l'homme. Allez à Serk, on vous montrera près de Brecq-Hou le creux de rocher où une pieuvre, il y a quelques années, a saisi, retenu et noyé un pêcheur de homards. Péron et Lamarck [336] se trompent quand ils doutent que le poulpe, n'ayant pas de nageoires, puisse nager. Celui qui écrit ces lignes a vu de ses yeux à Serk, dans la cave dite les Boutiques, une pieuvre poursuivre à la nage un baigneur. Tuée, on la mesura, elle avait quatre pieds anglais d'envergure, et l'on put compter les quatre cents suçoirs. La bête agonisante les poussait hors d'elle convulsivement.

Selon Denis Montfort, un de ces observateurs que l'intuition à haute dose fait descendre ou monter jusqu'au magisme, le poulpe a presque des passions d'homme ; le poulpe hait. En effet, dans l'absolu, être hideux, c'est haïr.

Le difforme se débat sous une nécessité d'élimination qui le rend hostile.

La pieuvre nageant reste, pour ainsi dire, dans le fourreau. Elle nage, tous ses plis serrés. Qu'on se représente une manche cousue avec un poing dedans. Ce poing, qui est la tête, pousse le liquide et avance d'un vague mouvement ondulatoire. Ses deux yeux, quoique gros, sont peu distincts étant de la couleur de l'eau.

La pieuvre en chasse ou au guet, se dérobe ; elle se rapetisse, elle se condense ; elle se réduit à la plus simple expression. Elle se confond avec la pénombre. Elle a l'air d'un pli de la vague. Elle ressemble à tout, excepté à quelque chose de vivant.

La pieuvre, c'est l'hypocrite. On n'y fait pas attention ; brusquement, elle s'ouvre.

Une viscosité qui a une volonté, quoi de plus effroyable ! De la glu pétrie de haine.

C'est dans le plus bel azur de l'eau limpide que surgit cette hideuse étoile vorace de la mer. Elle n'a pas d'approche, ce qui est terrible. Presque toujours, quand on la voit, on est pris.

La nuit, pourtant, et particulièrement dans la saison du rut, elle est phosphorescente. Cette épouvante a ses amours. Elle attend l'hymen. Elle se fait belle, elle s'allume, elle s'illumine, et, du haut de quelque rocher, on peut l'apercevoir au-dessous de soi dans les profondes ténèbres épanouie en une irradiation blême, soleil spectre.

La pieuvre nage; elle marche aussi. Elle est un peu poisson, ce qui ne l'empêche pas d'être un peu reptile. Elle rampe sur le fond de la mer. En marche elle utilise ses huit pattes. Elle se traîne à la façon de la chenille arpenteuse.

Elle n'a pas d'os, elle n'a pas de sang, elle n'a pas de chair. Elle est flasque. Il n'y a rien dedans. C'est une peau. On peut retourner ses huit tentacules du dedans au dehors comme des doigts de gants.

Elle a un seul orifice, au centre de son rayonnement. Cet hiatus unique, est-ce l'anus? est-ce la bouche? C'est les deux.

La même ouverture fait les deux fonctions. L'entrée est l'issue. Toute la bête est froide.

Le carnasse [337] de la Méditerranée est repoussant. C'est un contact odieux que cette gélatine animée qui enveloppe le nageur, où les mains s'enfoncent, où les ongles labourent, qu'on déchire sans la tuer, et qu'on arrache sans l'ôter, espèce d'être coulant et tenace qui vous passe entre les doigts; mais aucune stupeur n'égale la subite apparition de la pieuvre, Méduse servie par huit serpents.

Pas de saisissement pareil à l'étreinte de ce céphalopode.

C'est la machine pneumatique qui vous attaque. Vous avez affaire au vide ayant des pattes. Ni coups d'ongles, ni coups de dents; une scarification indicible. Une morsure est redoutable; moins qu'une succion. La griffe n'est rien près de la ventouse. La griffe, c'est la bête qui entre dans votre chair; la ventouse, c'est vous-même qui entrez dans la bête. Vos muscles s'enflent, vos fibres se tordent, votre peau éclate sous une pesée immonde, votre sang jaillit et se mêle affreusement à la lymphe du mollusque. La bête se superpose à vous par mille bouches infâmes; l'hydre s'incorpore à l'homme; l'homme s'amalgame à l'hydre. Vous ne faites qu'un. Ce rêve est sur vous. Le tigre ne peut que vous dévorer; le poulpe, horreur! vous aspire. Il vous tire à lui et en lui, et, lié, englué, impuissant, vous vous sentez lentement vidé dans cet épouvantable sac, qui est un monstre.

Au-delà du terrible, être mangé vivant, il y a l'inexprimable, être bu vivant.

Ces étranges animaux, la science les rejette d'abord, selon son habitude d'excessive prudence-même vis-à-vis des faits, puis elle se décide à les étudier ; elle les dissèque, elle les classe, elle les catalogue, elle leur met une étiquette ; elle s'en procure des exemplaires ; elle les expose sous verre dans les musées ; ils entrent dans la nomenclature ; elle les qualifie mollusques, invertébrés, rayonnés ; elle constate leurs voisinages : un peu au-delà les calmars, un peu en deçà les sépiaires [338] ; elle trouve à ces hydres de l'eau salée un analogue dans l'eau douce, l'argyronecte [339] ; elle les divise en grande, moyenne et petite espèce ; elle admet plus aisément la petite espèce que la grande, ce qui est d'ailleurs, dans toutes les régions, la tendance de la science, laquelle est plus volontiers microscopique que télescopique ; elle regarde leur construction et les appelle céphalopodes, elle compte leurs antennes et les appelle octopèdes. Cela fait, elle les laisse là. Où la science les lâche, la philosophie les reprend.

La philosophie étudie à son tour ces êtres. Elle va moins loin et plus loin que la science. Elle ne les dissèque pas, elle les médite. Où le scalpel a travaillé, elle plonge l'hypothèse. Elle cherche la cause finale. Profond tourment du penseur. Ces créatures l'inquiètent presque sur le créateur. Elles sont les surprises hideuses. Elles sont les trouble-fête du contemplateur. Il les constate éperdu. Elles sont les formes voulues du mal. Que devenir devant ces blasphèmes de la création contre elle-même ? A qui s'en prendre ?

Le Possible est une matrice formidable. Le mystère se concrète en monstres. Des morceaux d'ombre sortent de ce bloc, l'immanence, se déchirent, se détachent, roulent, flottent, se condensent, font des emprunts à la noirceur ambiante, subissent des polarisations inconnues, prennent vie, se composent on ne sait quelle forme avec l'obscurité et on ne sait quelle âme avec le miasme, et s'en vont, larves, à travers la vitalité. C'est quelque chose comme les ténèbres faites bêtes. A quoi bon ? à quoi cela sert-il ? Rechute de la question éternelle.

Ces animaux sont fantômes autant que monstres. Ils sont prouvés et improbables. Être est leur fait, ne pas être serait leur droit. Ils sont les amphibies de la mort. Leur invraisemblance complique leur existence. Ils touchent la frontière humaine et peuplent la limite chimérique. Vous niez le vampire, la pieuvre apparaît. Leur fourmillement est une certitude qui déconcerte notre assurance. L'optimisme, qui est le vrai pourtant, perd presque contenance devant eux. Ils sont l'extrémité visible des cercles noirs. Ils marquent la transition de notre réalité à une autre. Ils semblent appartenir à ce commencement d'êtres terribles que le songeur entrevoit confusément par le soupirail de la nuit.

Ces prolongements de monstres, dans l'invisible d'abord, dans le possible ensuite, ont été soupçonnés, aperçus peut-être, par l'extase sévère et par l'œil fixe des mages et des philosophes. De là la conjecture d'un enfer. Le démon est le tigre de l'invisible. La bête fauve des âmes a été dénoncée au genre humain par deux visionnaires, l'un qui s'appelle Jean, l'autre qui s'appelle Dante.

Si en effet les cercles de l'ombre continuent indéfiniment, si après un anneau il y en a un autre, si cette aggravation persiste en progression illimitée, si cette chaîne, dont pour notre part nous sommes résolu à douter, existe, il est certain que la pieuvre à une extrémité prouve Satan à l'autre.

Il est certain que le méchant à un bout prouve à l'autre bout la méchanceté.

Toute bête mauvaise, comme toute intelligence perverse, est sphinx.

Sphinx terrible proposant l'énigme terrible. L'énigme du mal.

C'est cette perfection du mal qui a fait pencher parfois de grands esprits vers la croyance au dieu double, vers le redoutable bi-frons des manichéens [340].

Une soie chinoise, volée dans la dernière guerre au palais de l'empereur de la Chine, représente le requin qui mange le crocodile qui mange le serpent qui mange l'aigle qui mange l'hirondelle qui mange la chenille.

Toute la nature que nous avons sous les yeux est mangeante et mangée. Les proies s'entremordent.

Cependant des savants qui sont aussi des philosophes, et par conséquent bienveillants pour la création, trouvent ou croient trouver l'explication. Le but final frappe, entre autres, Bonnet de Genève, ce mystérieux esprit exact, qui fut opposé à Buffon, comme plus tard Geoffroy Saint-Hilaire l'a été à Cuvier [341]. L'explication serait ceci : la mort partout exige l'ensevelissement partout. Les voraces sont des ensevelisseurs.

Tous les êtres rentrent les uns dans les autres. Pourriture, c'est nourriture. Nettoyage effrayant du globe. L'homme, carnassier, est, lui aussi, un enterreur. Notre vie est faite de mort. Telle est la loi terrifiante. Nous sommes sépulcres.

Dans notre monde crépusculaire, cette fatalité de l'ordre produit des monstres. Vous dites : à quoi bon ? Le voilà.

Est-ce l'explication ? Est-ce la réponse à la question ? Mais alors pourquoi pas un autre ordre ? La question renaît.

Vivons, soit.

Mais tâchons que la mort nous soit progrès. Aspirons aux mondes moins ténébreux.

Suivons la conscience qui nous y mène.

Car, ne l'oublions jamais, le mieux n'est trouvé que par le meilleur.

III

AUTRE FORME DU COMBAT DANS LE GOUFFRE

Tel était l'être auquel, depuis quelques instants, Gilliatt appartenait.

Ce monstre était l'habitant de cette grotte. Il était l'effrayant génie du lieu. Sorte de sombre démon de l'eau.

Toutes ces magnificences avaient pour centre l'horreur.

Le mois d'auparavant, le jour où pour la première fois Gilliatt avait pénétré dans la grotte. la noirceur ayant un contour, entrevue par lui dans les plissements de l'eau secrète, c'était cette pieuvre.

Elle était là chez elle.

Quand Gilliatt, entrant pour la seconde fois dans cette cave à la poursuite du crabe, avait aperçu la crevasse où il avait pensé que le crabe se réfugiait, la pieuvre était dans ce trou, au guet.

Se figure-t-on cette attente?

Pas un oiseau n'oserait couver, par un œuf n'oserait éclore, pas une fleur n'oserait s'ouvrir, pas un sein n'oserait allaiter. pas un cœur n'oserait aimer, pas un esprit n'oserait s'envoler, si l'on songeait aux sinistres patiences embusquées dans l'abîme.

Gilliatt avait enfoncé son bras dans le trou ; la pieuvre l'avait happé.

Elle le tenait.

Il était la mouche de cette araignée [342].

Gilliatt était dans l'eau jusqu'à la ceinture, les pieds crispés sur la rondeur des galets glissants, le bras droit étreint et assujetti par les enroulements plats des courroies de la pieuvre, et le torse disparaissant presque sous les replis et les croisements de ce bandage horrible.

Des huit bras de la pieuvre, trois adhéraient à Gilliatt. De cette façon, cramponnée d'un côté au granit, de l'autre à l'homme, elle enchaînait Gilliatt au rocher. Gilliatt avait sur lui deux cent cinquante suçoirs. Complication d'angoisse et de dégoût. Être serré dans un poing démesuré dont les doigts élastiques, longs de près d'un mètre, sont intérieurement pleins de pustules vivantes qui vous fouillent la chair.

Nous l'avons dit, on ne s'arrache pas à la pieuvre. Si on l'essaye, on est plus sûrement lié. Elle ne fait que se resserrer davantage. Son effort croît en raison du vôtre. Plus de secousse produit plus de constriction.

Gilliatt n'avait qu'une ressource, son couteau.

Il n'avait de libre que la main gauche; mais on sait qu'il en usait puissamment. On aurait pu dire de lui qu'il avait deux mains droites.

Son couteau, ouvert, était dans cette main.

On ne coupe pas les antennes de la pieuvre; c'est un cuir impossible à trancher, il glisse sous la lame; d'ailleurs la superposition est telle qu'une entaille à ces lanières entamerait votre chair.

Le poulpe est formidable; pourtant il y a une manière de s'en servir. Les pêcheurs de Serk la connaissent; qui les a vus exécuter en mer de certains mouvements brusques, le sait. Les marsouins la connaissent aussi; ils ont une façon de mordre la sèche qui lui coupe la tête. De là tous ces calmars, toutes ces sèches et tous ces poulpes sans tête qu'on rencontre au large.

Le poulpe, en effet, n'est vulnérable qu'à la tête.

Gilliatt ne l'ignorait point.

Il n'avait jamais vu de pieuvre de cette dimension. Du premier coup, il se trouvait pris par la grande espèce. Un autre se fût troublé.

Pour la pieuvre comme pour le taureau il y a un moment qu'il faut saisir; c'est l'instant où le taureau baisse le cou, c'est l'instant où la pieuvre avance la tête; instant rapide. Qui manque ce joint est perdu.

Tout ce que nous venons de dire n'avait duré que

quelques minutes. Gilliatt pourtant sentait croître la succion des deux cent cinquante ventouses.

La pieuvre est traître. Elle tâche de stupéfier d'abord sa proie. Elle saisit, puis attend le plus qu'elle peut.

Gilliatt tenait son couteau. Les succions augmentaient.

Il regardait la pieuvre, qui le regardait.

Tout à coup la bête détacha du rocher sa sixième antenne, et, la lançant sur Gilliatt, tâcha de lui saisir le bras gauche.

En même temps elle avança vivement la tête. Une seconde de plus, sa bouche-anus s'appliquait sur la poitrine de Gilliatt. Gilliatt, saigné au flanc, et les deux bras garrottés, était mort.

Mais Gilliatt veillait. Guetté, il guettait.

Il évita l'antenne, et, au moment où la bête allait mordre sa poitrine, son poing armé s'abattit sur la bête.

Il y eut deux convulsions en sens inverse, celle de la pieuvre et celle de Gilliatt.

Ce fut comme la lutte de deux éclairs.

Gilliatt plongea la pointe de son couteau dans la viscosité plate, et, d'un mouvement giratoire pareil à la torsion d'un coup de fouet, faisant un cercle autour des deux yeux, il arracha la tête comme on arrache une dent.

Ce fut fini.

Toute la bête tomba.

Cela ressembla à un linge qui se détache. La pompe aspirante détruite, le vide se défit. Les quatre cents ventouses lâchèrent à la fois le rocher et l'homme. Ce haillon coula au fond de l'eau.

Gilliatt, haletant du combat, put apercevoir à ses pieds sur les galets deux tas gélatineux informes, la tête d'un côté, le reste de l'autre. Nous disons le reste, car on ne pourrait dire le corps.

Gilliatt toutefois, craignant quelque reprise convulsive de l'agonie, recula hors de la portée des tentacules.

Mais la bête était bien morte.

Gilliatt referma son couteau.

Rien ne se cache et rien ne se perd

Il était temps qu'il tuât la pieuvre. Il était presque étouffé ; son bras droit et son torse étaient violets ; plus de deux cents tumeurs s'y ébauchaient ; le sang jaillissait de quelques-unes çà et là. Le remède à ces lésions, c'est l'eau salée. Gilliatt s'y plongea. En même temps il se frottait avec la paume de la main. Les gonflements s'effaçaient sous ces frictions.

En reculant et en s'enfonçant plus avant dans l'eau, il s'était, sans s'en apercevoir, rapproché de l'espèce de caveau, déjà remarqué par lui, près de la crevasse où il avait été harponné par la pieuvre.

Ce caveau se prolongeait obliquement, et à sec, sous les grandes parois de la cave. Les galets qui s'y étaient amassés en avaient exhaussé le fond au-dessus du niveau des marées ordinaires. Cette anfractuosité était un assez large cintre surbaissé ; un homme y pouvait entrer en se courbant. La clarté verte de la grotte sous-marine y pénétrait, et l'éclairait faiblement.

Il arriva que, tout en frictionnant en hâte sa peau tuméfiée, Gilliatt leva machinalement les yeux.

Son regard s'enfonça dans ce caveau.

Il eut un tressaillement.

Il lui sembla voir au fond de ce trou dans l'ombre une sorte de face qui riait.

Gilliatt ignorait le mot hallucination, mais connaissait la chose. Les mystérieuses rencontres avec l'invraisemblable que, pour nous tirer d'affaire, nous appelons hallucinations, sont dans la nature. Illusions ou réalités, des visions passent. Qui se trouve là les voit. Gilliatt, nous l'avons dit, était un pensif. Il avait cette grandeur d'être parfois halluciné comme un prophète. On n'est pas impunément le songeur des lieux solitaires.

Il crut à un de ces mirages dont, homme nocturne qu'il était, il avait eu plus d'une fois la stupeur.

L'anfractuosité figurait assez exactement un four à chaux. C'était une niche basse en anse de panier, dont les voussures abruptes allaient se rétrécissant jusqu'à l'extrémité de la crypte où le cailloutis de galets et la voûte de roche se rejoignaient, et où finissait le cul-de-sac.

Il y entra, et, penchant le front, se dirigea vers ce qu'il y avait au fond.

Quelque chose riait en effet.

C'était une tête de mort.

Il n'y avait pas que la tête, il y avait le squelette.

Un squelette humain était couché dans ce caveau.

Le regard d'un homme hardi, en de pareilles rencontres, veut savoir à quoi s'en tenir.

Gilliatt jeta les yeux autour de lui.

Il était entouré d'une multitude de crabes.

Cette multitude ne remuait pas. C'était l'aspect que présenterait une fourmilière morte. Tous ces crabes étaient inertes. Ils étaient vides.

Leurs groupes, semés çà et là, faisaient sur le pavé de galets qui encombrait le caveau des constellations difformes.

Gilliatt, l'œil fixé ailleurs, avait marché dessus sans s'en apercevoir.

A l'extrémité de la crypte où Gilliatt était parvenu, il y en avait une plus grande épaisseur. C'était un hérissement immobile d'antennes, de pattes et de mandibules. Des pinces ouvertes se tenaient toutes droites et ne se fermaient plus. Les boîtes osseuses ne bougeaient pas sous leur croûte d'épines; quelques-unes retournées montraient leur creux livide. Cet entassement ressemblait à une mêlée d'assiégeants et avait l'enchevêtrement d'une broussaille.

C'est sous ce monceau qu'était le squelette.

On apercevait sous ce pêle-mêle de tentacules et d'écailles le crâne avec ses stries, les vertèbres, les fémurs, les tibias, les longs doigts noueux avec les ongles. La cage des côtes était pleine de crabes. Un cœur quelconque avait battu là. Des moisissures marines tapissaient les trous des yeux. Des patelles avaient laissé leur bave dans les fosses nasales. Du reste il n'y avait dans ce recoin de rocher ni goémons, ni herbes, ni un souffle d'air. Aucun mouvement. Les dents ricanaient.

Le côté inquiétant du rire, c'est l'imitation qu'en fait la tête de mort.

Ce merveilleux palais de l'abîme, brodé et incrusté de toutes les pierreries de la mer, finissait par se révéler et par dire son secret. C'était un repaire, la pieuvre y habitait; et c'était une tombe, un homme y gisait.

L'immobilité spectrale du squelette et des bêtes oscillait vaguement, à cause de la réverbération des eaux souterraines qui tremblait sur cette pétrification. Les crabes, fouillis effroyable, avaient l'air d'achever leur repas. Ces carapaces semblaient manger cette carcasse. Rien de plus étrange que cette vermine morte sur cette proie morte. Sombres continuations de la mort.

Gilliatt avait sous les yeux le garde-manger de la pieuvre.

Vision lugubre, et où se laissait prendre sur le fait l'horreur profonde des choses. Les crabes avaient mangé l'homme, la pieuvre avait mangé les crabes.

Il n'y avait près du cadavre aucun reste de vêtement. Il avait dû être saisi nu.

Gilliatt, attentif et examinant, se mit à ôter les crabes de dessus l'homme. Qu'était-ce que cet homme? Le cadavre était admirablement disséqué. On eût dit une préparation d'anatomie; toute la chair était éliminée; pas un muscle ne restait, pas un os ne manquait. Si Gilliatt eût été du métier, il eût pu le constater. Les périostes dénudés étaient blancs, polis, et comme fourbis. Sans quelques verdissements de conferves çà et là, c'eût été de l'ivoire. Les cloisons cartilagineuses étaient délicatement amenuisées et ménagées. La tombe fait de ces bijouteries sinistres.

Le cadavre était comme enterré sous les crabes morts; Gilliatt le déterrait.

Tout à coup il se pencha vivement.

Il venait d'apercevoir autour de la colonne vertébrale une espèce de lien.

C'était une ceinture de cuir qui avait évidemment été bouclée sur le ventre de l'homme de son vivant.

Le cuir était moisi. La boucle était rouillée.

Gilliatt tira à lui cette ceinture. Les vertèbres résistèrent, et il dut les rompre pour la prendre. La ceinture était intacte. Une croûte de coquillages commençait à s'y former.

Il la palpa et sentit un objet dur et de forme carrée dans l'intérieur. Il ne fallait pas songer à défaire la boucle. Il fendit le cuir avec son couteau.

La ceinture contenait une petite boîte de fer et quelques pièces d'or. Gilliatt compta vingt guinées.

La boîte de fer était une vieille tabatière de matelot, s'ouvrant à ressort. Elle était très rouillée et très fermée. Le ressort, complètement oxydé, n'avait plus de jeu.

Le couteau tira encore d'embarras Gilliatt. Une pesée de la pointe de la lame fit sauter le couvercle de la boîte.

La boîte s'ouvrit.

Il n'y avait dedans que du papier.

Une petite liasse de feuilles très minces, pliées en quatre, tapissait le fond de la boîte. Elles étaient humides, mais point altérées. La boîte, hermétiquement fermée, les avait préservées. Gilliatt les déplia.

C'étaient trois bank-notes de mille livres sterling chacune, faisant ensemble soixante-quinze mille francs.

Gilliatt les replia, les remit dans la boîte, profita d'un peu de place qui y restait pour y ajouter les vingt guinées, et referma la boîte le mieux qu'il put.

Il se mit à examiner la ceinture.

Le cuir, autrefois verni à l'extérieur, était brut à l'intérieur. Sur ce fond fauve quelques lettres étaient tracées en noir à l'encre grasse. Gilliatt déchiffra ces lettres et lut : *Sieur Clubin*.

V

DANS L'INTERVALLE QUI SÉPARE SIX POUCES
DE DEUX PIEDS IL Y A DE QUOI LOGER LA MORT

Gilliatt remit la boîte dans la ceinture, et mit la ceinture dans la poche de son pantalon.

Il laissa le squelette aux crabes, avec la pieuvre morte à côté.

Pendant que Gilliatt était avec la pieuvre et avec le squelette, le flux remontant avait noyé le boyau d'entrée. Gilliatt ne put sortir qu'en plongeant sous l'arche. Il s'en tira sans peine; il connaissait l'issue, et il était maître dans ces gymnastiques de la mer.

On entrevoit le drame qui s'était passé là dix semaines auparavant. Un monstre avait saisi l'autre. La pieuvre avait pris Clubin.

Cela avait été, dans l'ombre inexorable, presque ce qu'on pourrait nommer la rencontre des hypocrisies. Il y avait eu, au fond de l'abîme, abordage entre ces deux existences faites d'attente et de ténèbres, et l'une, qui était la bête, avait exécuté l'autre, qui était l'âme. Sinistres justices.

Le crabe se nourrit de charogne, la pieuvre se nourrit de crabes. La pieuvre arrête au passage un animal nageant, une loutre, un chien, un homme si elle peut, boit le sang, et laisse au fond de l'eau le corps mort. Les crabes sont les scarabées nécrophores de la mer. La chair pourrissante les attire; ils viennent; ils mangent le cadavre, la pieuvre les mange. Les choses mortes disparaissent dans le crabe, le crabe disparaît dans la pieuvre. Nous avons déjà indiqué cette loi.

Clubin avait été l'appât de la pieuvre.

La pieuvre l'avait retenu et noyé; les crabes l'avaient

dévoré. Un flot quelconque l'avait poussé dans la cave,
au fond de l'anfractuosité où Gilliatt l'avait trouvé.

Gilliatt s'en revint, furetant dans les rochers, cherchant
des oursins et des patelles, ne voulant plus de crabes. Il
lui eût semblé manger de la chair humaine.

Du reste, il ne songeait plus qu'à souper le mieux
possible avant de partir. Rien désormais ne l'arrêtait. Les
grandes tempêtes sont toujours suivies d'un calme qui
dure plusieurs jours quelquefois. Nul danger maintenant
du côté de la mer. Gilliatt était résolu à partir le lendemain. Il importait de garder pendant la nuit, à cause de la
marée, le barrage ajusté entre les Douvres; mais Gilliatt
comptait défaire au point du jour ce barrage, pousser la
panse hors des Douvres, et mettre à la voile pour Saint-
Sampson. La brise de calme qui soufflait, et qui était
sud-est, était précisément le vent qu'il lui fallait.

On entrait dans le premier quartier de la lune de mai;
les jours étaient longs.

Quand Gilliatt, sa tournée de rôdeur de rochers terminée et son estomac à peu près satisfait, revint à l'entre-
deux des Douvres où était la panse, le soleil était couché,
le crépuscule se doublait de ce demi-clair de lune qu'on
pourrait appeler clair de croissant; le flux avait atteint son
plein, et commençait à redescendre. La cheminée de la
machine debout au-dessus de la panse avait été couverte
par les écumes de la tempête d'une couche de sel que la
lune blanchissait.

Ceci rappela à Gilliatt que la tourmente avait jeté dans
la panse beaucoup d'eau de pluie et d'eau de mer, et que,
s'il voulait partir le lendemain, il fallait vider la barque.

Il avait constaté, en quittant la panse pour aller à la
chasse aux crabes, qu'il y avait environ six pouces d'eau
dans la cale. Sa pelle d'épuisement suffirait pour jeter
cette eau dehors.

Arrivé à la barque, Gilliatt eut un mouvement de terreur. Il y avait dans la panse près de deux pieds d'eau.

Incident redoutable, la panse faisait eau.

Elle s'était peu à peu emplie pendant l'absence de
Gilliatt. Chargée comme elle l'était, vingt pouces d'eau
étaient un surcroît périlleux. Un peu plus, elle coulait. Si

Gilliatt fût revenu une heure plus tard, il n'eût probablement trouvé hors de l'eau que la cheminée et le mât.

Il n'y avait pas même à prendre une minute pour délibérer. Il fallait chercher la voie d'eau, la boucher, puis vider la barque, ou du moins l'alléger. Les pompes de la Durande s'étaient perdues dans le naufrage ; Gilliatt était réduit à la pelle d'épuisement de la panse.

Chercher la voie d'eau, avant tout. C'était le plus pressé.

Gilliatt se mit à l'œuvre tout de suite, sans même se donner le temps de se rhabiller, frémissant. Il ne sentait plus ni la faim, ni le froid.

La panse continuait de s'emplir. Heureusement il n'y avait point de vent. Le moindre clapotement l'eût coulée.

La lune se coucha.

Gilliatt, à tâtons, courbé, plus qu'à demi plongé dans l'eau, chercha longtemps. Il découvrit enfin l'avarie.

Pendant la bourrasque, au moment critique où la panse s'était arquée, la robuste barque avait talonné et heurté assez violemment le rocher. Un des reliefs de la petite Douvre avait fait dans la coque, à tribord, une fracture.

Cette voie d'eau était fâcheusement, on pourrait presque dire perfidement, située près du point de rencontre de deux porques, ce qui, joint à l'ahurissement de la tourmente, avait empêché Gilliatt, dans sa revue obscure et rapide au plus fort de l'orage, d'apercevoir le dégât.

La fracture avait cela d'alarmant qu'elle était large, et cela de rassurant que, bien qu'immergée en ce moment par la crue intérieure de l'eau, elle était au-dessus de la flottaison.

A l'instant où la crevasse s'était faite, le flot était rudement secoué dans le détroit, et il n'y avait plus de niveau de flottaison, la lame avait pénétré par l'effraction dans la panse, la panse sous cette surcharge s'était enfoncée de quelques pouces, et, même après l'apaisement des vagues, le poids du liquide infiltré, faisant hausser la ligne de flottaison, avait maintenu la crevasse sous l'eau. De là, l'imminence du danger. La crue avait augmenté de six pouces à vingt. Mais si l'on parvenait à boucher la voie d'eau, on pourrait vider la panse ; une fois la barque

étanchée, elle remonterait à sa flottaison normale, la
fracture sortirait de l'eau, et, à sec, la réparation serait
aisée, ou du moins possible. Gilliatt, nous l'avons dit,
avait encore son outillage de charpentier en assez bon
état.

Mais que d'incertitudes avant d'en venir là ! que de
périls ! que de chances mauvaises ! Gilliatt entendait l'eau
sourdre inexorablement. Une secousse, et tout sombrait.
Quelle misère ! Peut-être n'était-il plus temps.

Gilliatt s'accusa amèrement. Il aurait dû voir tout de
suite l'avarie. Les six pouces d'eau dans la cale auraient
dû l'avertir. Il avait été stupide d'attribuer ces six pouces
d'eau à la pluie et à l'écume. Il se reprocha d'avoir
dormi, d'avoir mangé ; il se reprocha la fatigue, il se
reprocha presque la tempête et la nuit. Tout était de sa
faute.

Ces duretés qu'il se disait à lui-même se mêlaient au
va-et-vient de son travail et ne l'empêchaient pas d'aviser.

La voie d'eau était trouvée, c'était le premier pas ;
l'étouper était le second. On ne pouvait davantage pour
l'instant. On ne fait point de menuiserie sous l'eau.

Une circonstance favorable, c'est que l'effraction de la
coque avait eu lieu dans l'espace compris entre les deux
chaînes qui assujettissaient à tribord la cheminée de la
machine. L'étoupage pouvait se rattacher à ces chaînes.

L'eau cependant gagnait. La crue maintenant dépassait
deux pieds.

Gilliatt avait de l'eau plus haut que les genoux.

VI

De profundis ad altum

Gilliatt avait à sa disposition, dans la réserve du gréement de la panse, un assez grand prélart goudronné pourvu de longues aiguillettes à ses quatre coins.

Il prit ce prélart, en amarra deux coins par les aiguillettes aux deux anneaux des chaînes de la cheminée du côté de la voie d'eau, et jeta le prélart par-dessus le bord. Le prélart tomba comme une nappe entre la petite Douvre et la barque, et s'immergea dans le flot. La poussée de l'eau voulant entrer dans la cale l'appliqua contre la coque sur le trou. Plus l'eau pressait, plus le prélart adhérait. Il était collé par le flot lui-même sur la fracture. La plaie de la barque était pansée.

Cette toile goudronnée s'interposait entre l'intérieur de la cale et les lames du dehors. Il n'entrait plus une goutte d'eau.

La voie d'eau était masquée, mais n'était pas étoupée.

C'était un répit.

Gilliatt prit la pelle d'épuisement et se mit à vider la panse. Il était grand temps de l'alléger. Ce travail le réchauffa un peu, mais sa fatigue était extrême. Il était forcé de s'avouer qu'il n'irait pas jusqu'au bout et qu'il ne parviendrait point à étancher la cale. Gilliatt avait à peine mangé, et il avait l'humiliation de se sentir exténué.

Il mesurait les progrès de son travail à la baisse du niveau de l'eau à ses genoux. Cette baisse était lente.

En outre la voie d'eau n'était qu'interrompue. Le mal était pallié, non réparé. Le prélart, poussé dans la fracture par le flot, commençait à faire tumeur dans la cale. Cela ressemblait à un poing sous cette toile, s'efforçant de la

crever. La toile, solide et goudronnée, résistait ; mais le
gonflement et la tension augmentaient, il n'était pas certain que la toile ne céderait pas, et d'un moment à l'autre
la tumeur pouvait se fendre. L'irruption de l'eau recommencerait.

En pareil cas, les équipages en détresse le savent, il n'y
a pas d'autre ressource qu'un tampon. On prend les
chiffons de toute espèce qu'on trouve sous sa main, tout
ce que dans la langue spéciale on appelle *fourrures,* et
l'on refoule le plus qu'on peut dans la crevasse la tumeur
du prélart.

De ces « fourrures », Gilliatt n'en avait point. Tout ce
qu'il avait emmagasiné de lambeaux et d'étoupes avait été
ou employé dans ses travaux, ou dispersé par la rafale.

A la rigueur, il eût pu en retrouver quelques restes en
furetant dans les rochers. La panse était assez allégée
pour qu'il pût s'absenter un quart d'heure ; mais comment
faire cette perquisition sans lumière ? L'obscurité était
complète. Il n'y avait plus de lune ; rien que le sombre
ciel étoilé. Gilliatt n'avait pas de filin sec pour faire une
mèche, pas de suif pour faire une chandelle, pas de feu
pour l'allumer, pas de lanterne pour l'abriter. Tout était
confus et indistinct dans la barque et dans l'écueil. On
entendait l'eau bruire autour de la coque blessée, on ne
voyait même pas la crevasse ; c'est avec les mains que
Gilliatt constatait la tension croissante du prélart. Impossible de faire en cette obscurité une recherche utile des
haillons de toile et de funin épars dans les brisants.
Comment glaner ces loques sans y voir clair ? Gilliatt
considérait tristement la nuit. Toutes les étoiles, et pas
une chandelle.

La masse liquide ayant diminué dans la barque, la
pression extérieure augmentait. Le gonflement du prélart
grossissait. Il ballonnait de plus en plus. C'était comme
un abcès prêt à s'ouvrir. La situation, un moment amé-
liorée, redevenait menaçante.

Un tampon était impérieusement nécessaire.

Gilliatt n'avait plus que ses vêtements.

Il les avait, on s'en souvient, mis à sécher sur les
rochers saillants de la petite Douvre.

Il les alla ramasser et les déposa sur le rebord de la panse.

Il prit son suroît goudronné, et, s'agenouillant dans l'eau, il l'enfonça dans la crevasse, repoussant la tumeur du prélart au-dehors, et par conséquent la vidant. Au suroît il ajouta la peau de mouton, à la peau de mouton la chemise de laine, à la chemise la vareuse. Tout y passa.

Il n'avait plus sur lui qu'un vêtement, il l'ôta, et avec son pantalon, il grossit et affermit l'étoupage. Le tampon était fait, et ne semblait pas insuffisant.

Ce tampon débordait au-dehors la crevasse, avec le prélart pour enveloppe. Le flot, voulant entrer, pressait l'obstacle, l'élargissait utilement sur la fracture, et le consolidait. C'était une sorte de compresse extérieure.

A l'intérieur, le centre seul du gonflement ayant été refoulé, il restait tout autour de la crevasse et du tampon un bourrelet circulaire du prélart d'autant plus adhérent que les inégalités mêmes de la fracture le retenaient. La voie d'eau était aveuglée.

Mais rien n'était plus précaire. Ces reliefs aigus de la fracture qui fixaient le prélart pouvaient le percer, et par ces trous l'eau rentrerait. Gilliatt, dans l'obscurité, ne s'en apercevrait même pas. Il était peu probable que ce tampon durât jusqu'au jour. L'anxiété de Gilliatt changeait de forme, mais il la sentait croître en même temps qu'il sentait ses forces s'éteindre.

Il s'était remis à vider la cale, mais ses bras, à bout d'efforts, pouvaient à peine soulever la pelle pleine d'eau. Il était nu, et frissonnait.

Gilliatt sentait l'approche sinistre de l'extrémité.

Une chance possible lui traversa l'esprit. Peut-être y avait-il une voile au large. Un pêcheur qui serait par aventure de passage dans les eaux des Douvres pourrait lui venir en aide. Le moment était arrivé où un collaborateur était absolument nécessaire. Un homme et une lanterne, et tout pouvait être sauvé. A deux, on viderait aisément la cale ; dès que la barque serait étanche, n'ayant plus cette surcharge de liquide, elle remonterait, elle reprendrait son niveau de flottaison, la crevasse sortirait de l'eau, le radoub serait exécutable, on pourrait immédiatement remplacer le tampon par une pièce de bordage, et l'appareil provisoire posé sur la fracture par une réparation définitive. Sinon, il fallait attendre jusqu'au jour, attendre toute la nuit! Retard funeste qui pouvait être la perdition. Gilliatt avait la fièvre de l'urgence. Si par hasard quelque fanal de navire était en vue, Gilliatt pourrait, du haut de la grande Douvre, faire des signaux. Le temps était calme, il n'y avait pas de vent, il n'y avait pas de mer, un homme s'agitant sur le fond étoilé du ciel avait possibilité d'être remarqué. Un capitaine de navire, et même un patron de barque, n'est pas la nuit dans les eaux des Douvres sans braquer la longue-vue sur l'écueil; c'est de précaution.

Gilliatt espéra qu'on l'apercevrait.

Il escalada l'épave, empoigna la corde à nœuds, et monta sur la grande Douvre.

Pas une voile à l'horizon. Pas un fanal. L'eau à perte de vue était déserte.

Nulle assistance possible et nulle résistance possible.

Gilliatt, chose qu'il n'avait point éprouvée jusqu'à ce moment, se sentit désarmé.

La fatalité obscure était maintenant sa maîtresse. Lui, avec sa barque, avec la machine de la Durande, avec toute sa peine, avec toute sa réussite, avec tout son courage, il appartenait au gouffre. Il n'avait plus de ressource de lutte; il devenait passif. Comment empêcher le flux de venir, l'eau de monter, la nuit de continuer? Ce tampon était son unique point d'appui. Gilliatt s'était épuisé et dépouillé à le composer et à le compléter; il ne pouvait plus ni le fortifier, ni l'affermir; le tampon était tel quel, il devait rester ainsi, et fatalement tout effort était fini. La mer avait à sa discrétion cet appareil hâtif appliqué sur la voie d'eau. Comment se comporterait cet obstacle inerte? C'était lui maintenant qui combattait, ce n'était plus Gilliatt. C'était ce chiffon, ce n'était plus cet esprit. Le gonflement d'un flot suffisait pour déboucher la fracture. Plus ou moins de pression; toute la question était là.

Tout allait se dénouer par une lutte machinale entre deux quantités mécaniques. Gilliatt ne pouvait désormais ni aider l'auxiliaire, ni arrêter l'ennemi. Il n'était plus que le spectateur de sa vie ou de sa mort. Ce Gilliatt, qui avait été une providence, était, à la minute suprême, remplacé par une résistance inconsciente.

Aucune des épreuves et des épouvantes que Gilliatt avait traversées n'approchait de celle-ci.

En arrivant dans l'écueil Douvres, il s'était vu entouré et comme saisi par la solitude. Cette solitude faisait plus que l'environner, elle l'enveloppait. Mille menaces à la fois lui avaient montré le poing. Le vent était là, prêt à souffler; la mer était là, prête à rugir. Impossible de bâillonner cette bouche, le vent; impossible d'édenter cette gueule, la mer. Et pourtant, il avait lutté; homme, il avait combattu corps à corps l'océan; il s'était colleté avec la tempête.

Il avait tenu tête à d'autres anxiétés et à d'autres nécessités encore. Il avait eu affaire à toutes les détresses. Il lui avait fallu sans outils faire des travaux, sans aide remuer des fardeaux, sans science résoudre des problèmes, sans provisions boire et manger, sans lit et sans toit dormir.

Sur cet écueil, chevalet tragique, il avait été tour à tour mis à la question par les diverses fatalités tortionnaires de la nature, mère quand bon lui semble, bourreau quand il lui plaît.

Il avait vaincu l'isolement, vaincu la faim, vaincu la soif, vaincu le froid, vaincu la fièvre, vaincu le travail, vaincu le sommeil. Il avait rencontré pour lui barrer le passage les obstacles coalisés. Après le dénuement, l'élément; après la marée, la tourmente; après la tempête, la pieuvre; après le monstre, le spectre.

Lugubre ironie finale. Dans cet écueil d'où Gilliatt avait compté sortir triomphant, Clubin mort venait de le regarder en riant.

Le ricanement du spectre avait raison. Gilliatt se voyait perdu. Gilliatt se voyait aussi mort que Clubin.

L'hiver, la famine, la fatigue, l'épave à dépecer, la machine à transborder, les coups d'équinoxe, le vent, le tonnerre, la pieuvre, tout cela n'était rien près de la voie d'eau. On pouvait avoir, et Gilliatt avait eu, contre le froid le feu, contre la faim les coquillages du rocher,

contre la soif la pluie, contre les difficultés du sauvetage
l'industrie et l'énergie, contre la marée et l'orage le
brise-lames, contre le pieuvre le couteau. Contre la voie
d'eau, rien.

L'ouragan lui laissait cet adieu sinistre. Dernière reprise, estocade traître, attaque sournoise du vaincu au
vainqueur. La tempête en fuite lançait cette flèche derrière elle. La déroute se retournait et frappait. C'était le
coup de Jarnac de l'abîme.

On combat la tempête; mais comment combattre un
suintement?

Si le tampon cédait, si la voie d'eau se rouvrait, rien ne
pouvait faire que la panse ne sombrât point. C'était la
ligature de l'artère qui se dénoue. Et une fois la panse au
fond de l'eau, avec cette surcharge, la machine, nul
moyen de l'en tirer. Ce magnanime effort de deux mois
titaniques aboutissait à un anéantissement. Recommencer
était impossible. Gilliatt n'avait plus ni forge, ni matériaux. Peut-être, au point du jour, allait-il voir toute son
œuvre s'enfoncer lentement et irrémédiablement dans le
gouffre.

Chose effrayante, sentir sous soi la force sombre.

Le gouffre le tirait à lui.

Sa barque engloutie, il n'aurait plus qu'à mourir de
faim et de froid, comme l'autre, le naufragé du rocher
l'Homme.

Pendant deux longs mois, les consciences et les provi-
dences qui sont dans l'invisible avaient assisté à ceci:
d'un côté les étendues, les vagues, les vents, les éclairs,
les météores; de l'autre, un homme; d'un côté la mer, de
l'autre une âme; d'un côté l'infini, de l'autre un atome.

Et il y avait eu bataille.

Et voilà que peut-être ce prodige avortait.

Ainsi aboutissait à l'impuissance cet héroïsme inouï,
ainsi s'achevait par le désespoir ce formidable combat
accepté, cette lutte de Rien contre Tout, cette Iliade à un.

Gilliatt éperdu regardait l'espace.

Il n'avait même plus un vêtement. Il était nu devant
l'immensité.

Alors, dans l'accablement de toute cette énormité inconnue, ne sachant plus ce qu'on lui voulait, se confrontant avec l'ombre, en présence de cette obscurité irréductible, dans la rumeur des eaux, des lames, des flots, des houles, des écumes, des rafales, sous les nuées, sous les souffles, sous la vaste force éparse, sous ce mystérieux firmament des ailes, des astres et des tombes, sous l'intention possible mêlée à ces choses démesurées, ayant autour de lui et au-dessous de lui l'océan, et au-dessus de lui les constellations, sous l'insondable, il s'affaissa, il renonça, il se coucha tout de son long le dos sur la roche, la face aux étoiles, vaincu, et, joignant les mains devant la profondeur terrible, il cria dans l'infini : Grâce !

Terrassé par l'immensité, il la pria.

Il était là, seul dans cette nuit sur ce rocher au milieu de cette mer, tombé d'épuisement, ressemblant à un foudroyé, nu comme le gladiateur dans le cirque, seulement au lieu de cirque ayant l'abîme, au lieu de bêtes féroces les ténèbres, au lieu des yeux du peuple le regard de l'inconnu, au lieu des vestales les étoiles, au lieu de César, Dieu.

Il lui sembla qu'il se sentait se dissoudre dans le froid, dans la fatigue, dans l'impuissance, dans la prière, dans l'ombre, et ses yeux se fermèrent.

VII

IL Y A UNE OREILLE DANS L'INCONNU

Quelques heures s'écoulèrent.

Le soleil se leva, éblouissant.

Son premier rayon éclaira sur le plateau de la grande Douvre une forme immobile. C'était Gilliatt.

Il était toujours étendu sur le rocher.

Cette nudité glacée et roidie n'avait plus un frisson. Les paupières closes étaient blêmes. Il eût été difficile de dire si ce n'était pas un cadavre.

Le soleil paraissait le regarder.

Si cet homme nu n'était pas mort, il en était si près qu'il suffisait du moindre vent froid pour l'achever.

Le vent se mit à souffler, tiède et vivifiant; la printanière haleine de mai.

Cependant le soleil montait dans le profond ciel bleu; son rayon moins horizontal s'empourpra. Sa lumière devint chaleur. Elle enveloppa Gilliatt.

Gilliatt ne bougeait pas. S'il respirait, c'était de cette respiration prête à s'éteindre qui ternirait à peine un miroir.

Le soleil continua son ascension, de moins en moins oblique sur Gilliatt. Le vent, qui n'avait été d'abord que tiède, était maintenant chaud.

Ce corps rigide et nu demeurait toujours sans mouvement; pourtant la peau semblait moins livide.

Le soleil, approchant du zénith, tomba à plomb sur le plateau de la Douvre. Une prodigalité de lumière se versa du haut du ciel; la vaste réverbération de la mer sereine s'y joignit; le rocher commença à tiédir, et réchauffa l'homme.

Un soupir souleva la poitrine de Gilliatt.

Il vivait.

Le soleil continua ses caresses, presque ardentes. Le vent, qui était déjà le vent de midi et le vent d'été, s'approcha de Gilliatt comme une bouche, soufflant mollement.

Gilliatt remua.

L'apaisement de la mer était inexprimable. Elle avait un murmure de nourrice près de son enfant. Les vagues paraissaient bercer l'écueil.

Les oiseaux de mer, qui connaissaient Gilliatt, volaient au-dessus de lui, inquiets. Ce n'était plus leur ancienne inquiétude sauvage. C'était on ne sait quoi de tendre et de fraternel. Ils poussaient de petits cris. Ils avaient l'air de l'appeler. Une mouette, qui l'aimait sans doute, eut la familiarité de venir tout près de lui. Elle se mit à lui parler. Il ne semblait pas entendre. Elle sauta sur son épaule et lui becqueta les lèvres doucement.

Gilliatt ouvrit les yeux.

Les oiseaux, contents et farouches, s'envolèrent.

Gilliatt se dressa debout, s'étira comme le lion réveillé, courut au bord de la plate-forme, et regarda sous lui dans l'entre-deux des Douvres.

La panse était là, intacte. Le tampon s'était maintenu ; la mer probablement l'avait peu rudoyé.

Tout était sauvé.

Gilliatt n'était plus las. Ses forces étaient réparées. Cet évanouissement avait été un sommeil.

Il vida la panse, mit la cale à sec et l'avarie hors de la flottaison, se rhabilla, but, mangea, fut joyeux.

La voie d'eau, examinée au jour, demandait plus de travail que Gilliatt n'aurait cru. C'était une assez grave avarie. Gilliatt n'eut pas trop de toute la journée pour la réparer.

Le lendemain, à l'aube, après avoir défait le barrage et rouvert l'issue du défilé, vêtu de ses haillons qui avaient eu raison de la voie d'eau, ayant sur lui la ceinture de Clubin et les soixante-quinze mille francs, debout dans la panse radoubée à côté de la machine sauvée, par un bon

vent, par une mer admirable, Gilliatt sortit de l'écueil
Douvres.

Il mit le cap sur Guernesey.

Au moment où il s'éloigna de l'écueil, quelqu'un qui
eût été là l'eût entendu chanter à demi-voix l'air *Bonny
Dundee*.

TROISIÈME PARTIE

DÉRUCHETTE

LIVRE PREMIER

NUIT ET LUNE

I

LA CLOCHE DU PORT

Le Saint-Sampson d'aujourd'hui est presque une ville ; le Saint-Sampson d'il y a quarante ans était presque un village.

Le printemps venu et les veillées d'hiver finies, on y faisait les soirées courtes, on se mettait au lit dès la nuit tombée. Saint-Sampson était une ancienne paroisse de couvre-feu ayant conservé l'habitude de souffler de bonne heure sa chandelle. On s'y couchait et on s'y levait avec le jour. Ces vieux villages normands sont volontiers poulaillers.

Disons en outre que Saint-Sampson, à part quelques riches familles bourgeoises, est une population de carriers et de charpentiers. Le port est un port de radoub. Tout le jour on extrait des pierres ou l'on façonne des madriers ; ici le pic, là le marteau. Maniement perpétuel du bois de chêne et du granit. Le soir on tombe de fatigue et l'on dort comme des plombs. Les durs travaux font les durs sommeils.

Un soir du commencement de mai, après avoir, pendant quelques instants, regardé le croissant de la lune dans les arbres et écouté le pas de Déruchette se promenant seule, au frais de la nuit, dans le jardin des Bravées, mess Lethierry était rentré dans sa chambre située sur le port et s'était couché. Douce et Grâce étaient au lit. Excepté Déruchette, tout dormait dans la maison. Tout dormait aussi dans Saint-Sampson. Portes et volets étaient partout fermés. Aucune allée et venue dans les rues. Quelques rares lumières, pareilles à des clignements d'yeux qui vont s'éteindre, rougissaient çà et là des lucarnes sur les toits, annonce du coucher des domestiques. Il y avait un certain temps déjà que neuf heures avaient sonné au vieux clocher roman couvert de lierre qui partage avec l'église de Saint-Brelade de Jersey la bizarrerie d'avoir pour date quatre un : IIII ; ce qui signifie *onze cent onze*.

La popularité de mess Lethierry à Saint-Sampson tenait à son succès. Le succès ôté, le vide s'était fait. Il faut croire que le guignon se gagne et que les gens point heureux ont la peste, tant est rapide leur mise en quarantaine. Les jolis fils de famille évitaient Déruchette. L'isolement autour des Bravées était maintenant tel qu'on n'y avait pas même su le petit grand événement local qui avait ce jour-là mis tout Saint-Sampson en rumeur. Le recteur de la paroisse, le révérend Joë Ebenezer Caudray, était riche. Son oncle, le magnifique doyen de Saint-Asaph, venait de mourir à Londres. La nouvelle en avait été apportée par le sloop de poste *Cashmere* arrivé d'Angleterre le matin même, et dont on apercevait le mât dans la rade de Saint-Pierre-Port. Le *Cashmere* devait repartir pour Southampton le lendemain à midi, et, disait-on, emmener le révérend recteur, rappelé en Angleterre à bref délai pour l'ouverture officielle du testament, sans compter les autres urgences d'une grande succession à recueillir. Toute la journée, Saint-Sampson avait confusément dialogué. Le *Cashmere,* le révérend Ebenezer, son oncle mort, sa richesse, son départ, ses promotions possibles dans l'avenir, avaient fait le fond du bourdonnement. Une seule maison, point informée, était restée silencieuse, les Bravées.

Mess Lethierry s'était jeté sur son branle, tout habillé.

Depuis la catastrophe de la Durande, se jeter sur son branle, c'était sa ressource. S'étendre sur son grabat, c'est à quoi tout prisonnier a recours, et mess Lethierry était le prisonnier du chagrin. Il se couchait ; c'était une trêve, une reprise d'haleine, une suspension d'idées. Dormait-il ? non. Veillait-il ? non. A proprement parler, depuis deux mois et demi, — il y avait deux mois et demi de cela, — mess Lethierry était comme en somnambulisme. Il ne s'était pas encore ressaisi lui-même. Il était dans cet état mixte et diffus que connaissent ceux qui ont subi les grands accablements. Ses réflexions n'étaient pas de la pensée, son sommeil n'était pas du repos. Le jour il n'était pas un homme éveillé, la nuit il n'était pas un homme endormi. Il était debout, puis il était couché, voilà tout. Quand il était dans son branle, l'oubli lui venait un peu, il appelait cela dormir, les chimères flottaient sur lui et en lui, le nuage nocturne, plein de faces confuses, traversait son cerveau, l'empereur Napoléon lui dictait ses mémoires, il y avait plusieurs Déruchettes, des oiseaux bizarres étaient dans des arbres, les rues de Lons-le-Saulnier devenaient des serpents. Le cauchemar était le répit du désespoir. Il passait ses nuits à rêver, et ses jours à songer.

Il restait quelquefois toute une après-midi, immobile à la fenêtre de sa chambre qui donnait, on s'en souvient, sur le port, la tête basse, les coudes sur la pierre, les oreilles dans ses poings, le dos tourné au monde entier, l'œil fixé sur le vieil anneau de fer scellé dans le mur de sa maison à quelques pieds de sa fenêtre, où jadis on amarrait la Durande. Il regardait la rouille qui venait à cet anneau.

Mess Lethierry était réduit à la fonction machinale de vivre.

Les plus vaillants hommes, privés de leur idée réalisable, en arrivent là. C'est l'effet des existences vidées. La vie est le voyage, l'idée est l'itinéraire. Plus d'itinéraire, on s'arrête. Le but est perdu, la force est morte. Le sort a un obscur pouvoir discrétionnaire. Il peut toucher de sa verge même notre être moral. Le désespoir, c'est presque la destitution de l'âme. Les très grands esprits seuls résistent. Et encore.

Mess Lethierry méditait continuellement, si l'absorption peut s'appeler méditation, au fond d'une sorte de précipice trouble. Il lui échappait des paroles navrées comme celle-ci : — Il ne me reste plus qu'à demander là-haut mon billet de sortie.

Notons une contradiction dans cette nature, complexe comme la mer dont Lethierry était, pour ainsi dire, le produit : mess Lethierry ne priait point.

Être impuissant, c'est une force. En présence de nos deux grandes cécités, la destinée et la nature, c'est dans son impuissance que l'homme a trouvé le point d'appui, la prière.

L'homme se fait secourir par l'effroi; il demande aide à sa crainte; l'anxiété, c'est un conseil d'agenouillement.

La prière, énorme force propre à l'âme et de même espèce que le mystère. La prière s'adresse à la magnanimité des ténèbres; la prière regarde le mystère avec les yeux mêmes de l'ombre, et, devant la fixité puissante de ce regard suppliant, on sent un désarmement possible de l'Inconnu.

Cette possibilité entrevue est déjà une consolation.

Mais Lethierry ne priait pas.

Du temps qu'il était heureux, Dieu existait pour lui, on pourrait dire en chair et en os; Lethierry lui parlait, lui engageait sa parole, lui donnait presque de temps en temps une poignée de main. Mais dans le malheur de Lethierry, phénomène du reste assez fréquent, Dieu s'était éclipsé. Cela arrive quand on s'est fait un bon Dieu qui est un bonhomme.

Il n'y avait pour Lethierry, dans l'état d'âme où il était, qu'une vision nette, le sourire de Déruchette. Hors de ce sourire, tout était noir.

Depuis quelque temps, sans doute à cause de la perte de la Durande, dont elle ressentait le contrecoup, ce charmant sourire de Déruchette était plus rare. Elle paraissait préoccupée. Ses gentillesses d'oiseau et d'enfant s'étaient éteintes. On ne la voyait plus le matin, au coup de canon du point du jour, faire une révérence et dire au soleil levant : « *bum!... jour*. Donnez-vous la peine d'entrer ». Elle avait par moments l'air très sérieux, chose triste dans ce doux être. Elle faisait effort cependant pour rire à mess Lethierry, et pour le distraire, mais sa gaieté se ternissait de jour en jour et se couvrait de poussière, comme l'aile d'un papillon qui a une épingle à travers le corps. Ajoutons que, soit par chagrin du chagrin de son oncle, car il y a des douleurs de reflet, soit pour d'autres raisons, elle semblait maintenant incliner beaucoup vers la religion. Du temps de l'ancien recteur M. Jaquemin

Hérode, elle n'allait guère, on le sait, que quatre fois l'an
à l'église. Elle y était à présent fort assidue. Elle ne
manquait aucun office, ni du dimanche, ni du jeudi. Les
âmes pieuses de la paroisse voyaient avec satisfaction cet
amendement. Car c'est un grand bonheur qu'une jeune
fille, qui court tant de dangers du côté des hommes, se
tourne vers Dieu.

Cela fait du moins que les pauvres parents ont l'esprit
en repos du côté des amourettes.

Le soir, toutes les fois que le temps le permettait, elle
se promenait une heure ou deux dans le jardin des Bravées. Elle était là, presque aussi pensive que mess
Lethierry, et toujours seule. Déruchette se couchait la
dernière. Ce qui n'empêchait point Douce et Grâce
d'avoir toujours un peu l'œil sur elle, par cet instinct de
guet qui se mêle à la domesticité ; espionner désennuie de
servir.

Quant à mess Lethierry, dans l'état voilé où était son
esprit, ces petites altérations dans les habitudes de Déruchette lui échappaient. D'ailleurs, il n'était pas né duè-
gne. Il ne remarquait même pas l'exactitude de Déruchette aux offices de la paroisse. Tenace dans son préjugé
contre les choses et les gens du clergé, il eût vu sans
plaisir ces fréquentations d'église.

Ce n'est pas que sa situation morale à lui-même ne fût
en train de se modifier. Le chagrin est nuage et change de
forme.

Les âmes robustes, nous venons de le dire, sont parfois, par de certains coups de malheur, destituées presque, non tout à fait. Les caractères virils, tels que
Lethierry, réagissent dans un temps donné. Le désespoir
a des degrés remontants. De l'accablement on monte à
l'abattement, de l'abattement à l'affliction, de l'affliction
à la mélancolie. La mélancolie est un crépuscule. La
souffrance s'y fond dans une sombre joie.

La mélancolie, c'est le bonheur d'être triste.

Ces atténuations élégiaques n'étaient point faites pour
Lethierry ; ni la nature de son tempérament, ni le genre de
son malheur, ne comportaient ces nuances. Seulement,
au moment où nous venons de le retrouver, la rêverie de

son premier désespoir tendait, depuis une semaine environ, à se dissiper; sans être moins triste, Lethierry était moins inerte; il était toujours sombre, mais il n'était plus morne; il lui revenait une certaine perception des faits et des événements; et il commençait à éprouver quelque chose de ce phénomène qu'on pourrait appeler la rentrée dans la réalité.

Ainsi le jour, dans la salle basse, il n'écoutait pas les paroles des gens, mais il les entendait. Grâce vint un matin toute triomphante dire à Déruchette que mess Lethierry avait défait la bande d'un journal.

Cette demi-acceptation de la réalité est, en soi, un bon symptôme. C'est la convalescence. Les grands malheurs sont un étourdissement. On en sort par là. Mais cette amélioration fait d'abord l'effet d'une aggravation. L'état de rêve antérieur émoussait la douleur; on voyait trouble, on sentait peu ; à présent la vue est nette, on n'échappe à rien, on saigne de tout. La plaie s'avive. La douleur s'accentue de tous les détails qu'on aperçoit. On revoit tout dans le souvenir. Tout retrouver, c'est tout regretter. Il y a dans ce retour au réel toutes sortes d'arrière-goûts amers. On est mieux, et pire. C'est ce qu'éprouvait Lethierry. Il souffrait plus distinctement.

Ce qui avait ramené mess Lethierry au sentiment de la réalité, c'était une secousse.

Disons cette secousse.

Une après-midi, vers le 15 ou le 20 avril, on avait entendu à la porte de la salle basse des Bravées les deux coups qui annoncent le facteur. Douce avait ouvert. C'était une lettre en effet.

Cette lettre venait de la mer. Elle était adressée à mess Lethierry. Elle était timbrée *Lisboa*.

Douce avait porté la lettre à mess Lethierry qui était enfermé dans sa chambre. Il avait pris cette lettre, l'avait machinalement posée sur sa table, et ne l'avait pas regardée.

Cette lettre resta une bonne semaine sur la table sans être décachetée.

Il arriva pourtant qu'un matin Douce dit à mess Lethierry :

— Monsieur, faut-il ôter la poussière qu'il y a sur votre lettre ?

Lethierry parut se réveiller.

— C'est juste, dit-il.

Et il ouvrit la lettre.

Il lut ceci :

En mer, ce 10 mars.

Mess Lethierry, de Saint-Sampson,

Vous recevrez de mes nouvelles avec plaisir.

Je suis sur le Tamaulipas, *en route pour Pasrevenir. Il y a dans l'équipage un matelot Ahier-Tostevin, de Guernesey, qui reviendra, lui, et qui aura des choses à raconter. Je profite de la rencontre du navire* Hernan Cortez *allant à Lisbonne pour vous faire passer cette lettre. Soyez étonné. Je suis honnête homme.*

Aussi honnête que sieur Clubin.

Je dois croire que vous savez la chose qui est arrivée ; pourtant il n'est peut-être pas de trop que je vous l'apprenne.

La voici :

Je vous ai rendu vos capitaux.

Je vous avais emprunté, un peu incorrectement, cinquante mille francs. Avant de quitter Saint-Malo, j'ai remis pour vous à votre homme de confiance, sieur Clubin, trois bank-notes de mille livres chaque, ce qui fait soixante-quinze mille francs. Vous trouverez sans doute ce remboursement suffisant.

Sieur Clubin a pris vos intérêts et reçu votre argent avec énergie. Il m'a paru très zélé ; c'est pourquoi je vous avertis.

> *Votre autre homme de confiance,*
> RANTAINE.

Post-scriptum. *Sieur Clubin avait un revolver, ce qui fait que je n'ai pas de reçu.*

Touchez une torpille, touchez une bouteille de Leyde chargée, vous ressentirez ce qu'éprouva mess Lethierry en lisant cette lettre.

Sous cette enveloppe, dans cette feuille de papier pliée en quatre à laquelle il avait au premier moment fait si peu attention, il y avait une commotion.

Il reconnut cette écriture, il reconnut cette signature. Quant au fait, tout d'abord il n'y comprit rien.

Commotion telle qu'elle lui remit, pour ainsi dire, l'esprit sur pied.

Le phénomène des soixante-quinze mille francs confiés par Rantaine à Clubin, étant une énigme, était le côté utile de la secousse, en ce qu'il forçait le cerveau de Lethierry à travailler. Faire une conjecture, c'est pour la pensée une occupation saine. Le raisonnement est éveillé, la logique est appelée.

Depuis quelque temps l'opinion publique de Guernesey était occupée à rejuger Clubin, cet honnête homme pendant tant d'années si unanimement admis dans la circulation de l'estime. On s'interrogeait, on se prenait à douter, il y avait des paris pour et contre. Des lumières singulières s'étaient produites. Clubin commençait à s'éclairer, c'est-à-dire qu'il devenait noir.

Une information judiciaire avait eu lieu à Saint-Malo pour savoir ce qu'était devenu le garde-côte 619. La perspicacité légale avait fait fausse route, ce qui lui arrive souvent. Elle était partie de cette supposition que le garde-côte avait dû être embauché par Zuela et embarqué sur le *Tamaulipas* pour le Chili. Cette hypothèse ingénieuse avait entraîné force aberrations. La myopie de la justice n'avait pas même aperçu Rantaine. Mais, chemin faisant, les magistrats instructeurs avaient levé d'autres pistes. L'obscure affaire s'était compliquée. Clubin avait fait son entrée dans l'énigme. Il s'était établi une coïncidence, un rapport peut-être, entre le départ du *Tamaulipas* et la perte de la Durande. Au cabaret de la porte Dinan où Clubin croyait n'être pas connu, on l'avait reconnu ; le cabaretier avait parlé ; Clubin avait acheté une bouteille d'eau-de-vie. Pour qui ? L'armurier de la rue Saint-Vincent avait parlé ; Clubin avait acheté un revolver. Contre qui ? L'aubergiste de l'Auberge Jean avait parlé ; Clubin avait eu des absences inexplicables. Le capitaine Gertrais-Gaboureau avait parlé ; Clubin avait voulu partir, quoique averti, et sachant qu'il allait chercher le brouillard. L'équipage de la Durande avait parlé ; au fait, le chargement était manqué et l'arrimage était mal

fait, négligence aisée à comprendre, si le capitaine veut
perdre le navire. Le passager guernesiais avait parlé;
Clubin avait cru naufrager sur les Hanois. Les gens de
Torteval avaient parlé; Clubin y était venu quelques jours
avant la perte de la Durande, et avait dirigé sa promenade
vers Plainmont voisin des Hanois. Il portait un sac-valise.
« Il était parti avec, et revenu sans ». Les déniquoiseaux
avaient parlé; leur histoire avait paru pouvoir se rattacher
à la disparition de Clubin, à la seule condition d'y remplacer les revenants par des contrebandiers. Enfin la maison visionnée de Plainmont elle-même avait parlé; des
gens décidés à se renseigner l'avaient escaladée, et
avaient trouvé dedans, quoi? précisément le sac-valise de
Clubin. La Douzaine de Torteval avait saisi le sac, et
l'avait fait ouvrir. Il contenait des provisions de bouche,
une longue-vue, un chronomètre, des vêtements
d'homme et du linge marqué aux initiales de Clubin. Tout
cela, dans les propos de Saint-Malo et de Guernesey, se
construisait, et finissait par faire un à peu près de baraterie. On rapprochait des linéaments confus; on constatait
un dédain singulier des avis, une acceptation des chances
de brouillard, une négligence suspecte dans l'arrimage,
une bouteille d'eau-de-vie, un timonier ivre, une substi-
tution du capitaine au timonier, un coup de barre au
moins bien maladroit. L'héroïsme à demeurer sur l'épave
devenait coquinerie. Clubin du reste s'était trompé
d'écueil. L'intention de baraterie admise, on comprenait
le choix des Hanois, la côte aisément gagnée à la nage, un
séjour dans la maison visionnée en attendant l'occasion
de fuir. Le sac-valise, cet en-cas, achevait la démonstration. Par quel lien cette aventure se rattachait-elle à l'autre aventure, celle du garde-côte, on ne le saisissait point.
On devinait une corrélation; rien de plus. On entrevoyait,
du côté de cet homme, le garde-marine numéro 619, tout
un drame tragique. Clubin peut-être n'y jouait pas, mais
on l'apercevait dans la coulisse.

Tout ne s'expliquait point par la baraterie. Il y avait un
revolver sans emploi. Ce revolver était probablement de
l'autre affaire.

Le flair du peuple est fin et juste. L'instinct public

excelle dans ces restaurations de la vérité, faites de pièces
et de morceaux. Seulement, dans ces faits d'où se dégageait une baraterie vraisemblable, il y avait de sérieuses
incertitudes.

Tout se tenait, tout concordait ; mais la base manquait.

On ne perd pas un navire pour le plaisir de le perdre.
On ne court point tous ces risques de brouillard, d'écueil,
de nage, de refuge et de fuite, sans un intérêt. Quel avait
pu être l'intérêt de Clubin ?

On voyait son acte, on ne voyait pas son motif.

De là un doute dans beaucoup d'esprits. Où il n'y a
point de motif, il semble qu'il n'y ait plus d'acte.

La lacune était grave.

Cette lacune, la lettre de Rantaine venait la combler.

Cette lettre donnait le motif de Clubin. Soixante-
quinze mille francs à voler.

Rantaine était le Dieu dans la machine. Il descendait du
nuage une chandelle à la main.

Sa lettre était le coup de clarté final.

Elle expliquait tout, et surabondamment elle annonçait
un témoignage, Ahier-Tostevin.

Chose décisive, elle donnait l'emploi du revolver.
Rantaine était incontestablement tout à fait informé. Sa
lettre faisait toucher tout du doigt.

Aucune atténuation possible à la scélératesse de Clubin. Il avait prémédité le naufrage, et la preuve, c'était
l'en-cas apporté dans la maison visionnée. Et en le sup-
posant innocent, en admettant le naufrage forfuit, n'eût-il
pas dû, au dernier moment, décidé à son sacrifice sur
l'épave, remettre les soixante-quinze mille francs pour
mess Lethierry aux hommes qui se sauvaient dans la
chaloupe ? L'évidence éclatait. Maintenant qu'était devenu Clubin ? Il avait probablement été victime de sa
méprise. Il avait sans doute péri dans l'écueil Douvres.

Cet échafaudage de conjectures, très conformes, on le
voit, à la réalité, occupa pendant plusieurs jours l'esprit
de mess Lethierry. La lettre de Rantaine lui rendit ce
service de le forcer à penser. Il eut un premier ébranlement de surprise, puis il fit cet effort de se mettre à
réfléchir. Il fit l'autre effort plus difficile encore de s'in-

former. Il dut accepter et même chercher des conversations. Au bout de huit jours, il était redevenu, jusqu'à un certain point, pratique; son esprit avait repris de l'adhérence, et était presque guéri. Il était sorti de l'état trouble.

La lettre de Rantaine, en admettant que mess Lethierry eût pu jamais entretenir quelque espoir de remboursement de ce côté-là, fit évanouir sa dernière chance.

Elle ajouta à la catastrophe de la Durande ce nouveau naufrage de soixante-quinze mille francs. Elle le remit en possession de cet argent juste assez pour lui en faire sentir la perte. Cette lettre lui montra le fond de sa ruine.

De là une souffrance nouvelle, et très aiguë, que nous avons indiquée tout à l'heure. Il commença, chose qu'il n'avait point faite depuis deux mois, à se préoccuper de sa maison, de ce qu'elle allait devenir, de ce qu'il faudrait réformer. Petit ennui à mille pointes, presque pire que le désespoir. Subir son malheur par le menu, disputer pied à pied au fait accompli le terrain qu'il vient vous prendre, c'est odieux. Le bloc du malheur s'accepte, non sa poussière. L'ensemble accablait, le détail torture. Tout à l'heure la catastrophe vous foudroyait, maintenant elle vous chicane.

C'est l'humiliation aggravant l'écrasement. C'est une deuxième annulation s'ajoutant à la première, et laide. On descend d'un degré dans le néant. Après le linceul, c'est le haillon.

Songer à décroître. Il n'est pas de pensée plus triste.

Être ruiné, cela semble simple. Coup violent; brutalité du sort; c'est la catastrophe une fois pour toutes. Soit. On l'accepte. Tout est fini. On est ruiné. C'est bon, on est mort. Point. On est vivant. Dès le lendemain, on s'en aperçoit. A quoi? A des piqûres d'épingle. Tel passant ne vous salue plus, les factures des marchands pleuvent, voilà un de vos ennemis qui rit. Peut-être rit-il du dernier calembour d'Arnal [343], mais c'est égal, ce calembour ne lui semble si charmant que parce que vous êtes ruiné. Vous lisez votre amoindrissement même dans les regards indifférents; les gens qui dînaient chez vous trouvent que c'était trop de trois plats à votre table; vos défauts sautent aux yeux de tout le monde; les ingratitudes, n'attendant

plus rien, s'affichent; tous les imbéciles ont prévu ce qui
vous arrive; les méchants vous déchirent, les pires vous
plaignent. Et puis cent détails mesquins. La nausée suc-
cède aux larmes. Vous buviez du vin, vous boirez du
cidre. Deux servantes! C'est déjà trop d'une. Il faudra
congédier celle-ci et surcharger celle-là. Il y a trop de
fleurs dans le jardin; on plantera des pommes de terre. On
donnait ses fruits à ses amis, on les fera vendre au
marché. Quant aux pauvres, il n'y faut plus songer;
n'est-on pas un pauvre soi-même? Les toilettes, question
poignante. Retrancher un ruban à une femme, quel supplice! A qui vous donne la beauté, refuser la parure!
Avoir l'air d'un avare! Elle va peut-être vous dire: —
Quoi, vous avez ôté les fleurs de mon jardin, et voilà que
vous les ôtez de mon chapeau! — Hélas! la condamner
aux robes fanées! La table de famille est silencieuse.
Vous vous figurez qu'autour de vous on vous en veut.
Les visages aimés sont soucieux. Voilà ce que c'est que
décroître. Il faut remourir tous les jours. Tomber, ce n'est
rien, c'est la fournaise. Décroître, c'est le petit feu.

L'écroulement, c'est Waterloo; la diminution, c'est
Sainte-Hélène. Le sort, incarné en Wellington, a encore
quelque dignité; mais quand il se fait Hudson Lowe [344],
quelle vilenie! Le destin devient un pleutre. On voit
l'homme de Campo-Formio querellant pour une paire de
bas de soie. Rapetissement de Napoléon qui rapetisse
l'Angleterre.

Ces deux phases, Waterloo et Sainte-Hélène, réduites
aux proportions bourgeoises, tout homme ruiné les traverse.

Le soir que nous avons dit, et qui était un des premiers
soirs de mai, Lethierry, laissant Déruchette errer au clair de
lune dans le jardin, s'était couché plus triste que jamais.

Tous ces détails chétifs et déplaisants, complications
des fortunes perdues, toutes ces préoccupations du troisième ordre, qui commencent par être insipides et qui
finissent par être lugubres, roulaient dans son esprit.
Maussade encombrement de misères. Mess Lethierry
sentait sa chute irrémédiable. Qu'allait-on faire? Qu'allait-on devenir? Quels sacrifices faudrait-il imposer à

Déruchette? Qui renvoyer, de Douce ou de Grâce? Vendrait-on les Bravées? N'en serait-on pas réduit à quitter l'île? N'être rien là où l'on a été tout, déchéance insupportable en effet.

Et dire que c'était fini! Se rappeler ces traversées liant la France à l'Archipel, ces mardis du départ, ces vendredis du retour, la foule sur le quai, ces grands chargements, cette industrie, cette prospérité, cette navigation directe et fière, cette machine où l'homme met sa volonté, cette chaudière toute-puissante, cette fumée, cette réalité! Le navire à vapeur, c'est la boussole complétée; la boussole indique le droit chemin, la vapeur le suit. L'une propose, l'autre exécute. Où était-elle, sa Durande, cette magnifique et souveraine Durande, cette maîtresse de la mer, cette reine qui le faisait roi! Avoir été dans son pays l'homme idée, l'homme succès, l'homme révolution! y renoncer! abdiquer! N'être plus! faire rire! Être un sac où il y a eu quelque chose! Être le passé quand on a été l'avenir! aboutir à la pitié hautaine des idiots! voir triompher la routine, l'entêtement, l'ornière, l'égoïsme, l'ignorance! voir recommencer bêtement les va-et-vient des coutres gothiques cahotés sur le flot! voir la vieillerie rajeunir! avoir perdu toute sa vie! avoir été la lumière et subir l'éclipse! Ah! comme c'était beau sur les vagues cette cheminée altière, ce prodigieux cylindre, ce pilier au chapiteau de fumée, cette colonne plus grande que la colonne Vendôme, car sur l'une il n'y a qu'un homme et sur l'autre il y a le progrès! L'océan était dessous. C'était la certitude en pleine mer. On avait vu cela dans cette petite île, dans ce petit port, dans ce petit Saint-Sampson? Oui, on l'avait vu! Quoi! on l'a vu, et on ne le reverra plus!

Toute cette obsession du regret torturait Lethierry. Il y a des sanglots de la pensée. Jamais peut-être il n'avait plus amèrement senti sa perte. Un certain engourdissement suit ces accès aigus. Sous cet appesantissement de tristesse, il s'assoupit.

Il resta environ deux heures les paupières fermées, dormant un peu, songeant beaucoup, fiévreux. Ces torpeurs-là couvrent un obscur travail du cerveau, très fatigant. Vers le milieu de la nuit, vers minuit, un peu avant, ou un peu après, il secoua cet assoupissement. Il se réveilla, il ouvrit les yeux, sa fenêtre faisait face à son hamac, il vit une chose extraordinaire.

Une forme était devant sa fenêtre. Une forme inouïe. La cheminée d'un bateau à vapeur.

Mess Lethierry se dressa tout d'une pièce sur son séant. Le hamac oscilla comme au branle d'une tempête. Lethierry regarda. Il y avait dans la fenêtre une vision. Le port plein de clair de lune s'encadrait dans les vitres, et sur cette clarté, tout près de la maison, se découpait, droite, ronde et noire une silhouette superbe.

Un tuyau de machine était là.

Lethierry se précipita à bas du hamac, courut à la fenêtre, leva le châssis, se pencha dehors, et la reconnut.

La cheminée de la Durande était devant lui.

Elle était à l'ancienne place.

Ses quatre chaînes la maintenaient amarrée au bordage d'un bateau dans lequel, au-dessous d'elle, on distinguait une masse qui avait un contour compliqué.

Lethierry recula, tourna le dos à la fenêtre, et retomba assis sur le hamac.

Il se retourna, et revit la vision.

Un moment après, le temps d'un éclair, il était sur le quai, une lanterne à la main.

Au vieil anneau d'amarrage de la Durande était attachée une barque portant un peu à l'arrière un bloc massif d'où sortait la cheminée droite devant la fenêtre des Bravées. L'avant de la barque se prolongeait, en dehors du coin du mur de la maison, à fleur de quai.

Il n'y avait personne dans la barque.

Cette barque avait une forme à elle et dont tout Guernesey eût donné le signalement. C'était la panse.

Lethierry sauta dedans. Il courut à la masse qu'il voyait au-delà du mât. C'était la machine.

Elle était là, entière, complète, intacte, carrément assise sur son plancher de fonte ; la chaudière avait toutes ces cloisons ; l'arbre des roues était dressé et amarré près de la chaudière ; la pompe de saumure était à sa place ; rien ne manquait.

Lethierry examina la machine.

La lanterne et la lune s'entraidaient pour l'éclairer.

Il passa tout le mécanisme en revue.

Il vit les deux caisses qui étaient à côté. Il regarda l'arbre des roues.

Il alla à la cabine. Elle était vide.

Il revint à la machine et il la toucha. Il avança sa tête dans la chaudière. Il se mit à genoux pour voir dedans.

Il posa dans le fourneau sa lanterne dont la lueur illumina toute la mécanique et produisit presque le trompe-l'œil d'une machine allumée.

Puis il éclata de rire et, se redressant, l'œil fixé sur la machine, les bras tendus vers la cheminée, il cria : Au secours !

La cloche du port était sur le quai à quelques pas, il y courut, empoigna la chaîne et se mit à secouer la cloche impétueusement.

II

ENCORE LA CLOCHE DU PORT

Gilliatt en effet, après une traversée sans incident, mais un peu lente à cause de la pesanteur du chargement de la panse, était arrivé à Saint-Sampson à la nuit close, plus près de dix heures que de neuf.

Gilliatt avait calculé l'heure. La demi-remontée s'était faite. Il y avait de la lune et de l'eau ; on pouvait entrer dans le port.

Le petit havre était endormi. Quelques navires y étaient mouillés, cargues sur vergues, hunes capelées, et sans fanaux. On apercevait au fond quelques barques au radoub, à sec dans le carénage. Grosses coques démâtées et sabordées, dressant au-dessus de leur bordage troué de claires-voies les pointes courbes de leur membrure dénudée, assez semblables à des scarabées morts couchés sur le dos, pattes en l'air.

Gilliatt, sitôt le goulet franchi, avait examiné le port et le quai. Il n'y avait de lumière nulle part, pas plus aux Bravées qu'ailleurs. Il n'y avait point de passants, excepté peut-être quelqu'un, un homme, qui venait d'entrer au presbytère ou d'en sortir. Et encore n'était-on pas sûr que ce fût une personne, la nuit estompant tout ce qu'elle dessine et le clair de lune ne faisant jamais rien que d'indécis. La distance s'ajoutait à l'obscurité. Le presbytère d'alors était situé de l'autre côté du port, sur un emplacement où est construite aujourd'hui une cale ouverte.

Gilliatt avait silencieusement accosté les Bravées, et avait amarré la panse à l'anneau de la Durande sous la fenêtre de mess Lethierry.

Puis il avait sauté par-dessus le bordage et pris terre.

Gilliatt, laissant derrière lui la panse à quai, tourna la maison, longea une ruette, puis une autre, ne regarda même pas l'embranchement de sentier qui menait au Bû de la Rue, et, au bout de quelques minutes, s'arrêta dans ce recoin de muraille où il y avait une mauve sauvage à fleurs roses en juin, du houx, du lierre et des orties. C'est de là, que caché sous les ronces, assis sur une pierre, bien des fois, dans les jours d'été, et pendant de longues heures, et pendant des mois entiers, il avait contemplé, par-dessus le mur bas au point de tenter l'enjambée, le jardin des Bravées, et, à travers les branches d'arbres, deux fenêtres d'une chambre de la maison. Il retrouva sa pierre, sa ronce, toujours le mur aussi bas, toujours l'angle aussi obscur, et, comme une bête rentrée au trou, glissant plutôt que marchant, il se blottit. Une fois assis, il ne fit plus un mouvement. Il regarda. Il revoyait le jardin, les allées, les massifs, les carrés de fleurs, la maison, les deux fenêtres de la chambre. La lune lui montrait ce rêve. Il est affreux qu'on soit forcé de respirer. Il faisait ce qu'il pouvait pour s'en empêcher.

Il lui semblait voir un paradis fantôme. Il avait peur que tout cela ne s'envolât. Il était presque impossible que ces choses fussent réellement sous ses yeux ; et si elles y étaient, ce ne pouvait être qu'avec l'imminence d'évanouissement qu'ont toujours les choses divines. Un souffle, et tout se dissiperait. Gilliatt avait ce tremblement.

Tout près, en face de lui, dans le jardin, au bord d'une allée, il y avait un banc de bois peint en vert. On se souvient de ce banc.

Gilliatt regardait les deux fenêtres. Il pensait à un sommeil possible de quelqu'un dans cette chambre. Derrière ce mur, on dormait. Il eût voulu ne pas être où il était. Il eût mieux aimé mourir que de s'en aller. Il pensait à une haleine soulevant une poitrine. Elle, ce mirage, cette blancheur dans une nuée, cette obsession flottante de son esprit, elle était là ! il pensait à l'inaccessible qui était endormi, et si près, et comme à la portée de son extase ; il pensait à la femme impossible assoupie, et visitée, elle aussi, par les chimères ; à la créature souhaitée, lointaine, insaisissable, fermant les yeux, le front dans la main; au mystère du sommeil de l'être idéal; aux songes que peut faire un songe. Il n'osait penser au-delà et il pensait pourtant; il se risquait dans les manques de respect de la rêverie, la quantité de forme féminine que peut avoir un ange le troublait, l'heure nocturne enhardit aux regards furtifs les yeux timides, il s'en voulait d'aller si avant, il craignait de profaner en réfléchissant; malgré lui, forcé, contraint, frémissant, il regardait dans l'invisible. Il subissait le frisson, et presque la souffrance, de se figurer un jupon sur une chaise, une mante jetée sur le tapis, une ceinture débouclée, un fichu. Il imaginait un corset, un lacet traînant à terre, des bas, des jarretières. Il avait l'âme dans les étoiles.

Les étoiles sont faites aussi bien pour le cœur humain d'un pauvre comme Gilliatt que pour le cœur humain d'un millionnaire. A un certain degré de passion, tout homme est sujet aux profonds éblouissements. Si c'est une nature âpre et primitive, raison de plus. Être sauvage, cela s'ajoute au rêve.

Le ravissement est une plénitude qui déborde comme une autre. Voir ces fenêtres, c'était presque trop pour Gilliatt.

Tout à coup, il la vit elle-même.

Des branchages d'un fourré déjà épaissi par le printemps, sortit, avec une ineffable lenteur spectrale et céleste, une figure, une robe, un visage divin, presque une clarté sous la lune.

Gilliatt se sentit défaillir, c'était Déruchette.

Déruchette approcha. Elle s'arrêta. Elle fit quelques pas pour s'éloigner, s'arrêta encore, puis revint s'asseoir sur le banc de bois. La lune était dans les arbres, quelques nuées erraient parmi les étoiles pâles, la mer parlait aux choses de l'ombre à demi-voix, la ville dormait, une brume montait de l'horizon, cette mélancolie était profonde. Déruchette inclinait le front, avec cet œil pensif qui regarde attentivement rien; elle était assise de profil, elle était presque nu-tête, ayant un bonnet dénoué qui laissait voir sur sa nuque délicate la naissance des cheveux, elle roulait machinalement un ruban de ce bonnet

autour d'un de ses doigts, la pénombre modelait ses
mains de statue, sa robe était d'une de ces nuances que la
nuit fait blanches, les arbres remuaient comme s'ils
étaient pénétrables à l'enchantement qui se dégageait
d'elle, on voyait le bout d'un de ses pieds, il y avait dans
ses cils baissés cette vague contraction qui annonce une
larme rentrée ou une pensée refoulée, ses bras avaient
l'indécision ravissante de ne point trouver où s'accouder,
quelque chose qui flotte un peu se mêlait à toute sa
posture, c'était plutôt une lueur qu'une lumière et une
grâce qu'une déesse, les plis du bas de sa jupe étaient
exquis, son adorable visage méditait virginalement. Elle
était si près que c'était terrible. Gilliatt l'entendait respirer.

Il y avait dans les profondeurs un rossignol qui chantait. Les passages du vent dans les branches mettaient en
mouvement l'ineffable silence nocturne. Déruchette, jolie et sacrée, apparaissait dans ce crépuscule comme la
résultante de ces rayons et de ces parfums ; ce charme
immense et épars aboutissait mystérieusement à elle, et
s'y condensait, et elle en était l'épanouissement. Elle
semblait l'âme fleur de toute cette ombre.

Toute cette ombre, flottante en Déruchette, pesait sur
Gilliatt. Il était éperdu. Ce qu'il éprouvait échappe aux
paroles ; l'émotion est toujours neuve et le mot a toujours
servi ; de là l'impossibilité d'exprimer l'émotion. L'accablement du ravissement existe. Voir Déruchette, la voir
elle-même, voir sa robe, voir son bonnet, voir son ruban
qu'elle tourne autour de son doigt, est-ce qu'on peut se
figurer une telle chose ? Être près d'elle, est-ce que c'est
possible ? l'entendre respirer, elle respire donc ! alors les
astres respirent. Gilliatt frissonnait. Il était le plus misérable et le plus enivré des hommes. Il ne savait que faire.
Ce délire de la voir l'anéantissait. Quoi ! c'était elle qui
était là, et c'était lui qui était ici ! Ses idées, éblouies et
fixes, s'arrêtaient sur cette créature comme sur une escar-
boucle. Il regardait cette nuque et ces cheveux. Il ne se
disait même pas que tout cela maintenant était à lui,
qu'avant peu, demain peut-être, ce bonnet il aurait le
droit de le défaire, ce ruban il aurait le droit de le dé-

nouer. Songer jusque-là, il n'eût pas même conçu un
moment cet excès d'audace. Toucher avec la pensée,
c'est presque toucher avec la main. L'amour était pour
Gilliatt comme le miel pour l'ours, le rêve exquis et
délicat. Il pensait confusément. Il ne savait ce qu'il avait.
Le rossignol chantait. Il se sentait expirer.

Se lever, franchir le mur, s'approcher, dire c'est moi,
parler à Déruchette, cette idée ne lui venait pas. Si elle lui
fût venue, il se fût enfui. Si quelque chose de semblable à
une pensée parvenait à poindre dans son esprit, c'était
ceci, que Déruchette était là, qu'il n'y avait besoin de rien
de plus, et que l'éternité commençait.

Un bruit les tira tous les deux, elle de sa rêverie, lui de
son extase.

Quelqu'un marchait dans le jardin. On ne voyait pas
qui, à cause des arbres. C'était un pas d'homme.

Déruchette leva les yeux.

Les pas s'approchèrent, puis cessèrent. La personne
qui marchait venait de s'arrêter. Elle devait être tout près.
Le sentier où était le banc se perdait entre deux massifs.
C'est là qu'était cette personne, dans cet entre-deux, à
quelques pas du banc.

Le hasard avait disposé les épaisseurs des branches de
telle sorte que Déruchette la voyait, mais que Gilliatt ne
la voyait pas.

La lune projetait sur la terre hors du massif jusqu'au
banc, une ombre.

Gilliatt voyait cette ombre.

Il regarda Déruchette.

Elle était toute pâle. Sa bouche entrouverte ébauchait
un cri de surprise. Elle s'était soulevée à demi sur le banc
et elle y était retombée ; il y avait dans son attitude un
mélange de fuite et de fascination. Son étonnement était
un enchantement plein de crainte. Elle avait sur les lèvres
presque le rayonnement du sourire et une lueur de larmes
dans les yeux. Elle était comme transfigurée par une
présence. Il ne semblait pas que l'être qu'elle voyait fût de
la terre. La réverbération d'un ange était dans son regard.

L'être qui n'était pour Gilliatt qu'une ombre parla. Une
voix sortit du massif, plus douce qu'une voix de femme,

une voix d'homme pourtant. Gilliatt entendit ces paroles :

— Mademoiselle, je vous vois tous les dimanches et tous les jeudis ; on m'a dit qu'autrefois vous ne veniez pas si souvent. C'est une remarque qu'on a faite, je vous demande pardon. Je ne vous ai jamais parlé, c'était mon devoir ; aujourd'hui je vous parle, c'est mon devoir. Je dois d'abord m'adresser à vous. Le *Cashmere* part demain. C'est ce qui fait que je suis venu. Vous vous promenez tous les soirs dans votre jardin. Ce serait mal à moi de connaître vos habitudes si je n'avais pas la pensée que j'ai. Mademoiselle, vous êtes pauvre ; depuis ce matin je suis riche. Voulez-vous de moi pour votre mari ?

Déruchette joignit ses deux mains comme une suppliante, et regarda celui qui lui parlait, muette, l'œil fixe, tremblante de la tête aux pieds.

La voix reprit.

— Je vous aime. Dieu n'a pas fait le cœur de l'homme pour qu'il se taise. Puisque Dieu promet l'éternité, c'est qu'il veut qu'on soit deux. Il y a pour moi sur la terre une femme, c'est vous. Je pense à vous comme à une prière. Ma foi est en Dieu et mon espérance est en vous. Les ailes que j'ai, c'est vous qui les portez. Vous êtes ma vie, et déjà mon ciel.

— Monsieur, dit Déruchette, il n'y a personne pour répondre dans la maison.

La voix s'éleva de nouveau :

— J'ai fait ce doux songe. Dieu ne défend pas les songes. Vous me faites l'effet d'une gloire. Je vous aime passionnément, mademoiselle. La sainte innocence, c'est vous. Je sais que c'est l'heure où l'on est couché, mais je n'avais pas le choix d'un autre moment. Vous rappelez-vous ce passage de la Bible qu'on nous a lu ? Genèse, chapitre vingt-cinq. J'y ai toujours songé depuis. Je l'ai relu souvent. Le révérend Hérode me disait : Il vous faut une femme riche. Je lui ai répondu : Non, il me faut une femme pauvre. Mademoiselle, je vous parle sans approcher, je me reculerai même si vous ne voulez pas que mon ombre touche vos pieds. C'est vous qui êtes la souveraine ; vous viendrez à moi si vous voulez. J'aime et j'attends. Vous êtes la forme vivante de la bénédiction.

— Monsieur, balbutia Déruchette, je ne savais pas qu'on me remarquait le dimanche et le jeudi.

La voix continua :

— On ne peut rien contre les choses angéliques. Toute la loi est amour. Le mariage, c'est Chanaan. Vous êtes la beauté promise. O pleine de grâce, je vous salue.

Déruchette répondit :

— Je ne croyais pas faire plus de mal que les autres personnes qui étaient exactes.

La voix poursuivit :

— Dieu a mis ses intentions dans les fleurs, dans l'aurore, dans le printemps, et il veut qu'on aime. Vous êtes belle dans cette obscurité sacrée de la nuit. Ce jardin a été cultivé par vous, et dans ses parfums il y a quelque chose de votre haleine. Mademoiselle, les rencontres des âmes ne dépendent pas d'elles. Ce n'est pas de notre faute. Vous assistiez, rien de plus : j'étais là, rien de plus. Je n'ai rien fait que de sentir que je vous aimais. Quelquefois mes yeux se sont levés sur vous. J'ai eu tort, mais comment faire ? c'est en vous regardant que tout est venu. On ne peut s'empêcher. Il y a des volontés mystérieuses qui sont au-dessus de nous. Le premier des temples, c'est le cœur. Avoir votre âme dans ma maison, c'est à ce paradis terrestre que j'aspire, y consentez-vous ? Tant que j'ai été pauvre, je n'ai rien dit. Je sais votre âge. Vous avez vingt et un ans, j'en ai vingt-six. Je pars demain ; si vous me refusez, je ne reviendrai pas. Soyez mon engagée, voulez-vous ? Mes yeux ont déjà, plus d'une fois, malgré moi, fait aux vôtres cette question. Je vous aime, répondez-moi. Je parlerai à votre oncle dès qu'il pourra me recevoir, mais je me tourne d'abord vers vous. C'est à Rebecca qu'on demande Rebecca. A moins que vous ne m'aimiez pas.

Déruchette pencha le front, et murmura :

— Oh ! je l'adore !

Cela fut dit si bas que Gilliatt seul entendit.

Elle resta le front baissé comme si le visage dans l'ombre mettait dans l'ombre la pensée.

Il y eut une pause. Les feuilles d'arbres ne remuaient pas. C'était ce moment sévère et paisible où le sommeil des choses s'ajoute au sommeil des êtres, et où la nuit semble écouter le battement de cœur de la nature. Dans ce recueillement s'élevait, comme une harmonie qui complète un silence, le bruit immense de la mer.

La voix reprit :

— Mademoiselle.

Déruchette tressaillit.

La voix continua :

— Hélas ! j'attends.

— Qu'attendez-vous ?

— Votre réponse.

— Dieu l'a entendue, dit Déruchette.

Alors la voix devint presque sonore, et en même temps plus douce que jamais. Ces paroles sortirent du massif, comme d'un buisson ardent :

— Tu es ma fiancée. Lève-toi, et viens. Que le bleu plafond où sont les astres assiste à cette acceptation de mon âme par ton âme, et que notre premier baiser se mêle au firmament !

Déruchette se leva, et demeura un instant immobile, le regard fixé devant elle, sans doute sur un autre regard. Puis, à pas lents, la tête droite, les bras pendants et les doigts des mains écartés comme lorsqu'on marche sur un support inconnu, elle se dirigea vers le massif et y disparut.

Un moment après, au lieu d'une ombre sur le sable il y en avait deux, elles se confondaient, et Gilliatt voyait à ses pieds l'embrassement de ces deux ombres.

Le temps coule de nous comme d'un sablier, et nous n'avons pas le sentiment de cette fuite, surtout dans de certains instants suprêmes. Ce couple d'un côté, qui ignorait ce témoin et ne le voyait pas, de l'autre ce témoin qui ne voyait pas ce couple, mais qui le savait là, combien de minutes demeurèrent-ils ainsi, dans cette suspension mystérieuse ? Il serait impossible de le dire. Tout à coup, un bruit lointain éclata, une voix cria : Au secours ! et la cloche du port sonna. Ce tumulte, il est probable que le bonheur, ivre et céleste, ne l'entendit pas.

La cloche continua de sonner. Quelqu'un qui eût cherché Gilliatt dans l'angle du mur ne l'y eût plus trouvé.

LIVRE DEUXIÈME

LA RECONNAISSANCE EN PLEIN DESPOTISME

I

JOIE ENTOURÉE D'ANGOISSES

Mess Lethierry agitait la cloche avec emportement. Brusquement il s'arrêta. Un homme venait de tourner l'angle du quai. C'était Gilliatt.

Mess Lethierry courut à lui, ou pour mieux dire se jeta sur lui, lui prit la main dans ses poings, et le regarda un moment dans les deux yeux en silence ; un de ces silences qui sont de l'explosion ne sachant par où sortir.

Puis avec violence, le secouant et le tirant, et le serrant dans ses bras, il fit entrer Gilliatt dans la salle basse des Bravées, en repoussa du talon la porte qui demeura entrouverte, s'assit, ou tomba, sur une chaise à côté d'une grande table éclairée par la lune dont le reflet blanchissait vaguement le visage de Gilliatt, et, d'une voix où il y avait des éclats de rire et des sanglots mêlés, il cria :

— Ah ! mon fils ! l'homme au bag-pipe ! Gilliatt ! je savais bien que c'était toi ! La panse, parbleu ! conte-moi ça. Tu y es donc allé ! On t'aurait brûlé il y a cent ans. C'est de la magie. Il ne manque pas une vis. J'ai déjà tout regardé, tout reconnu, tout manié. Je devine que les roues sont dans les deux caisses. Te voilà donc enfin ! Je viens de te chercher dans ta cabine. J'ai sonné la cloche. Je te cherchais. Je me disais : Où est-il que je le mange ! Il faut convenir qu'il se passe des choses extraordinaires. Cet animal-là revient de l'écueil Douvres. Il me rapporte ma vie. Tonnerre ! tu es un ange. Oui, oui, oui, c'est ma machine. Personne n'y croira. On le verra, on dira : Ce n'est pas vrai. Tout y est, quoi ! Tout y est ! Il ne manque par un serpentin. Il ne manque pas un apitage [345]. Le tube de prise d'eau n'a pas bougé. C'est incroyable qu'il n'y

ait pas eu d'avarie. Il n'y a qu'un peu d'huile à mettre.
Mais comment as-tu fait? Et dire que Durande va remar-
cher! L'arbre des roues est démonté comme par un bijoutier. Donne-moi ta parole d'honneur que je ne suis pas
fou.

Il se dressa debout, respira, et poursuivit:

— Jure-moi ça. Quelle révolution! Je me pince, je
sens bien que je ne rêve pas. Tu es mon enfant, tu es mon
garçon, tu es le bon Dieu. Ah! mon fils! Avoir été me
chercher ma gueuse de machine! En pleine mer! dans ce
guet-apens d'écueil! J'ai vu des choses très farces dans
ma vie. Je n'ai rien vu de tel. J'ai vu les Parisiens qui sont
des satans. Je t'en fiche qu'ils feraient ça. C'est pis que la
Bastille. J'ai vu les gauchos labourer dans les pampas, ils
ont pour charrue une branche d'arbre qui a un coude et
pour herse un fagot d'épines tiré avec une corde de cuir,
ils récoltent avec ça des grains de blé gros comme des
noisettes. C'est de la gnognotte à côté de toi. Tu as fait là
un miracle, un pour de vrai. Ah! le gredin! Saute-moi
donc au cou. Et on te devra tout le bonheur du pays.
Vont-ils bougonner dans Saint-Sampson! Je vais m'occuper tout de suite de refaire le bachot. C'est étonnant, la
bielle n'a rien de cassé. Messieurs, il est allé aux Douvres. Je dis les Douvres. Il est allé tout seul. Les Douvres! un caillou qu'il n'y a rien de pire. Tu sais, t'a-t-on
dit? c'est prouvé, ça a été fait exprès, Clubin a coulé
Durande pour me filouter de l'argent qu'il avait à m'apporter. Il a soûlé Tangrouille. C'est long, je te raconterai
un autre jour la piraterie. Moi, affreuse brute, j'avais
confiance dans Clubin. Il s'y est pincé, le scélérat, car il
n'a pas dû en sortir. Il y a un Dieu, canaille! Vois-tu,
Gilliatt, tout de suite, dar, dar, les fers au feu, nous allons
rebâtir Durande. Nous lui donnerons vingt pieds de plus.
On fait maintenant les bateaux plus longs. J'achèterai du
bois à Dantzig et à Brême. A présent que j'ai la machine,
on me fera crédit. La confiance reviendra.

Mess Lethierry s'arrêta, leva les yeux avec ce regard
qui voit le ciel à travers le plafond, et dit entre ses dents:
Il y en a un.

Puis il posa le médius de sa main droite entre ses deux

sourcils, l'ongle appuyé sur la naissance du nez, ce qui indique le passage d'un projet dans le cerveau, et il reprit :

— C'est égal, pour tout recommencer sur une grande échelle, un peu d'argent comptant eût bien fait mon affaire. Ah ! si j'avais mes trois bank-notes, les soixante-quinze mille francs que ce brigand de Rantaine m'a rendus et que ce brigand de Clubin m'a volés !

Gilliatt, en silence, chercha dans sa poche quelque chose qu'il posa devant lui. C'était la ceinture de cuir qu'il avait rapportée. Il ouvrit et étala sur la table cette ceinture dans l'intérieur de laquelle la lune laissait déchiffrer le mot *Clubin ;* il tira du gousset de la ceinture une boîte, et de la boîte trois morceaux de papier pliés qu'il déplia et qu'il tendit à mess Lethierry.

Mess Lethierry examina les trois morceaux de papier. Il faisait assez clair pour que le chiffre 1 000 et le mot *thousand* y fussent parfaitement visibles. Mess Lethierry prit les trois billets, les posa sur la table l'un à côté de l'autre, les regarda, regarda Gilliatt, resta un moment interdit, puis ce fut comme une éruption après une explosion.

— Ça aussi ! Tu es prodigieux. Mes bank-notes ! toutes les trois ! mille chaque ! mes soixante-quinze mille francs ! Tu es donc allé jusqu'en enfer. C'est la ceinture à Clubin. Pardieu ! je lis dedans son ordure de nom. Gilliatt rapporte la machine, plus l'argent ! Voilà de quoi mettre dans les journaux. J'achèterai du bois première qualité. Je devine, tu auras retrouvé la carcasse. Clubin pourri dans quelque coin. Nous prendrons le sapin à Dantzig et le chêne à Brême, nous ferons un bon bordé, nous mettrons le chêne en dedans et le sapin en dehors. Autrefois on fabriquait les navires moins bien et ils duraient davantage ; c'est que le bois était plus assaisonné, parce qu'on ne construisait pas tant. Nous ferons peut-être la coque en orme. L'orme est bon pour les parties noyées ; être tantôt sec, tantôt trempé, ça le pourrit ; l'orme veut être toujours mouillé, il se nourrit d'eau. Quelle belle Durande nous allons conditionner ! On ne me fera pas la loi. Je n'aurai plus besoin de crédit. J'ai les sous. A-t-on jamais vu ce

Gilliatt! J'étais par terre, aplati, mort. Il me remet debout
sur mes quatre fers! Et moi qui ne pensais pas du tout à
lui! Ça m'était sorti de l'esprit. Tout me revient, à présent. Pauvre garçon! Ah! par exemple, tu sais, tu épouses Déruchette.

Gilliatt s'adossa au mur, comme quelqu'un qui chancelle, et très bas, mais très distinctement, il dit:

— Non.

Mess Lethierry eut un soubresaut.

— Comment, non!

Gilliatt répondit:

— Je ne l'aime pas.

Mess Lethierry alla à la fenêtre, l'ouvrit et la referma,
revint à la table, prit les trois bank-notes, les plia, posa la
boîte de fer dessus, se gratta les cheveux, saisit la ceinture
de Clubin, la jeta violemment contre la muraille, et dit:

— Il y a quelque chose.

Il enfonça ses deux poings dans ses deux poches, et
reprit:

— Tu n'aimes pas Déruchette! C'est donc pour moi
que tu jouais du bag-pipe?

Gilliatt, toujours adossé au mur, pâlissait comme un
homme qui tout à l'heure ne respirera plus. A mesure
qu'il devenait pâle, mess Lethierry devenait rouge.

— En voilà un imbécile! Il n'aime pas Déruchette! Eh
bien, arrange-toi pour l'aimer, car elle n'épousera que
toi. Quelle diable d'anecdote viens-tu me conter là! Si tu
crois que je te crois! Est-ce que tu es malade? c'est bon,
envoie chercher le médecin, mais ne dis pas d'extrava-
gances. Pas possible que tu aies déjà eu le temps de vous
quereller et de te fâcher avec elle. Il est vrai que les
amoureux, c'est si bête! Voyons, as-tu des raisons? Si tu
as des raisons, dis-les. On n'est pas une oie sans avoir des
raisons. Après ça, j'ai du coton dans les oreilles, j'ai
peut-être mal entendu, répète ce que tu as dit.

Gilliatt répliqua:

— J'ai dit non.

— Tu as dit non. Il y tient, la brute! Tu as quelque
chose, c'est sûr! Tu as dit non! Voilà une stupidité qui
dépasse les limites du monde connu. On flanque des

douches aux personnes pour bien moins que ça. Ah! tu
n'aimes pas Déruchette! Alors c'est pour l'amour du
bonhomme que tu as fait tout ce que tu as fait! C'est pour
les beaux yeux du papa que tu es allé aux Douvres, que tu
as eu froid, que tu as eu chaud, que tu as crevé de faim et
de soif, que tu as mangé de la vermine de rocher, que tu
as eu le brouillard, la pluie et le vent pour chambre à
coucher, et que tu as exécuté la chose de me rapporter ma
machine, comme on rapporte à une jolie femme son serin
qui s'est échappé! Et la tempête d'il y a trois jours! Si tu
t'imagines que je ne me rends pas compte. Tu en as eu du
tirage! C'est en faisant la bouche en cœur du côté de ma
vieille caboche que tu as taillé, coupé, tourné, viré,
traîné, limé, scié, charpenté, inventé, écrabouillé, et fait
plus de miracles à toi tout seul que tous les saints du
paradis. Ah! idiot! tu m'as pourtant assez ennuyé avec
ton bag-pipe. On appelle ça biniou en Bretagne. Toujours
le même air, l'animal! Ah! tu n'aimes pas Déruchette! Je
ne sais pas ce que tu as. Je me rappelle bien tout à
présent, j'étais là dans le coin, Déruchette a dit: je
l'épouserai. Et elle t'épousera! Ah! tu ne l'aimes pas!
Réflexions faites, je ne comprends rien. Ou tu es fou, ou
je le suis. Et le voilà qui ne dit plus un mot. Ça n'est pas
permis de faire tout ce que tu as fait, et de dire à la fin: Je
n'aime pas Déruchette. On ne rend pas service aux gens
pour les mettre en colère. Eh bien, si tu ne l'épouses pas,
elle coiffera sainte Catherine. D'abord, j'ai besoin de toi,
moi. Tu seras le pilote de Durande. Si tu t'imagines que je
vais te laisser aller comme ça! Ta, ta, ta, nenni mon
cœur, je ne te lâche point. Je te tiens. Je ne t'écoute
seulement pas. Où y a-t-il un matelot comme toi! Tu es
mon homme. Mais parle donc!

Cependant la cloche avait réveillé la maison et les
environs. Douce et Grâce s'étaient levées et venaient
d'entrer dans la salle basse, l'air stupéfait, sans dire mot.
Grâce avait à la main une chandelle. Un groupe de voisins, bourgeois, marins et paysans, sortis en hâte, était
dehors sur le quai, considérant avec pétrification et stupeur la cheminée de la Durande dans la panse. Quelques-
uns, entendant la voix de mess Lethierry dans la salle

basse, commençaient à s'y glisser silencieusement par la
porte entrebâillée. Entre deux faces de commères, passait
la tête de sieur Landoys qui avait ce hasard d'être toujours
là où il aurait regretté de ne pas être.

Les grandes joies ne demandent pas mieux que d'avoir
un public. Le point d'appui un peu épars qu'offre toujours une foule leur plaît; elles repartent de là. Mess
Lethierry s'aperçut tout à coup qu'il y avait des gens
autour de lui. Il accepta d'emblée l'auditoire.

— Ah! vous voilà, vous autres. C'est bien heureux.
Vous savez la nouvelle. Cet homme a été là et il a
rapporté ça. Bonjour, sieur Landoys. Tout à l'heure,
quand je me suis réveillé, j'ai vu le tuyau. C'était sous ma
fenêtre. Il ne manque pas un clou à la chose. On fait des
gravures de Napoléon; moi, j'aime mieux ça que la
bataille d'Austerlitz. Vous sortez de votre lit, bonnes
gens. La Durande vous vient en dormant. Pendant que
vous mettez vos bonnets de coton et que vous soufflez
vos chandelles, il y a des gens qui sont des héros. On est
un tas de lâches et de fainéants, on chauffe ses rhumatismes, heureusement cela n'empêche pas qu'il y ait des
enragés. Ces enragés vont où il faut aller et font ce qu'il
faut faire. L'homme du Bû de la Rue arrive du rocher
Douvres. Il a repêché la Durande au fond de la mer, il a
repêché l'argent dans la poche de Clubin, un trou encore
plus profond. Mais comment as-tu fait? Tout le diantre
était contre toi, le vent et la marée, la marée et le vent.
C'est vrai que tu es sorcier. Ceux qui disent ça ne sont
déjà pas si bêtes. La Durande est revenue! les tempêtes
ont beau avoir de la méchanceté, ça la leur coupe rasibus.
Mes amis, je vous annonce qu'il n'y a plus de naufrages.
J'ai visité la mécanique. Elle est comme neuve, entière,
quoi! Les tiroirs à vapeur jouent comme sur des roulettes.
On dirait un objet d'hier matin. Vous savez que l'eau qui
sort est conduite hors du bateau par un tube placé dans un
autre tube par où passe l'eau qui entre, pour utiliser la
chaleur; eh bien, les deux tubes, ça y est. Toute la
machine! les roues aussi! Ah! tu l'épouseras!

— Qui? la machine? demanda sieur Landoys.

— Non, la fille. Oui, la machine. Les deux. Il sera

deux fois mon gendre. Il sera le capitaine. Good bye, capitaine Gilliatt. Il va y en avoir une, de Durande ! On va en faire des affaires, et de la circulation, et du commerce, et des chargements de bœufs et de moutons ! Je ne donnerais pas Saint-Sampson pour Londres. Et voici l'auteur. Je vous dis que c'est une aventure. On lira ça samedi dans la gazette au père Mauger. Gilliatt le Malin est un malin. Qu'est-ce que c'est que ces louis d'or là.

Mess Lethierry venait de remarquer, par l'hiatus du couvercle, qu'il y avait de l'or dans la boîte posée sur les bank-notes. Il la prit, l'ouvrit, la vida dans la paume de sa main, et mit la poignée de guinées sur la table.

— Pour les pauvres. Sieur Landoys, donnez ces pounds de ma part au connétable de Saint-Sampson. Vous savez, la lettre de Rantaine ? Je vous l'ai montrée ; eh bien, j'ai les bank-notes. Voilà de quoi acheter du chêne et du sapin et faire de la menuiserie. Regardez plutôt. Vous rappelez-vous le temps d'il y a trois jours ? Quel massacre de vent et de pluie ! Le ciel tirait le canon. Gilliatt a reçu ça dans les Douvres. Ça ne l'a pas empêché de décrocher l'épave comme je décroche ma montre. Grâce à lui, je redeviens quelqu'un. La galiote au père Lethierry va reprendre son service, messieurs mesdames. Une coquille de noix avec deux roues et un tuyau de pipe, j'ai toujours été toqué de cette invention-là. Je me suis toujours dit : j'en ferai une ! Ça date de loin ; c'est une idée qui m'est venue à Paris dans le café qui fait le coin de la rue Christine et de la rue Dauphine en lisant un journal qui en parlait. Savez-vous bien que Gilliatt ne serait pas gêné pour mettre la machine de Marly dans son gousset et pour se promener avec ? C'est du fer battu, cet homme-là, de l'acier trempé, du diamant, un marin bon jeu bon argent, un forgeron, un gaillard extraordinaire, plus étonnant que le prince de Hohenlohe [346]. J'appelle ça un homme qui a de l'esprit. Nous sommes tous des pas grand-chose. Les loups de mer, c'est vous, c'est moi, c'est nous ; mais le lion de mer, le voici. Hurrah, Gilliatt ! Je ne sais pas ce qu'il a fait, mais certainement il a été un diable, et comment veut-on que je ne lui donne pas Déruchette !

Depuis quelques instants, Déruchette était dans la

salle. Elle n'avait pas dit un mot, elle n'avait pas fait de
bruit. Elle avait eu une entrée d'ombre. Elle s'était assise,
presque inaperçue, sur une chaise en arrière de mess
Lethierry debout, loquace, orageux, joyeux, abondant en
gestes et parlant haut. Un peu après elle, une autre apparition muette s'était faite. Un homme vêtu de noir, en
cravate blanche, ayant son chapeau à la main, s'était
arrêté dans l'entrebâillement de la porte. Il y avait maintenant plusieurs chandelles dans le groupe lentement
grossi. Ces lumières éclairaient de côté l'homme vêtu de
noir ; son profil, d'une blancheur jeune et charmante, se
dessinait sur le fond obscur avec une pureté de médaille ;
il appuyait son coude à l'angle d'un panneau de la porte,
et il tenait son front dans sa main gauche, attitude, à son
insu, gracieuse, qui faisait valoir la grandeur du front par
la petitesse de la main. Il y avait un pli d'angoisse au coin
de ses lèvres contractées. Il examinait et écoutait avec
une attention profonde. Les assistants, ayant reconnu le
révérend Ebenezer Caudray, recteur de la paroisse,
s'étaient écartés pour le laisser passer, mais il était resté
sur le seuil. Il y avait de l'hésitation dans sa posture et de
la décision dans son regard. Ce regard par moments se
rencontrait avec celui de Déruchette. Quant à Gilliatt, soit
par hasard, soit exprès, il était dans l'ombre, et on ne le
voyait que très confusément.

Mess Lethierry d'abord n'aperçut pas M. Ebenezer,
mais il aperçut Déruchette. Il alla à elle, et l'embrassa
avec tout l'emportement que peut avoir un baiser au
front. En même temps il étendait le bras vers le coin
sombre où était Gilliatt.

— Déruchette, dit-il, te revoilà riche, et voilà ton mari.

Déruchette leva la tête avec égarement et regarda dans
cette obscurité.

Mess Lethierry reprit :

— On fera la noce tout de suite, demain si ça se peut,
on aura les dispenses, d'ailleurs ici les formalités ne sont
pas lourdes, le doyen fait ce qu'il veut, on est marié avant
qu'on ait eu le temps de crier gare, ce n'est pas comme en
France, où il faut des bans, des publications, des délais,
tout le bataclan, et tu pourras te vanter d'être la femme

d'un brave homme, et il n'y a pas à dire, c'est que c'est
un marin, je l'ai pensé dès le premier jour quand je l'ai vu
revenir de Herm avec le petit canon. A présent il revient
des Douvres, avec sa fortune, et la mienne, et la fortune
du pays; c'est un homme dont on parlera un jour comme
il n'est pas possible; tu as dit: je l'épouserai, tu l'épouseras; et vous aurez des enfants, et je serai grand-père, et
tu auras cette chance d'être la lady d'un gaillard sérieux,
qui travaille, qui est utile, qui est surprenant, qui en vaut
cent, qui sauve les inventions des autres, qui est une
providence, et au moins, toi, tu n'auras pas, comme
presque toutes les chipies riches de ce pays-ci, épousé un
soldat ou un prêtre, c'est-à-dire l'homme qui tue ou
l'homme qui ment. Mais qu'est-ce que tu fais dans ton
coin, Gilliatt? On ne te voit pas. Douce! Grâce! tout le
monde, de la lumière. Illuminez-moi mon gendre à
giorno. Je vous fiance, mes enfants, et voilà ton mari, et
voilà mon gendre, c'est Gilliatt du Bû de la Rue, le bon
garçon, le grand matelot, et je n'aurai pas d'autre gendre,
et tu n'auras pas d'autre mari, j'en redonne ma parole
d'honneur au bon Dieu. Ah! c'est vous, monsieur le
curé, vous me marierez ces jeunes gens-là.

L'œil de mess Lethierry venait de tomber sur le révérend Ebenezer.

Douce et Grâce avaient obéi. Deux chandelles posées
sur la table éclairaient Gilliatt de la tête aux pieds.

— Qu'il est beau! cria Lethierry.

Gilliatt était hideux.

Il était tel qu'il était sorti, le matin même, de l'écueil
Douvres, en haillons, les coudes percés, la barbe longue,
les cheveux hérissés, les yeux brûlés et rouges, la face
écorchée, les poings saignants; il avait les pieds nus.
Quelques-unes des pustules de la pieuvre étaient encore
visibles sur ses bras velus.

Lethierry le contemplait.

— C'est mon vrai gendre. Comme il s'est battu avec
la mer! il est tout en loques! Quelles épaules! quelles
pattes! Que tu es beau!

Grâce courut à Déruchette et lui soutint la tête. Déruchette venait de s'évanouir.

II

LA MALLE DE CUIR

Dès l'aube, Saint-Sampson était sur pied et Saint-Pierre-Port commençait à arriver. La résurrection de la Durande faisait dans l'île un bruit comparable à celui qu'a fait dans le midi de la France la Salette [347]. Il y avait foule sur le quai pour regarder la cheminée sortant de la panse. On eût bien voulu voir et toucher un peu la machine ; mais Lethierry, après avoir fait de nouveau, et au jour, l'inspection triomphante de la mécanique, avait posté dans la panse deux matelots chargés d'empêcher l'approche. La cheminée, au surplus, suffisait à la contemplation. La foule s'émerveillait. On ne parlait que de Gilliatt. On commentait et on acceptait son surnom de Malin ; l'admiration s'achevait volontiers par cette phrase : « Ce n'est toujours pas agréable d'avoir dans l'île des gens capables de faire des choses comme ça. »

On voyait du dehors mess Lethierry assis à sa table devant sa fenêtre et écrivant, un œil sur son papier, l'autre sur la machine. Il était tellement absorbé qu'il ne s'était interrompu qu'une fois pour « crier * » Douce et pour lui demander des nouvelles de Déruchette. Douce avait répondu : « Mademoiselle s'est levée, et est sortie ». Mess Lethierry avait dit : « Elle fait bien de prendre l'air. Elle s'est trouvée un peu mal cette nuit à cause de la chaleur. Il y avait beaucoup de monde dans la salle. Et puis la surprise, la joie, avec cela que les fenêtres étaient fermées. Elle va avoir un fier mari ! » Et il avait recommencé à écrire. Il avait déjà paraphé et scellé deux lettres

*Appeler.

adressées aux plus notables maîtres de chantiers de Brême. Il achevait de cacheter la troisième.

Le bruit d'une roue sur le quai lui fit dresser le cou. Il se pencha et vit déboucher du sentier par où l'on allait au Bû de la Rue un boy poussant une brouette. Ce boy se dirigeait du côté de Saint-Pierre-Port. Il y avait dans la brouette une malle de cuir jaune damasquinée de clous de cuivre et d'étain.

Mess Lethierry apostropha le boy.

— Où vas-tu, garçon?

Le boy s'arrêta, et répondit :

— Au *Cashmere*.

— Quoi faire?

— Porter cette malle.

— Eh bien, tu porteras aussi ces trois lettres.

Mess Lethierry ouvrit le tiroir de sa table, y prit un bout de ficelle, noua ensemble sous un nœud en croix les trois lettres qu'il venait d'écrire, et jeta le paquet au boy qui le reçut au vol dans ses deux mains.

— Tu diras au capitaine du *Cashmere* que c'est moi qui écris, et qu'il ait soin. C'est pour l'Allemagne. Brême via London.

— Je ne parlerai pas au capitaine, mess Lethierry.

— Pourquoi?

— Le *Cashmere* n'est pas à quai.

— Ah!

— Il est en rade.

— C'est juste. A cause de la mer.

— Je ne pourrai parler qu'au patron de l'embarcation.

— Tu lui recommanderas mes lettres.

— Oui, mess Lethierry.

— A quelle heure part le *Cashmere*?

— A douze heures.

— A midi, aujourd'hui, la marée monte. Il a la marée contre.

— Mais il a le vent pour.

— Boy, dit mess Lethierry braquant son index sur la cheminée de la machine, vois-tu ça? ça se moque du vent et de la marée.

Le boy mit les lettres dans sa poche, ressaisit le bran-

card de la brouette, et reprit sa course vers la ville. Mess
Lethierry appela : Douce ! Grâce !

Grâce entrebâilla la porte.

— Mess, qu'y a-t-il ?

— Entre, et attends.

Mess Lethierry prit une feuille de papier et se mit à
écrire. Si Grâce, debout derrière lui, eût été curieuse et
eût avancé la tête pendant qu'il écrivait, elle aurait pu
lire, par-dessus son épaule, ceci :

*J'écris à Brême pour du bois. J'ai rendez-vous toute la
journée avec des charpentiers pour l'estimat* [348]. *La re-
construction marchera vite. Toi, de ton côté, va chez le
doyen pour avoir les dispenses. Je désire que le mariage
se fasse le plus tôt possible, tout de suite serait le mieux.
Je m'occupe de Durande, occupe-toi de Déruchette.*

Il data, et signa : LETHIERRY.

Il ne prit point la peine de cacheter le billet, le plia
simplement en quatre et le tendit à Grâce.

— Porte cela à Gilliatt.

— Au Bû de la Rue ?

— Au Bû de la Rue.

LIVRE TROISIÈME

DÉPART DU « CASHMERE »

I

LE HAVELET TOUT PROCHE DE L'ÉGLISE

Saint-Sampson ne peut avoir foule sans que Saint-Pierre-Port soit désert. Une chose curieuse sur un point donné est une pompe aspirante. Les nouvelles courent vite dans les petits pays; aller voir la cheminée de la Durande sous les fenêtres de mess Lethierry était depuis le lever du soleil la grande affaire de Guernesey. Tout autre événement s'était effacé devant celui-là. Éclipse de la mort du doyen de Saint-Asaph; il n'était plus question du révérend Ebenezer Caudray, ni de sa soudaine richesse, ni de son départ par le *Cashmere*. La machine de la Durande rapportée des Douvres, tel était l'ordre du jour. On n'y croyait pas. Le naufrage avait paru extraordinaire, mais le sauvetage semblait impossible. C'était à qui s'en assurerait par ses yeux. Toute autre préoccupation était suspendue. De longues files de bourgeois en famille, depuis le vésin [349] jusqu'au mess, des hommes, des femmes, des gentlemen, des mères avec enfants et des enfants avec poupées, se dirigeaient par toutes les routes vers « la chose à voir » aux Bravées et tournaient le dos à Saint-Pierre-Port. Beaucoup de boutiques dans Saint-Pierre-Port étaient fermées; dans Commercial-Arcade, stagnation absolue de vente et de négoce; toute l'attention était à la Durande; pas un marchand n'avait « étrenné »; excepté un bijoutier, lequel s'émerveillait d'avoir vendu un anneau d'or pour mariage « à une espèce d'homme paraissant fort pressé qui lui avait demandé la demeure de monsieur le doyen ». Les boutiques restées ouvertes étaient les lieux de causerie où l'on commentait bruyamment le miraculeux sauvetage. Pas un promeneur à l'Hyvreuse, qu'on nomme aujourd'hui, sans savoir pourquoi, Cambridge-Park; personne dans High-Street, qui s'appelait alors la Grand'Rue, ni dans Smith-Street, qui s'appelait alors la rue des Forges; personne dans Hauteville; l'Esplanade elle-même était dépeuplée. On eût dit un dimanche. Une altesse royale en visite passant la revue de la milice à l'Ancresse n'eût pas mieux vidé la ville. Tout ce dérangement à propos d'un rien du tout comme ce Gilliatt faisait hausser les épaules aux hommes graves et aux personnes correctes.

L'église de Saint-Pierre-Port, triple pignon juxtaposé avec transept et flèche, est au bord de l'eau au fond du port presque sur le débarcadère même. Elle donne la bienvenue à ceux qui arrivent et l'adieu à ceux qui s'en vont. Cette église est la majuscule de la longue ligne que fait la façade de la ville sur l'océan.

Elle est en même temps paroisse de Saint-Pierre-Port et doyenné de toute l'île. Elle a pour desservant le subrogé de l'évêque, clergyman à pleins pouvoirs.

Le havre de Saint-Pierre-Port, très beau et très large port aujourd'hui, était à cette époque, et il y a dix ans encore, moins considérable que le havre de Saint-Sampson. C'étaient deux grosses murailles cyclopéennes courbes partant du rivage à tribord et à bâbord et se rejoignant presque à leur extrémité, où il y avait un petit phare blanc. Sous ce phare un étroit goulet, ayant encore le double anneau de la chaîne qui le fermait au Moyen Age, donnait passage aux navires. Qu'on se figure une pince de homard entrouverte, c'était le havre de Saint-Pierre-Port. Cette tenaille prenait sur l'abîme un peu de mer qu'elle forçait à se tenir tranquille. Mais, par le vent d'est, il y avait du flot à l'entrebâillement, le port clapotait, et il était plus sage de ne point entrer. C'est ce qu'avait fait ce jour-là le *Cashmere*. Il avait mouillé en rade.

Les navires, quand il y avait du vent d'est, prenaient volontiers ce parti qui, en outre, leur économisait les frais de port. Dans ce cas, les bateliers commissionnés de la ville, brave tribu de marins que le nouveau port a destituée, venaient prendre dans leurs barques, soit à l'embarcadère, soit aux stations de la plage, les voyageurs, et les transportaient, eux et leurs bagages, souvent par de très grosses mers et toujours sans accident, aux navires en partance. Le vent d'est est un vent de côté, très bon pour la traversée d'Angleterre; on roule, mais on ne tangue pas.

Quand le bâtiment en partance était dans le port, tout le monde s'embarquait dans le port; quand il était en rade, on avait le choix de s'embarquer sur un des points de la côte voisins du mouillage. On trouvait dans toutes les criques des bateliers « à volonté ».

Le Havelet était une de ces criques. Ce petit havre, havelet, était tout près de la ville, mais si solitaire qu'il en semblait très loin. Il devait cette solitude à l'encaissement des hautes falaises du fort George qui dominent cette anse discrète. On arrivait au Havelet par plusieurs sentiers. Le plus direct longeait le bord de l'eau; il avait l'avantage de mener à la ville et à l'église en cinq minutes, et l'inconvénient d'être couvert par la lame deux fois par jour. Les autres sentiers, plus ou moins abrupts, s'enfonçaient dans les anfractuosités des escarpements. Le Havelet, même en plein jour, était dans une pénombre. Des blocs en porte-à-faux pendaient de toutes parts. Un hérissement de ronces et de broussailles s'épaississait et faisait une sorte de douce nuit sur ce désordre de roches et de vagues; rien de plus paisible que cette crique en temps calme, rien de plus tumultueux dans les grosses eaux. Il y avait là des pointes de branches perpétuellement mouillées par l'écume. Au printemps c'était plein de fleurs, de nids, de parfums, d'oiseaux, de papillons et d'abeilles. Grâce aux travaux récents, ces sauvageries n'existent plus aujourd'hui; de belles lignes droites les ont remplacées; il y a des maçonneries, des quais et des jardinets; le terrassement a sévi; le goût a fait justice des bizarreries de la montagne et de l'incorrection des rochers.

II

LES DÉSESPOIRS EN PRÉSENCE

Il était un peu moins de dix heures du matin ; *le quart avant,* comme on dit à Guernesey.

L'affluence, selon toute apparence, grossissait à Saint-Sampson. La population enfiévrée de curiosité versant toute au nord de l'île, le Havelet, qui est au sud, était plus désert que jamais.

Pourtant, on y voyait un bateau, et un batelier. Dans le bateau il y avait un sac de nuit. Le batelier semblait attendre.

On apercevait en rade le *Cashmere* à l'ancre, qui, ne devant partir qu'à midi, ne faisait encore aucune manœuvre d'appareillage.

Un passant qui, de quelqu'un des sentiers-escaliers de la falaise, eût prêté l'oreille, eût entendu un murmure de paroles dans le Havelet, et, s'il se fût penché par-dessus les surplombs, il eût vu, à quelque distance du bateau, dans un recoin de roches et de branches où ne pouvait pénétrer le regard du batelier, deux personnes, un homme et une femme, Ebenezer et Déruchette.

Ces réduits obscurs du bord de la mer, qui tentent les baigneuses, ne sont pas toujours aussi solitaires qu'on le croit. On y est quelquefois observé et écouté. Ceux qui s'y réfugient et qui s'y abritent peuvent être aisément suivis à travers les épaisseurs des végétations, et grâce à la multiplicité et à l'enchevêtrement des sentiers. Les granits et les arbres qui cachent l'aparté, peuvent cacher aussi un témoin.

Déruchette et Ebenezer étaient debout en face l'un de l'autre, le regard dans le regard ; ils se tenaient les mains.

Déruchette parlait. Ebenezer se taisait. Une larme amassée et arrêtée entre ses cils hésitait, et ne tombait pas.

La désolation et la passion étaient empreintes sur le front religieux d'Ebenezer. Une résignation poignante s'y ajoutait, résignation hostile à la foi, quoique venant d'elle. Sur ce visage, simplement angélique jusqu'alors, il y avait un commencement d'expression fatale. Celui qui n'avait encore médité que le dogme se mettait à méditer le sort, méditation malsaine au prêtre. La foi s'y décompose. Plier sous de l'inconnu, rien n'est plus troublant. L'homme est le patient des événements. La vie est une perpétuelle arrivée ; nous la subissons. Nous ne savons jamais de quel côté viendra la brusque descente du hasard. Les catastrophes et les félicités entrent, puis sortent, comme des personnages inattendus. Elles ont leur loi, leur orbite, leur gravitation, en dehors de l'homme. La vertu n'amène pas le bonheur, le crime n'amène pas le malheur ; la conscience a une logique, le sort en a une autre ; nulle coïncidence. Rien ne peut être prévu. Nous vivons pêle-mêle et coup sur coup. La conscience est la ligne droite, la vie est le tourbillon. Ce tourbillon jette inopinément sur la tête de l'homme des chaos noirs et des ciels bleus. Le sort n'a point l'art des transitions. Quelquefois la roue tourne si vite que l'homme distingue à peine l'intervalle d'une péripétie à l'autre et le lien d'hier à aujourd'hui. Ebenezer était un croyant mélangé de raisonnement et un prêtre compliqué de passion. Les religions célibataires savent ce qu'elles font. Rien ne défait le prêtre comme d'aimer une femme. Toutes sortes de nuages assombrissaient Ebenezer.

Il contemplait Déruchette, trop.

Ces deux êtres s'idolâtraient.

Il y avait dans la prunelle d'Ebenezer la muette adoration du désespoir.

Déruchette disait :

— Vous ne partirez pas. Je n'en ai pas la force. Voyez-vous, j'ai cru que je pourrais vous dire adieu, je ne peux pas. On n'est pas forcé de pouvoir. Pourquoi êtes-vous venu hier ? Il ne fallait pas venir si vous vouliez vous en aller. Je ne vous ai jamais parlé. Je vous aimais, mais je ne le savais pas. Seulement, le premier jour, quand monsieur Hérode a lu l'histoire de Rebecca et que vos yeux ont rencontré les miens, je me suis senti les joues en feu, et j'ai pensé : Oh ! comme Rebecca a dû devenir rouge ! C'est égal, avant hier, on m'aurait dit : Vous aimez le recteur, j'aurais ri. C'est ce qu'il y a eu de terrible dans cet amour-là. Ç'a été comme une trahison. Je n'y ai pas pris garde. J'allais à l'église, je vous voyais, je croyais que tout le monde était comme moi. Je ne vous fais pas de reproche, vous n'avez rien fait pour que je vous aime, vous ne vous êtes pas donné de peine, vous me regardiez, ce n'est pas de votre faute si vous regardez les personnes, et cela a fait que je vous ai adoré. Je ne m'en doutais pas. Quand vous preniez le livre, c'était de la lumière ; quand les autres le prenaient, ce n'était qu'un livre. Vous leviez quelquefois les yeux sur moi. Vous parliez des archanges, c'était vous l'archange. Ce que vous disiez, je le pensais tout de suite. Avant vous, je ne sais pas si je croyais en Dieu. Depuis vous, j'étais devenue une femme qui fait sa prière. Je disais à Douce : Habille-moi bien vite que je ne manque pas l'office. Et je courais à l'église. Ainsi, être amoureuse d'un homme, c'est cela. Je ne le savais pas. Je me disais : Comme je deviens dévote ! C'est vous qui m'avez appris que je n'allais pas à l'église pour le bon Dieu. J'y allais pour vous, c'est vrai. Vous êtes beau, vous parlez bien, quand vous leviez les bras au ciel il me semblait que vous teniez mon cœur dans vos deux mains blanches. J'étais folle, je l'ignorais. Voulez-vous que je vous dise votre faute, c'est d'être entré hier dans le jardin, c'est de m'avoir parlé. Si vous ne m'aviez rien dit, je n'aurais rien su. Vous seriez parti, j'aurais peut-être été triste, mais à présent je mourrai. A présent que je sais que je vous aime, il n'est plus possible que vous vous en alliez. A quoi pensez-vous ? Vous n'avez pas l'air de m'écouter.

Ebenezer répondit :

— Vous avez entendu ce qui s'est dit hier.

— Hélas !

— Que puis-je à cela ?

Ils se turent un moment. Ebenezer reprit :

— Il n'y a plus pour moi qu'une chose à faire. Partir.

— Et moi, mourir. Oh! je voudrais qu'il n'y eût pas
de mer et qu'il n'y eût que le ciel. Il me semble que cela
arrangerait tout, notre départ serait le même. Il ne fallait
pas me parler, vous. Pourquoi m'avez-vous parlé? Alors
ne vous en allez pas. Qu'est-ce que je vais devenir? Je
vous dis que je mourrai. Vous serez bien avancé quand je
serai dans le cimetière. Oh! j'ai le cœur brisé. Je suis bien
malheureuse. Mon oncle n'est pas méchant pourtant.

C'était la première fois de sa vie que Déruchette disait
en parlant de mess Lethierry, *mon oncle*. Jusque-là elle
avait toujours dit *mon père*.

Ebenezer recula d'un pas et fit un signe au batelier. On
entendit le bruit du croc dans les galets et le pas de
l'homme sur le bord de sa barque.

— Non, non! cria Déruchette.

Ebenezer se rapprocha d'elle.

— Il le faut, Déruchette.

— Non, jamais! Pour une machine! Est-ce que c'est
possible? Avez-vous vu cet homme horrible hier? Vous
ne pouvez pas m'abandonner. Vous avez de l'esprit, vous
trouverez un moyen. Il ne se peut pas que vous m'ayez dit
de venir vous trouver ici ce matin, avec l'idée que vous
partiriez. Je ne vous ai rien fait. Vous n'avez pas à vous
plaindre de moi. C'est par ce vaisseau-là que vous voulez
vous en aller? Je ne veux pas. Vous ne me quitterez pas.
On n'ouvre pas le ciel pour le refermer. Je vous dis que
vous resterez. D'ailleurs il n'est pas encore l'heure. Oh!
je t'aime.

Et, se pressant contre lui, elle lui croisa ses dix doigts
derrière le cou, comme pour faire de ses bras enlacés un
lien à Ebenezer et de ses mains jointes une prière à Dieu.

Il dénoua cette étreinte délicate qui résista tant qu'elle
put.

Déruchette tomba assise sur une saillie de roche couverte de lierre, relevant d'un geste machinal la manche de
sa robe jusqu'au coude, montrant son charmant bras nu,
avec une clarté noyée et blême dans ses yeux fixes. La
barque approchait.

Ebenezer lui prit la tête dans ses deux mains; cette

vierge avait l'air d'une veuve et ce jeune homme avait
l'air d'un aïeul. Il lui touchait les cheveux avec une sorte
de précaution religieuse; il attacha son regard sur elle
pendant quelques instants, puis il déposa sur son front un
de ces baisers sous lesquels il semble que devrait éclore
une étoile, et, d'un accent où tremblait la suprême angoisse et où l'on sentait l'arrachement de l'âme, il lui dit
ce mot, le mot des profondeurs: Adieu!

Déruchette éclata en sanglots.

En ce moment ils entendirent une voix lente et grave
qui disait:

— Pourquoi ne vous mariez-vous pas?

Ebenezer tourna la tête. Déruchette leva les yeux.

Gilliatt était devant eux.

Il venait d'entrer par un sentier latéral.

Gilliatt n'était plus le même homme que la veille. Il
avait peigné ses cheveux, il avait fait sa barbe, il avait
mis des souliers, il avait une chemise blanche de marin à
grand col rabattu, il était vêtu de ses habits de matelot les
plus neufs. On voyait une bague d'or à son petit doigt. Il
semblait profondément calme. Son hâle était livide.

Du bronze qui souffre, tel était ce visage.

Ils le regardèrent, stupéfaits. Quoique méconnaissable,
Déruchette le reconnut. Quant aux paroles qu'il venait de
dire, elles étaient si loin de ce qu'ils pensaient en ce
moment-là, qu'elles avaient glissé sur leur esprit.

Gilliatt reprit:

— Quel besoin avez-vous de vous dire adieu? Mariez-
vous. Vous partirez ensemble.

Déruchette tressaillit. Elle eut un tremblement de la
tête aux pieds.

Gilliatt continua:

— Miss Déruchette a ses vingt et un ans. Elle ne
dépend que d'elle. Son oncle n'est que son oncle. Vous
vous aimez...

Déruchette interrompit doucement:

— Comment se fait-il que vous soyez ici?

— Mariez-vous, poursuivit Gilliatt.

Déruchette commençait à percevoir ce que cet homme
lui disait. Elle bégaya:

— Mon pauvre oncle…

— Il refuserait si le mariage était à faire, dit Gilliatt, il consentira quand le mariage sera fait. D'ailleurs vous allez partir. Quand vous reviendrez, il pardonnera.

Gilliatt ajouta avec une nuance amère : — Et puis, il ne pense déjà plus qu'à rebâtir son bateau. Cela l'occupera pendant votre absence. Il a la Durande pour le consoler.

— Je ne voudrais pas, balbutia Déruchette, dans une stupeur où l'on sentait de la joie, laisser derrière moi des chagrins.

— Ils ne dureront pas longtemps, dit Gilliatt.

Ebenezer et Déruchette avaient eu comme un éblouissement. Ils se remettaient maintenant. Dans leur trouble décroissant, le sens des paroles de Gilliatt leur apparaissait. Un nuage y restait mêlé, mais leur affaire à eux n'était pas de résister. On se laisse faire à qui sauve. Les objections à la rentrée dans l'Éden sont molles. Il y avait dans l'attitude de Déruchette, imperceptiblement appuyée sur Ebenezer, quelque chose qui faisait cause commune avec ce que disait Gilliatt. Quant à l'énigme de la présence de cet homme et de ses paroles qui, dans l'esprit de Déruchette en particulier, produisaient plusieurs sortes d'étonnements, c'étaient des questions à côté. Cet homme leur disait : Mariez-vous. Ceci était clair. S'il y avait une responsabilité, il la prenait. Déruchette sentait confusément que, pour des raisons diverses, il en avait le droit. Ce qu'il disait de mess Lethierry était vrai. Ebenezer pensif murmura : Un oncle n'est pas un père.

Il subissait la corruption d'une péripétie heureuse et soudaine. Les scrupules probables du prêtre fondaient et se dissolvaient dans ce pauvre cœur amoureux.

La voix de Gilliat devint brève et dure et l'on y sentait comme des pulsations de fièvre :

— Tout de suite. Le *Cashmere* part dans deux heures. Vous avez le temps, mais vous n'avez que le temps ; venez.

Ebenezer le considérait attentivement.

Tout à coup il s'écria :

— Je vous reconnais. C'est vous qui m'avez sauvé la vie.

Gilliatt répondit :

— Je ne crois pas.

— Là-bas, à la pointe des Banques.

— Je ne connais pas cet endroit-là.

— C'est le jour même que j'arrivais.

— Ne perdons pas le temps, dit Gilliatt.

— Et, je ne me trompe pas, vous êtes l'homme d'hier soir.

— Peut-être.

— Comment vous appelez-vous ?

Gilliatt haussa la voix :

— Batelier, attendez-nous. Nous allons revenir. Miss, vous m'avez demandé comment il se faisait que j'étais ici, c'est bien simple, je marchais derrière vous. Vous avez vingt et un ans. Dans ce pays-ci, quand les personnes sont majeures et dépendent d'elles-mêmes, on se marie en un quart d'heure. Prenons le sentier du bord de l'eau. Il est praticable, la mer ne montera qu'à midi. Mais tout de suite. Venez avec moi.

Déruchette et Ebenezer semblaient se consulter du regard. Ils étaient debout l'un près de l'autre, sans bouger ; ils étaient comme ivres. Il y a de ces hésitations étranges au bord de cet abîme, le bonheur. Ils comprenaient sans comprendre.

— Il s'appelle Gilliatt, dit Déruchette bas à Ebenezer.

Gilliatt reprit avec une sorte d'autorité :

— Qu'attendez-vous ? je vous dis de me suivre.

— Où ? demanda Ebenezer.

— Là.

Et Gilliatt montra du doigt le clocher de l'église.

Ils le suivirent.

Gilliatt allait devant. Son pas était ferme. Eux ils chancelaient.

A mesure qu'ils avançaient vers le clocher, on voyait poindre sur ces purs et beaux visages d'Ebenezer et de Déruchette quelque chose qui serait bientôt le sourire. L'approche de l'église les éclairait. Dans l'œil creux de Gilliatt, il y avait de la nuit.

On eût dit un spectre menant deux âmes au paradis.

Ebenezer et Déruchette ne se rendaient pas bien

compte de ce qui allait arriver. L'intervention de cet homme était la branche où se raccroche le noyé. Ils suivaient Gilliatt avec la docilité du désespoir pour le premier venu. Qui se sent mourir n'est pas difficile sur l'acceptation des incidents. Déruchette, plus ignorante, était plus confiante. Ebenezer songeait. Déruchette était majeure. Les formalités du mariage anglais sont très simples, surtout dans les pays autochtones où les recteurs de paroisse ont un pouvoir presque discrétionnaire ; mais le doyen néanmoins consentirait-il à célébrer le mariage sans même s'informer si l'oncle consentait ? Il y avait là une question. Pourtant, on pouvait essayer. Dans tous les cas, c'était un sursis.

Mais qu'était-ce que cet homme ? et si c'était lui en effet que la veille mess Lethierry avait déclaré son gendre, comment s'expliquer ce qu'il faisait là ? Lui, l'obstacle, il se changeait en providence. Ebenezer s'y prêtait, mais il donnait à ce qui se passait le consentement tacite et rapide de l'homme qui se sent sauvé.

Le sentier était inégal, parfois mouillé et difficile. Ebenezer, absorbé, ne faisait pas attention aux flaques d'eau et aux blocs de galets. De temps en temps, Gilliatt se retournait et disait à Ebenezer : — Prenez garde à ces pierres, donnez-lui la main.

III

LA PRÉVOYANCE DE L'ABNÉGATION

Dix heures et demie sonnaient comme ils entraient dans l'église.

A cause de l'heure, et aussi à cause de la solitude de la ville ce jour-là, l'église était vide.

Au fond pourtant, près de la table qui, dans les églises réformées, remplace l'autel, il y avait trois personnes; c'étaient le doyen et son évangéliste; plus le registraire. Le doyen, qui était le révérend Jaquemin Hérode, était assis; l'évangéliste et le registraire étaient debout.

Le Livre, ouvert, était sur la table.

A côté, sur une crédence, s'étalait un autre livre, le registre de paroisse, ouvert également, et sur lequel un œil attentif eût pu remarquer une page fraîchement écrite et dont l'encre n'était pas encore séchée. Une plume et une écritoire étaient à côté du registre.

En voyant entrer le révérend Ebenezer Caudray, le révérend Jacquemin Hérode se leva.

— Je vous attends, dit-il. Tout est prêt.

Le doyen, en effet, était en robe d'officiant.

Ebenezer regarda Gilliatt.

Le révérend doyen ajouta:

— Je suis à vos ordres, mon collègue.

Et il salua.

Ce salut ne s'égara ni à droite ni à gauche. Il était évident, à la direction du rayon visuel du doyen, que pour lui Ebenezer seul existait. Ebenezer était clergyman et gentleman. Le doyen ne comprenait dans sa salutation ni Déruchette qui était à côté, ni Gilliatt qui était en arrière. Il y avait dans son regard une parenthèse où le seul

Ebenezer était admis. Le maintien de ces nuances fait partie du bon ordre et consolide les sociétés.

Le doyen reprit avec une aménité gracieusement altière :

— Mon collègue, je vous fais mon double compliment. Votre oncle est mort et vous prenez femme ; vous voilà riche par l'un et heureux par l'autre. Du reste, maintenant, grâce à ce bateau à vapeur qu'on va rétablir, miss Lethierry aussi est riche, ce que j'approuve. Miss Lethierry est née sur cette paroisse, j'ai vérifié la date de sa naissance sur le registre. Miss Lethierry est majeure, et s'appartient. D'ailleurs, son oncle, qui est toute sa famille, consent. Vous voulez vous marier tout de suite à cause de votre départ, je le comprends, mais, ce mariage étant d'un recteur de paroisse, j'aurais souhaité un peu de solennité. J'abrégerai pour vous être agréable. L'essentiel peut tenir dans le sommaire. L'acte est déjà tout dressé sur le registre que voici, et il n'y a que les noms à remplir. Aux termes de la loi et coutume, le mariage peut être célébré immédiatement après l'inscription. La déclaration voulue pour la licence a été dûment faite. Je prends sur moi une petite irrégularité, car la demande de licence eût dû être préalablement enregistrée sept jours d'avance ; mais je me rends à la nécessité et à l'urgence de votre départ. Soit. Je vais vous marier. Mon évangéliste sera le témoin de l'époux ; quant au témoin de l'épouse...

Le doyen se tourna vers Gilliatt.

Gilliatt fit un signe de tête.

— Cela suffit, dit le doyen.

Ebenezer restait immobile. Déruchette était l'extase, pétrifiée.

Le doyen continua :

— Maintenant, toutefois, il y a un obstacle.

Déruchette fit un mouvement.

Le doyen poursuivit :

— L'envoyé, ici présent, de mess Lethierry, lequel envoyé a demandé pour vous la licence et a signé la déclaration sur le registre, — et du pouce de sa main gauche le doyen désigna Gilliatt, ce qui l'exemptait d'ar-

ticuler ce nom quelconque, — l'envoyé de mess
Lethierry m'a dit ce matin que mess Lethierry, trop occupé pour venir en personne, désirait que le mariage se fît
incontinent. Ce désir, exprimé verbalement, n'est point
assez. Je ne saurais, à cause des dispenses à accorder et
de l'irrégularité que je prends sur moi, passer outre si vite
sans m'informer près de mess Lethierry, à moins qu'on
ne me montre sa signature. Quelle que soit ma bonne
volonté, je ne puis me contenter d'une parole qu'on vient
me redire. Il me faudrait quelque chose d'écrit.

— Qu'à cela ne tienne, dit Gilliatt.

Et il présenta au révérend doyen un papier.

Le doyen se saisit du papier, le parcourut d'un coup
d'œil, sembla passer quelques lignes, sans doute inutiles,
et lut tout haut :

— « ... Va chez le doyen pour avoir les dispenses. Je
désire que le mariage se fasse le plus tôt possible. Tout de
suite serait le mieux. »

Il posa le papier sur la table, et poursuivit :

— Signé Lethierry. La chose serait plus respectueusement adressée à moi. Mais puisqu'il s'agit d'un collègue, je n'en demande pas davantage.

Ebenezer regarda de nouveau Gilliatt. Il y a des enten-
tes d'âmes. Ebenezer sentait là une fraude ; et il n'eut pas
la force, il n'eut peut-être pas même l'idée, de la dénoncer. Soit obéissance à un héroïsme latent qu'il entrevoyait, soit étourdissement de la conscience par le coup
de foudre du bonheur, il demeura sans paroles.

Le doyen prit la plume et remplit, aidé du registraire,
les blancs de la page écrite sur le registre, puis il se
redressa, et, du geste, invita Ebenezer et Déruchette à
s'approcher de la table.

La cérémonie commença.

Ce fut un moment étrange.

Ebenezer et Déruchette étaient l'un près de l'autre
devant le ministre. Quiconque a fait un songe où il s'est
marié a éprouvé ce qu'ils éprouvaient.

Gilliatt était à quelque distance dans l'obscurité des
piliers.

Déruchette le matin en se levant, désespérée, pensant

au cercueil et au suaire, s'était vêtue de blanc. Cette idée
de deuil fut à propos pour la noce. La robe blanche fait
tout de suite une fiancée. La tombe aussi est une fian-
çaille.

Un rayonnement se dégageait de Déruchette. Jamais
elle n'avait été ce qu'elle était en cet instant-là. Déruchette avait ce défaut d'être peut-être trop jolie et pas
assez belle. Sa beauté péchait, si c'est là pécher, par
excès de grâce. Déruchette au repos, c'est-à-dire en dehors de la passion et de la douleur, était, nous avons
indiqué ce détail, surtout gentille. La transfiguration de la
fille charmante, c'est la vierge idéale. Déruchette, gran-
die par l'amour et par la souffrance, avait eu, qu'on nous
passe le mot, cet avancement. Elle avait la même candeur
avec plus de dignité, la même fraîcheur avec plus de
parfum. C'était quelque chose comme une pâquerette qui
deviendrait un lis.

La moiteur des pleurs taris était sur ses joues. Il y avait
peut-être encore une larme dans le coin du sourire. Les
larmes séchées, vaguement visibles, sont une sombre et
douce parure au bonheur.

Le doyen, debout près de la table, posa un doigt sur la
bible ouverte et demanda à haute voix :

— Y a-t-il opposition ?

Personne ne répondit.

— Amen, dit le doyen.

Ebenezer et Déruchette avancèrent d'un pas vers le
révérend Jaquemin Hérode.

Le doyen dit :

— Joë Ebenezer Caudray, veux-tu avoir cette femme
pour ton épouse ?

Ebenezer répondit :

— Je le veux.

Le doyen reprit :

— Durande Déruchette Lethierry, veux-tu avoir cet
homme pour ton mari ?

Déruchette, dans l'agonie de l'âme sous trop de joie
comme de la lampe sous trop d'huile, murmura plutôt
qu'elle ne prononça : — Je le veux.

Alors, suivant le beau rite du mariage anglican, le

doyen regarda autour de lui et fit dans l'ombre de l'église cette demande solennelle :

— Qui est-ce qui donne cette femme à cet homme ?

— Moi, dit Gilliatt.

Il y eut un silence. Ebenezer et Déruchette sentirent on ne sait quelle vague oppression à travers leur ravissement.

Le doyen mit la main droite de Déruchette dans la main droite d'Ebenezer, et Ebenezer dit à Déruchette :

— Déruchette, je te prends pour ma femme, soit que tu sois meilleure ou pire, plus riche ou plus pauvre, en maladie ou en santé, pour t'aimer jusqu'à la mort, et je te donne ma foi.

Le doyen mit la main droite d'Ebenezer dans la main droite de Déruchette, et Déruchette dit à Ebenezer :

— Ebenezer, je te prends pour mon mari, soit que tu sois meilleur ou pire, plus riche ou plus pauvre, en maladie ou en santé, pour t'aimer et t'obéir jusqu'à la mort, et je te donne ma foi.

Le doyen reprit :

— Où est l'anneau ?

Ceci était l'imprévu. Ebenezer, pris au dépourvu, n'avait pas d'anneau.

Gilliatt ôta la bague d'or qu'il avait au petit doigt, et la présenta au doyen. C'était probablement l'anneau « de mariage » acheté le matin au bijoutier de Commercial-Arcade.

Le doyen posa l'anneau sur le livre, puis le remit à Ebenezer.

Ebenezer prit la petite main gauche, toute tremblante, de Déruchette, passa l'anneau au quatrième doigt, et dit :

— Je t'épouse avec cet anneau.

— Au nom du Père, du Fils et du Saint-Esprit, dit le doyen.

— Que cela soit ainsi, dit l'évangéliste.

Le doyen éleva la voix :

— Vous êtes époux.

— Que cela soit, dit l'évangéliste.

Le doyen reprit :

— Prions.

Ebenezer et Déruchette se retournèrent vers la table et se mirent à genoux.

Gilliatt, resté debout, baissa la tête.

Eux s'agenouillaient devant Dieu, lui se courbait sous la destinée.

IV

« POUR TA FEMME, QUAND TU TE MARIERAS »

A leur sortie de l'église, ils virent le *Cashmere* qui
commençait à appareiller.
— Vous êtes à temps, dit Gilliatt.
Ils reprirent le sentier du Havelet.
Ils allaient devant, Gilliatt maintenant marchait derrière.
C'étaient deux somnambules. Ils n'avaient pour ainsi
dire que changé d'égarement. Ils ne savaient ni où ils
étaient, ni ce qu'ils faisaient; ils se hâtaient machinalement, ils ne se souvenaient plus de l'existence de rien, ils
se sentaient l'un à l'autre, ils ne pouvaient lier deux
idées. On ne pense pas plus dans l'extase qu'on ne nage
dans le torrent. Du milieu des ténèbres, ils étaient tombés
brusquement dans un Niagara de joie. On pourrait dire
qu'ils subissaient l'emparadisement. Ils ne se parlaient
point, se disant trop de choses avec l'âme. Déruchette
serrait contre elle le bras d'Ebenezer.
Le pas de Gilliatt derrière eux leur faisait par moments
songer qu'il était là. Ils étaient profondément émus, mais
sans dire mot; l'excès d'émotion se résout en stupeur. La
leur était délicieuse, mais accablante. Ils étaient mariés.
Ils ajournaient, on se reverrait, ce que Gilliatt faisait était
bien, voilà tout. Le fond de ces deux cœurs le remerciait
ardemment et vaguement. Déruchette se disait qu'elle
avait là quelque chose à débrouiller, plus tard. En attendant, ils acceptaient. Ils se sentaient à la discrétion de cet
homme décisif et subit, qui, d'autorité, faisait leur bonheur. Lui adresser des questions, causer avec lui, était
impossible. Trop d'impressions se précipitaient sur eux à
la fois. Leur engloutissement est pardonnable.

Les faits sont parfois une grêle. Ils vous criblent. Cela
assourdit. La brusquerie des incidents tombant dans des
existences habituellement calmes rend très vite les événements inintelligibles à ceux qui en souffrent ou qui en
profitent. On n'est pas au fait de sa propre aventure. On
est écrasé sans deviner ; on est couronné sans comprendre. Déruchette, en particulier, depuis quelques heures,
avait reçu toutes les commotions ; d'abord l'éblouissement, Ebenezer dans le jardin ; puis le cauchemar, ce
monstre déclaré son mari ; puis la désolation, l'ange ouvrant ses ailes et prêt à partir ; maintenant c'était la joie,
une joie inouïe, avec un fond indéchiffrable : le monstre
lui donnant l'ange, à elle Déruchette ; le mariage sortant
de l'agonie ; ce Gilliatt, la catastrophe d'hier, le salut
d'aujourd'hui. Elle ne se rendait compte de rien. Il était
évident que depuis le matin Gilliatt n'avait eu d'autre
occupation que de les marier ; il avait tout fait ; il avait
répondu pour mess Lethierry, vu le doyen, demandé la
licence, signé la déclaration voulue ; voilà comment le
mariage avait pu s'accomplir. Mais Déruchette ne le
comprenait pas ; d'ailleurs, lors même qu'elle eût compris
comment, elle n'eût pas compris pourquoi.

Fermer les yeux, rendre grâce mentalement, oublier la
terre et la vie, se laisser emporter au ciel par ce bon
démon, il n'y avait que cela à faire. Un éclaircissement
était trop long, un remerciement était trop peu. Elle se
taisait dans ce doux abrutissement du bonheur.

Un peu de pensée leur restait, assez pour se conduire.
Sous l'eau il y a des parties de l'éponge qui demeurent
blanches. Ils avaient juste la quantité de lucidité qu'il
fallait pour distinguer la mer de la terre et le *Cashmere* de
tout autre navire.

En quelques minutes, ils furent au Havelet.

Ebenezer entra le premier dans le bateau. Au moment
où Déruchette allait le suivre, elle eut la sensation de sa
manche doucement retenue. C'était Gilliatt qui avait posé
un doigt sur un pli de sa robe.

— Madame, dit-il, vous ne vous attendiez pas à partir.
J'ai pensé que vous auriez peut-être besoin de robes et de
linge. Vous trouverez à bord du *Cashmere* un coffre qui

contient des objets pour femme. Ce coffre me vient de ma
mère. Il était destiné à la femme que j'épouserais. Permettez-moi de vous l'offrir.

Déruchette se réveilla à demi de son rêve. Elle se
tourna vers Gilliatt. Gillatt, d'une voix basse et qu'on
entendait à peine, continua :

— Maintenant, ce n'est pas pour vous retarder, mais
voyez-vous, madame, je crois qu'il faut que je vous
explique. Le jour qu'il y a eu ce malheur, vous étiez
assise dans la salle basse, vous avez dit une parole. Vous
ne vous souvenez pas, c'est tout simple. On n'est pas
forcé de se souvenir de tous les mots qu'on dit. Mess
Lethierry avait beaucoup de chagrin. Il est certain que
c'était un bon bateau, et qui rendait des services. Le
malheur de la mer était arrivé ; il y avait de l'émotion dans
le pays. Ce sont là des choses, naturellement, qu'on a
oubliées. Il n'y a pas eu que ce navire-là perdu dans les
rochers. On ne peut pas penser toujours à un accident.
Seulement ce que je voulais vous dire, c'est que, comme
on disait personne n'ira, j'y suis allé. Ils disaient c'est
impossible ; ce n'était pas cela qui était impossible. Je
vous remercie de m'écouter un petit instant. Vous com-
prenez, madame, si je suis allé là, ce n'était pas pour
vous offenser. D'ailleurs la chose date de très loin. Je sais
que vous êtes pressée. Si on avait le temps, si on parlait,
on se souviendrait, mais cela ne sert à rien. La chose
remonte à un jour où il y avait de la neige. Et puis, une
fois que je passais, j'ai cru que vous aviez souri. C'est
comme ça que ça s'explique. Quant à hier, je n'avais pas
eu le temps de rentrer chez moi, je sortais du travail,
j'étais tout déchiré, je vous ai fait peur, vous vous êtes
trouvée mal, j'ai eu tort, on n'arrive pas ainsi chez les
personnes, je vous prie de ne pas m'en vouloir. C'est à
peu près tout ce que je voulais dire. Vous allez partir.
Vous aurez beau temps. Le vent est à l'est. Adieu, madame. Vous trouvez juste que je vous parle un peu,
n'est-ce pas ? ceci est une dernière minute.

— Je pense à ce coffre, répondit Déruchette. Mais
pourquoi ne pas le garder pour votre femme, quand vous
vous marierez ?

— Madame, dit Gilliatt, je ne me marierai probablement pas.

— Ce sera dommage, car vous êtes bon. Merci.

Et Déruchette sourit. Gilliatt lui rendit ce sourire.

Puis il aida Déruchette à entrer dans le canot.

Moins d'un quart d'heure après, le bateau où étaient Ebenezer et Déruchette abordait en rade le *Cashmere*.

V

LA GRANDE TOMBE

Gilliatt suivit le bord de l'eau, passa rapidement dans Saint-Pierre-Port, puis se remit à marcher vers Saint-Sampson le long de la mer, se dérobant aux rencontres, évitant les routes, pleines de passants par sa faute.

Dès longtemps, on le sait, il avait une manière à lui de traverser dans tous les sens le pays sans être vu de personne. Il connaissait des sentiers, il s'était fait des itinéraires isolés et serpentants; il avait l'habitude farouche de l'être qui ne se sent pas aimé; il restait lointain. Tout enfant, voyant peu d'accueil dans les visages des hommes, il avait pris ce pli, qui depuis était devenu son instinct, de se tenir à l'écart.

Il dépassa l'Esplanade, puis la Salerie. De temps en temps, il se retournait et regardait, en arrière de lui, dans la rade, le *Cashmere*, qui venait de mettre à la voile. Il y avait peu de vent, Gilliatt allait plus vite que le *Cashmere*. Gilliatt marchait dans les roches extrêmes du bord de l'eau, la tête baissée. Le flux commençait à monter.

A un certain moment il s'arrêta et, tournant le dos à la mer, il considéra pendant quelques minutes, au-delà des rochers cachant la route du Valle, un bouquet de chênes. C'étaient les chênes du lieu-dit les Basses Maisons. Là, autrefois, sous ces arbres, le doigt de Déruchette avait écrit son nom, *Gilliatt,* sur la neige. Il y avait longtemps que cette neige était fondue.

Il poursuivit son chemin.

La journée était charmante plus qu'aucune qu'il y eût encore eu cette année-là. Cette matinée avait on ne sait quoi de nuptial. C'était un de ces jours printaniers où mai

se dépense tout entier; la création semble n'avoir d'autre
but que de se donner une fête et de faire son bonheur.
Sous toutes les rumeurs, de la forêt comme du village, de
la vague comme de l'atmosphère, il y avait un roucoule-
ment. Les premiers papillons se posaient sur les premières roses. Tout était neuf dans la nature, les herbes, les
mousses, les feuilles, les parfums, les rayons. Il semblait
que le soleil n'eût jamais servi. Les cailloux étaient lavés
de frais. La profonde chanson des arbres était chantée par
des oiseaux nés d'hier. Il est probable que leur coquille
d'œuf cassée par leur petit bec était encore dans le nid.
Des essais d'ailes bruissaient dans le tremblement des
branches. Ils chantaient leur premier chant, ils volaient
leur premier vol. C'était un doux parlage de tous à la fois,
huppes, mésanges, piquebois, chardonnerets, bouvreuils,
moines et misses. Les lilas, les muguets, les daphnés, les
glycines, faisaient dans les fourrés un bariolage exquis.
Une très jolie lentille d'eau qu'il y a à Guernesey couvrait
les mares d'une nappe d'émeraude. Les bergeronnettes et
les épluque-pommiers qui font de si gracieux petits nids
s'y baignaient. Par toutes les claires-voies de la végétation on apercevait le bleu du ciel. Quelques nuées lasci-
ves s'entre-poursuivaient dans l'azur avec des ondoiements de nymphes. On croyait sentir passer des baisers
que s'envoyaient des bouches invisibles. Pas un vieux
mur qui n'eût, comme un marié, son bouquet de giroflées. Les prunelliers étaient en fleur, les cytises étaient
en fleur; on voyait ces monceaux blancs qui luisaient et
ces monceaux jaunes qui étincelaient à travers les entre-
croisements des rameaux. Le printemps jetait tout son
argent et tout son or dans l'immense panier percé des
bois. Les pousses nouvelles étaient toutes fraîches vertes.
On entendait en l'air des cris de bienvenue. L'été hospi-
talier ouvrait sa porte aux oiseaux lointains. C'était l'instant de l'arrivée des hirondelles. Les thyrses des ajoncs
bordaient les talus des chemins creux, en attendant les
thyrses des aubépines. Le beau et le joli faisaient bon
voisinage; le superbe se complétait par le gracieux; le
grand ne gênait pas le petit; aucune note du concert ne se
perdait; les magnificences microscopiques étaient à leur

plan dans la vaste beauté universelle ; on distinguait tout
comme dans une eau limpide. Partout une divine plénitude et un gonflement mystérieux faisaient deviner l'effort panique et sacré de la sève en travail [350]. Qui brillait,
brillait plus ; qui aimait, aimait mieux. Il y avait de
l'hymne dans la fleur et du rayonnement dans le bruit. La
grande harmonie diffuse s'épanouissait. Ce qui commence à poindre provoquait ce qui commence à sourdre.
Un trouble, qui venait d'en bas, et qui venait aussi d'en
haut, remuait vaguement les cœurs, corruptibles à l'in-
fluence éparse et souterraine des germes. La fleur promettait obscurément le fruit, toute vierge songeait, la
reproduction des êtres, préméditée par l'immense âme de
l'ombre, s'ébauchait dans l'irradiation des choses. On se
fiançait partout. On s'épousait sans fin. La vie, qui est la
femelle, s'accouplait avec l'infini, qui est le mâle [351]. Il
faisait beau, il faisait clair, il faisait chaud ; à travers les
haies, dans les enclos, on voyait rire les enfants. Quelques-uns jouaient aux merelles [352]. Les pommiers, les
pêchers, les cerisiers, les poiriers, couvraient les vergers
de leurs grosses touffes pâles ou vermeilles. Dans
l'herbe, primevères, pervenches, achillées, marguerites,
amaryllis, jacinthes, et les violettes, et les véroniques.
Les bourraches bleues, les iris jaunes, pullulaient, avec
ces belles petites étoiles roses qui fleurissent toujours en
troupe et qu'on appelle pour cela « les compagnons ». Des
bêtes toutes dorées couraient entre les pierres. Les jou-
barbes en floraison empourpraient les toits de chaume.
Les travailleuses des ruches étaient dehors. L'abeille était
à la besogne. L'étendue était pleine du murmure des mers
et du bourdonnement des mouches. La nature, perméable
au printemps, était moite de volupté.

Quand Gilliatt arriva à Saint-Sampson, il n'y avait pas
encore d'eau au fond du port, et il put le traverser à pied
sec, inaperçu derrière les coques de navires au radoub.
Un cordon de pierres plates espacées qu'il y a là aide à ce
passage.

Gilliatt ne fut pas remarqué. La foule était à l'autre
bout du port, près du goulet, aux Bravées. Là son nom
était dans toutes les bouches. On parlait tant de lui qu'on

ne fit pas attention à lui. Gilliatt passa, caché en quelque sorte par le bruit qu'il faisait.

Il vit de loin la panse à la place où il l'avait amarrée, la cheminée de la machine entre ses quatre chaînes, un mouvement de charpentiers à l'ouvrage, des silhouettes confuses d'allants et venants, et il entendit la voix tonnante et joyeuse de mess Lethierry donnant des ordres.

Il s'enfonça dans les ruettes.

Il n'y avait personne derrière les Bravées, toute la curiosité étant sur le devant. Gilliatt prit le sentier longeant le mur bas du jardin. Il s'arrêta dans l'angle où était la mauve sauvage; il revit la pierre où il s'était assis; il revit le banc de bois où s'était assise Déruchette. Il regarda la terre de l'allée où il avait vu s'embrasser deux ombres, qui avaient disparu.

Il se remit en marche. Il gravit la colline du château du Valle, puis la redescendit, et se dirigea vers le Bû de la Rue.

Le Houmet-Paradis était solitaire.

Sa maison était telle qu'il l'avait laissée le matin après s'être habillée pour aller à Saint-Pierre-Port.

Une fenêtre était ouverte. Par cette fenêtre on voyait le bag-pipe accroché à un clou de la muraille.

On apercevait sur la table la petite Bible donnée en remerciement à Gilliatt par un inconnu qui était Ebenezer.

La clef était à la porte. Gilliatt approcha, posa la main sur cette clef, ferma la porte à double tour, mit la clef dans sa poche, et s'éloigna.

Il s'éloigna, non du côté de la terre, mais du côté de la mer.

Il traversa diagonalement son jardin, par le plus court, sans précaution pour les plates-bandes, en ayant soin toutefois de ne pas écraser les seakales, qu'il avait plantés parce que c'était un goût de Déruchette.

Il franchit le parapet et descendit dans les brisants.

Il se mit à suivre, allant toujours devant lui, la longue et étroite ligne de récifs qui liait le Bû de la Rue à ce gros obélisque de granit debout au milieu de la mer qu'on appelait la Corne de la Bête. C'est là qu'était la Chaise Gild-Holm-'Ur.

Il enjambait d'un récif à l'autre comme un géant sur des cimes. Faire ces enjambées sur une crête de brisants, cela ressemble à marcher sur l'arête d'un toit.

Une pêcheuse à la trouble qui rôdait pieds nus dans les flaques d'eau à quelque distance, et qui regagnait le rivage, lui cria : Prenez garde. La mer arrive.

Il continua d'avancer.

Parvenu à ce grand rocher de la pointe, la Corne, qui faisait pinacle sur la mer, il s'arrêta. La terre finissait là. C'était l'extrémité du petit promontoire.

Il regarda.

Au large, quelques barques, à l'ancre, pêchaient. On voyait de temps en temps sur ces bateaux des ruissellements d'argent au soleil qui étaient la sortie de l'eau des filets. Le *Cashmere* n'était pas encore à la hauteur de Saint-Sampson ; il avait déployé son grand hunier. Il était entre Hern et Jethou.

Gilliatt tourna le rocher. Il parvint sous la Chaise Gild-Holm-'Ur, au pied de cette espèce d'escalier abrupt que, moins de trois mois auparavant, il avait aidé Ebenezer à descendre. Il le monta.

La plupart des degrés étaient déjà sous l'eau. Deux ou trois seulement étaient encore à sec. Il les escalada.

Ces degrés menaient à la Chaise Gild-Holm-'Ur. Il arriva à la Chaise, la considéra un moment, appuya sa main sur ses yeux et la fit lentement glisser d'un sourcil à l'autre, geste par lequel il semble qu'on essuie le passé, puis il s'assit dans ce creux de roche, avec l'escarpement derrière son dos et l'océan sous ses pieds.

Le *Cashmere* en ce moment-là élongeait la grosse tour ronde immergée, gardée par un sergent et un canon, qui marque dans la rade la mi-chemin entre Herm et Saint-Pierre-Port.

Au-dessus de la tête de Gilliatt, dans les fentes, quelques fleurs de rochers frissonnaient. L'eau était bleue à perte de vue. Le vent étant d'est, il y avait peu de ressac autour de Serk, dont on ne voit de Guernesey que la côte occidentale. On apercevait au loin la France comme une

brume et la longue bande jaune des sables de Carteret.
Par instants, un papillon blanc passait. Les papillons ont
la manie de se promener sur la mer.

La brise était très faible. Tout ce bleu, en bas comme
en haut, était immobile. Aucun tremblement n'agitait ces
espèces de serpents d'un azur plus clair ou plus foncé qui
marquent à la surface de la mer les torsions latentes des
bas-fonds.

Le *Cashmere*, peu poussé du vent, avait, pour saisir la
brise, hissé ses bonnettes de hune. Il s'était couvert de
toile. Mais le vent étant de travers, l'effet des bonnettes le
forçait à serrer de très près la côte de Guernesey. Il avait
franchi la balise de Saint-Sampson. Il atteignait la colline
du château du Valle. Le moment arrivait où il allait
doubler la pointe du Bû de la Rue.

Gilliatt le regardait venir.

L'air et la vague étaient comme assoupis. La marée se
faisait, non par lame, mais par gonflement. Le niveau de
l'eau se haussait sans palpitation. La rumeur du large,
éteinte, ressemblait à un souffle d'enfant.

On entendait dans la direction du havre de Saint-Sampson de petits coups sourds, qui étaient des coups de
marteau. C'était probablement les charpentiers dressant
les palans et le fardier pour retirer de la panse la machine.
Ces bruits parvenaient à peine à Gilliatt, à cause de la
masse de granit à laquelle il était adossé.

Le *Cashmere* approchait avec une lenteur de fantôme.

Gilliatt attendait.

Tout à coup un clapotement et une sensation de froid le
firent regarder en bas. Le flot lui touchait les pieds.

Il baissa les yeux, puis les releva.

Le *Cashmere* était tout près.

L'escarpement où les pluies avaient creusé la Chaise
Gild-Holm-'Ur était si vertical, et il y avait là tant d'eau,
que les navires pouvaient sans danger, par les temps
calmes, faire chenal à quelques encâblures du rocher.

Le *Cashmere* arriva. Il surgit, il se dressa. Il semblait
croître sur l'eau. Ce fut comme le grandissement d'une
ombre. Le gréement se détacha en noir sur le ciel dans le
magnifique balancement de la mer. Les longues voiles,

un moment superposées au soleil, devinrent presque roses et eurent une transparence ineffable. Les flots avaient un murmure indistinct. Aucun bruit ne troublait le glissement majestueux de cette silhouette. On voyait sur le pont comme si on y eût été.

Le *Cashmere* rasa presque la roche.

Le timonier était à la barre, un mousse grimpait aux haubans, quelques passagers, accoudés au bordage, considéraient la sérénité du temps, le capitaine fumait. Mais ce n'était rien de tout cela que voyait Gilliatt.

Il y avait sur le pont un coin plein de soleil. C'était là ce qu'il regardait. Dans ce soleil étaient Ebenezer et Déruchette. Ils étaient assis dans cette lumière, lui près d'elle. Ils se blottissaient gracieusement côte à côte, comme deux oiseaux se chauffant à un rayon de midi, sur un de ces bancs couverts d'un petit plafond goudronné que les navires bien aménagés offrent aux voyageurs et sur lesquels on lit, quand c'est un bâtiment anglais : *For ladies only*. La tête de Déruchette était sur l'épaule d'Ebenezer, le bras d'Ebenezer était derrière la taille de Déruchette ; ils se tenaient les mains, les doigts entrecroisés dans les doigts. Les nuances d'un ange à l'autre étaient saisissables sur ces deux exquises figures faites d'innocence. L'une était plus virginale, l'autre plus sidérale. Leur chaste embrassement était expressif. Tout l'hyménée était là, toute la pudeur aussi. Ce banc était déjà une alcôve et presque un nid. En même temps, c'était une gloire ; la douce gloire de l'amour en fuite dans un nuage.

Le silence était céleste.

L'œil d'Ebenezer rendait grâce et contemplait ; les lèvres de Déruchette remuaient ; et dans ce charmant silence, comme le vent portait du côté de terre, à l'instant rapide où le sloop glissa à quelques toises de la Chaise Gild-Holm-'Ur, Gilliatt entendit la voix tendre et délicate de Déruchette qui disait :

— Vois donc. Il semblerait qu'il y a un homme dans le rocher.

Cette apparition passa.

Le *Cashmere* laissa la pointe du Bû de la Rue derrière

lui et s'enfonça dans le plissement profond des vagues. En moins d'un quart d'heure, sa mâture et ses voiles ne firent plus sur la mer qu'une sorte d'obélisque blanc décroissant à l'horizon. Gilliatt avait de l'eau jusqu'aux genoux.

Il regardait le sloop s'éloigner.

La brise fraîchit au large. Il put voir le *Cashmere* hisser ses bonnettes basses et ses focs pour profiter de cette augmentation de vent. Le *Cashmere* était déjà hors des eaux de Guernesey. Gilliatt ne le quittait pas des yeux.

Le flot lui arrivait à la ceinture.

La marée s'élevait. Le temps passait.

Les mauves et les cormorans volaient autour de lui, inquiets. On eût dit qu'ils cherchaient à l'avertir. Peut-être y avait-il dans ces volées d'oiseaux quelque mouette venue des Douvres, qui le reconnaissait.

Une heure s'écoula.

Le vent du large ne se faisait pas sentir dans la rade, mais la diminution du *Cashmere* était rapide. Le sloop était, selon toute apparence, en pleine vitesse. Il atteignait déjà presque la hauteur des Casquets.

Il n'y avait pas d'écume autour du rocher Gild-Holm-'Ur, aucune lame ne battait le granit. L'eau s'enflait paisiblement. Elle atteignait presque les épaules de Gilliatt.

Une autre heure s'écoula.

Le *Cashmere* était au-delà des eaux d'Aurigny. Le rocher Ortach le cacha un moment. Il entra dans l'occultation de cette roche, puis en ressortit, comme d'une éclipse. Le sloop fuyait au nord. Il gagna la haute mer. Il n'était plus qu'un point ayant, à cause du soleil, la scintillation d'une lumière.

Les oiseaux jetaient de petits cris à Gilliatt.

On ne voyait plus que sa tête.

La mer montait avec une douceur sinistre.

Gilliatt, immobile, regardait le *Cashmere* s'évanouir.

Le flux était presque à son plein. Le soir approchait. Derrière Gilliatt, dans la rade, quelques bateaux de pêche rentraient.

L'œil de Gilliatt, attaché au loin sur le sloop, restait fixe.

Cet œil fixe ne ressemblait à rien de ce qu'on peut voir sur la terre. Dans cette prunelle tragique et calme il y avait de l'inexprimable. Ce regard contenait toute la quantité d'apaisement que laisse le rêve non réalisé ; c'était l'acceptation lugubre d'un autre accomplissement. Une fuite d'étoile doit être suivie par des regards pareils. De moment en moment, l'obscurité céleste se faisait sous ce sourcil dont le rayon visuel demeurait fixé à un point de l'espace. En même temps que l'eau infinie autour du rocher Gild-Holm-'Ur, l'immense tranquillité de l'ombre montait dans l'œil profond de Gilliatt.

Le *Cashmere*, devenu imperceptible, était maintenant une tache mêlée à la brume. Il fallait pour le distinguer savoir où il était.

Peu à peu, cette tache, qui n'était plus une forme, pâlit.

Puis elle s'amoindrit.

Puis elle se dissipa.

A l'instant où le navire s'effaça à l'horizon, la tête disparut sous l'eau. Il n'y eut plus rien que la mer.

GLOSSAIRE DES TERMES DE MARINE

La plupart des définitions sont empruntées soit à Littré, *Dictionnaire de la langue française*, Paris, Hachette, sans date (abrégé L.), soit à Capitaine H. Paasch, *De la quille à la pomme de mât, dictionnaire de marine en anglais, français et allemand*, seconde édition, Paris, A. Challemel, 1894 (abrégé P.).

abattée, « mouvement par lequel un navire [...] écarte la proue de la ligne du vent » (L.).

abraquer, embraquer, tirer un cordage pour le raidir.

accastillage, « la partie émergée d'un navire quand il est chargé » (P.).

affourcher mettre au mouillage en disposant en forme de fourche les câbles de deux ancres.

amarrage à la portugaise, « terme appliqué indifféremment à un morceau de cordage servant à réunir temporairement deux autres cordages » (P.).

amure, « un cordage ou palan par lequel le point d'écoute d'une basse voile est tendu et maintenu en fixité vers l'avant » (P.).

anspect, « sorte de levier de bois dur servant à manœuvrer ou à tourner un cabestan » (P.).

araignée, « réseau en petit cordage » (L.).

arcasse, diverses barres assemblées transversalement sur l'étambot.

arriver, « action de faire tourner un navire en marche autour de son axe vertical jusqu'à ce que le vent lui frappe l'arrière » (P.).

artimon, « mât d'un vaisseau qui est placé le plus près de l'arrière ou de la poupe » (L.).

aussière ou *haussière*, « cordage en manille, chanvre ou fil de fer ayant 90 à 100 brasses de longueur » (P.).

bachot, petit bateau.

baille, baquet utilisé à divers usages.

baratterie, « action frauduleuse et illégale commise au préjudice de l'armateur d'un navire ou du propriétaire de la cargaison par le capitaine ou par l'équipage » (P.).

barroter, « remplir la cale d'un bâtiment jusqu'aux barrots » (petits baux) (L.).

bau, « long morceau de bois, [...] placé en travers du navire et servant à relier les deux murailles » (P.).

beaupré, « mât placé à l'avant du navire et couché sur l'éperon » (L.).

bigots, morceaux de bois plats séparant les pommes du racage et s'appuyant sur les mâts.

bitter, « tourner le câble sur la tête de la bitte » (L.).

bittes, « montants en bois ou en fonte, fixés verticalement sur un pont [...] et servant à y amarrer les câbles-chaînes » (P.).

bonnettes, « petites voiles qu'on ajoute aux grandes pour présenter une plus grande surface au vent » (L.).

bordage, « planche épaisse qui forme le revêtement de la membrure intérieure d'un navire » (L.).

bordé, « assemblage de planches qui revêtent les membrures, les barrots de pont d'un navire » (P.).

bosses, « bouts de cordes qui servent à rejoindre des parties séparées ou à saisir des cordages » (L.).

bossoir, « chacune des deux grosses pièces de bois qui servent à suspendre et à hisser les ancres » (L.).

bouline, « nom de longues cordes qui tiennent la voile de biais, lorsqu'on fait route avec un vent de côté » (L.).

bout-dehors ou *boute-hors*, « pièces de bois qu'on ajoute à chaque bout de vergue du grand mât et du mât de misaine, et qui servent à porter des bonnettes, quand le vent est faible » (L.).

branle, lit de matelots, hamac.

cabaner, être renversé, se renverser.

cabillot, « cheville en bois ou en métal qui traverse les râteliers et auxquels on amarre les cordages » (P.).

calebas ou *hale-bas*, « cordage sur lequel halent les matelots pour faire descendre une vergue, un foc, etc. » (L.).

culer, terme désignant l'enfoncement d'un bâtiment dans l'eau.

caliorne, « nom donné à un gros et fort palan » (P.).

cap-de-mouton, « morceau de bois plat et circulaire, percé de trois trous dans lesquels passent des rides pour raidir les haubans » (P.).

capelage, ensemble des boucles des manœuvres.

capeler, « passer une boucle, un œillet, une bague dans tout objet propre à les recevoir » (L.).

capot, « sorte de tambour d'escalier » (L.).

carénage, « lieu affecté à l'abatage en carène de navires dans un port » (P.).

caret, « gros fil qui sert à fabriquer les cordages » (L.).

cargue, « chacun des cordages servant à retrousser une voile aurique vers le mât et/ou vers la corne » (P.).

carguer, « serrer et trousser les voiles contre leurs vergues, au moyen des cargues » (L.)

chantiers, «pièces de bois de toutes formes et dimensions et servant à divers usages» (P.).

chasse-marée, *lougre*, «petit navire français à trois mâts» (P.).

chouquet, «forte et large pièce de bois, qui sert à l'assemblage d'un mât supérieur avec son mât inférieur» (L.).

civadière, «nom d'une voile qui s'attachait (jadis) à une vergue suspendue sous le mât de beaupré» (L.).

clan, mortaise.

clinfoc, «foc léger qui se grée au mât de beaupré» (L.).

coutre ou *cotre*, «navire à un mât, portant mât de flèche et beaupré rentrant, gréant grande voile» (P.).

dalot, «ouverture pratiquée dans la muraille d'un navire et servant à l'écoulement des eaux» (L.).

déplanter, détacher l'ancre du fond de la mer.

déralinguer, ôter les ralingues d'une voile, «cordages auxquels les bords d'une voile sont cousus pour renforcer celle-ci» (P.).

doublage, «revêtement de la carène d'un navire au moyen de feuilles en cuivre, en métal ou en zinc, ou bien, avec des planches minces, servant notamment à empêcher l'adhérence des végétations maritimes, et aussi, comme préservatif contre la vermoulure» (P.).

drisse, «cordage ou palan, servant à hisser une vergue, une corne, une voile» (P.).

drosse, cordage attaché à la barre du gouvernail.

écouet, «nom d'un cordage qui va en diminuant par un bout» (L.).

écoute, «cordage attaché au coin inférieur d'une voile pour servir à la déployer et à l'étendre» (L.).

élancement, «inclinaison de l'étrave par rapport à une ligne verticale qui serait élevée à l'extrémité de la quille où l'étrave vient se fixer» (L.).

élingue, «morceau de cordage dont on entoure les objets pesants» (P.).

embosser, «amarrer un navire de l'avant et de l'arrière, de manière que, fixé contre le vent et présentant le flanc, il ne soit attaqué et ne combatte que d'un côté» (L.).

embossure, «cordage servant à maintenir un navire dans une position voulue, lorsqu'il est en mouvement en avant ou en arrière ou lorsqu'il évite dans un port» (P.).

emboudinure, garniture d'un cordage pour le préserver du frottement.

épontille, étai en fer ou en bois, «placé verticalement pour soutenir les barrots d'un pont, ou un objet quelconque» (P.).

estrope, désigne «la ceinture en cordage ou la bande de fer ajustée dans les rainures d'une poulie» (P.).

étai, «cordage destiné à consolider un mât contre les efforts de l'avant à l'arrière» (P.).

étambot, «forte pièce de bois élevée à l'extrémité de la quille sur l'arrière du bâtiment. L'étambot sert de support au gouvernail » (L.).

franc-bord, « distance depuis le niveau de l'eau à l'extérieur du navire jusqu'à la partie supérieure du pont au côté » (P.).

funin, « nom de divers cordages d'un vaisseau ». *Franc-funin*, « tout cordage non goudronné ou cordage blanc » (L.).

gabaron ou plutôt *gaburon*, « jumelle de racage » (P.).

galauban ou *galhauban*, « cordage servant à assujettir par le travers et vers l'arrière les mâts supérieurs » (P.).

galoche, « poulie à moufle plat, qui s'applique sur les grandes vergues » (L.).

gambes, « cordage fixé [...] aux caps-de-mouton des haubans de hune et au trélingage des bas-haubans » (L.).

garant, « appellation que prend un cordage quelconque lorsqu'il est employé pour former un palan » (P.).

garcettes de ris et de tournevire, petit filin servant à fixer la partie retroussée d'une voile et à lier le câble avec le tournevire.

gournable, « cheville cylindrique en bois [...] pour fixer un bordage à un membre » (P.).

grelin, « cordage plus léger que la haussière employé à l'amarrage d'un navire dans un port » (P.).

guibre, « l'avant du navire où l'on sculptait un poisson de mer » (L.).

guinderesse, « nom donné à un cordage employé pour guinder

ou pour caler un mât » (P.).

habitacle, « réservoir, ordinairement en laiton, qui contient le compas de route et les lampes » (P.).

hanche, « terme donné à la partie supérieure de la muraille d'un navire qui avoisine le tableau » (P.).

hauban, « tout cordage dont la fonction est d'assujettir les mâts dans le sens latéral ou contre la chute vers l'avant » (L.).

hiloire, « fort bordage qui, allant de l'avant à l'arrière du navire, [...] sert de liaison pour les solives et pour le pont qu'elles supportent » (L.).

hune, plate-forme établie au sommet d'un mât et destinée aux hommes chargés des manœuvres hautes.

hunier, « voile de mât de hune » (L.).

itague, « cordage passant par une poulie simple et sur lequel on agit à l'aide d'un palan pour augmenter les efforts » (P.).

jambettes, extrémités des allonges, débordant de la muraille du navire.

jouail, jas, « nom donné à deux pièces de bois de même figure et de même échantillon que l'on cheville au bout de la verge de l'ancre » (L.).

joue, « la partie renflée de l'avant du navire, qui se trouve au-dessus de la flottaison » (P.).

jottereau ou plutôt *jottereau*, « courbes clouées latéralement de chaque côté de la tête d'un bas mât » (L.).

jumelle, « pièce de bois appliquée sur une autre pour la conserver ou pour la fortifier » (L.).

larguer en bande, lâcher complètement.

lisse, « sorte de préceinte ou de renfort » (L.).

lisse de hourdi, « le dernier banc ou la dernière pièce de bois de l'arrière d'un vaisseau, qui sert à affermir la poupe » (L.).

liure, « amarrage que l'on fait autour de deux ou de plusieurs objets pour les réunir et les tenir solidement ensemble » (L.).

mailletage, « opération qui consiste à garnir de clous à large tête toute la partie de la carène d'un bâtiment qui plonge dans la mer » (L.).

maître-couple et *maître bau*, « membrure placée à la plus grande largeur d'un navire » (P.).

manœuvres dormantes, « cordages servant à soutenir les mâts, le beaupré », etc. — *courantes*, « cordages par lesquels les vergues sont brassées et les voiles hissées » (P.).

mantelet, « volet avec lequel on ferme les sabords » (L.) — ouvertures pratiquées dans la muraille d'un navire.

margouillet, « sorte d'anneau employé pour diriger de petites manœuvres qui descendent sur le pont » (L.).

martingale, « arc-boutant placé au-dessous du mât de beaupré, percé de deux trous dans lesquels passent des cordages » (L.).

mettre à la cape, « se dit d'un navire, qui, la barre sous le vent, et presque à sec de voiles, présente le côté afin de ne plus faire route » (L.).

mettre en panne, « manœuvre par laquelle, en tournant un navire contre le vent, on arrête son mouvement en avant, de façon qu'il ne change que très lentement de place » (P.).

minot, « arc-boutant qui fait saillie à chaque épaule d'un navire et sur lequel la misaine s'amure » (P.).

misaine, « mât d'avant, qui est auprès du beaupré » (L.).

moque, « bloc de bois en forme de cap-de-mouton, ayant seulement un trou dans sa partie centrale » (P.).

moufle, assemblage de poulies.

musoir, « point extrême d'une jetée ou d'un môle » (P.).

oreille d'âne, « nom donné à un fort taquet auquel on amarre un gros cordage » (P.).

organeau, « anneau de fer auquel on attache un câble » (L.).

orin, « cordage qui attache une ancre à une bouée » (L.).

palanguin ou *palanquin*, « petit palan, à l'aide duquel on élève jusqu'à la vergue l'extrémité de la bande de ris d'une voile » (L.).

pantoire ou *pendeur*, cordage assez court servant à divers usages.

pataras, « gros cordage employé accidentellement pour remplacer ou soulager les haubans » (L.).

pavois, « espèce de balustrade qui entoure un pont supérieur et qui sert de garde-corps » (P.).

perroquet de fougue, « voile carrée que porte le mât établi au-dessus du mât d'artimon » (L.).

pistolet, « pièce de bois saillante qui sert à amurer la misaine » (L.).

plat-bord, « bordage quelconque placé horizontalement dans un navire pour couvrir certains endroits ou ouvertures » (P.).

point vélique, « point où la résultante des actions du vent sur les voiles rencontre la verticale au centre de gravité du navire » (L.).

porque, « bande diagonale placée comme renforcement à l'extérieur ou à l'intérieur de la membrure d'un navire » (P.).

poulaine, partie intérieure à l'avant extrême du navire.

poupée, « le prolongement de certaines courbes qui s'élèvent au-dessus des bordages » et autour desquelles « on enroule des cordes pour fixer le bateau » (L.).

prélart, « grosse toile peinte ou goudronnée qui sert à protéger des marchandises ou des constructions contre la pluie et l'eau de mer » (L.).

raban, fil de caret servant à serrer la partie supérieure d'une voile carrée *(têtière)* et chacun de ses angles supérieurs *(pointure)*.

racage, collier de fer ou de bois qui tient le mât rapproché de sa vergue.

radoub, « réparation pratiquée au corps d'un bâtiment qui a subi des avaries » (L.).

rhumb ou *rumb*, « quantité angu-laire comprise entre deux des trente-deux aires de vent de la boussole » (L.).

roufle, toiture établie sur un pont supérieur et protégeant le logement de l'équipage.

serre-gouttière, « serre placée au-dessus de la fourrure de gouttière pour seconder l'effort de cette ceinture » (L.).

sloop, terme de marine marchande. Navire d'assez vaste dimension, utilisé pour le transport des marchandises ou la pêche.

sous-barbe, « cordage placé sous le cap ou tête du navire » (L.).

surjouailler, *surjaler*, « lever l'ancre pour en dégager le jas » (L.).

taille-mer, « pièce de bois saillante, appliquée sur le devant de l'étrave, et servant à couper l'eau » (L.).

talonnement, action de toucher le fond de la mer de l'extrémité de la quille.

tambour, « la partie qui fait saillie et qui protège les roues, dans un bateau à aubes » (L.).

toue, embarcation plate, qui peut servir de bac ou de bateau de pêche.

touée, « cordage mince à l'aide duquel on hale un navire pour lui faire parcourir un espace dans un port » (P.).

tourmentin, « petit foc dont on fait usage pendant la tempête » (L.).

tournevire, « cordage fort, et garni, dans sa longueur, de pommes dont l'effet est de retenir les garcettes » (L.).

touron ou *toron*, « réunion de fils de caret ; trois ou quatre torons commis ensemble représentent un cordage » (P.).

traversin, « pièce de construction placée dans la direction longitudinale du navire » (P.).

trelingage ou *trélingage*, gros filin qui sert à consolider les haubans.

vaigrage, *vaigres*, « bordages qui revêtent le côté intérieur des membrures d'un navire » (P.).

valture ou *velture*, « ligature au moyen de laquelle on réunit fortement une pièce de bois quelconque avec une autre » (L.).

vergue, « pièce d'un bois léger, longue et grosse en proportion de la grandeur de la voile qu'elle doit porter » (L.).

vibor ou *vibord*, troisième ceinture d'un navire, synonyme de « lisse de plat-bord ».

virure, bordage qui sert à former le revêtement extérieur du navire.

NOTES

1. *Nous*, si le recours au Je est très rare dans le roman et ne se réfère pas toujours à l'auteur, en revanche le Nous est d'une grande fréquence. Il représente la plupart du temps le narrateur identifié avec l'auteur. Celui-ci est signifié, plus que par le Je, par la présence de formules telles que « celui qui écrit ces lignes » et « l'auteur de ce livre » ou de formules plus impersonnelles : « un écrivain contemporain », « un Français », « une famille française ».

2. *Ingouville*, commune devenue un faubourg du Havre.

3. *709*, les îles anglo-normandes ont été séparées du continent avant la période historique ; mais la légende veut cette date de 709. « C'est qu'avant l'invasion de la mer, en 709, l'évêque ou l'archidiacre de Coutances *passait à pied de France à Jersey*. » (*Vie des évêques de Bayeux*, cité par Th. Le Cerf, *L'Archipel des îles normandes*, p. 15.)

4. *Dames blanches*, selon la légende, trois fantômes, « les trois Dames de la Grève », hantent les rivages de l'île de Jersey : la Dame Blanche, responsable du meurtre de son enfant, la Dame Grise, une ancienne druidesse, et la Dame Noire, comme la précédente, parricide. Dans *Les Travailleurs de la mer* (I, VII, II), le romancier fait encore allusion à la Dame Rouge. Mais c'est la Dame Blanche, la plus *lumineuse* et le « génie familier » de Marine-Terrace, qui préoccupe V. Hugo : elle est associée aux séances spirites de Jersey et manifeste sa présence au cours des expériences des « tables parlantes ». Elle a inspiré le poème des *Contemplations*, *A celle qui est voilée* (VI, XV). Cf. au sujet de la Dame Blanche, Maurice Levaillant, *La Crise mystique de Victor Hugo*, p. 124-136 et 217-223.

5. *La sombre énigme celtique*, dans *Les Travailleurs de la mer*, Hugo présente constamment l'Archipel de la Manche comme une terre celtique, tout imprégnée des vestiges de l'ancienne Gaule, comme le rappelle Théodore Le Cerf : « Si l'émigration celtique a laissé sur le sol de ces îles des traces de son passage, il est hors de doute qu'elle a marqué son indestructible empreinte dans le type des insulaires et le fond de leur langage » (p. 253). Partout subsistent les vestiges de la civilisation celtique : les monuments mégalithiques, tels que cromlechs, dolmens, menhirs, pulvens, etc. Le celtisme revit dans le roman à

travers les allusions à la religion druidique, à la mythologie et à la
légende, à travers la persistance du langage, des traditions et des
coutumes propres aux insulaires. Les « tables parlantes » définissent le
druidisme comme une préfiguration sanglante du christianisme qui
substitue le « sacrifice divin » au « sacrifice humain ». « Les druides sont
la première religion de l'homme et la première explosion de l'âme dans
le corps. Ils rayonnent à travers les débris de la matière sanglante. Ils
brisent le corps à coups de ciel. » Le druidisme pratique la mort sacrificielle en promettant l'immortalité. (*Ce que disent les tables parlantes*,
présentation de Jean Gaudon, J.-J. Pauvert, 1963, p. 88-89.)

6. *pouquelaie*, « aujourd'hui cromlech ; pierre ou pierres levées. La
pouquelaie était construite d'énormes blocs, ou dalles de granit, posées
sur d'espèces de pilotis aussi grossiers que leur lourde tablature ».
(Métivier, p. 402.)

7. *cap Dicart*, les cartes de géographie écrivent le plus souvent le cap
Dicart, tandis que Le Cerf écrit le cap d'Icare. De toute façon, Hugo ne
pouvait qu'être sollicité par le jeu verbal. Pourtant le mythe d'Icare ne
joue qu'un rôle très secondaire dans son œuvre, plus attentive au mythe
de Dédale, l'inventeur et l'architecte.

8. *Confolens*, chef-lieu d'arrondissement de la Charente.

9. *Gaultier de la Salle*, l'« iniquité judiciaire » en question est la
suivante : Le bailli Gaultier de la Salle fit emprisonner un de ses parents,
assassin au bénéfice d'une grâce royale, et s'empara des biens de ce
dernier.

10. *tow-rope* (angl.) = touline, cordage servant au remorquage d'un
navire.

11. *Cluges* (ou plutôt Cuges) et *Géménos*, villages des Bouches-du-
Rhône.

12. Le *cynodon*, le *phalaris* (ou *phalaride*), l'*agrostide*, le *ray-
grass*, l'*élyme*, le *panis* (ou *panic*) *millet* et l'*androporgon* sont des
genres de graminées, tandis que la *crépide* appartient à la famille des
composées chicoracées et le *laiteron* à celle des composées liguliflores.

13. *hémérobes* et *chrysis*, espèces d'insectes névroptères et hymé-
noptères.

14. *Andernach*, ville de la Prusse rhénane. Le *lac de Laach* se trouve
dans la même région. Quant à *Liederbreizig*, il s'agit d'un *hameau*
proche d'Andernach. Hugo passa à Andernach au cours de son voyage
dans la vallée du Rhin de la fin d'août au début de novembre 1840. La
ville est évoquée dans la lettre XIII du *Rhin*.

15. *overfall* (angl.), raz de courant causé par les hauts fonds.

16. *Tinttajeu*, on pense évidemment au château du roi Marc en
Cornouailles ; mais il existe sur la côte nord-ouest de l'île de Sercq un
gros rocher de « Tintageu ».

17. *Wace*, poète normand, né à Jersey vers 1220 et mort à Bayeux
vers 1280. Il écrivit le *Roman de Brut* ou *Geste des Bretons* et *Rou* ou
Geste des Normands, qui n'ont été publiés qu'au XIXe siècle.

18. *Tewdrig*, etc., Y. Gohin précise que ce sont des « seigneurs et anachorètes du vᵉ siècle, gallois ou bretons, ancêtres de saints illustres » (Cf. pour le détail, Pl., p. 1308).

19. *Channel's Islands*, appellation anglaise de l'archipel des îles anglo-normandes.

20. *Charles Ribeyrolles* (1812-1861), journaliste républicain, exilé à Londres, à Jersey et à Guernesey, où il se lia d'amitié avec Hugo. Il mourut de la fièvre jaune à Rio de Janeiro.

21. *singe, anuble, derruble*, il existe entre Aurigny et l'îlot Burhou une passe difficile appelée « Passage du Singe ». *Anuble (ennuble)*, « sombre, obscur » est un adjectif bien attesté en vieux français pour qualifier en particulier la mer. Quant à *derruble* (en vieux français *desrube*, « falaise »), il désigne dans le parler de Guernesey une « cavité d'un rocher formée par un éboulement de terre, attenant à un précipice » (Métivier, art. *Derriblle*).

22. *tortule*, espèce de mousses.

23. *Ernani* (devenu chez Hugo Hernani) et *Astigarraga*, dans la province espagnole de Guipuzcoa, près de Saint-Sébastien.

24. *bréhailles*, plantes sauvages, selon Frank Le Maistre, *Dictionnaire jersiais-français*, précisant que le terme était en usage au XVIᵉ et au XVIIᵉ siècle.

25. *nestorianisme*, doctrine hérétique de Nestorius, patriarche de Constantinople (vᵉ siècle), qui fut condamné à diverses reprises, en particulier par le concile d'Éphèse en 431, et dut s'exiler en Libye. Elle distingue radicalement la personne divine de la personne humaine, insiste sur l'humanité du Christ et proclame que Marie est la « mère du Christ », et non la « mère de Dieu ».

26. *Saardam* ou Zaandam, ville proche d'Amsterdam, où Pierre le Grand séjourna dans le but de faire un apprentissage de charpenterie navale (1696).

27. *Premières*, village dans les environs de Dijon où Lavalle (non Lasalle) renouvela au XIXᵉ siècle l'art de la céramique. *Joseph Deck* (1823-1891), artiste céramiste qui s'est consacré à étudier la technique des émaux transparents. Il s'enrichit par ses découvertes, tandis que *Devers* vécut dans la pauvreté.

28. *Zaatcha*, oasis de la commune de Biskra (Algérie).

29. *chiner*, faire le métier de colporteur.

30. *Pollet*, faubourg de Dieppe, habité par des pêcheurs. *Strand*, voie importante de Londres, au bord de la Tamise. Ici, rues de Saint-Pierre-Port, parallèles à la mer.

31. *chiques*, chiffes, chiffons.

32. *chaff* (angl.), balle du grain, paille de l'avoine. *Portes anglicées*, l'adjectif ne figure dans aucun des dictionnaires consultés. Jacques Bony me communique deux hypothèses : il peut s'expliquer par *angliet* ou *onglet* = onglet, chanfrein et il s'agirait alors de portes chanfrei-

nées, biseautées ou par *angliais* = anglais et l'expression signifierait portes à l'anglaise.

33. *soubats*, bottes de chaume d'orge.

34. *habiller du poisson*, « apprêter ou nettoyer la carcasse d'une bête, d'un poisson, et même des racines en fuseau » (Métivier, p. 272). *Encombriers*, en ancien français, obstacles, difficultés, contraintes, mais aussi matières obstruant un passage, autrement dit déchets, ordures.

35. *Hougue*, « hauteur, éminence, monticule; monceau de terre, motte sépulcrale ». *Houmet*, « presqu'île, pâturage assis sur l'eau ». *Houle*, à Guernesey, « entrée d'un terrier ». *Hure*, à Guernesey, « coteau stérile, pointe de terre » (selon les définitions de Métivier). *Hourque*, « ancien navire hollandais de transport à fond plat, dont l'avant et l'arrière sont arrondis » (Littré).

36. S'agit-il de *Frédéric Charassin* (1804-1876), homme politique et linguiste français, qui défendit la démocratie et l'idéal socialiste — ce qui lui valut le coup d'État du 2 décembre 1851 ? On peut en douter en fonction du texte.

37. *Rollon*, chef normand et premier duc de Normandie (mort en 931), auquel les îles anglo-normandes furent cédées par le traité de Saint-Clair-sur-Epte (912) et rattachées à la Neustrie.

38. *Haro*, la clameur de haro est une ancienne coutume à laquelle peut recourir tout insulaire qui s'estime gravement lésé. L'étymologie populaire de *haro* (*Ha! Rou!*, appel au duc Rollon) reste vivante dans la littérature et parmi les habitants.

39. *Salomon III*, roi de Bretagne qui lutta contre les Normands et mourut en 874.

40. *Robert Devereux, comte d'Essex* (né en 1567 et décapité en 1601), favori de la reine Élisabeth, qui devint seigneur d'Aurigny en 1591. Il n'est jamais allé dans l'île et n'a pas contribué à la construction d'Essex Castle auquel son nom n'a été attribué que plus tard.

41. *Eustache le Moine*, bénédictin qui devint pirate et ravagea les îles anglo-normandes en 1214 avec son armée de brigands. *Bertrand Du Guesclin*, le connétable assiégea en 1373 la forteresse de Mont Orgueil (île de Jersey) sans parvenir à s'en emparer.

42. *wesleyanisme* ou méthodisme, du nom de son fondateur, John Wesley (1703-1791), évangéliste et théologien qui rompit avec l'Église anglicane en 1738 et se consacra à prêcher le « Réveil » jusqu'à la fin de sa vie. Sa doctrine est établie sur l'évangélisme et le salut par la foi, elle s'oppose d'une part aux tendances ritualistes et de l'autre à la prédestination calvinienne. Comme le note Hugo, le méthodisme pénétra avec succès dans l'archipel anglo-normand.

43. *Ferdinand baron d'Eckstein* (1790-1861) publiciste et penseur français, d'origine danoise, fondateur du journal *Le Catholique*, qui participa au mouvement des idées dans le romantisme. « M. le baron d'Eckstein, un Allemand mystique qui écrivait à cette époque des

articles de haute cosmogonie, n'eût pas manqué de dire que Javert était un symbole » (cit. par Pierre Albouy, *La Création mythologique chez Victor Hugo*, p. 81).

44. *Moulin-Quignon*, « les fouilles opérées par Boucher de Perthes dans la carrière de Moulin-Quignon, près d'Abbeville, en 1863-1864, avaient abouti notamment à la découverte d'ossements qu'il attribuait à des hommes de l'époque tertiaire » (Y. Gohin, Pl., p. 1325).

45. *Furinales*, fêtes célébrées à Rome le 25 juillet en l'honneur de Furrina, identifiée avec : 1. la divinité d'une source et d'un bois sacré, au pied du Janicule ; 2. une Furie par Cicéron et 3. une divinité infernale, plus tardivement. C'est par une fausse étymologie qu'elle est considérée comme la déesse des voleurs.

46. *Furetière*, « Avant que M. Mariette eût levé la carte du diocèse de Coutances, on ne connaissait point l'île d'Aurigny sur la côte de Normandie, à deux lieues de terre et quatre de Cherbourg. Elle est cependant considérable, et par son commerce avec nous, et parce qu'elle appartient aux Anglais, et par le trafic de canons qu'elle fait avec eux. Elle profite de tous ceux des vaisseaux qui font naufrage dans ses environs ; et il y en a toujours plus de deux cents pièces que les habitants vendent aux Anglais en cas de besoin. » (Furetière, cité par Métivier, art. *Casquet*.)

47. *Rabelais*, c'est dans *Le Quart Livre* (chapitre LXVI) que l'auteur fait dire à Panurge : « Ne descendons jamais en terre des voleurs et larrons. Je vous asceure que telle est ceste terre icy, quelles aultres foys j'ay veu les isles de Cerq et Herm entre Bretaigne et Angleterre. » Ces îles étaient alors connues pour abriter des pilleurs d'épaves.

48. *eremos*, en grec désert, signifie ici ermitage.

49. *Saint Tugdual* (ou Tugual), saint mystérieux que l'on suppose être un des évangélisateurs de l'Archipel. *Saint Sampson* s'établit, selon la légende, en Bretagne au début du vᵉ siècle. Évêque de Dol, il introduisit le christianisme dans la région et les îles avoisinantes, vers 525. *Saint Magloire*, cousin de saint Malo et disciple de saint Sampson, fonda des couvents et des prieurés dans les îles anglo-normandes.

50. *Saint Hélier*, moine belge que *saint Marculf*, missionnaire saxon établi en Normandie, aurait envoyé à Jersey pour y introduire la religion chrétienne. Selon la tradition, il aurait été assassiné par des pirates saxons qui avaient pénétré dans son ermitage.

51. *Eparchius* ou *saint Cybard*, ermite du vIᵉ siècle qui se retira dans une cellule près d'Angoulême. *Crescence* ou *Crescentius*, martyr de Trèves. Dans la crypte de Saint-Paulin à Trèves reposent les corps de martyrs de la persécution de Dioclétien. Une inscription, prétendûment ancienne, rappelle le fait et donne les noms des martyrs, parmi lesquels figure un Crescentius.

52. *Jean de Santeuil* (1630-1697), poète néo-latin qui fut chargé par l'archevêque de Paris de substituer aux hymnes anciennes du bréviaire des morceaux plus modernes. Il publia un *Recueil de nouvelles odes sacrées. Cælo quos* […] = « ceux que la gloire consace au ciel ».

53. *amwarydour*, « Défenseur ou Protecteur et Duc » de « la colonie bretonne » (Pl., p. 1327), de même que le *cacique* était gouverneur de province et chef de la tribu indienne en Amérique avant la conquête espagnole.

54. *mactierne*, prince vassal d'un autre prince dans l'ancienne Armorique.

55. *Mithra* est une divinité solaire dans les *Védas* et guerrière dans l'*Avesta*. La religion mithriaque ou mithraïsme se répandit dès le Ier siècle après J.-C. dans le monde méditerranéen et jusqu'en Grande-Bretagne comme un culte du « Soleil invincible ». Mithra tua, selon la légende, un taureau sacré dont le sang féconda la terre. Cette religion initiatique qui concurrença le christianisme pendant plus de deux siècles pratiquait le baptême par le sang d'un agneau ou d'un taureau.

56. *Nominoé* (mort en 854), gouverneur et duc de Bretagne qui, sous Charles le Chauve, usurpa le pouvoir et prit le titre de roi.

57. *bollandistes*, du nom de Jean van Bolland (1596-1665), désignent les membres d'une société de jésuites qui se chargèrent de rassembler les matériaux et de publier les *Acta sanctorum*, vies des saints et des saintes de l'Église, classées selon l'ordre du jour où ils sont honorés. La tâche se poursuivit, en particulier en Belgique, pendant les XVIIIe et XIXe siècles. Quant à l'abbé *Charles Trigan* (1694-1764), il est l'auteur d'une *Histoire ecclésiastique de la Province de Normandie*.

58. *Victrice de Rouen* et *Martin de Tours*, le premier fut évêque de Rouen au IVe siècle, le second, né en Pannonie, fut évêque de Tours et demeura un des saints les plus vénérés en France. L'*abbaye de Montebourg* est un monastère bénédictin dans les environs de Cherbourg.

59. *poids de la Reine*, tradition fiscale selon laquelle on prélève « un sou par cent livres pour toutes marchandises pesées au *poids de la Reine* » (Le Cerf, p. 269).

60. *Gwynn*, dieu gallois qui se rattache aux mythes du héros civilisateur, des cultes agraires et à l'univers de la mort. Serait-il à l'origine du nom de Gwynplaine, le héros de *L'Homme qui rit?*

61. *Précepte d'Assize*. En 1331, le roi d'Angleterre Édouard III envoya à Guernesey des juges *itinérants* ou magistrats délégués qui avaient pour charge de réviser les sentences de la juridiction. « Ils rassemblèrent à cet effet dans chaque paroisse une douzaine de prud-hommes élus parmi les anciens et savants de ladite île et de l'ensemble de tous les témoignages ainsi recueillis, ces juges itinérants dressèrent un rapport connu sous le nom de *précepte d'Assizes (sic)*. » (Le Cerf, p. 283-284.)

62. *Tancrède* et *Mazeppa*, le premier est un personnage du poème épique du Tasse, *La Jérusalem délivrée*. Quant à Mazeppa (1644-1709), il était chef des cosaques et sa fuite vers l'Ukraine a inspiré à Byron un conte en vers et à *Hugo* un poème des *Orientales* (XXXIV).

63. *La Normandie inconnue*, ouvrage de François-Victor Hugo, paru chez Pagnerre en 1857.

64. *connétables*, officiers paroissiaux, chefs de l'administration et de la police dans les îles anglo-normandes. *Douzeniers*, magistrats municipaux, formant la *douzaine* ou conseil administratif (cf. Le Cerf, p. 275). *Cour royale*, Cour de justice, placée sous la présidence du bailli, chargée des affaires civiles et criminelles. *Les États*, l'assemblée législative de l'île, présidée par le bailli. *Bailli* ou *baillif*, président des États et de la Cour royale, est le représentant officiel de la Couronne. *Ballivus et coronator*, les deux mots sont empruntés au bas-latin, le premier désignant le bailli, au sens technique, et le second le représentant local de la Couronne d'Angleterre.

65. *John Brown* (1800-1859), partisan américain de l'abolition de l'esclavage, condamné à la pendaison.

66. *riselée*, risée, moquerie.

67. *Diderot*, anecdote rapportée dans le *Voyage en Hollande et dans les Pays-Bas autrichiens* (*Œuvres complètes*, t. XI, p. 385, Le Club français du livre, 1971), pour illustrer « la nonchalance de l'ouvrier ». Diderot parle de trois ouvriers chargés de réparer un carreau cassé et Hugo en ajoute deux par goût de l'hyperbole.

68. *écarts*, rares.

69. *Georges Métivier* a donné une traduction de l'*Évangile selon saint Matthieu* et publié un *Dictionnaire franco-normand* qui parut à Londres en 1870, soit quatre ans après *Les Travailleurs de la mer*. L'abbé *Dominique Eliçagaray* (vers 1760-1822), professeur de philosophie, se rendit ridicule par ses idées ultra-réactionnaires et par son intolérance.

70. *Cahaigne* (mort en 1860) est, comme Ribeyrolles, un compagnon d'exil du poète à Jersey. Hugo parle d'eux dans *Choses vues* à propos de l'« affaire Hubert ».

71. *prince-consort*, il s'agit du bronze Albert, statue érigée en 1863 à Saint-Pierre-Port en hommage au prince Albert (1819-1861), l'époux de la reine Victoria. *Le Roi Doré*, statue du roi d'Angleterre George II, élevée au milieu du XVIIIᵉ siècle.

72. *marquis de Beccaria* (1738-1794), économiste italien qui publia en 1764 un traité *Des délits et des peines*, où il protestait contre la procédure secrète, la torture et les supplices. *André Dupin* (1783-1865), magistrat et homme politique français, député libéral sous la Restauration, il participa à la Révolution de 1830, présida la Chambre des députés (1832-1837), puis donna son adhésion au second Empire.

73. *Henry John Temple, vicomte de Palmerston* (1784-1865), chef libéral et ministre qui accompagna la reine Victoria et le prince Albert durant leur visite dans les îles anglo-normandes en 1846.

74. *Joseph Lesurques* (1763-1796), condamné à tort pour avoir assassiné le courrier de Lyon et décapité.

75. *Tapner*, en janvier 1854, V. Hugo intervint vainement pour obtenir la grâce de Tapner condamné à la pendaison (cf. *Actes et paroles*, II, *Pendant l'exil*, I).

76. *jambage*, droit féodal selon lequel le boucher doit au seigneur une jambe de chaque bœuf qu'il abat; *poulage*, redevance sur la volaille.

77. *Tempé*, vallée de la Thessalie, arrosée par le Pénée et célébrée par les poètes comme une sorte de paradis terrestre. *Val-Suzon*, au nord-ouest de Dijon, lieu familier à l'inspiration d'Aloysius Bertrand.

78. *John Doyle* (mort en 1834), général anglais et bailli de Guernesey qui a organisé en 1803, en prévision d'une attaque française, un système complet de défense de l'île.

79. *Tubal-Caïn*, est le fils de Lamech et le frère de Noé, «l'ancêtre de tous les forgerons en cuivre et en fer» (*La Genèse*, IV, 21). Forgeron et inventeur des arts métallurgiques, il est initié aux mystères du feu. Dans le *Voyage en Orient* de Nerval, «Histoire de la Reine du matin et de Soliman», c'est lui qui initie Adoniram aux pouvoirs du *feu central* et l'engage dans la lutte contre la puissance tyrannique d'Adonaï. Cf. Gérald Schaeffer, *Le Voyage en Orient de Nerval, étude des structures*, Neuchâtel, La Baconnière, 1967, p. 99-141.

80. *Charles Du Cange* (1610-1688), érudit français, auteur d'un *Glossarium ad scriptores mediœ et infimœ latinitatis*. *Baleicourt*, et non *Barleycourt*, est le pseudonyme de Charles-Louis Hugo (1667-1739), historien français et évêque de Ptolémaïs.

81. *Teutatès* appartient, selon *La Pharsale* de Lucain, à la triade des dieux gaulois avec Esus et Taranis. Il peut être identifié soit avec Mercure, soit avec Mars, soit encore avec les deux dieux des Latins. Dans la séance des «tables parlantes» du 18 février 1855, il est noté: «Teutatès ne voit Dieu que dans la pourpre du sang.»

82. *livre-tournois*, monnaie frappée à Tours jusqu'au XIIIᵉ siècle, puis monnaie royale valant vingt sous; *saisine*, terme de jurisprudence féodale, droit dû au seigneur de prendre possession d'un héritage qui relevait de lui; *dessaisine*, formalité par laquelle on aliénait un héritage. *Droit de commise* et *mouvance*, confiscation d'un fief au profit du seigneur, lorsque le vassal n'a pas respecté ses devoirs, et dépendance d'un fief à l'égard d'un autre. *Retrait lignager*, permettait aux parents du défunt de reprendre à l'acquéreur un bien provenant de leur ligne, à la condition de lui en rembourser le prix.

83. *centeniers* et *vingteniers*, adjoints des connétables et officiers municipaux. *Vingtaine et cueillette*, subdivision de la paroisse. Chaque paroisse est divisée en un certain nombre de vingtaines, formées autrefois de vingt maisons ou vingt familles. Cette division, bien qu'elle ait perdu sa signification primitive, existe toujours.

84. *branchage des routes*. L'entretien des chemins incombe à la paroisse et la Cour royale a pour mission de surveiller l'état des voies publiques. «Le connétable est alors requis de convoyer un jury composé de douze hommes honnêtes et impartiaux choisis parmi ses paroissiens; ce jury prête serment de diriger la Cour à travers les plus mauvais chemins de la paroisse. Ces hommes sont appelés les voyeurs. [...] Comme tous les propriétaires des terres qui bordent la route sont tenus

d'avoir leurs haies proprement taillées et les arbres élagués de manière à découvrir le chemin jusqu'à une certaine élévation, il est de règle que si le bâton official du vicomte, passant le long de la voie est arrêté par une branche qui empiète, rapport en est fait à la Cour qui, après vérification, impose une amende au propriétaire du terrain. » (Le Cerf, p. 191-192.)

85. *vicomte* ou *shériff*, juge chargé des assises judiciaires et des enquêtes criminelles.

86. *tenure*, terre concédée à charge de services, mouvance, dépendance.

87. *Chefs-plaids*, audiences solennelles de la Cour royale de justice à Jersey et à Guernesey. *Affieffement*, acte par lequel un fief est remis. *Empossession* ou *ensaisinement*, reconnaissance par acte d'un nouveau tenancier. *Ajour* et *aveu*, ajournement et acte sur lequel est fondé la vassalité. *Record*, témoignage, enquête. *Alleu*, par opposition au fief, terre de libre propriété, qui n'est soumise à aucune redevance ; *droits régaux* ou *régaliens*, c'est-à-dire propres au roi ou au souverain.

88. *John William Colenso* (1814-1883) évêque anglican de Natal, traduisit la Bible en langue zoulou et contesta l'authenticité de certains livres de l'Ancien Testament. Il en résulta une polémique avec l'évêque du Cap, qui introduisit une scission dans l'Église anglicane de l'Afrique du Sud.

89. *John Elliot* (1747-1787), médecin anglais qui, emprisonné pour tentative de meurtre, se laissa mourir de faim.

90. *Reminiscitur Argos*, il s'agit d'un fragment de vers de *L'Énéide* de Virgile (X, v. 782), évoquant la mort d'Antorès, le compagnon d'Hercule : « Il lève les yeux vers le ciel et se souvient en mourant de la douce Argos. »

91. *François marquis de Rivière* (1765-1828), aide de camp du comte d'Artois, fut mêlé à la conspiration de Cadoudal et détenu pendant plusieurs années. La Restauration lui confia l'ambassade de France à Constantinople.

92. *Louis Louvel* (1783-1820), assassin du duc de Berry dans l'intention d'exterminer les Bourbons.

92*bis*. *Homo edax*, l'homme vorace qui dévore et consume.

93. *Bies-Bosch*, terre des Pays-Bas submergée au XVᵉ siècle. *Dollart*, golfe de la mer du Nord, situé entre les Pays-Bas et l'Allemagne. Sa formation a provoqué l'engloutissement de la ville de Torum.

94. *l'impossible, Les Travailleurs* sont pourtant le roman de la métamorphose de l'impossible en possible. Gilliatt est sans cesse confronté à l'impossible qu'il parvient à vaincre par « la vaste ouverture du possible », offerte par la rêverie (I, I, VII), puis par le travail et le progrès. Il est en présence d' « une réalité empreinte d'impossible » (II, I, XIII), mais le véritable impossible auquel il se heurte est l'amour de Déruchette. Dans la *Préface philosophique* des *Misérables*, Hugo se représente « ébloui d'hypothèses, englouti dans le possible », qu'il sonde à l'aide de son intuition. Le rêve apparaît à l'homme comme

l' « escalade des escarpements de l'impossible » (*Promontorium somnii*, p. 60), mais la conversion en possible s'opère à travers « cette fenêtre du rêve ouverte sur le réel » (*William Shakespeare*, p. 87).

95. *Trinacrie*, à trois pointes, semblablement à la Sicile, dont c'était le nom ancien.

96. *Psamméthis* ou *Psamoutis*, troisième roi de la XXIXe dynastie égyptienne, qui accéda au trône vers 380 avant J.-C.

97. *Astypalée*, île de la mer Égée, appelée aujourd'hui Astropalia.

98. Le major *Pierson* mourut en délivrant l'île de Jersey d'une invasion française en janvier 1781 (cf. le récit détaillé rapporté par Le Cerf, p. 42-59).

99. *homo homini monstrum*, formule inspirée de Plaute (« homo homini lupus ») et transformée à dessein par Hugo dans le sens de l'œuvre : « l'homme est un monstre pour l'homme ».

100. *anankè*, tous les romans de Hugo, de *Notre-Dame de Paris* à *Quatrevingt-treize*, sont unis par la thématique de la fatalité, qu'elle soit religieuse, politique et sociale, cosmique, intérieure ou métaphysique. L'*anankè* n'est pas seulement inscrite dans la pierre de Notre-Dame, mais dans le texte de tout l'œuvre romanesque, dont elle contribue à fonder la cohérence.

101. *la maison visionnée*, plus encore que la demeure de Gilliatt, c'est celle de Plainmont qui sera la « maison visionnée », visitée par les spectres nocturnes, ouverte aux apparitions et aux songes les plus effrayants. Dans la *Préface philosophique*, Hugo exprime en ces termes la dilatation de l'acte de contempler en vision : « L'univers contemplé devient l'univers visionné. » Il use également du néologisme, « visionnement », pour traduire la spécificité du phénomène. Métivier précise qu'à Guernesey vision signifie « spectre, apparition ».

102. *beyle* ou *baile*, cour intérieure ; terrain clos par les murs d'enceinte d'un château.

103. *cippe*, demi-colonne qui n'est pas surmontée d'un chapiteau.

104. *Belphégor*, etc., toute cette terminologie diabolique peut être éclaircie grâce à Collin de Plancy, *Dictionnaire infernal* (publié à six reprises de 1818 à 1863) et à J. Tondriau et R. Villeneuve, *Dictionnaire du Diable et de la démonologie* (Marabout Université, 1968) auquel nous nous référons. *Belphégor* correspond à Baal, adoré par les Moabites, et au démon des découvertes, tentant l'humanité par l'acquisition des richesses. *Hulgin*, s'agit-il d'*Hutgin*, « ambassadeur infernal envoyé chez les Turcs », et non en Italie ? *Bélial* ou *Béliar* est le « chef des mauvais esprits », qui, « sera précipité dans un abîme de feu ». Il incarne le désordre du monde et s'identifie avec la Bête de l'*Apocalypse*. *Thamuz* est « l'ambassadeur infernal en Espagne » et *Martinet* l'est en Suisse, ainsi que le démon associé aux sorcières. *Mammon* est le démon de la richesse et de l'avarice, attribué à l'Angleterre. *Dagon*, dieu de l'agriculture chez les Phéniciens (cf. *Antéros* dans *Les Chimères* de Nerval), est devenu le « grand pannetier de la maison des Princes

infernaux ». *Succor-Bénoth* est le « chef des eunuques du sérail de la maison des Princes infernaux ». Dans la démonologie, *Asmodée* représente « le surintendant des maisons de jeu de la Cour infernale ». Quant à *Kobal*, il est le « directeur général des plaisirs de la Cour infernale et de ses théâtres ». *Verdelet* est le « maître des cérémonies de la maison des Princes infernaux » et il s'occupe d'emmener les sorcières au sabbat, tandis que *Nybbas*, « prophétiseur et charlatan », organise « les plaisirs de la Cour infernale ».

105. *Wiérus*, Jean Wier ou Weyer (1515-1588), médecin de l'Université de Paris, qui visita l'Orient pour étudier les prodiges des mages et des sorciers. Il publia en 1564 et 1567 *Des impostures et tromperies des démons* sur les procès des sorcières et les excès dont elles ont été victimes. *Strygologue*, savant en matière de vampires et de sorcières.

106. *Saint Maclou* est le même personnage que saint Malo, qui, venu du pays de Galles, évangélisa la Bretagne à la fin du Ve siècle.

107. *Saint Zacharie*, pape dès 741, décréta à l'occasion du concile de 745 que Raguel était un démon, et non un ange. Quant aux noms d'Oribel et de Tobiel, ils sont apparemment inventés par Hugo.

108. *Louis Patouillet* (1699-1770), écrivain et polémiste jésuite, adversaire de Voltaire. Il collabora aux écrits de l'archevêque de Paris, Christophe de Beaumont, et publia l'*Histoire du pélagianisme*.

109. *De erroribus nocturnis et de semine diabolorum*, Des illusions nocturnes et de la semence des démons.

110. *sorcier*, il y a dans « Sieur Clubin » tout un réseau sémantique de la sorcellerie : sorcier, sarregousets et sins, magicien et mage, sabbat, etc., qui tend à créer un climat de fantastique étroitement associé aux superstitions des habitants des îles anglo-normandes.

111. *amant alterna catenæ*, les chaînes aiment l'alternance des châtiments.

112. *Hélier Gosselin*, bailli de Guernesey qui, sous le règne de Marie Ire Tudor, fit brûler trois hérétiques.

113. *Vergée*, mesure de superficie en usage à Jersey et à Guernesey.

114. *mouzettes*, haricots, *caboches*, choux.

115. *dénerel*, la sixième partie d'un boisseau.

116. *temprun*, hâtif (Métivier), *temprunes*, pommes de terre nouvelles ou hâtives, qui constituent l'une des principales cultures des îles anglo-normandes.

117. *bag-pipe*, espèce de cornemuse dans les îles Britanniques. Hugo s'est entêté à écrire *bug-pipe*, persuadé qu'il avait raison, comme il le spécifiait à Auguste Vacquerie le 22 février 1866 : « BUG *pipe* est la vraie orthographe. De *bugle*. »

118. *L'abbé Jean-François Rozier* (1734-1793), agronome et botaniste de Lyon, est l'auteur d'un *Dictionnaire universel d'agriculture*. Le docteur *André Tissot* (1728-1797), médecin suisse, publia entre autres *L'Inoculation justifiée*, où il préconise la vaccination, *L'Onanisme* qui retint l'attention de Rousseau et l'ouvrage cité ici, qui parut en 1761.

119. *Matthias Tiling* (mort en 1685), médecin allemand, qui exerça sa profession à la cour de Hesse et auteur de divers ouvrages scientifiques.

120. *bouilleries*, décoctions possédant une vertu magique.

121. *sarregousets et sins*, sont mal aisés à identifier; le contexte permet de préciser qu'il s'agit de spectres, de fantômes, de génies de l'air, qui, accompagnant le tonnerre, sèment la terreur chez les hommes et sont de connivence avec les sorcières.

122. *faces*, probablement les « faces de fantômes », semblables à celles qui apparaissent dans la « maison visionnée » de Plainmont (I, V, IV).

123. *martello*, tour construite dans les lieux menacés par le débarquement. « Cette espèce de tour côtière, à deux étages de meurtrières, se nomme martello, du nom de l'inventeur » (V. H. dans « Souvenirs çà et là », chapitre retranché de *L'Archipel de la Manche*).

124. *le Roi des Auxcriniers*, semble appartenir à la mythologie personnelle de Hugo plutôt qu'à une croyance légendaire de l'Archipel. H. Guillemin, dans *Hugo et le rêve* (*Mercure de France*, 1er mai 1951, p. 15), extrait ce passage des carnets du poète en 1865 : « Nuit du 15 au 16 février. Les Aucriniers, nom que, dans le demi-rêve de l'insomnie, et sans savoir ni comment ni pourquoi, j'ai donné aux trouble-sommeil nocturnes. » Et H. Guillemin ajoute en note que le terme sert dans le roman à « désigner les farfadets de l'Océan ». Le Roi des Auxcriniers est illustré dans le manuscrit des *Travailleurs* par un lavis, évoquant le phantasme visionnaire du poète. Il est une représentation du grotesque, qui se retrouve dans tous les romans de Hugo.

125. *Tungousie*, peuple nomade de la Sibérie orientale, dont les sorciers disposent des pouvoirs chamaniques.

126. *le Livre de perquage* (ou *perchage*) est à Guernesey le registre du mesurage cadastral (la perche y valant 21 pieds carrés). « Il est enjoint à la Douzaine de la paroisse de Saint-Pierre-Port de faire un nouveau *perquage* du Fief le Roi en cette paroisse dans le jour Saint-Michel prochain en un an, et de ce en faire livre... » (Cit. par Métivier, p. 381.)

127. *piperette du jour*, on comprend aisément qu'il s'agit du point du jour, du crépuscule du matin. Métivier donne la forme *pipelote du jeur*.

128. *épluque-pommiers*, rouges-gorges. *Épluquer* = éplucher.

129. *Pierre Landais* (1430-1485), receveur général de Bretagne et favori du duc François II, orienta la politique dans un sens hostile à la France.

130. *snuffe* = *snuff* (angl.), prise.

131. *pâtre* et *mage*, ce paragraphe et le suivant sont proches par leur contenu des deux grands poèmes des *Contemplations : Magnitudo parvi* (III, XXX) et *Les Mages* (VI, XXIII).

132. *Guy Fawkes* (1570-1606), soldat anglais qui participa à la

« Conspiration des poudres » pour rétablir le catholicisme en Angleterre, après avoir fait sauter le roi et le Parlement. Alors qu'il veillait sur les barils, il fut arrêté, puis exécuté.

133. *l'homme du songe*, tout ce chapitre témoigne de la relation qui existe entre le *Promontorium somnii* et *Les Travailleurs*, à travers la certitude que « l'habitation du songe est une faculté de l'homme », par laquelle il exerce la puissance divinatrice et entre en communication avec l'infini.

134. *Thomas Martin de Gallardon* (1783-1834), laboureur qui se rendit célèbre par ses visions le persuadant de la survivance de Louis XVII. Balzac le cite comme exemple de prophète et de voyant dans *Le Cousin Pons*.

135. *voyant*, si l'on fait abstraction de *Dieu*, où la fréquence est considérable, ce sont *Les Contemplations*, *William Shakespeare* et *Les Travailleurs* qui présentent le plus d'occurrences du terme voyant. Dans le roman, il y en a trois qui sont signifiantes. Ici le voyant est défini par le don de la vision prophétique. Gilliatt sera qualifié plus loin d' « une espèce de voyant de la nature » qui s'adonne aux pouvoirs du songe (II, I, XIII) et il deviendra « presque un voyant du temps » par la contemplation solitaire (II, II, X). Les voyants sont, dans l'œuvre de Hugo, Job, les poètes aveugles, Homère et Milton, Beethoven et Mesmer, tandis que Moïse, Jean, Dante et Swedenborg sont des visionnaires. (Cf. *La Voyance avant Rimbaud* dans Rimbaud, *Lettres du voyant*, p. 60-79.)

136. *Horeb*, montagne de l'Arabie, dans le massif du Sinaï, où Moïse eut la vision de Dieu dans un buisson ardent. Le *Cédron*, torrent de la Judée qui sépare le plateau de Jérusalem du Mont des Oliviers. *Ombos*, ville de l'ancienne Égypte, connue pour le culte du double Horus et de Seth. « Les vallons d'épreuve et de rêverie s'ouvrent de tous les côtés à l'inquiétude humaine. C'est l'Ombos près du Nil » *(Préface philosophique)*. *Laurier de Castalie*, nymphe qui, poursuivie par Apollon, se jeta dans une source à laquelle elle donna son nom. Cette source, consacrée à Apollon et aux Muses, est sur le versant du Parnasse ; elle symbolise, de même que le laurier, l'inspiration prophétique et poétique. *Busion*, premier mois de l'année chez les Delphiens.

137. *Péleia* ou *Péliade*, nom des prêtresses de Zeus à Dodone. *Phémonoé*, fille d'Apollon qui fut la première Pythie à Delphes. *Trophonios*, héros de Lébadée en Béotie, où se rendaient des oracles. *Kébar*, fleuve de Chaldée au bord duquel Ézéchiel fut le témoin de visions.

138. *obi*, magicien et sorcier chez les Noirs. Le nain Habibrah, dans *Bug-Jargal*, est un obi.

139. *aucun surnaturalisme*, Hugo affirme dans la *Préface philosophique* : « Mais d'abord il n'y a pas de surnaturalisme. Ce que vous nommez ainsi, nous le nommons, nous, le naturalisme », dans *Contemplation suprême* : « Il n'y a pas de surnaturalisme. [...] Le surnaturalisme est immanent. » Il tend à considérer le surnaturalisme comme la part de l'inconnu et de l'invisible dans la nature. Toutefois la *Contem-*

plation suprême associe le surnaturalisme à l'activité de l'intuition, à la perception de l'infini et à l'exigence éthique. « Toutes les racines de la loi morale sont dans ce qu'on appelle le surnaturalisme. » Le surnaturalisme hugolien se distingue de celui de Baudelaire en ce sens que la nature et la surnature constituent une totalité, englobant le fini et l'infini.

140. *l'aquarium de la nuit*, cette description poétique de la descente du rêve dans les abysses de la nuit et dans la mythologie de l'inconscient, identifiée avec les profondeurs sous-marines, annonce le surréalisme. La page aurait été digne de retenir l'attention d'André Breton au même titre que certains passages de Nodier ou de Nerval, de Rimbaud ou de Lautréamont. Elle illustre admirablement ce que le *Promontorium somnii* appelle « l'inhérence du rêve à l'homme ».

141. *Pierre Athénas* (1752-1829), archéologue et collaborateur du *Lycée armoricain*, revue savante, publiée à Nantes.

142. *mess* = diminutif de messire.

143. *Cette* = Sète.

144. *Pierre-André de Suffren*, dit le bailli de Suffren (1726-1788), célèbre marin français qui s'est distingué par ses batailles contre les Anglais.

145. *Jean-Pierre Camus* (1582-1653), évêque de Belley, s'est consacré au service des pauvres. Disciple de saint François de Sales, il écrivit des ouvrages de polémique.

146. *Anne, comte de Tourville* (1642-1701), maréchal qui s'est distingué dans ses expéditions navales contre les Barbaresques, les Hollandais et les Anglais. *Hocquincourt*, il ne peut s'agir du plus illustre représentant de la famille, le marquis d'Hocquincourt (1599-1658), maréchal de France, puisque la chronologie s'y oppose, mais du chevalier d'Hocquincourt, mort en 1666 (Cf. Pl., p. 1404).

147. *Jean Angot* (1480-1551), armateur français, envoya des navires en Amérique, en Afrique et aux Indes. Il contribua à équiper la flotte de François Ier contre l'Angleterre.

148. *Louis-Victor, duc de Mortemart et de Vivonne* (1636-1688), général des galères, puis vice-roi de Sicile qui s'empara de Messine et remporta la victoire de Palerme.

149. *Abraham Duquesne* (1610-1688), marin français, battit *Michel de Ruyter* (1607-1676), amiral hollandais, venu au secours de la flotte espagnole, à Stromboli et à Agosta. *René Duguay-Trouin* (1673-1736), marin français, vainquit la flotte hollandaise du baron de *Wassenaer* (1697).

150. *Victor-Auguste Duperré* (1825-1900), vice-amiral français qui s'est illustré dans les mers de Chine et dans la Baltique.

151. *Bertrand de La Bourdonnais* (1699-1753), marin français au service de la Compagnie des Indes, puis du vice-roi portugais de Goa. Il fut gouverneur de l'île Bourbon et de l'île de France.

152. *Jocrisse*, valet de comédie, caractérisé par sa maladresse et sa niaiserie.

153. *La réalité, c'est l'âme*, *Les Travailleurs* sont, de tous les romans de Hugo, le plus attaché au contexte de l'immanence. Mais cette affirmation rappelle au lecteur la primauté de l'exigence spirituelle, quel que soit l'engagement de l'être dans l'épaisseur cosmique et parmi les « forces paniques ».

154. *édénise*, V. Hugo semble user du néologisme dans *Les Travailleurs de la mer* pour signifier les pouvoirs transfigurateurs de l'amour et de la rêverie. L'ange qui est en la jeune fille *édénise* le milieu dans lequel elle vit, elle le métamorphose en un paradis par le rayonnement de sa présence, la grotte dans laquelle descend Gilliatt est *sidéralisée* par la puissance du songe (II, I, XIII) et les extases de l'amour produisent la sensation de l'*emparadisement* (III, III, IV).

155. *Robert Fulton* (1765-1815), mécanicien américain qui réalisa le premier la propulsion des bateaux par la vapeur. Son invention fut soutenue par *Robert Livingston* (1746-1813), diplomate et homme politique des U.S.A.

156. *Treneuil* (1763-1812), auteur des *Tombeaux* (1806), inspirés par les tombes royales, enlevées pendant la Révolution.

157. *Calicut* = Madras.

158. *Cabeza de moro* (esp.), tête de Maure.

159. *Oomrawuttee*, Amravati, ancienne ville de l'Inde péninsulaire sur la côte orientale.

160. *Grand-Goâve* et *Petit-Goâve*, localités de l'île de Haïti.

161. *Faustin Soulouque* (1782-1867), empereur de Haïti sous le nom de Faustin Ier.

162. *Verdet*, membre des compagnies royalistes qui menèrent une action terroriste dans le Midi de la France après le 9 Thermidor et pendant la Terreur blanche (1815).

163. *thaleb*, « plus exactement un *thalib*, c'est-à-dire un étudiant » (Y. Gohin, Pl., p. 1413).

164. *Denis Papin* (1647-1714) construisit le premier bateau à vapeur qu'il lança sur la Fulda, rivière de l'Allemagne occidentale (Hesse).

165. *Satrup* et *Flensbourg*, villes allemandes du Slesvig-Holstein.

166. *guindoir à pompe*, ce terme inconnu des dictionnaires de marine consultés pourrait être une invention de Hugo pour désigner un appareil servant à élever, à hisser à l'aide de la force de la vapeur.

167. *brai*, résidu provenant de la distillation du goudron de houille.

168. *gallegalle* ou plutôt *galgale*, composition de chaux, d'huile et de goudron, servant à enduire la carène des vaisseaux avant l'application du doublage.

169. *L'air Bonny Dundee*, il s'agit d' « une ancienne mélodie écos-

saise qui fut très populaire en Grande-Bretagne» (Y. Gohin, Pl., p. 1423).

170. *Népaul* = Népal.

171. *bosseman*, transcription de l'allemand Bossmann, littéralement homme de bateau. Le nom désignait autrefois des sous-officiers de marine, chargés de veiller aux ancres, aux câbles et aux bouées.

172. *la Nouvelle-Hollande* = l'Australie.

173. *agami*, oiseau provenant de l'Amérique du Nord.

174. *Mozabites*, habitants des oasis du Mzab dans le nord du Sahara et adeptes d'une secte musulmane ; *Biskris*, habitants de l'oasis ou de la ville de Biskra.

175. *Thun-daû-Môt* et *Cholen*, villes de l'ancienne Indochine française.

176. les *Moï* ou *Moïs*, appellation collective des populations des montagnes dans l'ancienne Indochine.

177. *Tocantins* et *Diamantina*, fleuve et ville du Brésil.

177 *bis*. *Et vidit quod est bonum*, la formule est répétée à plus d'une reprise dans le récit de la création : «et Dieu vit que c'était bon» *(La Genèse*, 1).

178. *Édouard le Confesseur*, anglo-saxon, roi d'Angleterre de 1042 à 1066.

179. *François de Montlosier* (1755-1838), homme politique et écrivain français, royaliste et gallican, adversaire des jésuites, auteur d'une *Histoire de la monarchie française*.

180. *Louis de Bourmont* (1773-1846), maréchal de France, qui participa aux guerres de l'Empire, puis abandonna l'armée impériale pour se rallier à Louis XVIII. Il fut ministre de la Guerre et commanda l'expédition d'Alger (1830).

180 *bis*. *Raca*, mot d'origine syriaque, exprimant le mépris et figurant dans l'Évangile de saint Matthieu (V, 22).

181. *claymore*, grande épée à deux mains, utilisée en Écosse du XIVe au XVIe siècle. Y. Gohin a montré que cette description est inspirée d'un texte du *Mousquetaire*, le journal d'Alexandre Dumas, dans son numéro du 1er août 1856 (cf. Pl., p. 1432-1434).

182. *chineuse*, qui fait le métier de colporteuse.

183. *Saint-Asaph*, ville du comté de Flint dans le pays de Galles.

184. *Théodore Jauge*, «armateur bordelais, puis banquier parisien, joua un rôle important dans les finances françaises à la fin de l'Ancien Régime et au début de la Révolution, mais il fut guillotiné en 1794» (Y. Gohin, Pl., p. 1438).

185. *Edme Mariotte* (1620-1684), physicien français qui inventa l'appareil destiné à vérifier les lois du choc des corps élastiques et qui se livra à des expériences sur les phénomènes barométriques. *Parhélie*,

phénomène lumineux, produit par la réflexion de la lumière sur des cristaux de glace dans l'atmosphère. *Parasélène*, cercle lumineux autour de la lune.

186. *feu Saint-Elme*, aigrette lumineuse qui est due à l'électricité atmosphérique et qui apparaît à l'extrémité des vergues et des mâts.

187. *Aquilèges*, ils avaient dans l'antiquité romaine le pouvoir et la réputation d'agir sur la pluie.

188. *Marinterne* = Méditerranée. Ce qui est confirmé par Pline l'Ancien dans son *Histoire naturelle*.

189. *veuvier* = veuf.

190. *maringotte*, voiture à deux roues ou plus rarement à quatre.

191. *helada* (esp.), glace.

192. *mense*, table (archaïsme).

193. *boucaut*, tonneau destiné à des marchandises sèches. *Sagua*, ville de Cuba.

194. *Jean-Baptiste, comte de Villèle* (1773-1854), homme d'État et premier ministre sous la Restauration.

195. *suron*, emballage en cuir.

196. *Callao*, ville et port du Pérou sur la côte pacifique.

197. *Caraque* désigne le cacao de Caracas. *Trinidad* ou *Trinité*, île des Petites Antilles.

198. *cuirs Saladeros*, provenant de l'Amérique du Sud.

199. *Charles, comte de Diebitsch* (1785-1835), maréchal russe, qui combattit les Turcs et les Polonais.

200. *Pablo Morillo* (1777-1838), général espagnol qui fut envoyé en Amérique du Sud pour lutter contre l'insurrection et qui fut vaincu par Bolivar.

201. *Jean-Baptiste Berton* (1769-1822) général et homme politique, qui organisa l'insurrection de Saumur, à laquelle il est fait allusion dans le paragraphe suivant, et qui fut décapité.

202. *Bidassoa*, fleuve d'Espagne, où Armand Carrel tenta de s'opposer à l'intervention des troupes françaises (1823).

203. *Antoine-Marie, comte de La Valette* (1769-1830), directeur des Postes sous l'Empire, fut condamné à mort en 1815 ; grâce à l'habileté de sa femme, il parvint à s'évader et se réfugia en Bavière. *Charles, comte Lefebvre-Desnouettes* (1773-1822), général de l'Empire qui fut condamné à mort par contumace et se réfugia aux États-Unis. *Delon*, « ancien camarade » de Hugo qui lui « offrit l'hospitalité en janvier 1822, alors que la police le recherchait pour sa participation au complot républicain de l'École de Saumur » (Y. Gohin, Pl., p. 1448-1449).

204. *Trestaillons* ou *Jacques Dupont*, chef de bandes royalistes qui massacrèrent les protestants pendant la Terreur blanche (1815) dans les régions de Nîmes et d'Uzès.

205. *Arthur Thistlewood* (1770-1820), conspirateur anglais qui avait projeté d'assassiner tous les membres du cabinet. *Trogoff*, « capitaine de la garde royale en garnison à Vincennes, ne fut guère engagé dans le complot bonapartiste qui devait renverser la monarchie en août 1820 et on ne lui infligea en juin 1821 qu'une peine correctionnelle » (Y. Gohin, Pl., p. 1449).

206. *le champ d'Asile*, Frédéric Lallemand (1774-1839) et son frère Henri-Dominique (1777-1823), généraux de l'Empire, voulurent fonder au Texas une colonie dite du Champ d'asile avec les émigrés français (1817). Béranger composa en 1818 sur le sujet une chanson dont Hugo cite le refrain.

207. *smogler* = *smuggler* (angl.), contrebandier.

208. *guipuzcoans*, habitants d'une province septentrionale de l'Espagne sur la côte atlantique.

209. *cave*, grotte, caverne.

210. *Armand Séguin* (1765-1835), chimiste et financier qui découvrit un moyen de tanner le cuir et acquit une fortune considérable pendant la Révolution.

211. *Charles de Bourbon, comte de Charolais* (1700-1760) qui se rendit célèbre par ses violences et ses débauches. Quant à *Louis Mandrin* (1724-1755), il fut un fameux bandit et contrebandier.

212. *Oyarzun*, bourg du pays basque espagnol.

213. *tocayos* (esp.), homonymes.

214. *stercoraires*, excréments.

215. *brucolaques* ou *broucolaques*, fantômes, revenants. Dans *Infernalia*, attribués à Charles Nodier, on lit : « Les peuples du nord les nomment *vampires ;* les Grecs les désignent sous le nom de *broucolaques* » (Éd. P. Belfond, p. 119).

216. *Sagane*, nom qui procède vraisemblablement du latin, *saga*, magicienne, sorcière. *Marie-Anne Lenormand* (1772-1843), célèbre voyante et devineresse, surnommée la Sibylle du faubourg Saint-Germain.

217. *Brocken*, mont dans le Harz (Allemagne), où avait lieu le sabbat des sorcières pendant la nuit du Walpurgis (30 avril au 1er mai). Cf. le *Faust* I.

218. *alleurs*, « les alleurs, ce sont les revenants » (I, I, IV).

219. *l'Épi-scié* « était un cabaret sur le boulevard du Temple ; Lacenaire y vint festoyer avec Avril après avoir assassiné Chardon et sa mère ; ce n'est pas là qu'il fut arrêté, mais à Beaune » (Y. Gohin, Pl., p. 1466). *Pierre-François Lacenaire* (1800-1836), célèbre assassin qui incarna dans l'époque romantique la révolte contre la société et qui fut condamné à la peine de mort.

220. *le faiseur d'or*, habitant la Jacressarde, s'adonne, comme Claude Frollo, mais dans la pauvreté, à la transmutation alchimique et à

la recherche de « la pierre philosophale ». *Les Travailleurs de la mer* contiennent d'autres allusions à l'alchimie : « bouillir de l'or » (I, I, II) et « faisait œuvre de nuit » (I, I, IV).

221. *ormers*, oreilles-de-mer ou haliotides.

222. *Bois-Bertrand*, auteur de manuels de mathématiques, en particulier d'un *Cours d'algèbre à l'usage des aspirants à l'École Polytechnique* (1811).

223. *gibboom* = *jib-boom* (angl.), bâton de foc, bout-dehors.

224. *crostree* = *cross-trees* (angl.), barres, traversins de hune, placés à l'avant *(fore)*.

225. *satanicle*, nom donné par les matelots au pétrel ou oiseau de tempête.

226. *storm-glass* (angl.), verre de tempête.

227. *Rochers Douvres*, en latin de la basse époque, *doga*, « vase », douve. La forme *douvre* est bien attestée à Jersey et à Guernesey dans le sens de « tranchée ». Métivier précise : « Grand fossé plein d'eau ». Hugo se serait inspiré pour la description des Rochers, non des « vrais », mais des « Autelets » sur la côte ouest de Sercq.

228. *fancy* (angl.), d'articles de luxe et de fantaisie.

229. *sucre crushed* (angl.), en poudre ; *thé conjou* (ou plutôt congou), thé noir de saveur forte et de médiocre qualité.

230. *Surinam*, colonie néerlandaise de l'Amérique du Sud.

231. *pouillé*, tableau des bénéfices d'une cure, d'une abbaye, d'un évêché, etc.

232. *Thomas Benton* (1782-1858), homme politique américain, fut un des premiers pionniers du Missouri et un des promoteurs du chemin de fer transcontinental. *Zachary Taylor* (1784-1850) combattit les Mexicains et fut président des États-Unis en 1848. *William Harrison* (1773-1841) et *Andrew Jackson* (1767-1845), tous deux présidents des États-Unis, le premier en 1841, le second de 1828 à 1836.

233. *Martin Van Buren* (mort en 1862), président des États-Unis dès 1836. *William Seward* (1801-1872), gouverneur de l'État de New York et chef du parti anti-esclavagiste. *Stephen Douglas* (1813-1861), homme politique américain qui s'établit dans l'Illinois au moment de la formation de cet État.

234. *Lewis Cass* (1782-1866), homme d'État américain qui organisa le Michigan, fut ministre de la Guerre et secrétaire d'État. *Henry Clay* (1777-1852), homme d'État américain qui négocia la paix de Gand lors du conflit anglo-américain et fut à plusieurs reprises président du Congrès.

235. *Thomas Corwin* (1794-1865), homme politique américain, sénateur, membre de la Chambre des représentants, qui s'opposa à la guerre du Mexique. *Daniel Webster* (1782-1852), homme politique américain et secrétaire d'État qui conclut un traité avec l'Angleterre pour délimiter les frontières entre les États-Unis et le Canada (1842).

236. *Winfield Scott* (1786-1866), général américain qui participa à la guerre contre l'Angleterre et à la guerre du Mexique. Malgré ses succès militaires, il ne parvint pas à la présidence des États-Unis. *Chippeway*, chef-lieu d'un des districts dans l'ancien territoire de la Baie d'Hudson, entre les Montagnes Rocheuses et le Canada. Comme l'a montré Y. Gohin, ce dialogue est inspiré d'un article paru dans un journal américain et traduit dans *La Chronique de Jersey* (30 mars 1853). Cf. Pl., p. 1485-1486.

237. *Béranger*, cette chanson, intitulée *Le bon Dieu*, appartient à l'année 1820. Hugo en cite les v. 1, 3 et 4. Voici le v. 2 : « Fut pour nous assez bienveillant. »

238. *Sainte Marguerite-Marie Alacoque* (1647-1698), religieuse française du couvent de la Visitation à Paray-le-Monial, où elle reçut les révélations du Sacré-Cœur.

239. *la Cadière* et *la religieuse de Louviers*, Marie-Catherine Cadière, née à Toulon en 1709, fut séduite par le Père Girard et accusée de sorcellerie. Le procès eut lieu à Aix en 1730-1731, à l'issue duquel le père jésuite fut acquitté. Madeleine Bavant (1607-1647) fut également séduite par son confesseur, le Père Mathurin Picard. Accusée de sorcellerie, elle fut condamnée à la prison à vie. Michelet a narré en détail les affaires des possédées de Louviers et de la Cadière dans *La Sorcière* (II, chapitre VIII et chapitres X-XII).

240. *le régent George*, le futur roi d'Angleterre George IV qui exerça la régence de 1810 à 1820. *Nicolas Ier* (1796-1855), empereur de Russie qui réprima durement l'insurrection polonaise de 1830.

241. *Antonio Escobar* (1589-1669), casuiste espagnol de l'ordre des jésuites, qui se rendit célèbre en se faisant le défenseur des restrictions mentales. *Louis Bonafous, frère Léotade* (1812-1850), accusé d'attentat à la pudeur et d'homicide volontaire, fut condamné aux travaux forcés, en dépit de ses déclarations d'innocence.

242. *Antonio Gonzales* et *Alvaro Fernandez*, navigateurs portugais du XVe siècle. Le premier explora les côtes africaines et pratiqua la traite des Noirs, tandis que le second fit des explorations scientifiques dans l'embouchure du Sénégal et l'archipel du cap Vert.

243. *foraminifères* et *polycystinées*, la *Préface philosophique des Misérables* (I, V) contient une longue méditation sur ces protozoaires marins et ces mollusques gastéropodes — méditation sur la « descente sans fin de l'échelle des êtres », sur les mystères des gouffres sous-marins et de l'infiniment petit. Hugo y adopte la formule *polycestinée*.

244. *mon fait à choser*, à m'occuper de mon ménage.

245. *friquet*, préau, terrain découvert au milieu de bâtiments.

246. *puseyisme*, d'Édouard Bouverie, dit Pusey (1800-1882), théologien anglais, partisan de la tendance anglo-catholique de l'Église.

247. *in abitto paonazzo* (it.), dans le vêtement violet foncé des évêques.

248. *Cour des Arches*, cour d'appel ecclésiastique des paroisses dépendant de l'archevêque de Canterbury, ainsi nommée parce qu'elle tenait ses séances en l'église Notre-Dame-des-Arcs à Londres.

249. *Solus eris*, fragment de deux vers célèbres d'Ovide (*Tristes*, I, I, v. 39-40) : « Tant que tu seras heureux, tu compteras de nombreux amis ; quand les temps seront devenus malheureux, tu seras seul. »

250. *Sébéon* = Çibôn, fils de Séü, le Horite, père d'Ayya et d'Ana. C'est celui-ci « qui trouva les eaux chaudes au désert en faisant paître les ânes de son père » (*La Genèse*, XXXVI, 24).

251. *député-vicomte*, le suppléant du vicomte ou shérif.

252. *Nathanaël*, probablement saint Barthélemy ou Bartholomé, l'un des douze apôtres.

253. *Barjésus* ou *Elymas*, c'est-à-dire le magicien, fut frappé de cécité pour s'être opposé à la prédication de saint Paul qui le qualifia de « fils du diable » (*Actes des apôtres*, XIII, 10).

254. *Elxaï* ou *Elcésaï*, fondateur d'une secte judéo-chrétienne à l'époque de Trajan. Sa pensée théologique, mêlant des éléments juifs, chrétiens et gnostiques, considérait le Christ comme une intelligence céleste, existant dès les origines du monde.

255. *Oolibama* ou *Judith*, femme d'Ésaü (*La Genèse*, XXVI, 34 et XXXVI, 14).

256. *Ruben*, fils aîné de Jacob et de Lia (*La Genèse*, XXIX, 31-32). *Pheniel* paraît être un nom inventé par Hugo.

257. *Jean Cabot*, navigateur italien du xvᵉ siècle qui se mit au service de l'Angleterre et à qui Henri VII confia la mission de découvrir par le N.-O. une route vers la Chine. Le *Mayflower* est le vaisseau qui emporta en Amérique les premiers *pèlerins*, fondateurs de New Plymouth dans la Nouvelle Angleterre (1620).

258. Le texte biblique, résumant la rencontre d'Isaac et de Rébecca, est emprunté à *La Genèse* (XXIV, 62-67), mais il est cité très librement. Il sera encore fait allusion à Rébecca dans III, I, II.

259. *H*, les Douvres ont la forme du H de Hugo, de même que Notre-Dame de Paris.

260. *Stora*, ville maritime de l'Algérie dans le département de Constantine.

261. *strangurie*, émission difficile, goutte à goutte, de l'urine.

262. *banc des Aiguilles*, cap et banc sous-marin situés à l'extrémité méridionale de l'Afrique. *Jules Dumont d'Urville* (1790-1842), navigateur et explorateur français qui rechercha les traces de La Pérouse en Polynésie. Il attira l'attention du gouvernement français sur la découverte de la Vénus de Milo.

263. *samiel*, dans la *Préface philosophique* (I, XVI), le samyel est un vent de l'Arabie, soufflant comme « une sorte de feu » et répandant « de la gangrène ».

264. *Tolucca*, volcan neigeux du Mexique.

265. *Platon*, la théorie du mouvement des sphères et des planètes est exposée dans le *Timée*. Hugo avait écrit antérieurement dans un « carnet » des *Misérables* : « Platon veut la danse des sphères » et dans la *Préface philosophique* : « Platon voit la danse des sphères » (I, XVI).

266. *Michel de Ruyter* (1607-1676), amiral hollandais, chargé d'expéditions contre les flottes anglaise et française.

267. *îles Maldives*, archipel de l'océan Indien.

268. *Lyse Fjord*, proche de *Stavanger*, fjord du sud-ouest de la Norvège.

269. *vallée d'Anweiler*, dans le Palatinat bavarois.

270. *conferves*, espèce d'algues vertes.

271. *galérienne*, « sur la tête une de ces coiffes de laine rouge usitées alors dans la marine, qu'on appelait au siècle dernier *galériennes* » (II, I, I).

272. *importunæque volucres*, fragment d'un vers des *Géorgiques* de Virgile (I, v. 470) : « et les oiseaux de fâcheux augure donnaient des présages ».

273. *Embouffeté*, joint bout à bout, c'est-à-dire vêtu d'une garniture métallique protectrice, par extension, réuni, attaché.

274. *étranguillon* ou *étranglion*, la partie étroite du conduit d'une soufflerie.

275. *cagniardelle* ou *cagnardelle*, machine soufflante, inventée au début du XIXᵉ siècle.

276. *espoulette* ou *espolette*, tube de fer-blanc en forme d'entonnoir, servant à verser la poudre d'amorce.

277. *poingclos* = tourteau, crabe.

278. *nase*, mot emprunté à l'allemand, cap pointu, promontoire.

279. *syringue*, sépulture royale en Grèce et en Égypte, creusée dans le rocher.

280. *Encelade*, Titan vaincu et châtié par Zeus. Il fut enseveli sous l'Etna et son haleine provoquait les éruptions du volcan.

281. *Praderias del mar* (esp.), prairies de la mer. Selon la *Préface philosophique*, l'expression est de Christophe Colomb pour désigner la végétation sous-marine.

282. *exostose*, protubérance.

283. *éburnes à cérites*, espèces diverses de mollusques gastéropodes.

284. *oscarbion*, genre de mollusque à coquille multivalve.

285. *béhémots*, allusion à Béhémot, identifié avec un bœuf gigantesque ou avec l'hippopotame, symbolisant la force brutale. Il est évoqué dans *Le Livre de Job* (XL, 15-24). « La matière à l'état de cauchemar, c'est Béhémoth », déclare Hugo dans *Promontorium somnii*.

286. *II, I, XIII,* il ne serait pas surprenant que ce chapitre fût l'une des sources du *Bateau ivre* et de la voyance rimbaldienne. S'il n'en est pas une source, il apparaît tout au moins comme une préfiguration.

287. *Salbris,* ville du Loir-et-Cher. *Guillaume Amontons* (1663-1705), physicien français, *Philippe de Lahire* (1640-1718), astronome et mathématicien français, *Charles de Coulomb* (1736-1806), physicien français qui entreprit des expériences sur le frottement, à Rochefort.

288. *Jacques Balmat* (1762-1834), guide de Chamonix, découvrit le premier une route pour gravir le mont Blanc en 1786. L'année suivante, il entreprit à nouveau l'ascension en compagnie d'*Horace-Bénédict de Saussure* (1740-1799), naturaliste et physicien suisse, auteur de *Voyages dans les Alpes.*

289. *polyspaston* ou *polyspate,* dans l'Antiquité, machine munie de poulies et de cordes, servant à soulever des fardeaux. *Vitruve,* architecte romain du Ier siècle avant J.-C., qui construisit aussi des machines de guerre et écrivit un traité *De l'architecture* (cf. Livre X, chapitre II).

290. *machine de Marly,* machine hydraulique, construite au XVIIe siècle pour alimenter les eaux de Versailles.

291. *Sub re,* sous la chose, c'est-à-dire la confrontation avec la fatalité des forces cosmiques qu'il faut vaincre par l'*héroïsme.*

292. *les îles Féroé,* archipel danois de la mer du Nord.

293. *non possumus,* nous ne pouvons pas. Telle fut la réponse de saint Pierre et de saint Jean aux sacrificateurs qui leur interdisaient de prêcher l'Évangile (*Actes des apôtres,* IV, 19-20).

294. *un Job Prométhée,* ce rapprochement mythique est familier à Hugo, dans la mesure où Prométhée et Job appartiennent aux composantes du « mythe titanique » (Cf. Pierre Albouy, *La Création mythologique chez Victor Hugo,* p. 217-226). Mais le rapprochement est ici plus formel que partout ailleurs. Si Prométhée incarne la révolte au nom du progrès et du *droit* humain, Job représente la résignation dans l'épreuve de la souffrance. Ils ont en commun d'être des *mages,* alors que Job est plus particulièrement un *voyant* qui tire une doctrine de l'humiliation que Dieu lui inflige. « C'est qu'en effet Job est un officiant et un voyant. Job extrait de son drame un dogme ; Job souffre et conclut. Or souffrir et conclure, c'est enseigner » (*William Shakespeare,* p. 64).

295. *Sub umbra,* sous l'ombre, c'est-à-dire la confrontation avec les puissances nocturnes, souvent identifiées avec le Mal dans la symbolique hugolienne. Tout ce chapitre est proche du *Promontorium somnii.*

296. *Immanence,* consulter l'étude d'Yves Gohin, *Sur l'emploi des mots immanent et immanence chez Victor Hugo,* qui observe que ces deux termes sont utilisés pendant les années 1860 à 1866 — période durant laquelle le poète est préoccupé par le surnaturalisme — puis que s'opère un passage d'immanent à immanence. Ce mot recouvre la totalité de la création, le fourmillement de la vie universelle et l'unité de la substance cosmique. Y. Gohin précise que l'immanence implique « la présence du transcendant » et que la notion englobe tant la Nature que Dieu.

297. *la contemplation suprême*, c'est le titre donné à un texte particulièrement important, incorporé au *Post-scriptum de ma vie*. Il porte entre autres sur la conception que le poète se fait du *surnaturalisme*.

298. *Alexandre Thomas* « avait rejoint en prison, en 1840, les chefs de l'insurrection de mai 1839; il fut un temps, à Jersey, le compagnon d'exil des Hugo» (Y. Gohin, Pl., p. 1547).

299. *Frédéric, baron de Trenck* (1726-1794), aventurier allemand qui s'évada de la forteresse de Glatz (Prusse). Quant à *Jean-Henri Latude* (1728-1805), aventurier languedocien, il s'évada plusieurs fois du donjon de Vincennes et de la Bastille.

300. *Joseph Andrault, marquis de Langeron* (après 1641-1711), marin français qui accéda au grade de lieutenant général. La *baie d'Ambleteuse* est dans le Pas-de-Calais.

301. *L'extrême touche l'extrême* [...], Y. Gohin a précisé que ce chapitre et le suivant sont tributaires des deux ouvrages de Zurcher et Margollé, *Les Tempêtes*, Hetzel, 1863 et *Les Météores*, Hachette, 1865 (Pl. p. 1559 et 1561-1563). Les deux ouvrages se trouvaient dans la bibliothèque de Hugo à Hauteville-House, comme l'a rappelé J.-B. Barrère dans *Victor Hugo à l'œuvre* (p. 48 et 311).

302. *syzygie*, la nouvelle et la pleine lune à sa conjonction ou à son opposition avec le soleil.

303. *solem quis dicere* [...], citation empruntée à deux vers des *Géorgiques* de Virgile (I, v. 463-464) : « le soleil! qui oserait le traiter d'imposteur! »

304. *les Marouts* et *les Kéroubims*, la religion védique identifiait les vents avec les Marouts, qui assistent la puissance d'Indra, et la religion hébraïque avec les Chérubins (cf. *William Shakespeare*, I, IV, VII, p. 134).

305. *François Page* (1807-1867), marin français qui se distingua en Océanie et surtout en Cochinchine dans la lutte contre les Annamites (1859).

306. *Robert Surcouf* (1773-1827), corsaire français, qui se rendit célèbre par ses exploits contre le commerce anglais dans l'océan Indien. Il devint baron de l'Empire et l'un des principaux armateurs de France.

307. *Sir Charles Napier* (1786-1860), amiral anglais qui s'illustra dans plusieurs expéditions navales.

308. *luoghi spaventosi* (it.), lieux effrayants.

309. *Prester* (lat.), météore igné, colonne ou tourbillon de feu.

310. *iron-clads* (angl.), cuirassés.

311. *Charles Messier* (1730-1817), astronome français, auteur d'un catalogue des nébuleuses.

312. *Favonius*, nom mythologique du zéphyr. *Bora*, vent froid soufflant sur la mer Adriatique. *Notus*, vent du Midi.

313. *colures*, les deux méridiens de la sphère céleste qui contiennent, le premier les deux solstices, le second les deux équinoxes.

314. *Ceto*, néréide, fille de Pontos (la Mer masculinisée) et de Gaïa (la Terre).

315. *turba, turma*, jeu de mots latins, pratiquement impossible à traduire : cohue, escadron. On a signalé à plus d'une reprise que ce chapitre était redevable dans son information aux *Tempêtes* de Zurcher et Margollé.

316. *Alca impennis*, désigne le pingouin, appartenant à la famille des alcidés. L'alca impennis ou grand pingouin qui existait encore au début du XIXe siècle a aujourd'hui disparu. Ses ailes n'étaient formées que de courts moignons.

317. *Awu*, «en mars 1859, il y eut une éruption volcanique des monts Awu dans l'île de Sanguir en Malésie» (Y. Gohin, Pl., p. 1566).

318. *Nicolas Lémery* (1645-1715), médecin et chimiste français qui a étudié les sels végétaux et élaboré une théorie des volcans.

319. *harmattan*, vent très sec de l'Afrique occidentale. Selon la *Préface philosophique*, il souffle sur «la côte de Guinée» et «arrive dans un brouillard»; contrairement au samyel, il apporte la *guérison*.

320. *hurricane*, cyclone tropical dans les Antilles.

321. *Antonio de Herrera* (1559-1625), historien espagnol et premier historiographe des Indes. *Malo viento* [...], un mauvais vent tourne contre le soleil.

322. *Veraguas*, région de l'Amérique centrale sur la côte pacifique.

323. *salses*, petits volcans, crachant de la boue et des gaz.

324. *cap de Fer*, promontoire de la côte algérienne dans le département de Constantine.

325. *galerne*, vent d'ouest et du nord-ouest sur les côtes françaises de l'Atlantique.

326. *Thomas Stevenson* (1812-1887), ingénieur et météorologue écossais.

327. *breakwater* (angl.), brise-lames.

328. *Thomas Fuller* (1608-1661), historien et théologien anglais, auteur de l'*Histoire de l'Église d'Angleterre*.

329. *Henry Piddington*, capitaine de marine anglais du XIXe s., qui s'est intéressé aux ouragans du golfe de Bengale et de la mer d'Oman.

330. *la pieuvre*, c'est le roman de Húgo qui a accrédité en français ce terme emprunté au dialecte anglo-normand. « C'est au point que le nom jusqu'alors dialectal — originaire des îles anglo-normandes — de «pieuvre» dont il se sert, supplante désormais dans le langage courant l'appellation traditionnelle de poulpe (de *polypus*). » (Roger Caillois, *La Pieuvre*, p. 80.)

331. *jararaca*, serpent venimeux de l'Amérique du Sud. *Buthus*, scorpion jaune qui se trouve dans le Midi de la France. *Vespertilio* ou *vespertilion*, espèce de chauve-souris.

332. *kraken*, espèce de poulpe gigantesque que les marins croient avoir discerné dans l'Océan. Hugo écrit dans *La Mer et le vent :* « Le Kraken auquel Buffon croyait, est un Python solaire. » J.-B. Barrère cite dans *Victor Hugo à l'œuvre* un passage du *Pirate* de W. Scott sur le kraken (p. 154). (Cf. Roger Caillois, *La Pieuvre*, p. 41-47.) *Devil-fish*, appelé dans la *Préface philosophique* « le monstre aux huit cents ventouses ». R. Caillois rappelle que saint Ambroise voyait déjà dans le poulpe une représentation du Diable, contrairement à la vision de l'Antiquité (p. 28).

333. *Sonnini de Manoncourt* (1751-1812), savant et voyageur français qui publia l'œuvre de Buffon et la continua avec l'*Histoire naturelle* des reptiles et des poissons.

334. *Denys-Montfort*, continuateur des travaux de Buffon, a publié à Paris en l'an X (1802) *L'Histoire naturelle, générale et particulière, des Mollusques* (6 vol.), comprenant de longues descriptions des poulpes. Il se peut que Hugo ait lu *La Mer* de Michelet (1861), mais l'ouvrage de Denys-Montfort constitue, de son propre aveu, la source de sa digression visionnaire et théologique sur le monstre, posant « l'énigme du mal ». R. Caillois a montré que la description de Montfort a engendré le mythe moderne de la pieuvre dont la littérature s'est emparée au XIXᵉ siècle, non seulement Michelet et Hugo, mais Lautréamont dans *Les Chants de Maldoror* et J. Verne dans *Vingt mille lieues sous les mers* (cf. *La Pieuvre*, p. 47-52, puis 73-102).

335. *Georges Bory de Saint-Vincent*, (1778-1846), géographe et naturaliste français qui participa à plusieurs expéditions scientifiques en Afrique.

336. *François Péron* (1775-1810), naturaliste français qui entreprit une mission scientifique dans l'hémisphère austral et publia un *Voyage aux terres australes*. *Chevalier de Lamarck* (1744-1829), naturaliste français qui fut l'un des promoteurs des théories de la génération spontanée et du transformisme.

337. *carnasse*, animal marin, ayant l'apparence d'une masse de chair gélatineuse, dit ortie de mer.

338. *sépiaires*, ordre de mollusques céphalopodes, ayant pour type la seiche.

339. *argyronecte*, s'agit-il de l'argyronète, araignée aquatique qui vit sous une cloche de soie qu'elle tisse elle-même ?

340. *le bi-frons des manichéens*, le manichéisme est une religion dualiste — bi-frons comme Janus — fondée par le réformateur iranien Mani ou Manès (215-277). Elle est établie sur le conflit irréductible des deux principes de la Lumière et des Ténèbres, identifiés d'une part avec le Bien, de l'autre avec le Mal et la matière.

341. *Charles Bonnet* (1720-1793), philosophe et naturaliste suisse, partisan de la théorie de la préexistence et de l'évolution des germes. *Étienne Geoffroy Saint-Hilaire* (1772-1844), naturaliste français et créateur de l'embryologie. Son système est centré sur l'unité de composition organique dont Balzac s'est inspiré pour fonder sa doctrine de

l'unité de composition (cf. l'Avant-Propos de *La Comédie humaine*). Il fut combattu par *Georges Cuvier* (1769-1832), créateur de l'anatomie comparée et de la paléontologie, au nom de la fixité des espèces.

342. *la mouche de cette araignée*, légitime le rapprochement de la pieuvre avec l'araignée de *Notre-Dame de Paris*, qui sont toutes deux, selon Charles Baudouin, des symboles de la Fatalité et de la Mère terrible (*Psychanalyse de Victor Hugo*, p. 157-181). Dans une perspective tout autre, Roger Caillois considère aussi les analogies entre la pieuvre et l'araignée. (*La Pieuvre*, p. 219-223.)

343. *Étienne Arnal* (1794-1872), acteur comique français qui remporta ses succès au Vaudeville et au Palais-Royal.

344. *Sir Hudson Lowe* (1764-1844), gouverneur de l'île de Sainte-Hélène, qui fut chargé de la surveillance de Napoléon.

345. *apitage*, ce terme de marine est absent de tous les dictionnaires consultés. Il peut se rapprocher d'*apia* ou *appiat* = support et de *s'apitchi*, se tenir debout. Il correspondrait alors à une sorte d'étai, destiné à fixer la machine (hypothèse communiquée par Jacques Bony).

346. *Louis-Aloys, prince de Hohenlohe* (1765-1829), combattit dans l'armée des émigrés. Il fut naturalisé français, puis nommé maréchal et pair de France. Ne s'agit-il pas plutôt d'Alexandre-Léopold Hohenlohe (1794-1849) auquel on attribue des miracles et qui était vénéré par les illuminés? (cf. Auguste Viatte, *Victor Hugo et les illuminés de son temps*, p. 15).

347. *La Salette*, commune de l'Isère, où la Vierge apparut à deux jeunes bergers (1846) et qui devint un lieu célèbre de pèlerinage. Huysmans s'y rendit durant l'été 1891.

348. *estimat* = estimation.

349. *vésin* = voisin.

350. *l'effort panique*, l'adjectif panique et le dieu Pan qui interviennent à diverses reprises dans le texte sont une des expressions de l'immanence dans le roman. «L'effort panique et sacré de la sève est travail» traduisant la présence d' «une plénitude divine» (III, III, IV).

351. *l'infini*, le vers 405 du *Satyre* évoque l'accouplement du Chaos et de l'Infini, qui représente au contraire le principe féminin.

352. *merelles* = marelles.

TABLE

Interview : « Patrick Grainville, pourquoi aimez-vous
  Les Travailleurs de la mer ? » I
Chronologie 5
Introduction 19
Bibliographie... 41
Note sur l'établissement de l'édition.......................... 49

Les Travailleurs de la mer

L'ARCHIPEL DE LA MANCHE 57

PREMIÈRE PARTIE. — SIEUR CLUBIN........................ 109

DEUXIÈME PARTIE. — GILLIATT LE MALIN.............. 349

TROISIÈME PARTIE. — DÉRUCHETTE........................ 523

Glossaire des termes de marine 597
Notes 605

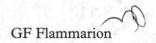

GF Flammarion

12/03/169599-III-2012 – Impr. MAURY Imprimeur, 45330 Malesherbes.
N° d'édition L.01EHPN000521.N001. – 3ᵉ trimestre 1980. – Printed in France.